새 교육과정

필수개념으로 꽉 채운 **개념기본서**

날선개념

고등 수학(하)

동아출판

날카롭게 선별한 개념기본서

고등 수학, 겁먹을 필요 없다!
특별한 사람만 수학을 잘하는 것은 아니다.

날카롭게 설명하고 엄선한 문제로
수학의 기본을 다지면,
누구나 수학을 잘할 수 있다.

고등 수학의 편안한 출발
날선개념으로 시작하자!

날선 가이드

나는 어떤 스타일인가요? 문항을 읽고 체크해 보세요.

- ☐ 고등 수학(하)를 처음 공부해요.
- ☐ 수학 개념이 문제에 어떻게 적용되는지 알고 싶어요.
- ☐ 능률을 생각하지 않고 무조건 열심히 공부해요.
- ☐ 수학 문제를 봐도 무슨 말인지 모르겠어요.
- ☐ 선생님이 설명해 주시면 알겠는데, 다시 풀려면 막막해요.

위 문항 중 **한 개 이상 체크**했다면 **날선개념으로 꼭 공부해야 합니다!**
고등 수학(하)를 미리 공부하고 싶을 때
또는 수학 개념을 내 것으로 만들고 싶을 때 **날선개념**으로 공부하세요.
대표Q의 [날선 Guide]로 스스로 생각하는 힘을 키우면
공부 능률도 오르고 수학에 자신감이 생깁니다.

집필진 이창형 | 서울대학교 수학과 및 동 대학원
김창훈 | 서울대학교 수학교육과
이창무 | 서울대학교 수학과, 현 대성마이맥 강사

인쇄일 2019년 7월 31일
발행일 2019년 8월 10일
펴낸이 이욱상
펴낸데 동아출판(주)
신고번호 제300-1951-4호(1951. 9. 19)
편집팀장 이상민
책임편집 박지나, 장수경, 김성일, 김경숙, 김형순, 김성희, 김윤미
디자인팀장 목진성
책임디자인 강혜빈

필수개념으로 꽉 채운 개념기본서

날선개념

고등 수학(하)

날선개념 이런 점이 좋아요!

1. 학습 플랜 관리

날선개념 학습 Note에 목표와 학습 계획을
세우고 기록하면서 규칙적인 학습 습관을
기를 수 있어요.

2. 주제별 개념 학습

수학 개념을 주제별로 모아
간단하고 명확하게 설명하고 있어
이해하기 쉬워요.

3. 대표Q & 날선Q 문제로 생각하는 힘을 향상

유형별로 풀이를 외우는 학습은
진짜 수학 공부가 아니에요.
날선 Guide를 통해 어떤 개념이 사용되는지
생각하는 힘을 길러 보세요.

4. 복습과 오답 Note로 완벽 이해

날선개념 학습 Note를 이용하여
문제를 풀이하고 오답 Note를 만들어
개념을 완벽히 내 것으로 만들어 보세요.

수학은
공식을 외우는 것이 아니라
생각하는 힘을 키우는
즐거운 습관입니다.

이 책의 구성과 특징

1 개념 완결 학습

필수개념 개념을 주제별로 나눠 필수개념을 한눈에 보고, 예시를 통해 원리를 쉽게 이해할 수 있습니다.

개념 Check 개념에 따른 확인 문제를 바로 풀어 봄으로써 개념과 원리를 확실히 익힐 수 있습니다.

공부한 날 공부한 날짜를 쓰면서 스스로 진도를 확인할 수 있습니다.

2 대표 문제와 유제

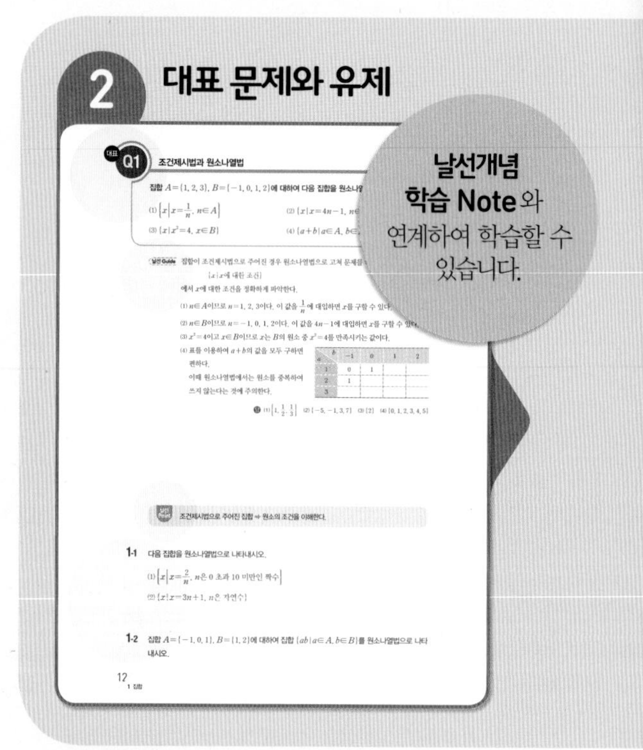

대표Q 개념 이해를 돕고 최신 출제 경향을 반영한 대표 문제를 제시하였습니다.

날선 Guide 문제를 푸는 원리와 접근 방법을 제시하여 스스로 생각하고 문제를 해결할 수 있습니다.

날선 Point 문제를 해결하는 데 핵심이 되는 내용을 정리하였습니다.

유제 대표Q와 유사한 문제 및 발전 문제로 구성하여 대표 문제를 충분히 연습할 수 있습니다.

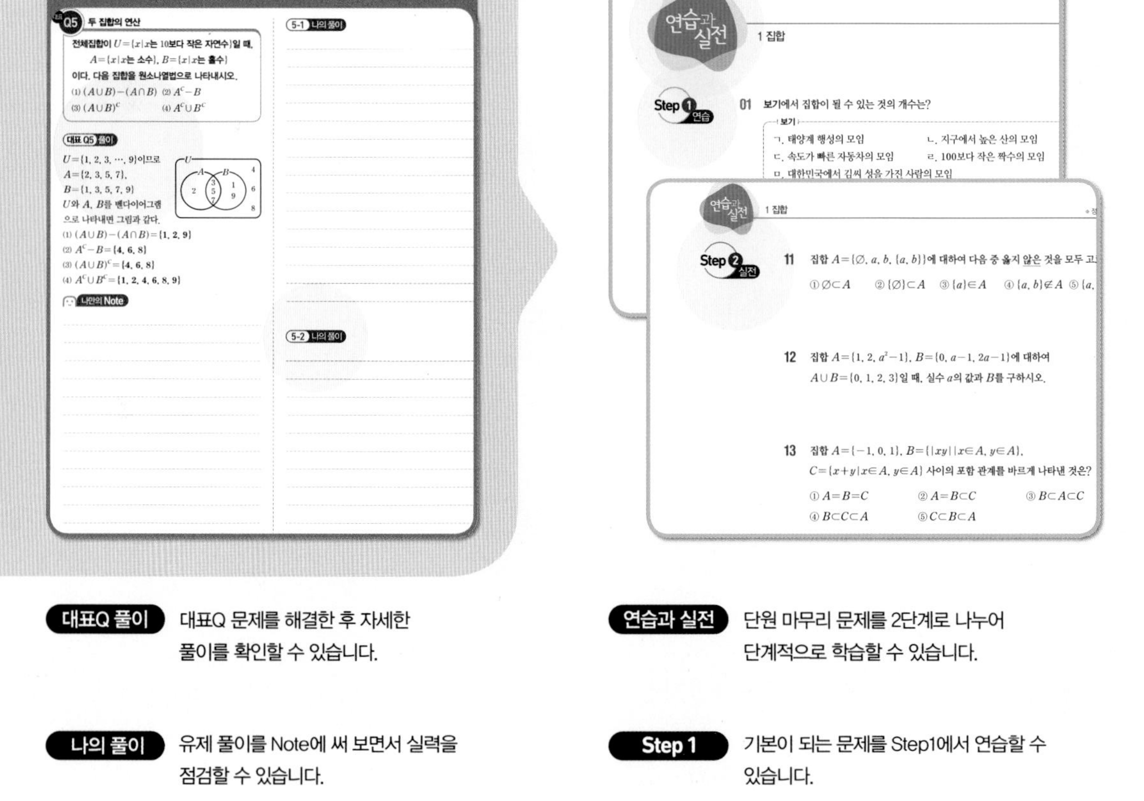

대표Q 풀이 대표Q 문제를 해결한 후 자세한 풀이를 확인할 수 있습니다.

나의 풀이 유제 풀이를 Note에 써 보면서 실력을 점검할 수 있습니다.

연습과 실전 단원 마무리 문제를 2단계로 나누어 단계적으로 학습할 수 있습니다.

Step 1 기본이 되는 문제를 Step1에서 연습할 수 있습니다.

Step 2 학교 시험, 교육청, 평가원, 수능 기출 문제를 엄선하여 Step2에서 실전에 대비할 수 있습니다.

이 책의 차례

고등 수학(하)

Contents

고등 수학(상)

Where there is a will,
there is a way.

집합

1

우리 생활 속에는 '야구를 좋아하는 사람들의 모임', '우리나라 야구 국가대표 선수들의 모임' 등 다양한 모임이 있다. '좋아하는'의 기준이 서로 다를 수 있으므로 '야구를 좋아하는 사람들의 모임'은 그 대상을 분명하게 결정할 수 없지만, '우리나라 야구 국가대표 선수들의 모임'은 그 대상을 분명하게 결정할 수 있다. 이와 같이 그 대상을 분명하게 결정할 수 있는 것들의 모임을 수학적으로 정의할 수 있다.

이 단원에서는 집합의 뜻과 표현, 집합 사이의 포함 관계, 집합의 연산에 대하여 알아보자.

1-1 집합과 원소

개념

1 조건에 따라 대상을 분명하게 결정할 수 있는 것들의 모임을 **집합**이라 하고,
집합을 이루는 각각을 **원소**라 한다.

2 a가 집합 A의 원소이면 $\boldsymbol{a \in A}$로 나타내고,
b가 집합 A의 원소가 아니면 $\boldsymbol{b \notin A}$로 나타낸다.

3 원소가 없는 집합을 **공집합**이라 하고 $\varnothing$으로 나타낸다.

집합과 원소 • 한 자리 자연수 중 짝수의 모임은

2, 4, 6, 8

이다. 이와 같이 대상이 분명한 모임을 집합이라 한다.
또 2, 4, 6, 8과 같이 집합을 이루는 각각을 원소라 한다.
그러나 '작은 짝수의 모임'은 작다는 기준이 분명하지 않으므로 집합이 아니다.

집합과 원소의 관계 • 한 자리 자연수 중 짝수의 모임을 집합 A라 하면
2는 A의 원소이다. 이를 $2 \in A$로 나타낸다.
3은 A의 원소가 아니다. 이를 $3 \notin A$로 나타낸다.

$a \in A$ ➡ a는 집합 A의 원소이다.

$b \notin A$ ➡ b는 집합 A의 원소가 아니다.

보통 집합은 대문자 A, B, C, …로 나타내고, 원소는 소문자 a, b, c, …로 나타낸다.

공집합 • 원소가 없는 집합을 공집합이라 하고 $\varnothing$으로 나타낸다.
예를 들어 8보다 크고 10보다 작은 짝수의 모임은 공집합이다.

참고 일상에서 집합(set)은 여러 개 모아 놓은 것을 말하지만, 수학에서 집합은 원소가 0개 또는 1개인 경우도 생각한다.

개념 Check

◆ 정답 및 풀이 1쪽

1 다음 중 집합인 것을 모두 고르면?

① 작은 수의 모임
② 10보다 작은 자연수의 모임
③ 키가 큰 사람의 모임
④ 키가 150 cm보다 큰 사람의 모임
⑤ 착한 사람의 모임

2 집합 A가 10보다 작은 소수의 모임일 때, 다음 □ 안에 $\in$ 또는 $\notin$ 중 알맞은 것을 써넣으시오.

(1) 2 □ A　　(2) 5 □ A　　(3) 9 □ A

1-2 집합의 표현법, 서로 같은 집합

1 집합의 표현 방법

(1) 원소나열법 : { } 안에 모든 원소를 나열한다.

(2) 조건제시법 : $\{x\,|\,x$에 대한 조건$\}$으로 나타낸다.

2 집합 A, B의 원소가 같으면 A와 B는 서로 같다고 하고 $\boldsymbol{A=B}$로 나타낸다.

집합의 표현 • 한 자리 자연수 중 짝수의 모임을 집합 A라 하자.

A의 원소 2, 4, 6, 8을 다음과 같이 { } 안에 쉼표 ',' 로 구분하여 나열할 수 있다.

$$A=\{2, 4, 6, 8\}$$

이와 같이 집합을 나타내는 방법을 원소나열법이라 한다.

원소나열법에서는

① $A=\{8, 6, 4, 2\}$라 써도 된다. ⟶ 원소를 쓰는 순서에 상관없다.

② $\{2, 2, 4, 6, 8\}$과 같이 원소를 중복하여 쓰지는 않는다.

③ 원소가 많고 일정한 규칙이 있는 경우 $\{1, 2, 3, 4, 5, \cdots\}$, $\{2, 4, 6, \cdots, 50\}$과 같이 '…'를 이용하여 원소의 일부를 생략해 표현하면 된다.

{ } 안의 원소에 대한 조건을 다음과 같은 형식으로 쓸 수도 있다.

$$A=\{\underbrace{x}_{x\text{들의 모임}}\,|\,\underbrace{x\text{는 한 자리 자연수 중 짝수}}_{x\text{에 대한 조건}}\}$$

이와 같이 집합을 나타내는 방법을 조건제시법이라 한다.

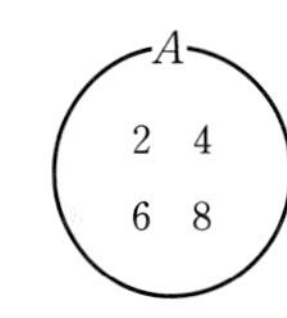

오른쪽과 같이 집합을 나타내는 그림을 벤다이어그램이라 한다.

벤다이어그램에서는 원소를 구분하기 위해 쉼표를 쓰지는 않는다.

서로 같은 집합 • 두 집합 $\{2, 4, 6, 8\}$, $\{x\,|\,x$는 한 자리 자연수 중 짝수$\}$는 원소가 같다.

이와 같이 집합 A, B의 원소가 같을 때 A와 B는 서로 같다고 하고 $A=B$로 나타낸다.

또 A와 B가 같지 않을 때에는 $A\neq B$로 나타낸다.

개념 Check

◆ 정답 및 풀이 1쪽

3 다음 집합을 원소나열법으로 나타내시오.

(1) $\{x\,|\,x$는 10보다 작은 홀수$\}$ (2) $\{x\,|\,|x-1|\leq 2,\ x$는 정수$\}$

4 다음 집합을 조건제시법으로 나타내시오.

(1) $\{1, 2, 3, \cdots, 19\}$ (2) $\{5, 10, 15, 20, \cdots\}$

1-3 부분집합

1 집합 B의 모든 원소가 집합 A에 속할 때,
B는 A의 **부분집합**이다 또는 A는 B를 포함한다고 하고
$\boldsymbol{B \subset A}$로 나타낸다.
또 B가 A의 부분집합이 아닐 때 $\boldsymbol{B \not\subset A}$로 나타낸다.

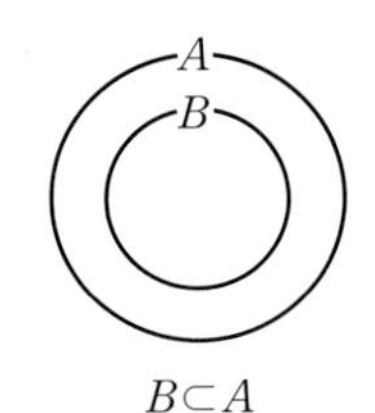

2 A가 집합이면 $\varnothing \subset A$, $A \subset A$이다.
특히 A가 아닌 A의 부분집합을 A의 **진부분집합**이라 한다.

3 $A \subset B$이고 $B \subset A$이면 $A = B$이다.

부분집합 • $A=\{2, 4, 6, 8\}$, $B=\{2, 4, 6\}$이라 하면
집합 B의 모든 원소는 집합 A에 속한다. 이때

B는 A의 부분집합이다 또는 A는 B를 포함한다

고 하고 $B \subset A$ (또는 $A \supset B$)로 나타낸다.
그리고 A의 원소 8은 B의 원소가 아니다.
따라서 A는 B의 부분집합이 아니고, $A \not\subset B$로 나타낸다.

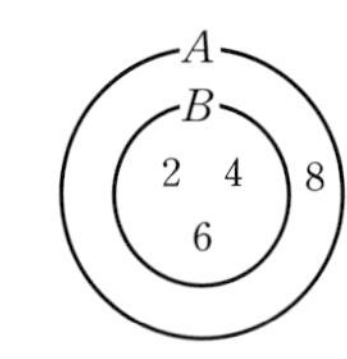

부분집합의 성질 • 공집합은 모든 집합의 부분집합이라 약속한다.
또 모든 집합은 자기 자신의 부분집합이라 할 수 있다.

A가 집합일 때 $\varnothing \subset A$, $A \subset A$

자신을 제외한 나머지 부분집합을 진부분집합이라 한다.

서로 같은 집합 • $A \subset B$이면 A의 모든 원소가 B의 원소이고,
$B \subset A$이면 B의 모든 원소가 A의 원소이다.
따라서 $A \subset B$이고 $B \subset A$이면 A, B의 원소가 같으므로 $A=B$이다.

$A \subset B$이고 $B \subset A$이면 $A=B$이다.

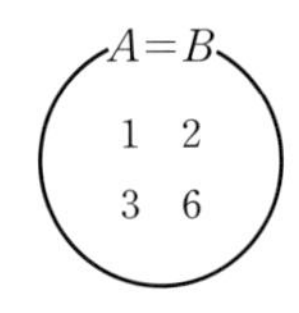

개념 Check

◆ 정답 및 풀이 1쪽

5 집합 A, B 사이의 포함 관계를 $\subset$ 또는 $=$로 나타내시오.

(1) $A=\{-3, 0, 3\}$, $B=\{x \mid x^2=9\}$

(2) $A=\{3, 6, 9, 12, \cdots\}$, $B=\{x \mid x$는 3의 배수$\}$

(3) $A=\{x \mid x$는 홀수$\}$, $B=\{x \mid x$는 자연수$\}$

6 집합 $A=\{-1, 2, 4\}$, $B=\{a^2, 2\}$에 대하여 $B \subset A$일 때, 실수 a의 값을 모두 구하시오.

7 집합 $A=\{2, 3, a\}$, $B=\{3, 5, b\}$에 대하여 $A=B$일 때, 실수 a, b의 값을 구하시오.

1-4 원소의 개수와 부분집합의 개수

1 집합 A의 원소가 유한개일 때, A의 원소의 개수를 $\boldsymbol{n(A)}$로 나타낸다.

2 집합 $A=\{1, 2, 3, \cdots, k\}$의 부분집합의 개수는 2^k이다.

집합의 원소의 개수

집합 $A=\{2, 4, 6\}$의 원소는 3개이다.

이것을 기호를 써서 $n(A)=3$으로 나타낸다.

하지만 자연수 전체의 집합과 같이 원소가 무수히 많은 경우 원소의 개수를 생각하지 않는다.

참고 원소가 무수히 많은 집합을 무한집합, 무한집합이 아닌 집합을 유한집합이라 한다.

부분집합

집합 $A=\{2, 4, 6\}$의 부분집합을 모두 쓰면 다음과 같다.

원소가 0개 : $\varnothing$

원소가 1개 : $\{2\}$, $\{4\}$, $\{6\}$

원소가 2개 : $\{2, 4\}$, $\{2, 6\}$, $\{4, 6\}$

원소가 3개 : $\{2, 4, 6\}=A$

따라서 A의 부분집합은 8개이고, A의 진부분집합은 7개이다.

부분집합의 개수

그림과 같이 원소 2, 4, 6의 포함 여부를 각각 ○, ×로 구분하여 나타내면

A의 부분집합의 개수는

$2\times2\times2=2^3$

임을 알 수 있다.

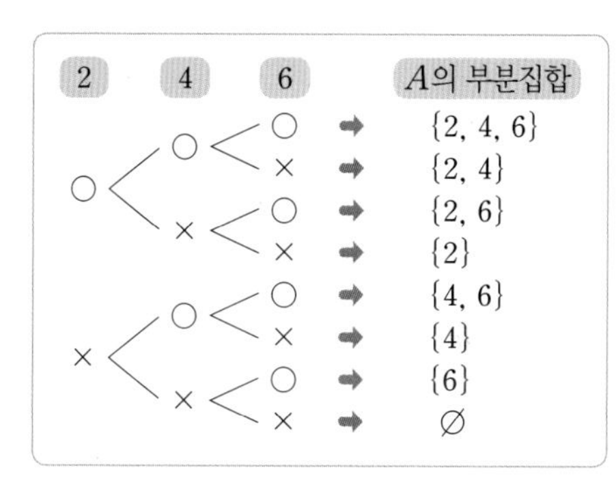

이와 같이 생각하면 다음도 알 수 있다.

집합 A의 원소가 k개이면

부분집합은 2^k개이다.

개념 Check

◆ 정답 및 풀이 1쪽

8 다음 집합의 부분집합을 모두 구하시오.

(1) $A=\{a, b\}$

(2) $B=\{x \mid x\text{는 9의 약수}\}$

9 다음 집합의 부분집합과 진부분집합의 개수를 구하시오.

(1) $A=\{0\}$

(2) $B=\{1, 2, 3, 4, 5\}$

대표 Q1

조건제시법과 원소나열법

◆ 정답 및 풀이 1쪽

집합 $A=\{1, 2, 3\}$, $B=\{-1, 0, 1, 2\}$에 대하여 다음 집합을 원소나열법으로 나타내시오.

(1) $\left\{x \middle| x=\frac{1}{n}, n\in A\right\}$ (2) $\{x|x=4n-1, n\in B\}$

(3) $\{x|x^2=4, x\in B\}$ (4) $\{a+b|a\in A, b\in B\}$

날선 Guide 집합이 조건제시법으로 주어진 경우 원소나열법으로 고쳐 문제를 해결하는 경우가 많다.

$\{x|x$에 대한 조건$\}$

에서 x에 대한 조건을 정확하게 파악한다.

(1) $n\in A$이므로 $n=1, 2, 3$이다. 이 값을 $\frac{1}{n}$에 대입하면 x를 구할 수 있다.

(2) $n\in B$이므로 $n=-1, 0, 1, 2$이다. 이 값을 $4n-1$에 대입하면 x를 구할 수 있다.

(3) $x^2=4$이고 $x\in B$이므로 x는 B의 원소 중 $x^2=4$를 만족시키는 값이다.

(4) 표를 이용하여 $a+b$의 값을 모두 구하면 편하다.
이때 원소나열법에서는 원소를 중복하여 쓰지 않는다는 것에 주의한다.

a \ b	-1	0	1	2
1	0	1		
2	1			
3				

답 (1) $\left\{1, \frac{1}{2}, \frac{1}{3}\right\}$ (2) $\{-5, -1, 3, 7\}$ (3) $\{2\}$ (4) $\{0, 1, 2, 3, 4, 5\}$

조건제시법으로 주어진 집합 ➡ 원소의 조건을 이해한다.

1-1 다음 집합을 원소나열법으로 나타내시오.

(1) $\left\{x \middle| x=\frac{2}{n}, n\text{은 0 초과 10 미만인 짝수}\right\}$

(2) $\{x|x=3n+1, n\text{은 자연수}\}$

1-2 집합 $A=\{-1, 0, 1\}$, $B=\{1, 2\}$에 대하여 집합 $\{ab|a\in A, b\in B\}$를 원소나열법으로 나타내시오.

대표 Q2 집합과 원소, 부분집합

◆ 정답 및 풀이 2쪽

집합 $A=\{1, 2, \{1, 2\}\}$에 대하여 보기에서 옳은 것의 개수는?

보기

ㄱ. $1\in A$ ㄴ. $\{2\}\in A$ ㄷ. $\{1, 2\}\in A$

ㄹ. $\varnothing\subset A$ ㅁ. $\{1\}\subset A$ ㅂ. $\{1, 2\}\not\subset A$

ㅅ. A의 부분집합 중 원소가 1개인 것은 $\{1\}$, $\{2\}$뿐이다.

① 3 ② 4 ③ 5 ④ 6 ⑤ 7

날선 Guide 다음만 알면 풀 수 있다.

(1) A의 원소는 1, 2, $\{1, 2\}$이다. 곧,

$$1\in A,\ 2\in A,\ \{1, 2\}\in A$$

이와 같이 집합의 원소는 집합일 수도 있다.

(2) A의 부분집합은 1, 2와 $\{1, 2\}$가 원소인 집합이다.

예를 들어 $\{1\}$, $\{2\}$, $\{1, 2\}$, $\{\{1, 2\}\}$, $\{1, \{1, 2\}\}$는 모두 A의 부분집합이다. 곧,

$$\{1\}\subset A,\ \{2\}\subset A,\ \{1, 2\}\subset A,\ \{\{1, 2\}\}\subset A,\ \{1, \{1, 2\}\}\subset A$$

따라서 $\{1, 2\}$는 A의 원소이기도 하고 부분집합이기도 하다.

(3) 공집합과 A 자신은 A의 부분집합이다. 곧,

$$\varnothing\subset A,\ A\subset A$$

답 ②

- a가 A의 원소이면 $a\in A$, $\{a\}\subset A$
- B가 A의 부분집합이면 $B\subset A$

2-1 집합 $A=\{\varnothing, 1, \{1\}, 2\}$에 대하여 다음 중 옳지 않은 것은?

① $\{1\}\in A$ ② $\varnothing\subset A$ ③ $\{1, 2\}\subset A$

④ $\{\varnothing, \{1\}\}\subset A$ ⑤ $n(A)=3$

부분집합의 성질

◆ 정답 및 풀이 2쪽

다음 물음에 답하시오.

(1) 집합 $A=\{x|x^3+ax^2-x-a=0\}$, $B=\{2, b, c\}$에 대하여 $A\subset B$이고 $B\subset A$일 때, 실수 a, b, c의 값을 구하시오. (단, $b<c$)

(2) 집합 $A=\{x|-2\le x\le 4a\}$, $B=\{x|b\le x+a\le 5\}$, $C=\{x||x-a|\le c\}$에 대하여 $A\subset B$, $B\subset C$, $C\subset A$일 때, 실수 a, b, c의 값을 구하시오.

날선 Guide (1) $A\subset B$이고 $B\subset A$이면 $A=B$이다.
또 A의 원소는 방정식 $x^3+ax^2-x-a=0$의 해이다.
따라서 이 방정식의 해가 2, b, c일 때 a, b, c의 값을 구하는 문제이다.
먼저 2가 이 방정식의 해임을 이용하여 a의 값부터 구한다.
또는 방정식 $x^3+ax^2-x-a=0$의 좌변을 인수분해하여 해를 구해도 된다.

(2) $A\subset B$이고 $B\subset C$이면 그림과 같이 $A\subset C$이다.
이때 $A\subset C$이고 $C\subset A$이므로 $A=C$이다.
또 $A\subset B$, $B\subset C=A$이므로 $A=B$이다.
곧, $A\subset B$이고 $B\subset C$이고 $C\subset A$이면 $A=B=C$이다.

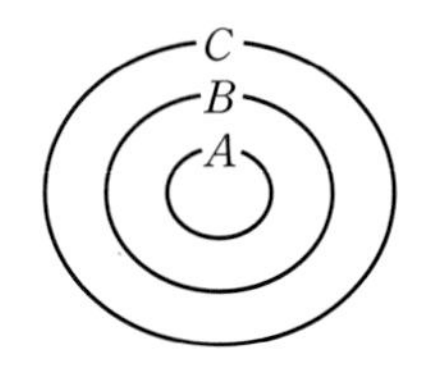

참고 집합 $\{x|f(x)=0\}$의 원소는 방정식 $f(x)=0$의 해이고,
집합 $\{x|f(x)>0\}$의 원소는 부등식 $f(x)>0$의 해이다.

답 (1) $a=-2$, $b=-1$, $c=1$ (2) $a=1$, $b=-1$, $c=3$

날선 Point

- $A\subset B$이고 $B\subset A$이면 $A=B$
- $A\subset B$이고 $B\subset C$이면 $A\subset C$
- $A\subset B$이고 $B\subset C$이고 $C\subset A$이면 $A=B=C$

3-1 집합 $A=\{1, 2a, a-5\}$, $B=\{-4, 2, 2a^2-a\}$에 대하여 $A\subset B$이고 $B\subset A$일 때, 실수 a의 값을 구하시오.

3-2 집합 $A=\{1, 2, a\}$, $B=\{x|(x-2)(x-a)(x-b)=0\}$, $C=\{x|x^3-2x^2-x+c=0\}$에 대하여 $A\subset B$, $B\subset C$, $C\subset A$일 때, 실수 a, b, c의 값을 구하시오.

대표 Q4

부분집합의 개수

◆ 정답 및 풀이 3쪽

집합 $A=\{0, 2, 4, 6, 8\}$에 대하여 다음 물음에 답하시오.

(1) A의 부분집합의 개수를 구하시오.

(2) 0과 2가 원소가 아닌 A의 부분집합의 개수를 구하시오.

(3) 0과 2가 원소인 A의 부분집합의 개수를 구하시오.

(4) 0과 2 중 적어도 하나가 원소인 A의 부분집합의 개수를 구하시오.

(1) 집합 A의 원소가 k개이면 A의 부분집합은 2^k개이다.

(2) 0과 2가 원소가 아닌 부분집합을 모두 구하면 다음과 같다.

원소가 0개 : $\varnothing$

원소가 1개 : $\{4\}$, $\{6\}$, $\{8\}$

원소가 2개 : $\{4, 6\}$, $\{4, 8\}$, $\{6, 8\}$

원소가 3개 : $\{4, 6, 8\}$

따라서 A에서 0과 2를 제외한 집합 $\{4, 6, 8\}$의 부분집합과 같다.

(3) (2)의 각 부분집합에 원소 0과 2를 넣으면 구하는 부분집합이다. 따라서 0과 2를 포함하는 부분집합의 개수와 0과 2를 포함하지 않는 부분집합의 개수는 같다.

(4) 0이 있고 2가 없는 부분집합, 2가 있고 0이 없는 부분집합, 0과 2가 모두 있는 부분집합으로 나누어 생각한다.

또는 원소 중 0이 있는 부분집합과 2가 있는 부분집합에서 0과 2가 모두 있는 부분집합이 중복되므로 이 경우를 뺀다.

답 (1) 32 (2) 8 (3) 8 (4) 24

날선 Point

$A=\{1, 2, 3, 4, \cdots, k\}$일 때

- A의 부분집합의 개수는 2^k
- 1, 2를 포함하는 (또는 포함하지 않는) 부분집합의 개수는 2^{k-2}

4-1 집합 $A=\{a, e\}$, $B=\{a, b, c, d, e, f\}$에 대하여 다음 물음에 답하시오.

(1) A의 부분집합의 개수와 B의 부분집합의 개수를 구하시오.

(2) A의 원소를 포함하지 않는 B의 부분집합의 개수를 구하시오.

(3) A의 원소를 모두 포함하는 B의 부분집합의 개수를 구하시오.

(4) A의 원소를 적어도 하나 포함하는 B의 부분집합의 개수를 구하시오.

1-5 집합의 연산

집합 A, B에 대하여

(1) **교집합** : $A\cap B=\{x\,|\,x\in A$ 그리고 $x\in B\}$

또 $A\cap B=\varnothing$일 때, A와 B는 서로소라 한다.

(2) **합집합** : $A\cup B=\{x\,|\,x\in A$ 또는 $x\in B\}$

(3) **차집합** : $A-B=\{x\,|\,x\in A$ 그리고 $x\notin B\}$

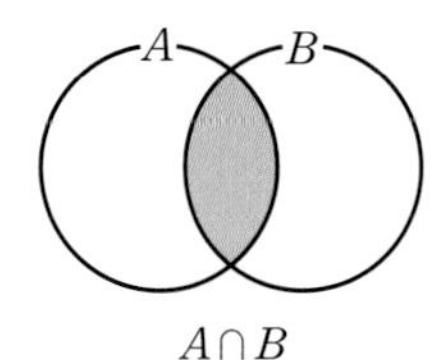

$A\cap B$

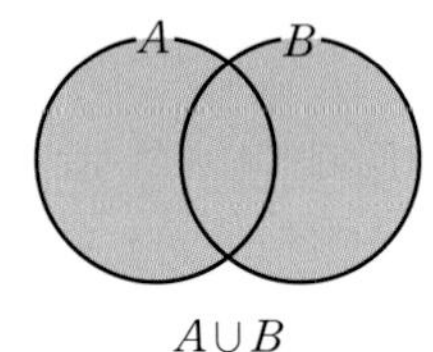

$A\cup B$

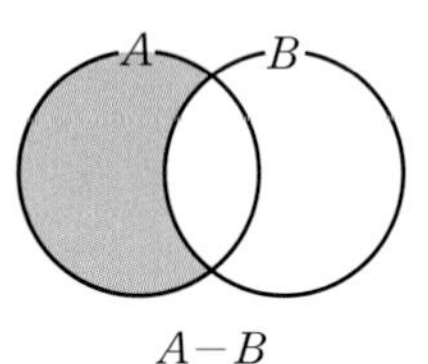

$A-B$

(4) 어디에서 생각하는지 정해주는 집합을 **전체집합**이라 한다.

(5) **여집합** : 전체집합이 U일 때, A의 여집합은

$A^C=\{x\,|\,x\in U$ 그리고 $x\notin A\}$

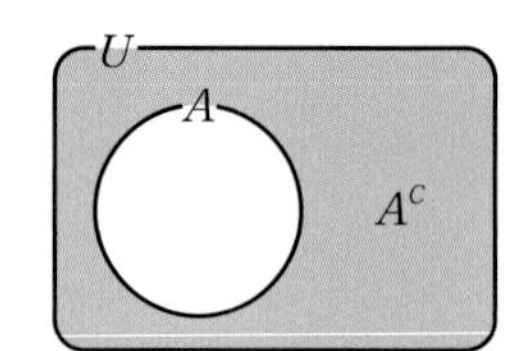

교집합 • 집합

$A=\{2, 4, 6, 8\}$, $B=\{4, 8, 12\}$

에 대하여 A와 B의 공통인 원소 4와 8로 이루어진 집합을 생각할 수 있다. 이 집합을 A와 B의 교집합이라 하고 $A\cap B$로 나타낸다.

$A\cap B=\{4, 8\}$

이와 같이 집합 A, B에 대하여 교집합 $A\cap B$는 다음과 같이 약속한다.

$\boldsymbol{A\cap B=\{x\,|\,x\in A}$ **그리고** $\boldsymbol{x\in B\}}$ → A에도 속하고 B에도 속하는 모든 원소로 이루어진 집합

교집합 $B\cap A$의 원소는 B의 원소이면서 동시에 A의 원소이므로

$B\cap A=\{4, 8\}$

따라서 $B\cap A=A\cap B$이다.

서로소 • 집합 $A=\{2, 4, 6, 8\}$과 $C=\{1, 3, 5, 7\}$은 공통인 원소가 없다.

따라서 $A\cap C=\varnothing$이다.

이와 같이 교집합이 공집합인 두 집합을 서로소라 한다.

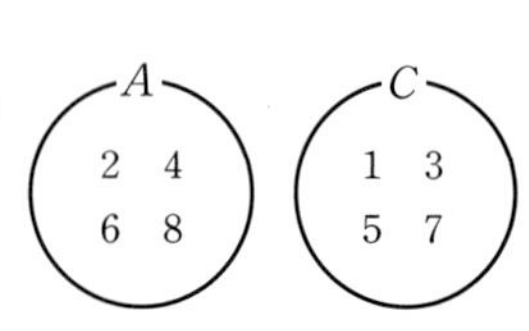

개념 Check

◆ 정답 및 풀이 3쪽

10 집합 $A=\{1, 2, 4, 8\}$, $B=\{2, 3, 4, 5, 6\}$에 대하여 $A\cap B$를 구하시오.

합집합 ● 집합

$$A=\{2, 4, 6, 8\},\ B=\{4, 8, 12\}$$

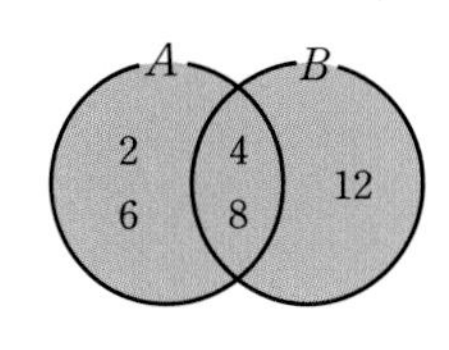

에 대하여 A와 B의 모든 원소 2, 4, 6, 8과 4, 8, 12로 이루어진 집합을 생각할 수 있다. 이 집합을 A와 B의 합집합이라 하고 $A\cup B$로 나타낸다. 곧,

$$A\cup B=\{2, 4, 6, 8, 12\}$$

이와 같이 집합 A, B에 대하여 합집합 $A\cup B$는 다음과 같이 약속한다.

$$\boldsymbol{A\cup B=\{x\,|\,x\in A \text{ 또는 } x\in B\}}$$ ⟶ A에 속하거나 B에 속하는 모든 원소로 이루어진 집합

합집합 $B\cup A$의 원소는 B의 원소이거나 A의 원소이므로

$$B\cup A=\{2, 4, 6, 8, 12\}$$

따라서 $B\cup A=A\cup B$이다.

세 집합의 연산 ● 집합 A, B, C의 벤다이어그램은 그림과 같이 세 집합을 서로 포개어 그린다.

예를 들어 $(A\cap B)\cup C$를 벤다이어그램으로 나타내면 $A\cap B$와 C의 합집합을 뜻하므로 그림과 같다.

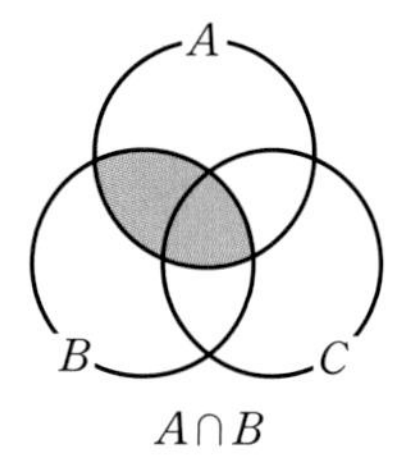

$A\cap B$

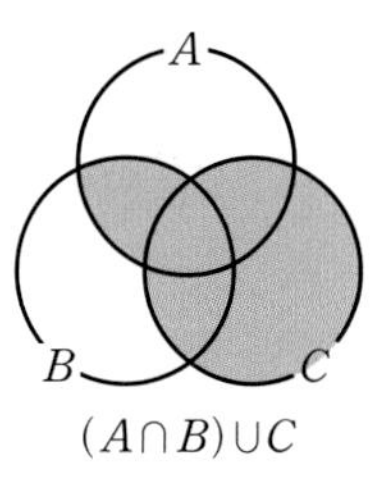

$(A\cap B)\cup C$

차집합 ● 집합

$$A=\{2, 4, 6, 8\},\ B=\{4, 8, 12\}$$

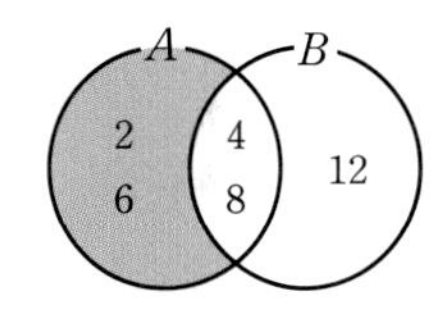

에 대하여 A의 원소이지만 B의 원소가 아닌 2, 6으로 이루어진 집합을 A에 대한 B의 차집합이라 하고 $A-B$로 나타낸다. 곧,

$$A-B=\{2, 6\}$$

이와 같이 집합 A, B에 대하여 차집합 $A-B$는 다음과 같이 약속한다.

$$\boldsymbol{A-B=\{x\,|\,x\in A \text{ 그리고 } x\notin B\}}$$

차집합 $B-A$의 원소는 B의 원소이지만 A의 원소는 아니므로

$$B-A=\{12\}$$

따라서 $A-B$와 $B-A$는 같지 않다.

개념 Check

◆ 정답 및 풀이 3쪽

11 집합 $A=\{1, 2, 4, 8\}$, $B=\{2, 3, 4, 5, 6\}$에 대하여 다음을 구하시오.

(1) $A\cup B$ (2) $A-B$ (3) $B-A$

전체집합 • 10보다 작은 자연수의 집합을 U, 자연수 전체의 집합을 V, 2의 배수의 집합을 A라 하자.

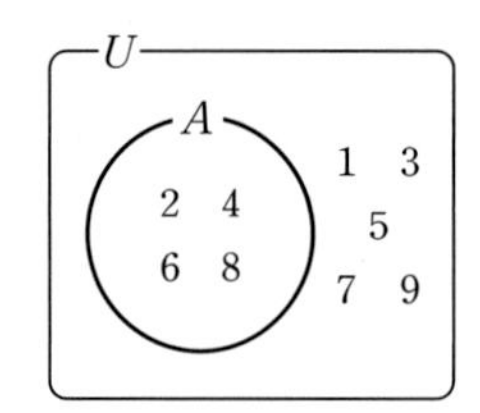

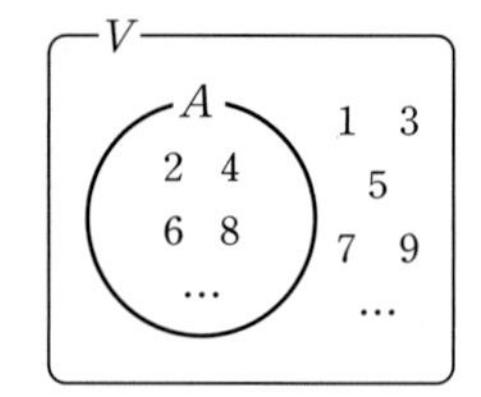

U에서 생각하면 $A=\{2, 4, 6, 8\}$이고,

V에서 생각하면 $A=\{2, 4, 6, 8, 10, \cdots\}$이다.

이와 같이 전체를 어디서 생각하는가에 따라 A는 달라진다.

U, V와 같이 어디서 생각하는지를 정해주는 집합을 전체집합이라 한다.

여집합 • 전체집합이 U일 때, A에 속하지 않는 원소 1, 3, 5, 7, 9로 이루어진 집합을 A의 여집합이라 하고 A^C로 나타낸다. 곧,

$$A^C=\{1, 3, 5, 7, 9\}$$

전체집합 U의 부분집합 A에 대하여 여집합 A^C는 다음과 같이 약속한다.

$$\boldsymbol{A^C=\{x \mid x \in U \text{ 그리고 } x \notin A\}}$$

전체집합이 V일 때, $A^C=\{1, 3, 5, 7, 9, 11, \cdots\}$

연산의 성질 • 전체집합이 U일 때, 벤다이어그램이나 집합의 정의를 생각하면 다음이 성립함을 알 수 있다.

① $A\cap\varnothing=\varnothing$, $A\cap U=A$

$A\cup\varnothing=A$, $A\cup U=U$

② $(A^C)^C=A$, $\varnothing^C=U$, $U^C=\varnothing$

③ $A\cap A^C=\varnothing$, $A\cup A^C=U$

④ $A\subset B$이면 $A\cap B=A$, $A\cup B=B$

⑤ $A\cap B=A$이면 $A\subset B$

$A\cup B=A$이면 $B\subset A$

개념 Check

◆ 정답 및 풀이 **3**쪽

12 전체집합이 $U=\{x \mid x\text{는 10 이하의 자연수}\}$이고 $A=\{1, 2, 4, 8\}$일 때, A^C를 구하시오.

13 전체집합이 U일 때, 다음을 U, A, $\varnothing$으로 나타내시오.

(1) U^C (2) $\varnothing^C$ (3) $A^C\cap A$ (4) $A\cup A^C$

대표 Q5 두 집합의 연산

◆ 정답 및 풀이 3쪽

전체집합이 $U=\{x\,|\,x$는 10보다 작은 자연수$\}$일 때,

$A=\{x\,|\,x$는 소수$\}$, $B=\{x\,|\,x$는 홀수$\}$

이다. 다음 집합을 원소나열법으로 나타내시오.

(1) $(A\cup B)-(A\cap B)$　　(2) A^C-B

(3) $(A\cup B)^C$　　(4) $A^C\cup B^C$

날선 Guide 전체집합이 $U=\{1, 2, 3, \cdots, 9\}$이므로

$A=\{2, 3, 5, 7\}$, $B=\{1, 3, 5, 7, 9\}$

이다. 따라서 U와 A, B를 벤다이어그램으로 나타내면 그림과 같다.

(1) $A\cup B$의 원소를 구한 다음 $A\cap B$의 원소를 뺀다.

(2) A^C의 원소를 구한 다음 B의 원소를 뺀다.

(3) $A\cup B$의 원소가 아닌 것을 찾는다.

(4) A^C와 B^C의 원소를 모두 구한다. 중복되는 원소는 한 번만 쓴다.

답 (1) $\{1, 2, 9\}$　(2) $\{4, 6, 8\}$　(3) $\{4, 6, 8\}$　(4) $\{1, 2, 4, 6, 8, 9\}$

날선 Point 집합의 연산 ➡ 벤다이어그램에서 생각한다.

5-1 전체집합 U와 집합 A, B가 벤다이어그램과 같을 때, 다음 집합을 벤다이어그램에 나타내시오.

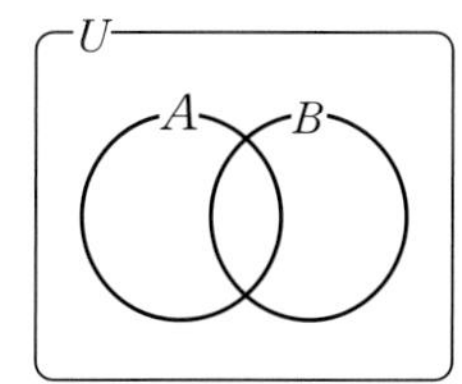

(1) $A-(A\cap B)$　　(2) $A\cup(A^C\cap B)$

(3) $(A-B)\cup(B-A)$　　(4) $(A\cap B)^C$

5-2 전체집합이 $U=\{x\,|\,x$는 20보다 작은 자연수$\}$일 때,

$A=\{x\,|\,x$는 12의 약수$\}$, $B=\{x\,|\,x$는 18의 약수$\}$

이다. 다음 집합을 원소나열법으로 나타내시오.

(1) $A^C\cap B$　　(2) $(A\cup B)\cap(A\cap B)^C$

대표 Q6 세 집합의 연산

◆ 정답 및 풀이 4쪽

전체집합이 $U=\{x\,|\,x$는 12 이하의 자연수$\}$일 때,

$A=\{x\,|\,x$는 3의 배수$\}$, $B=\{x\,|\,5\le x\le 10\}$, $C=\{x\,|\,x$는 짝수$\}$

이다. 다음 집합을 원소나열법으로 나타내시오.

(1) $(A\cap B)\cap C^C$ (2) $A^C\cap(B\cup C)^C$

(3) $A-(B-C)$ (4) $(A-B)\cup(C-B)$

날선 Guide 전체집합이 $U=\{1, 2, 3, \cdots, 12\}$이므로

$A=\{3, 6, 9, 12\}$,

$B=\{5, 6, 7, 8, 9, 10\}$,

$C=\{2, 4, 6, 8, 10, 12\}$

이다. 따라서 U와 A, B, C를 벤다이어그램으로 나타내면 그림과 같다.

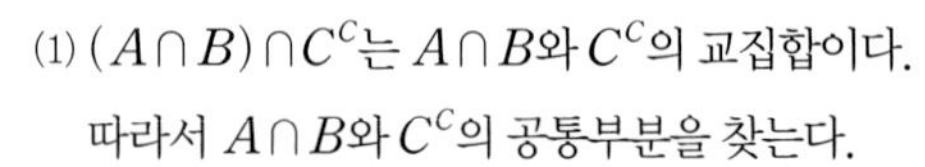

(1) $(A\cap B)\cap C^C$는 $A\cap B$와 C^C의 교집합이다.

따라서 $A\cap B$와 C^C의 공통부분을 찾는다.

(2) A^C와 $(B\cup C)^C$를 각각 구하고, 공통부분을 찾는다.

(3) A에서 $B-C$의 원소를 뺀다.

(4) $A-B$와 $C-B$의 원소를 모두 구한다.

답 (1) $\{9\}$ (2) $\{1, 11\}$ (3) $\{3, 6, 12\}$ (4) $\{2, 3, 4, 12\}$

날선 Point

- 연산이 연속하는 경우 ➡ 괄호부터 먼저 구한다.
- 집합의 연산 ➡ 벤다이어그램을 그린다.

6-1 전체집합이 $U=\{x\,|\,x$는 $1<x\le 20$인 짝수$\}$일 때,

$A=\{x\,|\,x$는 4의 배수$\}$,

$B=\{x\,|\,x$는 두 자리의 자연수$\}$,

$C=\{x\,|\,x$는 20의 약수$\}$

이다. 다음 집합을 원소나열법으로 나타내시오.

(1) $A\cup(B\cap C)$ (2) $(A\cap B)\cup(A\cap C)$

(3) $(A-B)-C$ (4) $A^C-(B\cap C)$

대표 Q7 조건을 만족시키는 집합 구하기

◆ 정답 및 풀이 5쪽

다음 물음에 답하시오.

(1) 집합 $A=\{4,\ a,\ a^2+1\}$, $B=\{2,\ 3,\ a^2-5\}$에 대하여 $A\cap B=\{3,\ 4\}$일 때, 실수 a의 값과 $A\cup B$를 구하시오.

(2) 집합 $A=\{1,\ 3,\ a,\ 2a-1\}$, $B=\{3,\ a-2,\ a+2\}$에 대하여 $A-B=\{1,\ 4,\ 7\}$일 때, 실수 a의 값을 구하시오.

(3) 전체집합이 $U=\{a,\ b,\ c,\ d,\ e,\ f,\ g,\ h\}$이고 집합 A, B에 대하여
$A\cap B=\{b\}$, $B-A=\{c,\ g\}$, $(A\cup B)^C=\{a,\ f\}$일 때, A를 구하시오.

날선 Guide (1) $A\cap B=\{3,\ 4\}$이므로 3과 4는 A와 B의 원소이다.
따라서 B에서 $a^2-5=4$임을 이용하여 a의 값부터 구하고, 집합 A, B를 확인한다.
(2) $A-B=\{1,\ 4,\ 7\}$이므로 1, 4, 7은 A의 원소이다.
A에서 a, $2a-1$ 중 하나는 4, 다른 하나는 7임을 이용하여 a의 값부터 구하고, 집합 A, B를 확인한다.
(3) $A\cap B$, $B-A$, $(A\cup B)^C$를 벤다이어그램으로 나타내면 각각 그림과 같다.

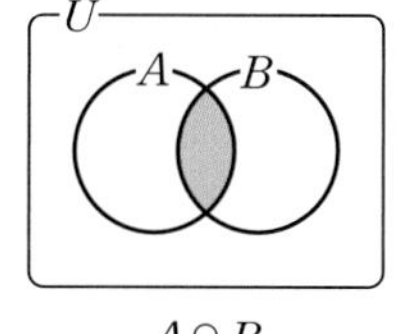

$A\cap B$

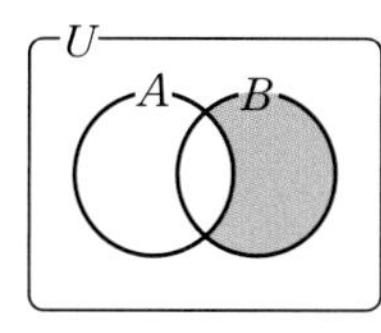

$B-A$

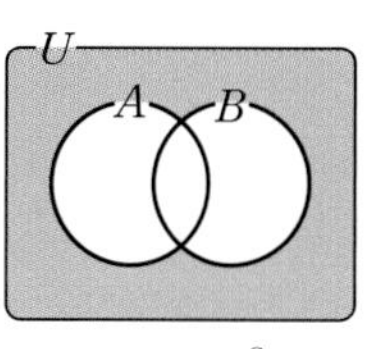

$(A\cup B)^C$

각 부분에 원소를 써넣으면 A, B의 원소를 구할 수 있다.

답 (1) $a=3$, $A\cup B=\{2,\ 3,\ 4,\ 10\}$ (2) 4 (3) $\{b,\ d,\ e,\ h\}$

날선 Point 조건이 주어지면 ➡ 집합의 원소로 가능한 것부터 구한다.

7-1 집합 $A=\{1,\ a^3-3a\}$, $B=\{a+2,\ a^2-a\}$에 대하여 $A\cup B=\{1,\ 2,\ 4\}$일 때, 실수 a의 값과 $A\cap B$를 구하시오.

7-2 전체집합이 $U=\{x\,|\,x$는 10 이하의 자연수$\}$이고 집합 A, B에 대하여

$$B-A=\{5,\ 9\},\ A^C=\{3,\ 4,\ 5,\ 7,\ 9\},\ A^C\cup B^C=\{1,\ 3,\ 4,\ 5,\ 6,\ 7,\ 9,\ 10\}$$

일 때, A와 $(A\cup B)^C$를 구하시오.

대표 Q8 부분집합과 연산

◆ 정답 및 풀이 6쪽

전체집합이 U일 때, 집합 A, B에 대하여 다음 중 옳지 않은 것은?

① $A\subset B$이면 $B^C\subset A^C$
② $A\subset B$이면 $A^C\cup B=U$
③ $A\cap B=A$이면 $A\subset B$
④ $A\cup B=A$이면 $A\cap B^C=\varnothing$
⑤ $A\cup B=U$이면 $A^C\subset B$

날선 Guide ① $A\subset B$이므로 벤다이어그램으로 나타내면 그림과 같다.
A^C, B^C를 그리고 포함 관계를 조사한다.

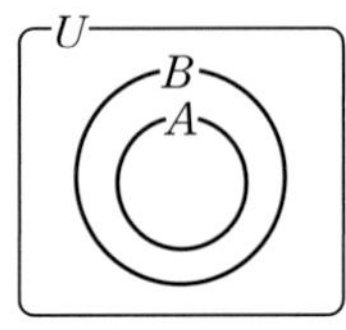

② ①의 벤다이어그램에 $A^C\cup B$를 표시한다.
③ 벤다이어그램을 생각하면 다음을 알 수 있다.
$A\cap B=A$이면 $A\subset B$

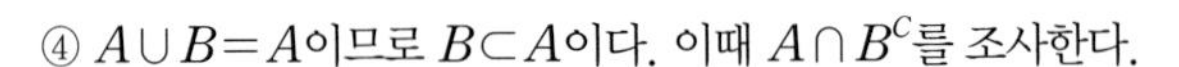
④ $A\cup B=A$이므로 $B\subset A$이다. 이때 $A\cap B^C$를 조사한다.

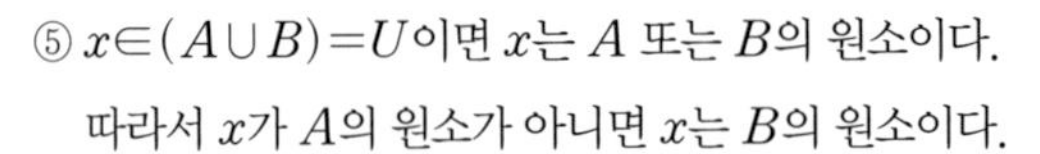
⑤ $x\in(A\cup B)=U$이면 x는 A 또는 B의 원소이다.
따라서 x가 A의 원소가 아니면 x는 B의 원소이다.

답 ④

- $A\subset B$이면 $B^C\subset A^C$
- $A\subset B$이면 $A\cap B=A$, $A\cup B=B$
- $A\cap B=A$이면 $A\subset B$
  $A\cup B=A$이면 $B\subset A$

8-1 전체집합이 U이고 집합 A, B에 대하여 $A\subset B$일 때, 다음을 U, $\varnothing$, A, B로 나타내시오.

(1) $(A\cap A^C)^C$
(2) $(A\cup A^C)^C$
(3) $A\cap B^C$
(4) $(A^C)^C\cap B$

8-2 전체집합이 U이고 집합 A, B에 대하여 $A^C\cap B=\varnothing$일 때, 다음 중 옳지 않은 것은?

① $B\subset A$
② $A\cap B=B$
③ $A^C\subset B^C$
④ $A-B=\varnothing$
⑤ $A\cup B^C=U$

연산과 부분집합의 개수

◆ 정답 및 풀이 6쪽

전체집합이 $U=\{1, 2, 3, \cdots, 8\}$이고 $A=\{1, 2, 3, 4, 5\}$, $B=\{4, 5, 6, 7\}$일 때, 다음 물음에 답하시오.

(1) $(A\cap B)\cup C=C$, $(A\cup B)\cap C=C$를 만족시키는 집합 C의 개수를 구하시오.

(2) $A\cap C=B\cap C$를 만족시키는 집합 C의 개수를 구하시오.

날선 Guide U와 A, B를 벤다이어그램으로 나타내면 그림과 같다.

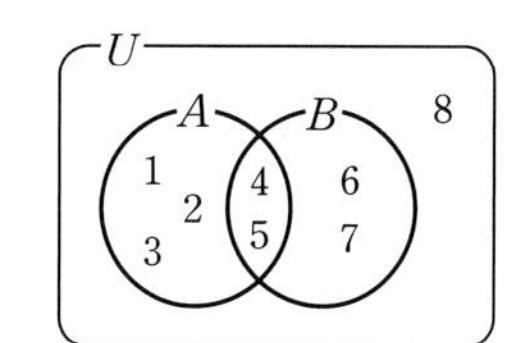

(1) $(A\cap B)\cup C=C$이면 $(A\cap B)\subset C$

$(A\cup B)\cap C=C$이면 $C\subset(A\cup B)$

따라서 C는 $A\cup B$의 부분집합 중 $A\cap B$의 원소를 모두 포함하는 집합이다.

(2) 예를 들어 C가 $A-B$의 원소 1을 포함하면 $1\in(A\cap C)$이지만 $1\notin(B\cap C)$이다.

따라서 C는 1을 포함할 수 없다.

또 C가 $A\cap B$의 원소 4를 포함하면 $4\in(A\cap C)$이고 $4\in(B\cap C)$이다.

따라서 C는 4를 포함할 수 있다.

$B-A$, $(A\cup B)^C$의 원소에 대해서도 이와 같이 따져 보면 조건을 찾을 수 있다.

답 (1) 32 (2) 8

집합에서 경우를 나눌 때에는
$A-B$, $B-A$, $A\cap B$, $(A\cup B)^C$부터 생각한다.

9-1 집합 $A=\{a, b, c, d, e\}$, $B=\{d, e, f, g\}$에 대하여

$$(A-B)\cup C=C,\ (A\cup B)\cap C=C$$

를 만족시키는 집합 C의 개수를 구하시오.

9-2 전체집합이 $U=\{a, g, h, i, o, p, s, w\}$이고 $A=\{h, i, p\}$, $B=\{h, o, p\}$일 때, 다음 물음에 답하시오.

(1) $A\cap C=B\cap C$를 만족시키는 집합 C의 개수를 구하시오.

(2) $A\cup C=B\cup C$를 만족시키는 집합 C의 개수를 구하시오.

01 **보기**에서 집합인 것의 개수는?

보기
ㄱ. 태양계 행성의 모임　　ㄴ. 지구에서 높은 산의 모임
ㄷ. 속도가 빠른 자동차의 모임　　ㄹ. 100보다 작은 짝수의 모임
ㅁ. 대한민국에서 김씨 성을 가진 사람의 모임

① 1　② 2　③ 3　④ 4　⑤ 5

02 다음 집합 중 나머지 넷과 다른 하나는?

① $\{x|x=2y-1,\ y$는 자연수$\}$　② $\{x|x=y-1,\ y$는 2의 배수$\}$
③ $\{x|x$는 4와 서로소인 자연수$\}$　④ $\{x|x$는 약수가 홀수 개인 자연수$\}$
⑤ $\{x|x$는 두 홀수의 곱으로 나타낼 수 있는 자연수$\}$

03 다음 중 집합 $A=\{x|x^2-3x+2=0\}$, $B=\{x|x^2-4\le 0\}$, $C=\{x||x-1|<1,\ x$는 정수$\}$의 포함 관계로 옳은 것은?

① $A\subset B\subset C$　② $A\subset C\subset B$　③ $B\subset A\subset C$
④ $C\subset A\subset B$　⑤ $C\subset B\subset A$

04 집합 $A=\{-1,\ 1\}$, $B=\{x|x^3+2x^2+ax+b=0\}$이고 $A\subset B$일 때, B를 원소나열법으로 나타내시오.

05 집합 A의 진부분집합이 15개일 때, A의 원소의 개수를 구하시오.

06 집합 $A=\{1, 2, 3, 4, 5\}$의 부분집합 중 다음 조건을 모두 만족시키는 집합 X의 개수를 구하시오.

(가) $1\in X$, $2\in X$	(나) $4\notin X$

07 전체집합이 실수 전체의 집합일 때, 집합 $A=\{x\,|\,-3\le x\le 2\}$, $B=\{x\,|\,1\le x<5\}$에 대하여 다음을 구하시오.

(1) $A\cup B$ (2) $A\cap B$ (3) $A-B$ (4) B^C

08 다음 중 벤다이어그램에서 색칠한 부분을 나타내는 집합은? (단, U는 전체집합이다.)

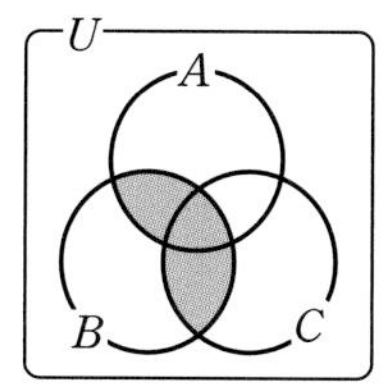

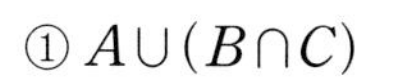

① $A\cup(B\cap C)$ ② $A\cap(B\cup C)$
③ $B\cap(A\cup C)$ ④ $A^C\cap(B\cup C)$
⑤ $B^C\cap(A\cup C)$

09 전체집합이 U이고 집합 A, B에 대하여 $A^C\cup B=U$일 때, 다음 중 옳지 않은 것은?

① $A\subset B$ ② $A\cap B=A$ ③ $A-B=\varnothing$
④ $B^C\subset A^C$ ⑤ $A\cup B^C=U$

10 집합 $A=\{\varnothing, a, b, \{a, b\}\}$에 대하여 다음 중 옳지 않은 것을 모두 고르면?

① $\varnothing\subset A$ ② $\{\varnothing\}\subset A$ ③ $\{a\}\in A$
④ $\{a, b\}\notin A$ ⑤ $\{a, b\}\subset A$

11 집합 $A=\{-1, 0, 1\}$, $B=\{|xy| \mid x\in A, y\in A\}$, $C=\{x+y \mid x\in A, y\in A\}$ 사이의 포함 관계를 바르게 나타낸 것은?

① $A=B=C$　② $A=B\subset C$　③ $B\subset A\subset C$
④ $B\subset C\subset A$　⑤ $C\subset B\subset A$

12 집합 $A=\{1, 2, a^2-1\}$, $B=\{0, a-1, 2a-1\}$이고 $A\cup B=\{0, 1, 2, 3\}$일 때, 실수 a의 값과 B를 구하시오.

13 전체집합 $U=\{x \mid x$는 9 이하의 자연수$\}$이고 집합 A, B에 대하여 $A\cap B=\{1, 2\}$, $A^C\cap B=\{3, 4, 5\}$, $(A\cup B)^C=\{8, 9\}$일 때, A를 구하시오.

14 전체집합이 $U=\{x \mid x$는 10 이하의 자연수$\}$일 때, 집합 $A=\{a, 1, 6, 7\}$, $B=\{b, 4, 5, 9\}$, $C=\{c, 3, 8, 9\}$에 대하여 벤다이어그램에서 색칠한 부분이 나타내는 집합은 $\{4, 6, 7\}$이다. a, b, c의 값을 구하시오. (단, $b<c$)

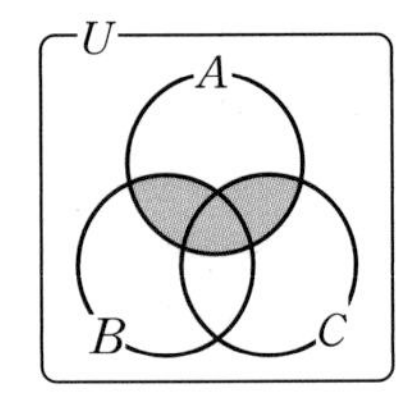

교육청 기출

15 집합 $A=\{1, 2, 3, 4, 5\}$, $B=\{1, 3, 5, 9\}$에 대하여

$$(A-B)\cap C=\varnothing,\ A\cap C=C$$

를 만족시키는 집합 C의 개수를 구하시오.

16 집합 $S=\{1, 2, 2^2, 2^3\}$의 공집합이 아닌 부분집합을 A_1, A_2, A_3, $\cdots$, A_{15}라 하자. 각각의 집합 A_1, A_2, A_3, $\cdots$, A_{15}에서 가장 작은 원소를 모두 더한 값을 구하시오.

정답 개수: /16　오답 번호 Check:

중학교에서 실수에서의 덧셈과 곱셈에 대한 교환법칙, 결합법칙, 분배법칙을 배웠다.

이 단원에서는 벤다이어그램을 이용하여 집합 사이의 교환법칙, 결합법칙, 분배법칙이 성립하는지 확인하고 새롭게 정의되는 연산 법칙에 대하여 알아보자.

집합의 연산 법칙

2-1 집합의 연산 법칙

개념

집합 A, B, C에 대하여

(1) **교환법칙** : $A\cap B=B\cap A$, $A\cup B=B\cup A$

(2) **결합법칙** : $(A\cap B)\cap C=A\cap(B\cap C)$

$(A\cup B)\cup C=A\cup(B\cup C)$

(3) **분배법칙** : $A\cap(B\cup C)=(A\cap B)\cup(A\cap C)$

$A\cup(B\cap C)=(A\cup B)\cap(A\cup C)$

교환법칙 • 집합 A, B에 대하여 교집합 $B\cap A$의 원소는 B의 원소이면서 A의 원소이므로

$$\boldsymbol{B\cap A=A\cap B}$$

또 합집합 $B\cup A$의 원소는 B의 원소이거나 A의 원소이므로

$$\boldsymbol{B\cup A=A\cup B}$$

이 관계를 각각 교집합, 합집합에 대한 교환법칙이라 한다.

결합법칙 • 집합 A, B, C에 대하여

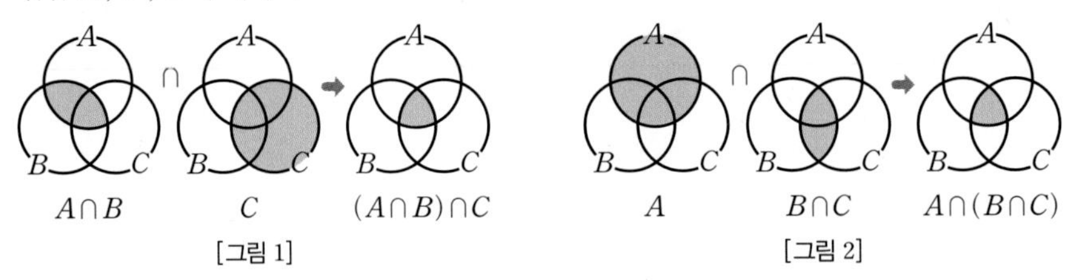

[그림 1] [그림 2]

[그림 1]은 $A\cap B$와 C의 교집합 $(A\cap B)\cap C$이고

[그림 2]는 A와 $B\cap C$의 교집합 $A\cap(B\cap C)$이다.

$$\boldsymbol{(A\cap B)\cap C=A\cap(B\cap C)}$$

이 관계를 교집합에 대한 결합법칙이라 한다.

같은 방법으로 합집합에 대한 결합법칙이 성립함을 알 수 있다.

$$\boldsymbol{(A\cup B)\cup C=A\cup(B\cup C)}$$

결합법칙이 성립하므로 괄호를 생략하고 $A\cap B\cap C$, $A\cup B\cup C$로 나타낼 수 있다.

따라서 다음에서 ❶을 먼저 구해도 되고, ❷를 먼저 구해도 상관없다.

$A\cap B\cap C$ (❶ ❷)　　　$A\cup B\cup C$ (❶ ❷)

개념 Check

◆ 정답 및 풀이 **10**쪽

1 집합 A, B, C에 대하여 $(A\cap B)\cap C=\{1, 2\}$일 때, $A\cap(C\cap B)$를 구하시오.

분배법칙 ● 집합 A, B, C에 대하여

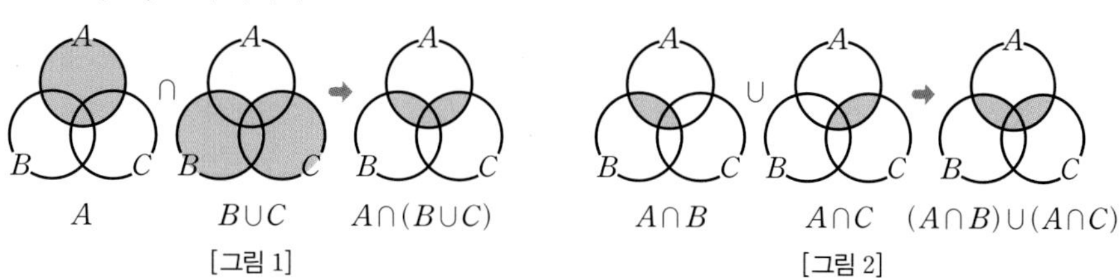

[그림 1] [그림 2]

[그림 1]은 A와 $B\cup C$의 교집합 $A\cap(B\cup C)$이고

[그림 2]는 $A\cap B$와 $A\cap C$의 합집합 $(A\cap B)\cup(A\cap C)$이다.

$$A\cap(B\cup C)=(A\cap B)\cup(A\cap C)$$

이 관계를 합집합에 대한 교집합의 분배법칙이라 한다.

같은 방법으로 교집합에 대한 합집합의 분배법칙이 성립함을 알 수 있다.

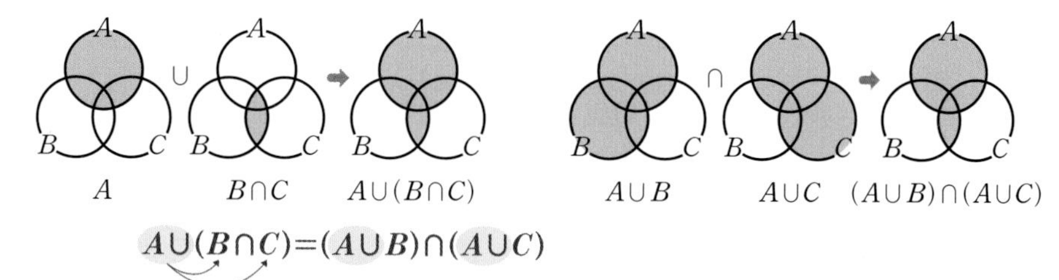

$$A\cup(B\cap C)=(A\cup B)\cap(A\cup C)$$

분배법칙에서 좌변과 우변을 바꾼 꼴도 자주 이용한다. 다음과 같이 기억하면 된다.

$(A\cap B)\cup(A\cap C)$에서 $A\cap$이 공통이므로 다음과 같이 간단히 할 수 있다.

$$(A\cap B)\cup(A\cap C)=A\cap(B\cup C)$$

또 $(A\cup B)\cap(A\cup C)$에서 $A\cup$이 공통이므로 다음과 같이 간단히 할 수 있다.

$$(A\cup B)\cap(A\cup C)=A\cup(B\cap C)$$

참고 다음 다항식의 연산 법칙과 비교하며 기억하면 좋다.

교환법칙 : $A+B=B+A$, $AB=BA$

결합법칙 : $(A+B)+C=A+(B+C)$, $(AB)C=A(BC)$

분배법칙 : $A(B+C)=AB+AC$

개념 Check

◆ 정답 및 풀이 10쪽

2 전체집합이 U일 때, 집합 A, B에 대하여 오른쪽은 $(A\cap B)\cap A^C$를 간단히 하는 과정이다. ㉠, ㉡에서 각각 이용한 연산 법칙을 말하시오.

$(A\cap B)\cap A^C$
$=(B\cap A)\cap A^C$ ← ㉠
$=B\cap(A\cap A^C)$ ← ㉡
$=B\cap\varnothing=\varnothing$

2-2 여집합과 연산 법칙

전체집합이 U일 때, 집합 A, B에 대하여

(1) 차집합과 여집합의 관계 : $A-B=A\cap B^C$

(2) 드모르간의 법칙 : $(A\cup B)^C=A^C\cap B^C$, $(A\cap B)^C=A^C\cup B^C$

차집합과 여집합

전체집합이 U일 때, 집합 A, B에 대하여 $A\cap B^C$를 벤다이어그램으로 나타내면 그림과 같다. 따라서

$$\boldsymbol{A-B=A\cap B^C}$$

가 성립한다.

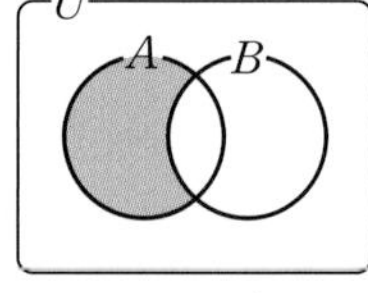

$A\cap B^C$

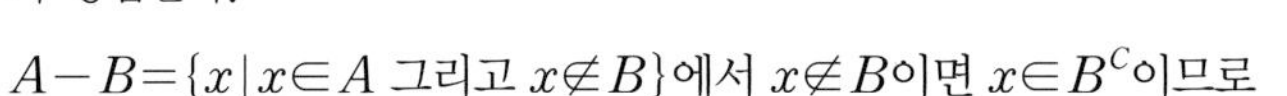

$A-B=\{x|x\in A$ 그리고 $x\notin B\}$에서 $x\notin B$이면 $x\in B^C$이므로

$A-B=\{x|x\in A$ 그리고 $x\in B^C\}$, 곧 $A-B=A\cap B^C$라 생각해도 된다.

드모르간의 법칙

전체집합이 U일 때, 집합 A, B에 대하여

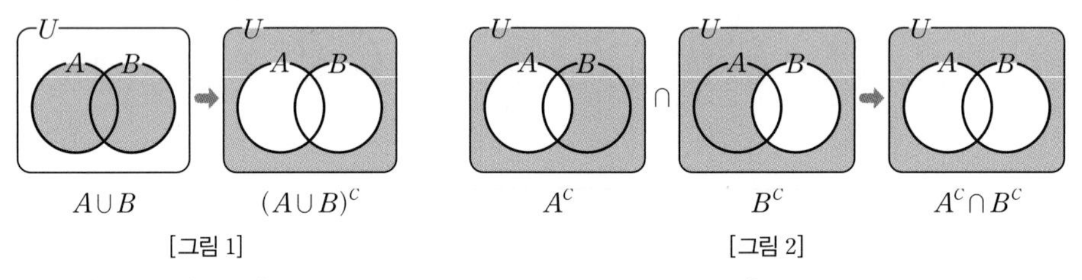

$A\cup B$ → $(A\cup B)^C$ [그림 1]

A^C ∩ B^C → $A^C\cap B^C$ [그림 2]

[그림 2]에서 A^C와 B^C의 교집합을 생각하면 [그림 1]의 $(A\cup B)^C$와 같음을 알 수 있다.

같은 방법으로 벤다이어그램을 그려서 A^C와 B^C의 합집합을 생각하면 $(A\cap B)^C$와 같음을 알 수 있다. 따라서

$$\boldsymbol{(A\cup B)^C=A^C\cap B^C,\ (A\cap B)^C=A^C\cup B^C}$$

(바뀐다.) (바뀐다.)

가 성립한다.

위의 두 식을 드모르간의 법칙이라 한다.

드모르간의 법칙에서 좌변과 우변을 바꾼 꼴도 자주 이용된다.

$$A^C\cap B^C=(A\cup B)^C,\ A^C\cup B^C=(A\cap B)^C$$

이고, 여집합(^{C})을 묶어 낸다고 생각하면 된다.

개념 Check

◆ 정답 및 풀이 10쪽

3 전체집합이 U일 때, 집합 A, B, C에 대하여 오른쪽은

$$(A\cap B^C)\cup(A\cap C^C)=A-(B\cap C)$$

임을 보이는 과정이다. ㉠, ㉡에서 각각 이용한 연산 법칙을 말하시오.

$(A\cap B^C)\cup(A\cap C^C)$
$=A\cap(B^C\cup C^C)$ ㉠
$=A\cap(B\cap C)^C$ ㉡
$=A-(B\cap C)$

연산 법칙 (1)

◆ 정답 및 풀이 10쪽

전체집합이 U이고 집합 A, B에 대하여

$$(A-B)^C\cap(A\cup B)=A\cap B$$

일 때, 다음 중 옳은 것을 모두 고르면?

① $A\subset B$　② $A\cup B=B$　③ $A^C\subset B^C$
④ $A-B=\varnothing$　⑤ $A^C\cap B=\varnothing$

날선 Guide $A-B=A\cap B^C$이므로

$$(\text{좌변})=(A\cap B^C)^C\cap(A\cup B)$$

드모르간의 법칙을 이용하여 $(A\cap B^C)^C$를 정리한 다음 분배법칙을 이용한다.
집합의 연산을 정리할 때에는 드모르간의 법칙과 분배법칙을 생각하고,
차집합은 여집합을 이용하여 나타낸다.

참고 $(A-B)^C\cap(A\cup B)$를 벤다이어그램으로 나타내면
그림과 같으므로

$$(A-B)^C\cap(A\cup B)=B$$

임을 알 수 있다.
이와 같이 벤다이어그램을 이용하면 연산 법칙을 이용하지 않고
도 식을 간단히 할 수 있다.

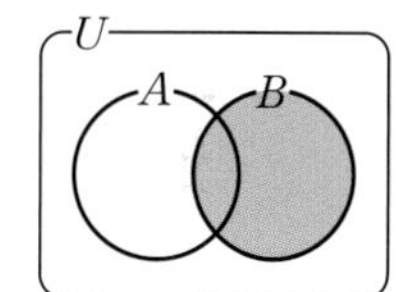

답 ③, ⑤

- 분배법칙 : $(A\cap B)\cup(A\cap C)=A\cap(B\cup C)$
  $(A\cup B)\cap(A\cup C)=A\cup(B\cap C)$
- 드모르간의 법칙 : $(A\cup B)^C=A^C\cap B^C$, $(A\cap B)^C=A^C\cup B^C$
- 차집합과 여집합 : $A-B=A\cap B^C$

1-1 전체집합이 U이고 집합 A, B에 대하여 $\{(A\cup B)\cap(A-B^C)\}\cup A=U$일 때, 다음 중 옳은 것을 모두 고르면?

① $A\subset B$　② $A\cup B=A$　③ $A\cap B=\varnothing$
④ $A=U$　⑤ $A-B=U$

대표 Q2

연산 법칙 (2)

◆ 정답 및 풀이 10쪽

전체집합이 U일 때, 집합 A, B, C에 대하여 다음이 성립함을 보이시오.

(1) $(A\cap B)\cup(A\cup B^C)^C=B$

(2) $\{A\cap(A^C\cup B)\}\cup\{B^C\cap(A\cup B)\}=A$

(3) $(A-B)\cup(A-C)=A-(B\cap C)$

날선 Guide (1) 드모르간의 법칙에서

$$(A\cup B^C)^C=A^C\cap(B^C)^C=A^C\cap B$$

따라서 $A\cap B$와 $A^C\cap B$에서 공통부분인 $\cap B$로 묶으면 간단히 할 수 있다.

(2) $A\cap(A^C\cup B)$와 $B^C\cap(A\cup B)$는 각각 분배법칙을 이용하여

$$A\cap(A^C\cup B)=(A\cap A^C)\cup(A\cap B)$$

$$B^C\cap(A\cup B)=(B^C\cap A)\cup(B^C\cap B)$$

로 정리하면 간단히 할 수 있다.

(3) $A-B=A\cap B^C$, $A-C=A\cap C^C$

으로 고치면 분배법칙, 드모르간의 법칙 등을 이용하여 간단히 할 수 있다.

$A-$로 묶어

$$(A-B)\cup(A-C)=A-(B\cup C)$$

라 하면 안 된다는 것에 주의한다.

답 풀이 참조

날선 Point 연산 법칙을 이용하여 집합을 정리할 때에는 다음을 이용할 수 있는 꼴로 정리한다.

$A\cap\varnothing=\varnothing$, $A\cap U=A$, $A\cup\varnothing=A$, $A\cup U=U$

$A\cap(A\cup B)=A$, $A\cap(A\cap B)=A\cap B$

$A\cup(A\cup B)=A\cup B$, $A\cup(A\cap B)=A$

$(A^C)^C=A$, $\varnothing^C=U$, $U^C=\varnothing$

$A\cap A^C=\varnothing$, $A\cup A^C=U$

2-1 전체집합이 U일 때, 집합 A, B, C에 대하여 다음이 성립함을 보이시오.

(1) $\{(A\cap B)\cup(A-B)\}\cap A^C=\varnothing$

(2) $\{A\cap(A^C\cup B)\}\cup\{B\cap(B\cup C)\}=B$

대표 Q3 $(A-B)\cup(B-A)$

◆ 정답 및 풀이 10쪽

전체집합이 U이고 집합 A, B에 대하여

$$A\triangle B=(A-B)\cup(B-A)$$

라 할 때, 다음 물음에 답하시오.

(1) $(A\triangle U)-(A\triangle\varnothing)$을 간단히 하시오.

(2) $(A\triangle B)\cap C$와 $(A\triangle B)\triangle C$를 벤다이어그램으로 나타내시오.

날선 Guide (1) △의 정의에서

$$A\triangle U=(A-U)\cup(U-A)$$
$$A\triangle\varnothing=(A-\varnothing)\cup(\varnothing-A)$$

이다. 먼저 각각을 간단히 한다.

(2) $A\triangle B=(A-B)\cup(B-A)$를 벤다이어그램으로 나타내면 그림과 같으므로

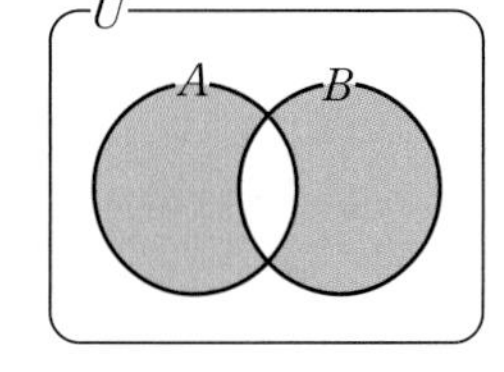

$$A\triangle B=(A\cup B)-(A\cap B)$$

따라서 $A\triangle B$는 A와 B의 합집합에서 A와 B의 교집합을 빼는 연산이라 생각할 수도 있다.

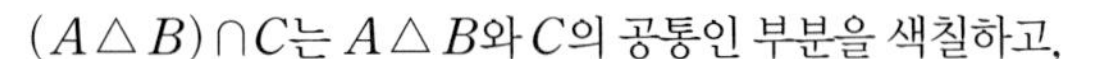

$(A\triangle B)\cap C$는 $A\triangle B$와 C의 공통인 부분을 색칠하고,
$(A\triangle B)\triangle C$는 $A\triangle B$와 C를 모두 색칠한 다음 공통인 부분을 뺀다.

답 (1) A^C (2)

U, A, B, C

$(A\triangle B)\cap C$

U, A, B, C

$(A\triangle B)\triangle C$

날선 Point

$$(A-B)\cup(B-A)=(A\cup B)-(A\cap B)$$
$$=(A\cup B)\cap(A\cap B)^C$$

3-1 전체집합이 U일 때, 집합 A, B에 대하여

$$A*B=(A\cap B)\cup(A\cup B)^C$$

라 하자. 다음 중 옳지 않은 것은?

① $A*U=U$　② $A*B=B*A$　③ $A*\varnothing=A^C$
④ $A*B=A^C*B^C$　⑤ $A*A^C=\varnothing$

2-3 합집합의 원소의 개수

집합 A, B, C의 원소가 유한개일 때

(1) $n(A\cup B)=n(A)+n(B)-n(A\cap B)$

특히, A, B가 서로소이면 $n(A\cup B)=n(A)+n(B)$

(2) $n(A\cup B\cup C)=n(A)+n(B)+n(C)-n(A\cap B)-n(B\cap C)-n(C\cap A)$
$+n(A\cap B\cap C)$

$n(A\cup B)$

집합 A, B의 원소가 유한개일 때, 다음이 성립한다.

$n(A\cup B)$ = $n(A)$ + $n(B)$ − $n(A\cap B)$

$$\boldsymbol{n(A\cup B)=n(A)+n(B)-n(A\cap B)}$$

A, B가 서로소일 때 $n(A\cup B)$

A와 B가 서로소이면 $n(A\cap B)=0$이므로 $n(A\cup B)=n(A)+n(B)$이다.
역으로 $n(A\cup B)=n(A)+n(B)$이면 $n(A\cap B)=0$이므로 A와 B가 서로소이다.

$n(A\cup B\cup C)$

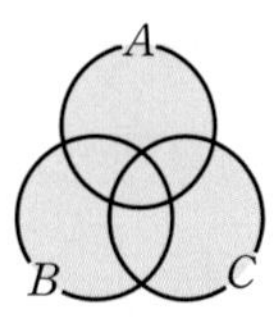

$n(A\cup B\cup C)$ = $n(A)+n(B)+n(C)$ −

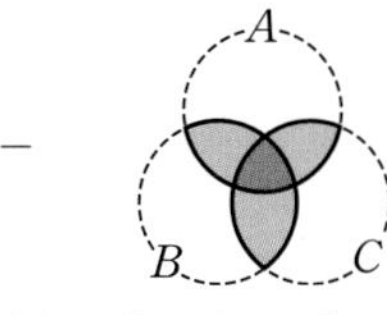

$n(A\cap B)+n(B\cap C)+n(C\cap A)$ + $n(A\cap B\cap C)$

$n(A\cup B\cup C)$를 구할 때 $n(A)+n(B)+n(C)$를 하면 $A\cap B$, $B\cap C$, $C\cap A$의 원소가 중복되므로 뺀다. 이때 $A\cap B\cap C$는 세 번 중복되고 세 번 빼었으므로 다시 더한다.

$$\boldsymbol{n(A\cup B\cup C)=n(A)+n(B)+n(C)-n(A\cap B)-n(B\cap C)-n(C\cap A)+n(A\cap B\cap C)}$$

참고 전체집합이 U이고 집합 A, B의 원소가 유한개일 때
(1) $n(A^C)=n(U)-n(A)$, $n((A\cup B)^C)=n(U)-n(A\cup B)$
(2) $n(A-B)=n(A)-n(A\cap B)=n(A\cup B)-n(B)$

개념 Check

◆ 정답 및 풀이 **11**쪽

4 집합 A, B에 대하여 다음 물음에 답하시오.

(1) $n(A)=7$, $n(B)=5$, $n(A\cap B)=3$일 때, $n(A\cup B)$를 구하시오.
(2) $n(A)=6$, $n(B)=10$, $n(A\cup B)=12$일 때, $n(A\cap B)$를 구하시오.
(3) $n(A)=7$, $n(A\cup B)=15$, $n(A\cap B)=3$일 때, $n(B)$를 구하시오.

대표 Q4

두 집합에서 원소의 개수

◆ 정답 및 풀이 11쪽

전체집합 U의 원소가 40개일 때, 집합 A, B에 대하여 다음 물음에 답하시오.

(1) $n(A\cap B)=6$, $n(A^C\cap B)=14$, $n(A^C\cap B^C)=9$일 때, $n(A)$와 $n(A^C\cup B^C)$를 구하시오.

(2) $n(A)=30$, $n(B)=20$일 때, $n(A\cap B)$의 최댓값과 최솟값을 구하시오.

날선 Guide (1) $A^C\cap B=B\cap A^C=B-A$, $A^C\cap B^C=(A\cup B)^C$

이므로 각 집합의 원소의 개수를 벤다이어그램에 나타내면 그림과 같다.

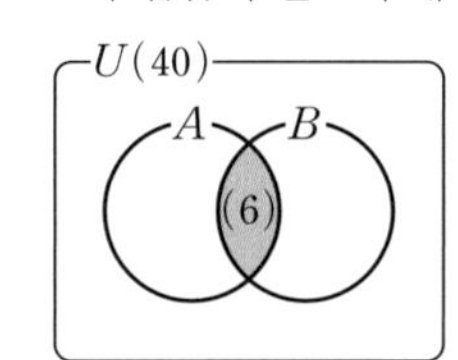

$n(U)=40$, $n(A\cap B)=6$

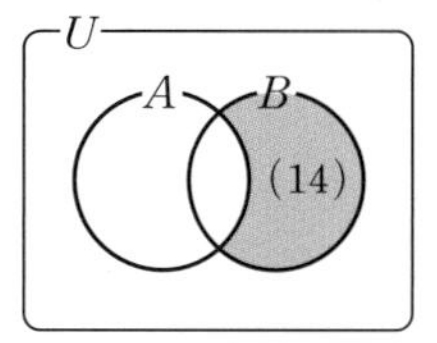

$n(A^C\cap B)=14$

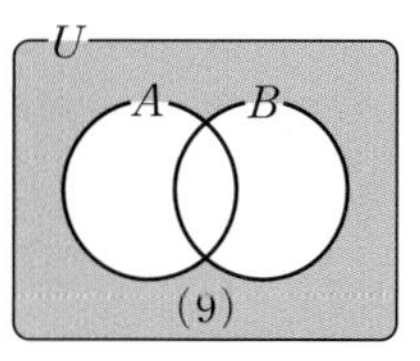

$n(A^C\cap B^C)=9$

먼저 개수가 적히지 않은 빈 부분의 원소의 개수부터 구한다.

(2) $n(A)>n(B)$이므로

$B\subset A$이면 $A\cap B=B$이고 $n(A\cap B)$가 최대이다.

또 $n((A\cup B)^C)=0$이면

$n(A\cup B)$가 최대이고 $n(A\cap B)$가 최소이다.

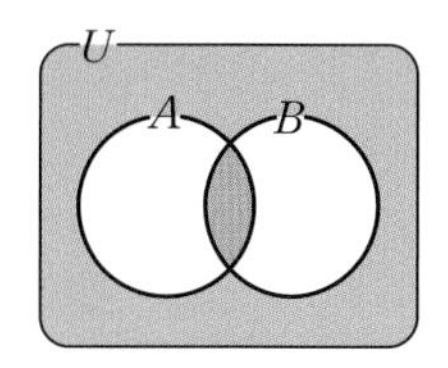

답 (1) $n(A)=17$, $n(A^C\cup B^C)=34$ (2) 최댓값 : 20, 최솟값 : 10

날선 Point 원소의 개수에 대한 조건이 주어지면 ➡ 벤다이어그램으로 나타낸다.

4-1 전체집합이 U이고 집합 A, B에 대하여

$$n(U)=30,\ n(A)=15,\ n(B)=11,\ n(A^C\cup B^C)=24$$

일 때, 다음을 구하시오.

(1) $n(A\cap B)$ (2) $n(A\cup B)$ (3) $n(A^C\cap B^C)$

4-2 전체집합이 U이고 집합 A, B에 대하여

$$n(U)=30,\ n(A)=10,\ n(B)=12,\ n(A^C\cap B^C)=k$$

일 때, k의 최댓값과 최솟값을 구하시오.

대표 **Q5** **집합의 원소의 개수의 활용**

◆ 정답 및 풀이 12쪽

재성이네 반 학생 30명 중 방과 후 수업으로 농구반을 신청한 학생은 17명, 오케스트라 합주반을 신청한 학생은 10명이다. 그리고 5명은 두 반 중 어느 반도 신청하지 않았다. 다음 물음에 답하시오.

(1) 농구반과 오케스트라 합주반을 모두 신청한 학생 수를 구하시오.

(2) 농구반만 신청한 학생 수를 구하시오.

날선 Guide 재성이네 반 학생 전체의 집합을 U,

농구반을 신청한 학생의 집합을 A,

오케스트라 합주반을 신청한 학생의 집합을 B라 하면

$n(U)=30$, $n(A)=17$, $n(B)=10$,

$n(A^C\cap B^C)=5$

이고

(1)은 $n(A\cap B)$, (2)는 $n(A-B)$를 구하는 문제이다.

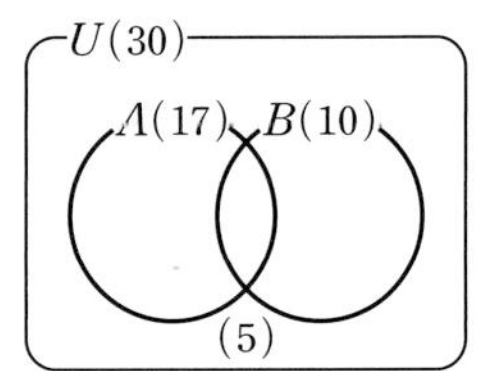

답 (1) 2 (2) 15

조건을 만족시키는 모임은 집합으로 생각할 수 있다.
주어진 조건을 전체집합 U와 집합 A, B로 나타낸 후 다음을 이용한다.

- 둘 다 ~하는 ➡ $A\cap B$
- 둘 다 ~하지 않는 ➡ $A^C\cap B^C$

5-1 어느 고등학교 1학년 학생 90명이 등교하는 교통 수단을 조사하였다. 버스를 이용하는 학생은 45명, 지하철을 이용하는 학생은 35명, 버스와 지하철을 모두 이용하는 학생은 12명이었다. 버스와 지하철 중 어느 것도 이용하지 않는 학생 수를 구하시오.

5-2 25명의 학생이 A, B 두 문제를 풀었다. A 문제를 맞힌 학생은 16명, B 문제를 맞힌 학생은 10명, A 문제와 B 문제 중 어느 것도 맞히지 못한 학생은 3명이었다. A 문제만 맞힌 학생 수를 구하시오.

대표 Q6 세 집합에서 원소의 개수

◆ 정답 및 풀이 12쪽

전체집합이 U일 때, 집합 A, B, C에 대하여 다음 물음에 답하시오.

(1) $n(A-B)=8$, $n(B-C)=10$, $n(C-A)=12$, $n(A\cup B\cup C)=40$일 때, $n(A\cap B\cap C)$를 구하시오.

(2) $A\cap B=\varnothing$, $n(A\cup B)=16$, $n(A\cap C)=3$, $n(A\cap C^C)=n(C\cap B^C)=6$일 때, $n(A\cup B\cup C)$를 구하시오.

날선 Guide (1) $A-B$, $B-C$, $C-A$를 벤다이어그램으로 나타내면 그림과 같다.
이를 이용하여 $n(A-B)$, $n(B-C)$, $n(C-A)$와 $n(A\cup B\cup C)$와 $n(A\cap B\cap C)$의 관계를 구한다.

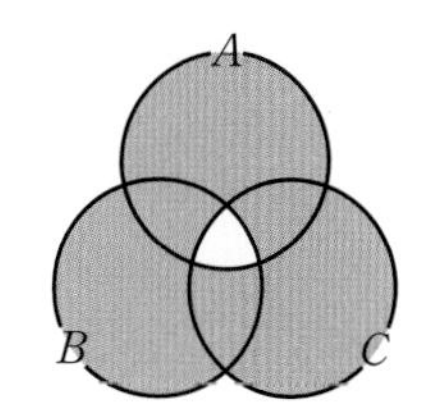

(2) $A\cap B=\varnothing$이므로 A와 B는 서로소이다.
따라서 그림과 같이 벤다이어그램을 그리고 조건을 나타내는 것이 간단하다.

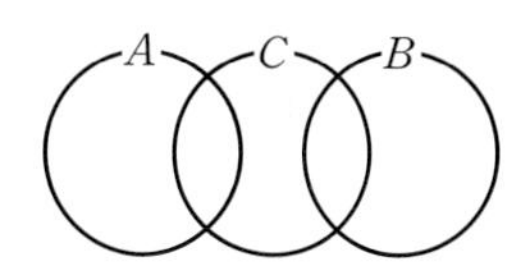

참고 다음 공식을 이용할 수 있다.

$$n(A\cup B\cup C)=n(A)+n(B)+n(C)-n(A\cap B)-n(B\cap C)-n(C\cap A)+n(A\cap B\cap C)$$

답 (1) 10 (2) 19

날선 Point 원소의 개수에 대한 문제 ➡ 벤다이어그램을 그린다.

6-1 집합 A, B, C에 대하여

$$n(A\cup B\cup C)=20,\ n(A\cup B)=15,\ n(C)=7,\ n(A\cap C)=0$$

일 때, $n(B\cap C)$를 구하시오.

up **6-2** 그림과 같이 반지름의 길이가 2인 원 모양의 종이 세 장이 겹쳐져 있다. 세 장으로 덮힌 부분의 전체 넓이가 6π, 세 장이 모두 겹쳐진 부분의 넓이가 π일 때, 두 장만 겹쳐진 부분의 넓이를 구하시오.

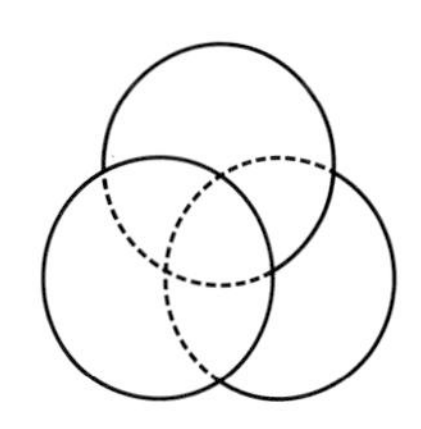

약수, 배수와 집합

◆ 정답 및 풀이 13쪽

전체집합이 $U=\{x\,|\,x$는 100보다 작은 자연수$\}$이고 자연수 k에 대하여 집합 $A_k=\{x\,|\,x$는 k의 배수$\}$라 할 때, 다음 물음에 답하시오.

(1) $A_3\cap A_4=A_k$일 때, k의 값을 구하시오.

(2) $A_3\cup A_4$의 원소의 개수를 구하시오.

(3) $(A_2\cup A_3)\cap A_4$의 원소의 개수를 구하시오.

날선 Guide (1) A_3은 3의 배수의 집합이므로 $A_3=\{3, 6, 9, 12, \cdots, 96, 99\}$

A_4는 4의 배수의 집합이므로 $A_4=\{4, 8, 12, 16, \cdots, 92, 96\}$

또 $A_3\cap A_4$는 3의 배수이면서 4의 배수인 수의 집합이므로

12의 배수의 집합, 곧 $A_3\cap A_4=\{12, 24, 36, \cdots, 84, 96\}$

이때 12는 3과 4의 최소공배수이다.

(2) 합집합의 원소의 개수이므로 다음을 이용한다.

$$n(A_3\cup A_4)=n(A_3)+n(A_4)-n(A_3\cap A_4)$$

(3) $A_2\cup A_3$의 원소를 나열한 다음 A_4의 원소와 겹치는 것을 찾는 것이 쉽지 않다.

분배법칙을 이용하여

$$(A_2\cup A_3)\cap A_4=(A_2\cap A_4)\cup(A_3\cap A_4)$$

에서

$A_2\cap A_4$는 2와 4의 최소공배수인 4의 배수의 집합,

$A_3\cap A_4$는 3과 4의 최소공배수인 12의 배수의 집합

임을 이용하면 편하다.

답 (1) 12 (2) 49 (3) 24

약수나 배수 ➡ 교집합으로 고쳐 생각한다.

7-1 자연수 k에 대하여 집합 $A_k=\{x\,|\,x$는 k의 약수$\}$라 할 때, 다음 물음에 답하시오.

(1) $A_{12}\cap A_{18}=A_k$일 때, k의 값을 구하시오.

(2) $A_{12}\cup A_{18}$의 원소의 개수를 구하시오.

(3) $(A_{12}\cup A_{18})\cap A_{24}$의 원소의 개수를 구하시오.

(4) $A_k\subset A_{36}$을 만족시키는 k의 개수를 구하시오.

원소의 합

◆ 정답 및 풀이 13쪽

집합 A의 원소는 5개이고, 집합 $B=\{2x+k \mid x\in A\}$일 때, 다음 조건을 모두 만족시킨다.

(가) A의 모든 원소의 합은 25이다.

(나) $A\cup B$의 모든 원소의 합은 81이다.

(다) $A\cap B$의 모든 원소의 합은 14이다.

k의 값을 구하시오.

날선 Guide 원소의 합에 대한 조건이 주어진 문제이다.

집합 X의 모든 원소의 합을 $S(X)$라 하고 다음을 이용한다.

(i) $S(A\cup B)=S(A)+S(B)-S(A\cap B)$

(ii) $A=\{a, b, c, d, e\}$라 하면

$$B=\{2a+k, 2b+k, 2c+k, 2d+k, 2e+k\}$$

이므로

$$S(B)=2S(A)+5k$$

이다.

(i), (ii)와 $S(A)=25$, $S(A\cup B)=81$, $S(A\cap B)=14$임을 이용하여 k의 값을 구한다.

답 4

날선 Point 집합 X의 모든 원소의 합을 $S(X)$라 하면

➡ $S(A\cup B)=S(A)+S(B)-S(A\cap B)$

8-1 집합 A의 모든 원소의 합은 21이고 집합 B의 모든 원소의 합은 15이다. $A\cap B=\{-1, 1, 4\}$일 때, $A\cup B$의 모든 원소의 합을 구하시오.

8-2 전체집합 U에 대하여 집합 X의 모든 원소의 합을 $S(X)$라 하자. 집합 A, B에 대하여

$$A-B=\{2, 3, 5\}, (A\cup B)^C=\{6, 7, 8\}$$

이다. $S(U)=46$일 때, 다음 물음에 답하시오.

(1) $S(B)$를 구하시오.

(2) $2S(A\cap B)=S(B-A)$일 때, $S(A)$를 구하시오.

01 다음은 집합 A, B, C에 대하여 주어진 식을 분배법칙을 이용하여 간단히 한 것이다. □ 안에 알맞은 것을 써넣으시오.

(1) $(A\cap B)\cup(A\cap C)=\square(B\cup C)$

(2) $(A\cup C)\cap(B\cup C)=(\square)\cup C$

02 전체집합이 U일 때, 공집합이 아닌 집합 A, B에 대하여 A와 B^C가 서로소이다. **보기**에서 옳은 것만을 있는 대로 고른 것은?

보기
ㄱ. $A-B=\varnothing$　　ㄴ. $(A\cap B)^C=A^C$　　ㄷ. $(A^C\cup B)\cap A=A$

① ㄱ　② ㄷ　③ ㄱ, ㄴ
④ ㄴ, ㄷ　⑤ ㄱ, ㄴ, ㄷ

03 전체집합이 U일 때, 집합 A, B에 대하여 다음 중 $\{(A^C\cup B)\cap B^C\}^C$와 같은 것은?

① $\varnothing$　② B　③ $A\cup B$　④ $A\cap B$　⑤ $A-B$

04 전체집합이 U일 때, 집합 A, B에 대하여 **보기**에서 옳은 것만을 있는 대로 고른 것은?

보기
ㄱ. $A-(A-B)=A\cap B$
ㄴ. $(A-B)^C=A^C\cup B$
ㄷ. $(A\cup B)-(A\cap B)=(A-B)\cup(B-A)$

① ㄱ　② ㄴ　③ ㄱ, ㄴ　④ ㄴ, ㄷ　⑤ ㄱ, ㄴ, ㄷ

05 전체집합 U가 자연수 전체의 집합일 때, 집합 $A=\{1, 2, 3, 4, 5\}$와 B에 대하여

$$U-(A^C \cap B)^C=\{6, 7, 8\},\ A \cap B=\{3, 5\}$$

이다. $A \triangle B=(A-B) \cup (B-A)$라 할 때, $A \triangle B$의 모든 원소의 합을 구하시오.

06 전체집합이 U이고 집합 A, B에 대하여
$\{(A \cap B) \cup (A-B)\} \cap B=B$일 때, 다음 중 옳은 것은?

① $A \subset B$ ② $A \cap B=B$ ③ $A \cup B=U$
④ $A \cap B^C=\varnothing$ ⑤ $A^C \cup B=U$

07 전체집합이 U이고 집합 A, B에 대하여 $n(U)=50$, $n(A)=28$, $n(B)=35$, $n(A \cap B)=17$일 때, 다음을 구하시오.

(1) $n(A^C)$ (2) $n(A \cap B^C)$ (3) $n(A^C \cup B^C)$

08 어느 가수 팬클럽 회원 30명을 대상으로 음반 소유 여부를 조사하였더니 데뷔 앨범 CD를 가지고 있는 회원이 12명, 스페셜 앨범 CD를 가지고 있는 회원이 6명, 데뷔 앨범과 스페셜 앨범 CD를 모두 가지고 있는 회원이 3명이었다. 두 앨범 중 어느 것도 없는 회원 수를 구하시오.

09 자연수 k에 대하여 집합 $A_k=\{x \mid x\text{는 } k\text{의 배수}\}$라 하자.
$(A_{12} \cup A_2) \cap (A_{12} \cup A_3)=A_k$일 때, k의 값을 구하시오.

10 다음은 공집합이 아닌 세 집합 A, B, C에 대하여 $(A\cap B)-(A\cap C)=A\cap(B-C)$임을 보인 것이다.

$$\begin{aligned}(A\cap B)-(A\cap C)&=(A\cap B)\cap\boxed{\text{(가)}}\\&=(A\cap B)\cap(A^C\cup C^C)\\&=(A\cap B\cap A^C)\boxed{\text{(나)}}(A\cap B\cap C^C)\\&=\varnothing\boxed{\text{(나)}}(A\cap B\cap C^C)\\&=A\cap\boxed{\text{(다)}}\\&=A\cap(B-C)\end{aligned}$$

(가), (나), (다)에 알맞은 것을 써넣으시오.

11 전체집합이 U일 때, 집합 A, B, C에 대하여 다음이 성립함을 보이시오.

$$(A\cup B)\cap(A^C\cup B)\cap(A\cup B^C)=A\cap B$$

12 전체집합이 U일 때, 집합 $A=\{a, b, c, d, e\}$에 대하여 $(A\cap B^C)\cup(A^C\cap B)=\{b, d, f\}$를 만족시키는 집합 B를 구하시오.

13 집합 $A=\{x\,|\,f(x)>0\}$, $B=\{x\,|\,g(x)>0\}$, $C=\{x\,|\,f(x)=0\}$, $D=\{x\,|\,g(x)=0\}$일 때, 부등식 $g(x)<0\le f(x)$의 해를 A, B, C, D로 나타내면? (단, 전체집합은 실수 전체의 집합이다.)

① $(A-C)^C\cap(B\cup D)$
② $(A^C\cup C^C)\cap(B\cup D)$
③ $(A^C\cap C^C)\cap(B\cup D)$
④ $(A\cup C)\cap(B^C\cap D^C)$
⑤ $(A\cap C)\cup(B^C\cap D^C)$

14 집합 A, B에 대하여 $A◎B=(A\cup B)-(A\cap B)$라 하자.
$n(B)=6$, $n(A\cup B)=9$, $n(A\cap B)=1$일 때, $n((A◎B)◎B)$를 구하시오.

교육청 기출

15 어느 학급 학생 30명을 대상으로 두 봉사 활동 A, B에 대한 신청을 받았다. 봉사 활동 A를 신청한 학생 수와 봉사 활동 B를 신청한 학생 수의 합이 36일 때, 봉사 활동 A, B를 모두 신청한 학생 수의 최댓값과 최솟값의 합은?

① 18 ② 20 ③ 22 ④ 24 ⑤ 26

16 전체집합이 U이고 집합 A, B, C에 대하여 $n(U)=30$, $n(A^C\cap C^C)=18$, $n(A^C\cap B)=6$이다. B와 C가 서로소일 때, $n(A\cup B\cup C)$를 구하시오.

교육청 기출

17 수강생이 35명인 어느 학원에서 모든 수강생을 대상으로 세 종류의 자격증 A, B, C의 취득 여부를 조사하였다. 자격증 A, B, C를 취득한 수강생이 각각 21명, 18명, 15명이고, 어느 자격증도 취득하지 못한 수강생이 3명이다. 이 학원의 수강생 중에서 세 자격증 A, B, C를 모두 취득한 수강생이 없을 때, 자격증 A, B, C 중에서 두 종류의 자격증만 취득한 수강생 수는?

① 21 ② 22 ③ 23 ④ 24 ⑤ 25

18 자연수 k에 대하여 A_k를 k의 배수의 집합이라 하자. 다음 물음에 답하시오.

(1) $A_a \subset (A_4 \cap A_{10})$을 만족시키는 a의 최솟값을 구하시오.

(2) $(A_8 \cup A_{12}) \subset A_b$를 만족시키는 b의 최댓값을 구하시오.

19 전체집합이 $U=\{1, 3, 5, 7\}$일 때, 집합 A, B에 대하여 $A \cap B=\{3\}$, $A^C \cap B^C=\{7\}$이다. 집합 A, B의 모든 원소의 합을 각각 $f(A)$, $f(B)$라 할 때, $f(A) \times f(B)$의 최댓값을 구하시오.

20 집합 A에 속하는 모든 원소의 합을 $f(A)$라 하자. 전체집합이 $U=\{x \mid x$는 10 이하의 자연수$\}$일 때, 집합 A, B에 대하여 **보기**에서 옳은 것만을 있는 대로 고른 것은? (단, $f(\varnothing)=0$)

보기

ㄱ. $f(A^C)=f(U)-f(A)$

ㄴ. $A \subset B$이면 $f(A) \leq f(B)$

ㄷ. $f(A \cup B)=f(A)+f(B)$

① ㄱ ② ㄴ ③ ㄱ, ㄴ ④ ㄱ, ㄷ ⑤ ㄱ, ㄴ, ㄷ

교육청 기출

21 전체집합 $U=\{1, 2, 3, 4, 5, 6, 7, 8\}$의 두 부분집합 A, B가 다음 조건을 모두 만족시킨다.

(가) $A \cap B=\{3, 5\}$

(나) $A^C \cap B^C=\{1, 7\}$

집합 X의 모든 원소의 합을 $S(X)$라 할 때, $S(A)=2S(B)$가 되도록 하는 두 집합 A, B에 대하여 $S(A)$의 값을 구하시오.

우리가 사용하는 문장과 식 중에는 참과 거짓을 판별할 수 있는 것과 판별할 수 없는 것이 있다. 예를 들어, '10000은 큰 수이다.'는 '크다'에 대한 기준이 다를 수 있으므로 참과 거짓을 판별할 수 없다. 또한 '3은 홀수이다.'는 참이고 '$2+3=6$'은 거짓이다. 이와 같이 참과 거짓을 명확하게 판별할 수 있는 문장이나 식을 수학적으로 정의할 수 있다.

또한 일상생활에서 '충분' 또는 '필요'를 사용하는 상황을 알아봄으로써 이 단원에서 배우게 될 다양한 조건에 대한 이해를 도울 수 있다.

이 단원에서는 명제와 조건의 뜻, 명제와 관련된 다양한 개념, 명제 사이의 관계에 대하여 알아보자.

명제

3-1 명제

개념

1 참, 거짓을 판별할 수 있는 문장이나 식을 **명제**라 한다.
명제 p에 대하여 'p가 아니다.'를 p의 **부정**이라 하고, $\sim \boldsymbol{p}$로 나타낸다.

2 명제를 부정하면 참, 거짓이 바뀐다.

명제

다음과 같은 세 문장에 대하여

p : 2는 소수이다.　　q : 2는 홀수이다.　　r : 2는 작은 수이다.

p는 참인 문장, q는 거짓인 문장이다.

이와 같이 참, 거짓을 판별할 수 있는 문장이나 식을 명제라 한다.

그러나 r는 '작다'라는 기준이 명확하지 않으므로 참, 거짓을 판별할 수 없다.

따라서 r는 명제가 아니다.

명제의 부정

'2는 소수가 아니다.', '2는 홀수가 아니다.'와 같은 꼴을 각각 명제 p와 q의 부정이라 하고 각각 $\sim p$, $\sim q$로 나타낸다. $\sim p$는 not p로 읽는다. → 명제 $\sim p$의 부정은 $\sim(\sim p)=p$이다.

$\sim p$는 거짓인 명제이고, $\sim q$는 참인 명제이다. 이와 같이

명제를 부정하면 참, 거짓이 바뀐다.

예를 들어

$s : 2x+3x=5x$

는 참인 문장이므로 명제이다.

이 명제의 부정은

$\sim s : 2x+3x\neq 5x$

이고, 거짓인 명제이다.

개념 Check

◆ 정답 및 풀이 18쪽

1 **보기**에서 명제인 것을 모두 찾고, 명제의 참, 거짓을 판별하시오.

보기

ㄱ. 6의 배수는 3의 배수이다.　　ㄴ. 수학은 어렵다.

ㄷ. $2+3$　　ㄹ. π는 유리수이다.

ㅁ. $y=x^2-3x+2$　　ㅂ. x가 실수일 때 $x^2>0$

2 다음 명제의 부정을 말하고, 부정의 참, 거짓을 판별하시오.

(1) 소수의 약수는 2개이다.　　(2) $3\leq 1$

3-2 조건과 진리집합

1 변수의 값에 따라 참, 거짓이 정해지는 문장이나 식을 **조건**이라 한다.

조건 p가 참이 되는 모든 원소의 집합을 p의 **진리집합**이라 하고 P로 나타낸다.

$$P=\{x \mid p(x)\}$$

2 조건 p의 부정 $\sim p$의 진리집합은 P^C이다.

$$P^C=\{x \mid \sim p(x)\}$$

3 조건 p, q에 대하여

(1) 'p 그리고 q'의 진리집합은 $P \cap Q$ (2) 'p 또는 q'의 진리집합은 $P \cup Q$

조건과 진리집합

'p : x는 8의 약수이다.'는 $x=1$이면 참이고, $x=3$이면 거짓이다. 이와 같이 x의 값에 따라 참, 거짓이 정해지는 문장이나 식을 x에 대한 조건 또는 간단히 조건이라 하고 $p(x)$ 또는 p로 나타낸다.

또 조건 p가 참인 x는 1, 2, 4, 8이다. 이 값이 원소인 집합 $\{1, 2, 4, 8\}$을 p의 진리집합이라 하고, 대문자 P로 나타낸다.

$$\boldsymbol{P=\{x \mid p(x)\}}$$ ⟶ $p(x)$가 참인 x값의 모임

특별한 말이 없으면 P, Q, R, …는 조건 p, q, r, …의 진리집합이다.

조건의 부정

명제와 마찬가지로 조건 p의 부정도 $\sim p$로 나타낸다. 곧,

$\sim p$: x는 8의 약수가 아니다.

따라서 전체집합이 $U=\{x \mid x$는 10보다 작은 자연수$\}$이면 $\sim p$의 진리집합은

$\{3, 5, 6, 7, 9\}$

이므로 P^C이다. 이와 같이 조건 p의 부정인 $\sim p$의 진리집합은 P^C이다.

$$\boldsymbol{P^C=\{x \mid \sim p(x)\}}$$

'p 그리고 q', 'p 또는 q'의 진리집합

조건 p, q에 대하여

조건 'p 그리고 q'의 진리집합은 p와 q가 동시에 참인 집합이므로 $P \cap Q$이고,

조건 'p 또는 q'의 진리집합은 p 또는 q가 참인 집합이므로 $P \cup Q$이다.

개념 Check

◆ 정답 및 풀이 **18**쪽

3 전체집합이 10보다 작은 자연수의 집합일 때, 조건

p : x는 짝수　　　q : $(x-2)(x-3)=0$

에 대하여 다음 조건의 진리집합을 구하시오.

(1) p　　(2) $\sim p$　　(3) q

(4) $\sim q$　　(5) p 그리고 q　　(6) p 또는 q

3-3 명제 $p \longrightarrow q$

1 p, q가 조건일 때, 'p이면 q이다.' 꼴의 명제를 $\boldsymbol{p \longrightarrow q}$로 나타내고 p를 **가정**, q를 **결론**이라 한다.

2 명제 $p \longrightarrow q$의 참, 거짓과 진리집합의 포함 관계는

(1) $p \longrightarrow q$가 참이면 $P \subset Q$이다. 또 $P \subset Q$이면 $p \longrightarrow q$는 참이다.

(2) $p \longrightarrow q$가 거짓이면 $P \not\subset Q$이다. 또 $P \not\subset Q$이면 $p \longrightarrow q$는 거짓이다.

명제 $p \longrightarrow q$

조건

p : x는 4의 약수이다. $\qquad q$: x는 8의 약수이다.

를 **'이면'**으로 연결하면

'x가 4의 약수이면 x는 8의 약수이다.'

이 문장은 참인 문장이다. 이와 같이 조건 p, q를 'p이면 q이다.'와 같이 연결하면 명제이다.

이때 p를 가정, q를 결론이라 하고 $p \longrightarrow q$로 나타낸다.

$p \longrightarrow q$
가정 결론

명제 $p \longrightarrow q$의 참, 거짓과 진리집합의 포함 관계

진리집합이 $P=\{1, 2, 4\}$, $Q=\{1, 2, 4, 8\}$이므로 $P \subset Q$이다.

이와 같이 $P \subset Q$이면 $p \longrightarrow q$가 참이고 $p \Longrightarrow q$로 나타낸다.

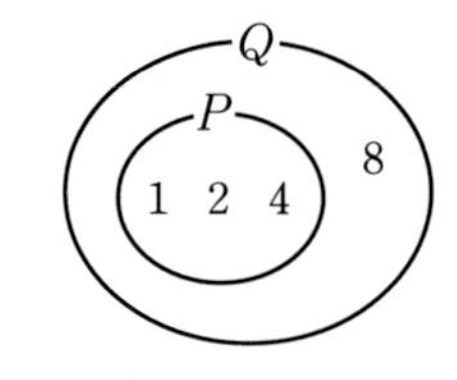

역으로 $p \longrightarrow q$가 참이면 $P \subset Q$이다.

'q이면 p이다.'는

'x가 8의 약수이면 x는 4의 약수이다.'

이므로 거짓인 명제이다. 이때 $Q \not\subset P$이다.

그리고 Q의 원소이지만 P의 원소가 아닌 8을 반례라 한다.

참고 'x가 4의 약수이면 x는 8의 약수이다.'는 다음과 같이 간단히 쓸 수 있다.
'4의 약수는 8의 약수이다.'

개념 Check

◆ 정답 및 풀이 **18쪽**

4 다음 명제의 가정과 결론을 말하시오.

(1) $x^2=4$이면 $x=2$이다.

(2) 삼각형의 두 변의 길이가 같으면 이등변삼각형이다.

5 다음 조건 p, q에 대하여 명제 $p \longrightarrow q$의 참, 거짓을 판별하시오. (단, x, y는 실수이다.)

(1) p : x는 4의 배수, q : x는 짝수 $\qquad$ (2) p : $xy=0$, q : $x^2+y^2=0$

3-4 '모든'과 '어떤'을 포함한 명제

1 전체집합이 U이고 조건 p의 진리집합을 P라 할 때

(1) $P=U$이면 '모든 x에 대하여 p이다.'는 참이다.

(2) $P\neq\varnothing$이면 '어떤 x에 대하여 p이다.'는 참이다.

2 명제 '모든 x에 대하여 p이다.'의 부정 ➡ '어떤 x에 대하여 $\sim p$이다.'

명제 '어떤 x에 대하여 p이다.'의 부정 ➡ '모든 x에 대하여 $\sim p$이다.'

'모든', '어떤'을 포함한 명제

전체집합 U는 실수 전체의 집합이고 조건

$$p: x^2+1>0 \qquad q: x^2>0 \qquad r: x^2=-1$$

에 '모든 x' 또는 '어떤 x'를 포함한 문장을 알아보자.

'모든 x에 대하여 p이다.'는 x가 실수이면 $x^2+1\geq 1$이므로 참인 명제이다.

'모든 x에 대하여 q이다.'는 $x=0$이면 성립하지 않으므로 거짓인 명제이다.

'어떤 x에 대하여 q이다.'는 $x\neq 0$이면 성립하므로 참인 명제이다.

'어떤 x에 대하여 r이다.'는 x가 실수이면 $x^2\geq 0$이므로 거짓인 명제이다.

이와 같이 조건에 '모든' 또는 '어떤'을 포함한 문장은 참, 거짓을 판별할 수 있는 명제이다.

'모든', '어떤'을 포함한 명제의 참, 거짓

진리집합과 '모든' 또는 '어떤'을 포함한 명제의 참, 거짓은 다음과 같이 생각할 수 있다.

(1) $P=U$이면 '모든 x에 대하여 p이다.'는 참이다.

$P\neq U$이면 '모든 x에 대하여 p이다.'는 거짓이다. → 하나라도 거짓이면 거짓이다.

(2) $P\neq\varnothing$이면 '어떤 x에 대하여 p이다.'는 참이다. → 하나라도 참이면 참이다.

$P=\varnothing$이면 '어떤 x에 대하여 p이다.'는 거짓이다.

'모든', '어떤'을 포함한 명제의 부정

'모든 x에 대하여 $x^2-4=0$이다.'를 부정하면

➡ '$x^2-4\neq 0$인 x가 있다.' ➡ '어떤 x에 대하여 $x^2-4\neq 0$이다.'

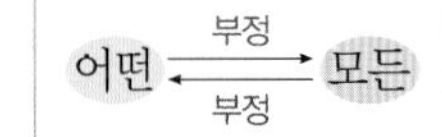

또 '어떤 x에 대하여 $x^2-4=0$이다.'를 부정하면

➡ '$x^2-4=0$인 x가 없다.' ➡ '모든 x에 대하여 $x^2-4\neq 0$이다.'

따라서

'모든 x에 대하여 p이다.'의 부정 ➡ '어떤 x에 대하여 $\sim p$이다.'

'어떤 x에 대하여 p이다.'의 부정 ➡ '모든 x에 대하여 $\sim p$이다.'

개념 Check

◆ 정답 및 풀이 **18**쪽

6 다음 명제의 참, 거짓을 판별하시오. 또, 부정을 말하고, 부정의 참, 거짓을 판별하시오.

(1) 모든 정사각형은 마름모이다.

(2) 어떤 실수 x에 대하여 $x^2<0$이다.

대표 Q1 '그리고'와 '또는'을 포함한 조건

◆ 정답 및 풀이 18쪽

전체집합이 $U=\{x \mid x$는 10보다 작은 자연수$\}$일 때, 조건

p : x는 소수이다.　　q : x는 홀수이다.

에 대하여 다음 조건의 진리집합을 구하시오.

(1) $\sim(\sim p)$　　　(2) p 그리고 $\sim q$　　　(3) $\sim(p$ 또는 $q)$

날선 Guide (1) 조건 $\sim p$의 부정은 $\sim(\sim p)=p$이므로 조건 $\sim(\sim p)$의 진리집합은 P이다.

(2) $\sim q$의 진리집합은 Q^C이므로 조건 'p 그리고 $\sim q$'의 진리집합은 $P\cap Q^C$이다.

(3) 'p 또는 q'의 진리집합은 $P\cup Q$이므로

$\sim(p$ 또는 $q)$의 진리집합은 $(P\cup Q)^C$이다.

참고 조건 $\sim(p$ 또는 $q)$의 진리집합은 $(P\cup Q)^C$이다.
드모르간의 법칙에서 $(P\cup Q)^C=P^C\cap Q^C$이고,
$P^C\cap Q^C$는 조건 '$\sim p$ 그리고 $\sim q$'의 진리집합이므로
'p 또는 q'의 부정이 '$\sim p$ 그리고 $\sim q$'임을 알 수 있다.
이와 같이 진리집합을 생각하면 다음을 알 수 있다.

조건	진리집합	부정
$\sim p$	P^C	$\sim(\sim p)=p$
p 그리고 q	$P\cap Q$	$\sim p$ 또는 $\sim q$
p 또는 q	$P\cup Q$	$\sim p$ 그리고 $\sim q$

답 (1) $\{2, 3, 5, 7\}$　(2) $\{2\}$　(3) $\{4, 6, 8\}$

날선 Point

조건 p, q에 대하여

- $\sim p$ ➡ P^C
- p 그리고 q ➡ $P\cap Q$
- p 또는 q ➡ $P\cup Q$

1-1 전체집합이 $U=\{x \mid x$는 실수$\}$일 때, 조건

p : $|x|<3$　　　q : $x(x-5)\ge 0$

에 대하여 다음 조건의 진리집합을 구하시오.

(1) $\sim(\sim q)$　　　(2) $\sim p$ 또는 q　　　(3) $\sim p$ 그리고 $\sim q$

대표 **Q2**

명제 $p \longrightarrow q$의 참, 거짓

정답 및 풀이 19쪽

전체집합이 실수 전체의 집합일 때, 다음 물음에 답하시오.

(1) p : $-a+1<x<2$, q : $(x+2)(x-2a)<0$이고 $p \longrightarrow q$가 참일 때, 양수 a값의 범위를 구하시오.

(2) p : $x^2-4x+3\neq0$, q : $x>a$이고 $\sim p \longrightarrow q$가 거짓일 때, a값의 범위를 구하시오.

(1) $p \longrightarrow q$가 참이면 $P\subset Q$이다.

또 $a>0$이므로 조건 q에서 $(x+2)(x-2a)<0$의 해는 $-2<x<2a$이다.

따라서 P, Q가 그림과 같으면 된다.

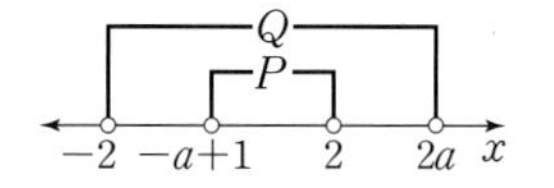

(2) $\sim p \longrightarrow q$가 거짓이면 $P^C \not\subset Q$이다.

따라서 P^C의 원소 중 Q에 속하지 않는 원소가 있다.

$\sim p$: $x^2-4x+3=0$이므로 P^C를 구한 다음 P^C의 원소 중 Q에 속하지 않는 원소가 있도록 a값의 범위를 구한다.

답 (1) $1\le a\le 3$ (2) $a\ge 1$

날선 Point

- $p \longrightarrow q$가 참이면 $P\subset Q$
- $p \longrightarrow q$가 거짓이면 $P\not\subset Q$
  곧, P에 속하고 Q에 속하지 않는 원소가 있다.

2-1 조건 p, q가

$$p : |x-a|\le 3 \qquad q : x^2+2x-24\le 0$$

이다. $p \longrightarrow q$가 참일 때, 실수 a의 최댓값을 구하시오.

2-2 조건 p, q가

$$p : x^2-2x-15>0 \qquad q : 5-a\le x\le a$$

이다. $\sim p \longrightarrow q$가 참일 때, 실수 a값의 범위를 구하시오.

조건과 진리집합

◆ 정답 및 풀이 19쪽

전체집합을 U, 조건 p, q, r의 진리집합을 P, Q, R라 하자.

$$P\cup Q=P,\ Q^{C}\cap R=R$$

일 때, 다음 중 참인 명제를 모두 고르면? (단, $U\neq\varnothing$)

① $p \longrightarrow q$ ② $r \longrightarrow \sim p$ ③ $(p$ 그리고 $q) \longrightarrow \sim r$
④ $(p$ 그리고 $r) \longrightarrow \sim q$ ⑤ $(q$ 또는 $r) \longrightarrow p$

날선 Guide $P\cup Q=P$이므로 $Q\subset P$이다.
또 $Q^{C}\cap R=R$이므로 $R\subset Q^{C}$, 곧 $Q\cap R=\varnothing$이다.
따라서 집합 P, Q, R의 포함 관계를 벤다이어그램으로 나타내면 그림과 같다. 이때
① P와 Q ② R와 P^{C} ③ $P\cap Q$와 R^{C}
④ $P\cap R$와 Q^{C} ⑤ $Q\cup R$와 P
의 포함 관계를 조사하면 명제의 참, 거짓을 알 수 있다.
이와 같이 진리집합의 포함 관계를 조사하면 $p \longrightarrow q$ 꼴인 명제의 참, 거짓을 알 수 있다.

답 ③, ④

- $p \longrightarrow q$가 참이면 $P\subset Q$
  $P\subset Q$이면 $p \longrightarrow q$가 참
- $p \longrightarrow q$가 거짓이면 $P\not\subset Q$
  $P\not\subset Q$이면 $p \longrightarrow q$가 거짓

3-1 전체집합을 U, 조건 p, q의 진리집합을 P, Q라 하자. $p \longrightarrow q$가 참일 때, 다음 중 옳은 것은?

① $P\cap Q=\varnothing$ ② $P^{C}\cup Q=U$ ③ $P^{C}\cap Q=\varnothing$
④ $P\cup Q^{C}=U$ ⑤ $P\cap Q^{C}=U$

up 3-2 전체집합을 U, 조건 p, q, r의 진리집합을 P, Q, R라 하자.

$$P\cap Q^{C}=P,\ R\subset(P\cup Q)$$

일 때, 다음 중 참인 명제는? (단, $U\neq\varnothing$)

① $p \longrightarrow q$ ② $r \longrightarrow p$ ③ $\sim q \longrightarrow r$
④ $(p$ 또는 $r) \longrightarrow \sim q$ ⑤ $(\sim q$ 그리고 $r) \longrightarrow p$

‘모든’과 ‘어떤’을 포함한 명제

◆ 정답 및 풀이 20쪽

전체집합이 $U=\{0, 1, 2, 3, 4\}$일 때, 다음 명제의 참, 거짓을 판별하시오. 또 부정을 말하고, 부정의 참, 거짓을 판별하시오.

(1) 어떤 x에 대하여 $x^2-4x-5=0$이다.

(2) 모든 x, y에 대하여 $xy-4x-4y+16\ge0$이다.

날선 Guide 전체집합이 U이고 조건 p의 진리집합을 P라 할 때

(i) ‘모든’을 포함한 명제가 참이면 전체집합 U의 모든 원소에 대하여 참이다.

따라서 ‘모든’을 포함한 명제는

$P=U$이면 참, 하나라도 거짓이면 거짓

또 ‘어떤’을 포함한 명제가 참이면 전체집합 U의 한 원소에 대하여 참이면 된다.

따라서 ‘어떤’을 포함한 명제는

$P\ne\varnothing$이면 참, 참인 원소가 하나도 없으면 거짓이다.

(ii) ‘모든 x에 대하여 p이다.’의 부정은 ‘어떤 x에 대하여 $\sim p$이다.’이고,

‘어떤 x에 대하여 p이다.’의 부정은 ‘모든 x에 대하여 $\sim p$이다.’이다.

(iii) 참인 명제의 부정은 거짓, 거짓인 명제의 부정은 참이다.

따라서 명제의 참, 거짓을 판별하기 쉽지 않은 경우 부정의 참, 거짓을 조사해도 된다.

답 (1) 거짓, 부정 : 모든 x에 대하여 $x^2-4x-5\ne0$이다. (참)

(2) 참, 부정 : 어떤 x, y에 대하여 $xy-4x-4y+16<0$이다. (거짓)

- 모든 ➡ 진리집합이 전체집합과 같으면 참, 하나라도 거짓이면 거짓
  어떤 ➡ 하나라도 참이면 참, 참인 원소가 하나도 없으면 거짓
- ‘모든 p’의 부정 ➡ 어떤 $\sim p$ ‘어떤 p’의 부정 ➡ 모든 $\sim p$

4-1 전체집합이 $U=\{-2, -1, 0, 1, 2\}$일 때, 다음 중 거짓인 명제는?

① 어떤 x에 대하여 $|x|\le x$이다.
② 모든 x, y에 대하여 $x^2+y^2<9$이다.
③ 모든 x에 대하여 $x^2-x-6\le0$이다.
④ 어떤 x에 대하여 $x^2\le0$이다.
⑤ 어떤 x에 대하여 $(x-2)(x+2)>0$이다.

4-2 다음 명제의 부정을 말하고, 부정의 참, 거짓을 판별하시오.

(1) 모든 실수 x에 대하여 $\sqrt{x^2}=x$이다.

(2) 어떤 실수 x에 대하여 $x^2-4x+4\le0$이다.

3-5 역과 대우

1 명제 $p \longrightarrow q$에 대하여

(1) 명제 $q \longrightarrow p$를 역이라 한다.

(2) 명제 $\sim q \longrightarrow \sim p$를 대우라 한다.

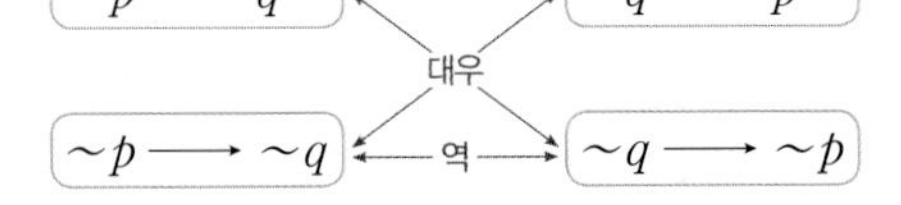

2 명제 $p \longrightarrow q$와 대우 $\sim q \longrightarrow \sim p$의 참, 거짓은 같다.

역과 대우

명제 $p \longrightarrow q$에 대하여

$\boldsymbol{q \longrightarrow p}$를 역 → 가정과 결론의 위치를 바꾼다.

$\boldsymbol{\sim q \longrightarrow \sim p}$를 대우 → 가정과 결론을 부정하고 위치를 바꾼다.

라 한다.

명제와 대우의 참, 거짓

p : x가 4의 배수이다. q : x가 2의 배수이다.

일 때, 명제 $p \longrightarrow q$와 역, 대우는

$p \longrightarrow q$ ➡ x가 4의 배수이면 x는 2의 배수이다. (참)

$q \longrightarrow p$ (역) ➡ x가 2의 배수이면 x는 4의 배수이다. (거짓)

$\sim q \longrightarrow \sim p$ (대우) ➡ x가 2의 배수가 아니면 x는 4의 배수가 아니다. (참)

이때 명제 $p \longrightarrow q$와 대우 $\sim q \longrightarrow \sim p$의 참, 거짓은 같음을 알 수 있다.

일반적으로 명제 $p \longrightarrow q$가 참이면

$P \subset Q$이므로 $Q^C \subset P^C$ ➡ $\sim q \longrightarrow \sim p$도 참

명제 $p \longrightarrow q$가 거짓이면

$P \not\subset Q$이므로 $Q^C \not\subset P^C$ ➡ $\sim q \longrightarrow \sim p$도 거짓

참고 명제 $p \longrightarrow q$와 역 $q \longrightarrow p$의 참, 거짓은 같을 수도 있고, 다를 수도 있다.

개념 Check

◆ 정답 및 풀이 20쪽

7 다음 명제의 역과 대우를 말하고, 역과 대우의 참, 거짓을 판별하시오.

(1) $x^2=1$이면 $x=1$이다. (2) $x>2$이면 $x^2>4$이다.

(3) 마름모는 평행사변형이다.

8 조건 p, q에 대하여 명제 $\sim p \longrightarrow q$가 참일 때, 다음 중 참인 명제는?

① $p \longrightarrow \sim q$ ② $\sim p \longrightarrow \sim q$ ③ $q \longrightarrow \sim p$

④ $\sim q \longrightarrow p$ ⑤ $\sim q \longrightarrow \sim p$

역과 대우

정답 및 풀이 21쪽

다음 명제의 참, 거짓을 판별하시오. 또 역과 대우를 말하고, 역과 대우의 참, 거짓을 판별하시오.

(1) x, y가 실수일 때, $xy=0$이면 $x^2+y^2=0$이다.

(2) x, y가 짝수이면 $x+y$는 짝수이다.

(3) $A\subset B$ 또는 $A\subset C$이면 $A\subset(B\cup C)$이다.

날선 Guide (i) 명제 $p \longrightarrow q$의 역은 $q \longrightarrow p$이고, 대우는 $\sim q \longrightarrow \sim p$이다.
따라서 주어진 명제를 p와 q로 구분하면 역과 대우를 구할 수 있다.

(ii) $p \longrightarrow q$가 참이라 말할 때에는
이미 알고 있는 성질을 이용하거나, 진리집합을 구한 다음 $P\subset Q$를 보인다.
거짓이라 말할 때에는 $P-Q$의 원소, 곧 반례를 하나 찾는다.

(iii) 대우의 참, 거짓은 주어진 명제의 참, 거짓과 같음을 이용할 수도 있다.

참고 (1) 'x, y가 실수일 때' $p \longrightarrow q$ 꼴의 명제이다.
여기에서 가정은 p, 결론은 q이므로 역이나 대우를 구할 때, 'x, y가 실수일 때'는 그대로 쓴다.

답 (1) 거짓, 역 : x, y가 실수일 때, $x^2+y^2=0$이면 $xy=0$이다. (참),
대우 : x, y가 실수일 때, $x^2+y^2\neq0$이면 $xy\neq0$이다. (거짓)
(2) 참, 역 : $x+y$가 짝수이면 x, y는 짝수이다. (거짓),
대우 : $x+y$가 짝수가 아니면 x 또는 y가 짝수가 아니다. (참)
(3) 참, 역 : $A\subset(B\cup C)$이면 $A\subset B$ 또는 $A\subset C$이다. (거짓),
대우 : $A\not\subset(B\cup C)$이면 $A\not\subset B$이고 $A\not\subset C$이다. (참)

명제 $p \longrightarrow q$에 대하여
- 역은 $q \longrightarrow p$, 대우는 $\sim q \longrightarrow \sim p$
- 명제가 참이면 $P\subset Q$, 거짓이면 반례를 말한다.

5-1 다음 명제의 참, 거짓을 판별하시오. 또 역과 대우를 말하고, 역과 대우의 참, 거짓을 판별하시오.

(1) $xy>0$이면 $x>0$이고 $y>0$이다. (단, x, y는 실수이다.)

(2) $ac=bc$이면 $a=b$ 또는 $c=0$이다.

5-2 전체집합이 실수 전체의 집합이고 다음 명제의 대우가 참일 때, a값의 범위를 구하시오.

$|x-a|<2$이면 $0<x<5$이다.

대표 Q6

삼단논법과 대우

◆ 정답 및 풀이 21쪽

조건 p, q, r에 대하여 명제 $p \longrightarrow q$와 $r \longrightarrow \sim q$가 모두 참이다. 다음 명제 중 참이 아닌 것은?

① $\sim q \longrightarrow \sim p$　② $q \longrightarrow \sim r$　③ $p \longrightarrow \sim r$
④ $r \longrightarrow \sim p$　⑤ $\sim r \longrightarrow \sim p$

날선 Guide 참인 두 개 이상의 명제로부터 참인 명제를 찾는 문제이다.
참인 명제의 대우가 참이라는 것과 삼단논법을 이용한다.

[삼단논법] 명제 $p \longrightarrow q$와 $q \longrightarrow r$가 모두 참이라 하자.
진리집합을 생각하면
$P \subset Q$이고 $Q \subset R$이므로 $P \subset R$
따라서 $p \longrightarrow r$가 참이다.

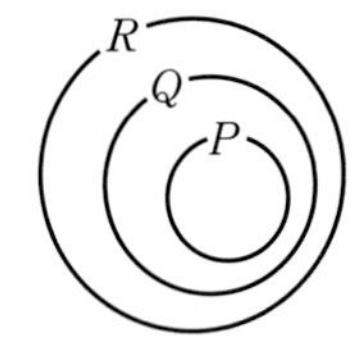

이 문제에서 $p \longrightarrow q$, $r \longrightarrow \sim q$를 바로 연결할 수는 없지만
$r \longrightarrow \sim q$의 대우 $q \longrightarrow \sim r$를 생각하면 삼단논법을 이용할 수 있다.

 ⑤

참인 명제를 찾는 방법
- 대우가 참임을 이용한다.
- 삼단논법을 이용한다.
  ➡ $p \Longrightarrow q$, $q \Longrightarrow r$이면 $p \Longrightarrow r$

6-1 조건 p, q, r에 대하여 명제 $p \longrightarrow \sim q$와 $\sim p \longrightarrow r$가 모두 참이다. 다음 명제 중 참이 아닌 것은?

① $q \longrightarrow \sim p$　② $\sim r \longrightarrow p$　③ $q \longrightarrow r$
④ $p \longrightarrow \sim r$　⑤ $\sim r \longrightarrow \sim q$

UP **6-2** 명제 '물고기가 살지 않으면 바다가 아니다.', '물고기가 사는 곳에서는 낚시를 할 수 있다.'가 모두 참일 때, **보기**에서 참인 명제인 것만을 있는 대로 고른 것은?

보기
ㄱ. 바다에서는 낚시를 할 수 있다.　ㄴ. 바다에는 물고기가 산다.
ㄷ. 바다가 아닌 곳에서는 낚시를 할 수 없다.

① ㄱ　② ㄴ　③ ㄷ　④ ㄱ, ㄴ　⑤ ㄴ, ㄷ

3-6 충분조건과 필요조건

1 명제 $p \longrightarrow q$가 참이면 $p \Longrightarrow q$로 나타내고,

(1) p는 q이기 위한 **충분조건**이라 한다.

(2) q는 p이기 위한 **필요조건**이라 한다.

(3) $P \subset Q$

2 $p \Longrightarrow q$이고 $p \Longleftarrow q$이면 $\boldsymbol{p} \Longleftrightarrow \boldsymbol{q}$로 나타내고,

(1) p는 q이기 위한 **필요충분조건**이라 한다.

(2) $P = Q$

충분조건, 필요조건

조건

p : x가 4의 배수이다.　　　q : x가 2의 배수이다.

에 대하여 $p \longrightarrow q$를 생각하면

'x가 4의 배수이면 x가 2의 배수이다.'

따라서 $p \longrightarrow q$는 참, 곧 $p \Longrightarrow q$이다. 이때

p는 q이기 위한 충분조건

q는 p이기 위한 필요조건

이라 한다.

> p는 q이기 위한 충분 : $p \Longrightarrow q$
>
> p는 q이기 위한 필요 : $p \Longleftarrow q$

충분조건, 필요조건과 진리집합의 관계

조건 p, q에 대하여

p는 q이기 위한 충분조건이면 $p \Longrightarrow q$이므로 $P \subset Q$이다.

역으로 $P \subset Q$이면 $p \Longrightarrow q$이므로 p는 q이기 위한 충분조건이다.

$p \Longleftarrow q$

조건 p, q에 대하여 $p \Longleftarrow q$이면 $q \Longrightarrow p$이므로

q는 p이기 위한 충분조건이고,

p는 q이기 위한 필요조건이다.

개념 Check

◆ 정답 및 풀이 22쪽

9 조건 p : $-1 \leq x \leq 5$, q : $-1 < x < 1$에 대하여 다음 물음에 답하시오.

(1) p는 q이기 위한 무슨 조건인지 말하시오.

(2) q는 p이기 위한 무슨 조건인지 말하시오.

10 조건 p, q의 진리집합을 P, Q라 하자. $P \cap Q = P$일 때, □ 안에 알맞은 말을 써넣으시오.

(1) p는 q이기 위한 [　　] 조건이다.

(2) q는 p이기 위한 [　　] 조건이다.

필요충분조건

조건

$p : x^2=1 \qquad q : x=\pm 1$

에 대하여 $p \longrightarrow q$도 참($p \Longrightarrow q$)이고 $p \longleftarrow q$도 참($p \Longleftarrow q$)이다.

따라서 p는 q이기 위한 충분조건이고, 동시에 필요조건이다.

이때 p는 q이기 위한 필요충분조건이라 하고 $\boldsymbol{p \Longleftrightarrow q}$로 나타낸다.

필요충분조건과 진리집합의 관계

조건 p, q에 대하여

p는 q이기 위한 필요충분조건이면 $P \subset Q$이고 $Q \subset P$이므로 $P=Q$이다.

역으로 $P=Q$이면 $P \subset Q$이고 $Q \subset P$이므로 p는 q이기 위한 필요충분조건이다.

참고 예를 들어 항등식의 성질

'$ax+b=0$이 x에 대한 항등식이면 $a=0$이고 $b=0$이다.'

에서

p : $ax+b=0$이 x에 대한 항등식이다. $\qquad q$: $a=0$이고 $b=0$이다.

라 하면 p는 q이기 위한 필요충분조건이다. 따라서

$ax+b=0$이 x에 대한 항등식이다. $\Longleftrightarrow$ $a=0$이고 $b=0$이다.

로 기억하는 게 좋다.

개념 Check

◆ 정답 및 풀이 22쪽

11 다음에서 p는 q이기 위한 무슨 조건인지 말하시오.

(1) p : x는 6의 약수이다. $\qquad q$: x는 12의 약수이다.

(2) p : $x^2-1=0$ $\qquad q$: $x-1=0$

12 x, y가 실수일 때, 다음 'p이면 q' 꼴의 명제에서 p가 q이기 위한 필요충분조건이 아닌 것은?

① $xy=0$이면 $x=0$ 또는 $y=0$이다.

② $2x-4=0$이면 $x=2$이다.

③ $x^2+x-2=0$이면 $x=-2$ 또는 $x=1$이다.

④ $x>0$이고 $y>0$이면 $x+y>0$이다.

⑤ $|x|>0$이면 $x^2>0$이다.

13 전체집합을 U, 조건 p, q의 진리집합을 P, Q라 하자. p가 q이기 위한 필요충분조건일 때, $P \cup Q^C$를 간단히 하시오.

대표 Q7 충분조건, 필요조건

◆ 정답 및 풀이 22쪽

다음에서 p는 q이기 위한 무슨 조건인지 말하시오.

(1) $p : x=y$ $\quad$ $q : xz=yz$

(2) $p : xy<0$ $\quad$ q : x와 y는 부호가 다르다. (단, x, y는 실수이다.)

(3) p : $x+y$, xy가 유리수이다. $\quad$ q : x, y가 유리수이다.

날선 Guide $p \longrightarrow q$가 참이면 p는 q이기 위한 충분조건이고,

$p \longleftarrow q$가 참이면 p는 q이기 위한 필요조건이다.

따라서 $p \longrightarrow q$가 참인지와 역이 참인지를 확인하는 문제이다.

참인 경우 이미 알고 있는 성질을 이용하거나, 진리집합의 포함 관계를 이용하여 설명한다.

그리고 거짓인 경우 반례를 든다.

참고 1. $p \longrightarrow q$가 참인 경우 p는 q이기 위한 충분조건이라 하면 안 된다.
$q \longrightarrow p$까지 확인해서 p는 q이기 위한 필요조건도 되는지 확인해야 한다.

2. $p \longrightarrow q$와 $q \longrightarrow p$가 모두 거짓이면 아무 조건도 아니다.

답 (1) 충분조건 (2) 필요충분조건 (3) 필요조건

- $p \Longrightarrow q$이고 $p \not\Longleftarrow q$이면 p는 q이기 위한 충분조건
- $p \not\Longrightarrow q$이고 $p \Longleftarrow q$이면 p는 q이기 위한 필요조건
- $p \Longrightarrow q$이고 $p \Longleftarrow q$이면 p는 q이기 위한 필요충분조건

7-1 x, y가 실수일 때, 다음에서 p는 q이기 위한 무슨 조건인지 말하시오.

(1) $p : x=1$ $\quad$ $q : x^3=1$

(2) $p : x^2+y^2=0$ $\quad$ q : $x=0$이고 $y=0$

7-2 다음에서 p는 q이기 위한 무슨 조건인지 말하시오.

(1) $p : x=y=z$ $\quad$ $q : (x-y)(y-z)=0$

(2) p : $x+y$, xy가 실수이다. $\quad$ q : x, y가 실수이다.

대표 Q8 충분조건, 필요조건과 진리집합

◆ 정답 및 풀이 23쪽

다음 물음에 답하시오.

(1) 조건 p, q의 진리집합을 P, Q라 하자. $P\cap Q^{C}=\varnothing$일 때, p는 q이기 위한 무슨 조건인지 말하시오.

(2) 조건 p, q는

$p : x^2-2x-8>0 \qquad q : x^2-3ax+2a^2<0\ (a\neq 0)$

이다. p가 q이기 위한 필요조건일 때, 상수 a값의 범위를 구하시오.

날선 Guide 조건 p, q의 진리집합을 P, Q라 할 때

(1) $P\subset Q$이면 $p \Longrightarrow q$이고, p는 q이기 위한 충분조건이다.
$P\supset Q$이면 $p \Longleftarrow q$이고, p는 q이기 위한 필요조건이다.
따라서 $P\cap Q^{C}=\varnothing$에서 P와 Q의 포함 관계를 구하면 된다.

(2) p가 q이기 위한 필요조건이면 $Q\subset P$이다.
따라서 p와 q의 부등식의 해를 구한 다음 $Q\subset P$가 성립할 조건을 찾는다.
이때 $a>0$인 경우와 $a<0$인 경우로 나누어 생각한다.

답 (1) 충분조건 (2) $a\leq -2$ 또는 $a\geq 4$

날선 Point
- $P\subset Q \iff p \Longrightarrow q \iff p$는 q이기 위한 충분조건
- $P\supset Q \iff p \Longleftarrow q \iff p$는 q이기 위한 필요조건
- $P=Q \iff p \Longleftrightarrow q \iff p$는 q이기 위한 필요충분조건

8-1 전체집합을 U, 조건 p, q, r의 진리집합을 P, Q, R라 하고 벤다이어그램으로 나타내면 그림과 같다. 다음 물음에 답하시오.

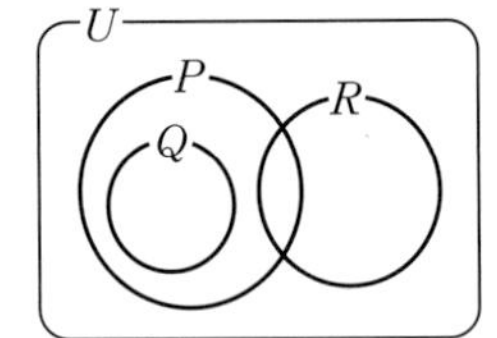

(1) p는 q이기 위한 무슨 조건인지 말하시오.

(2) $\sim r$는 q이기 위한 무슨 조건인지 말하시오.

(3) 'p 그리고 r'는 $\sim q$이기 위한 무슨 조건인지 말하시오.

8-2 실수에서 정의된 조건 p, q, r가 다음과 같다. p가 q이기 위한 충분조건이고 p가 r이기 위한 필요조건일 때, 양수 a, b값의 범위를 구하시오.

$p : x^2-3x-4<0 \qquad q : |x|\leq a \qquad r : |x|\leq b$

3 명제

01 전체집합이 $U=\{x|x$는 10 이하의 자연수$\}$이고 조건 p, q는

$p : 3<x\leq 9$ $\quad\quad$ $q : x$는 24의 약수

이다. 'p 그리고 q'의 진리집합을 X, '$\sim p$ 또는 q'의 진리집합을 Y라 할 때, $X\cup Y$의 원소의 개수를 구하시오.

02 전체집합을 U, 조건 $p : f(x)=0$, $q : g(x)=0$의 진리집합을 P, Q라 하자. $f(x)g(x)=0$, $f(x)g(x)\neq 0$의 진리집합을 차례로 P, Q로 나타내면?

① $P\cap Q$, $P\cap Q^C$ ② $P\cap Q$, $P\cup Q$ ③ $P\cup Q$, $P\cap Q$
④ $P\cup Q$, $P^C\cap Q^C$ ⑤ $P\cup Q$, $P^C\cup Q^C$

03 자연수 k에 대한 조건

'모든 자연수 x에 대하여 $x>k-5$이다.'

가 참인 명제가 되도록 하는 모든 k값의 합을 구하시오.

04 공집합이 아닌 전체집합을 U, 조건 $p(x)$, $q(x)$의 진리집합을 P, Q라 하자. 명제

'어떤 x에 대하여 $p(x)$이고 $\sim q(x)$이다.'

의 부정이 참일 때, 다음 중 P, Q의 관계로 옳은 것은?

① $P\subset Q$ ② $P\cap Q=\varnothing$ ③ $P^C\cap Q=\varnothing$
④ $P\cup Q^C=U$ ⑤ $P\cap Q^C=U$

05 다음 명제 중 역이 참인 것을 모두 고르면? (단, x, y, z는 실수이다.)

① $x=y$이면 $xz=yz$이다.
② $x^2-1\leq 0$이면 $|x|<1$이다.
③ $|x|+|y|=0$이면 $x^2+y^2=0$이다.
④ $x\geq 0$, $y\geq 0$이면 $|xy|=xy$이다.
⑤ xy가 홀수이면 $x+y$는 짝수이다.

06 다음 명제의 대우를 말하고, 대우의 참, 거짓을 판별하시오.
(단, x, y는 실수이다.)

(1) $x \leq 3$이면 $2x-3 \leq 1$이다.　　(2) $x=2$이고 $y=4$이면 $x+y=6$이다.

07 조건 p, q, r에 대하여 p는 q이기 위한 충분조건이고, $\sim q$는 r이기 위한 필요조건이다. 다음 중 참이 <u>아닌</u> 것은?

① $p \longrightarrow \sim r$　② $\sim q \longrightarrow r$　③ $\sim q \longrightarrow \sim p$
④ $r \longrightarrow \sim p$　⑤ $q \longrightarrow \sim r$

08 다음에서 p는 q이기 위한 무슨 조건인지 말하시오. (단, x, y, z는 실수이다.)

(1) p : $xy=0$, q : $xyz=0$　　(2) p : $x^2 \leq 4$, q : $|x|<2$

09 a, b가 실수일 때, 조건 p, q, r가 다음과 같다.

p : $x \leq 3$ 또는 $6 \leq x \leq 8$　　q : $x<a$　　r : $x \leq b$

p는 q이기 위한 필요조건, p는 r이기 위한 충분조건일 때, a의 최댓값과 b의 최솟값을 구하시오.

10 전체집합이 U일 때, 집합 A, B에 대하여 **보기**에서 p가 q이기 위한 충분조건인 것만을 있는 대로 고른 것은? (단, $U \neq \varnothing$)

보기

ㄱ. p : $n(A) \leq n(B)$　　q : $A \subset B$
ㄴ. p : $n(A-B)=0$　　q : $n(A)=n(B)$
ㄷ. p : $A=B^C$　　q : $A \cup B=U$

① ㄱ　② ㄴ　③ ㄷ　④ ㄱ, ㄷ　⑤ ㄴ, ㄷ

11 a, b, c가 실수일 때, 다음 중 $(a-b)^2+(b-c)^2+(c-a)^2=0$의 부정과 같은 것은?

① $a=b=c$ ② a, b, c는 서로 다르다.
③ $(a-b)(b-c)(c-a)=0$ ④ $(a-b)(b-c)(c-a)\neq 0$
⑤ a, b, c 중 다른 것이 적어도 하나 있다.

12 전체집합을 U, 조건 p, q, r의 진리집합을 P, Q, R라 하자. 명제

$$p \longrightarrow \sim q,\ (p \text{ 또는 } q) \longrightarrow r$$

가 모두 참일 때, 다음 중 옳지 않은 것은? (단, $U\neq\varnothing$)

① $P\cap Q=\varnothing$ ② $Q\subset P^C$ ③ $Q\subset R$
④ $P^C\cup R=U$ ⑤ $(P\cup Q)^C\cap R=\varnothing$

13 전체집합을 U, 조건 p, q의 진리집합을 P, Q라 하자. 모든 집합 A에 대하여 $(Q\cap A)\cup P=P$가 성립할 때, 다음 중 참인 명제는? (단, $U\neq\varnothing$)

① $\sim p \longrightarrow q$ ② $q \longrightarrow p$ ③ $p \longrightarrow \sim q$
④ $q \longrightarrow \sim p$ ⑤ $p \longrightarrow q$

14 명제 '어떤 실수 x에 대하여 $a\le x\le a+2$이면 $-3\le x\le 4$이다.'가 참일 때, 실수 a값의 범위를 구하시오.

15 조건 p, q, r, s에 대하여 명제 $p \longrightarrow r$, $q \longrightarrow \sim s$, $\sim q \longrightarrow \sim r$가 모두 참일 때, 다음 중 참인 명제는?

① $p \longrightarrow s$ ② $r \longrightarrow s$ ③ $q \longrightarrow p$
④ $s \longrightarrow \sim p$ ⑤ $\sim s \longrightarrow r$

교육청 기출

16 실수 x에 대한 두 조건 p, q가

$$p : x^2-4n^2<0 \qquad q : x^2-6x+5=0$$

이다. p가 q이기 위한 필요조건이 되도록 하는 자연수 n의 최솟값을 구하시오.

17 a, b가 실수일 때, **보기**에서 p가 q이기 위한 충분조건이지만 필요조건이 아닌 것만을 있는 대로 고른 것은?

보기

ㄱ. $p : a+b>0$이고 $ab>0$ $\qquad$ $q : a>0$이고 $b>0$
ㄴ. $p : 1<a<2$이고 $3<b<4$ $\qquad$ $q : 3<ab<8$
ㄷ. $p : x>y$ $\qquad$ $q : x^2>y^2$

① ㄱ ② ㄴ ③ ㄷ ④ ㄱ, ㄷ ⑤ ㄱ, ㄴ, ㄷ

18 조건 p, q, r, s에 대하여 p는 s이기 위한 필요조건이고, $\sim q$이기 위한 충분조건이다. 또 r는 p이기 위한 충분조건이고, $\sim q$이기 위한 필요조건이다. 다음 물음에 답하시오.

(1) r는 s이기 위한 무슨 조건인지 말하시오.
(2) q는 $\sim p$이기 위한 무슨 조건인지 말하시오.

교육청 기출

19 어느 휴대폰 제조 회사에서 휴대폰 판매량과 사용자 선호도에 대한 시장 조사를 하여 다음과 같은 결과를 얻었다.

(가) 10대, 20대에게 선호도가 높은 제품은 판매량이 많다.
(나) 가격이 싼 제품은 판매량이 많다.
(다) 기능이 많은 제품은 10대, 20대에게 선호도가 높다.

위의 결과로부터 추론한 내용으로 항상 옳은 것은?

① 기능이 많은 제품은 가격이 싸지 않다.
② 가격이 싸지 않은 제품은 판매량이 많지 않다.
③ 판매량이 많지 않은 제품은 기능이 많지 않다.
④ 10대, 20대에게 선호도가 높은 제품은 기능이 많다.
⑤ 10대, 20대에게 선호도가 높은 제품은 가격이 싸지 않다.

정답 개수 : /19 오답 번호 Check :

수학에서 용어의 뜻이 여러 가지이면 혼란이 생길 수 있으므로 용어의 뜻을 명확하게 정해야 그 뜻을 전달할 수 있다.

이 단원에서는 정의, 정리, 증명의 뜻을 알고, 간단한 명제의 증명을 해 보자. 또 두 식의 대소 관계를 통해 일반적인 부등식의 증명을 해 보고, 항상 성립하는 부등식의 관계를 이용하여 최댓값, 최솟값을 구하는 방법을 알아보자.

귀류법과 절대부등식

4-1 정의와 증명

개념

1 용어의 뜻을 명확하게 정하는 것을 그 용어의 **정의**라 하고,
어떤 명제가 참임을 설명하는 것을 **증명**이라 한다.

2 명제 $p \longrightarrow q$가 참임을 바로 증명하기 어려운 경우

(1) 대우 $\sim q \longrightarrow \sim p$가 참임을 이용해 증명할 수 있다.

(2) 명제의 결론 q를 부정하여 가정 p에 모순이 생기는 것을 보여 원래 명제가 참임을 증명할 수 있다. 이 방법을 **귀류법**이라 한다.

정의, 정리, 증명

용어의 뜻을 명확하게 정하는 것을 그 용어의 정의라 한다.
예를 들어 정삼각형의 정의는

'정삼각형은 세 변의 길이가 같은 삼각형이다.'

정삼각형의 정의와 '삼각형의 세 각의 크기의 합은 180°이다.'로부터

'정삼각형의 한 각의 크기는 60°이다.'

라 할 수 있다. 이런 참인 명제를 정리라 한다.
지금까지 공부한 여러 가지 도형의 성질, 항등식의 성질, 복소수의 성질 등은 모두 정리이다.
그리고 어떤 명제가 참임을 설명하는 것을 증명이라 한다.
새로운 정리를 증명하거나 문제를 해결할 때에는 정의와 알려진 정리를 이용한다.

정의 + 알려진 정리
↓ 증명
새로운 정리, 문제 해결

대우를 이용한 증명

명제 $p \longrightarrow q$와 대우 $\sim q \longrightarrow \sim p$는 참, 거짓이 같다.
$\sim q \longrightarrow \sim p$가 참임을 보이면 $p \longrightarrow q$가 참이라 할 수 있다. 이와 같이 $p \longrightarrow q$를 바로 증명하기 어려우면 대우를 증명해도 된다.

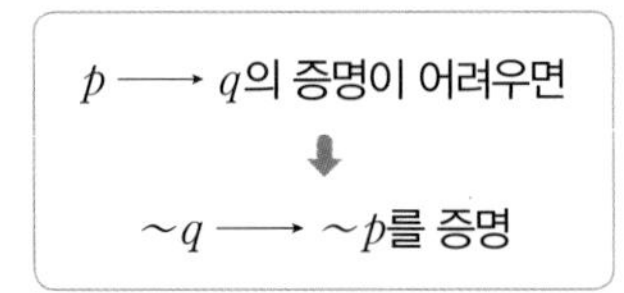

귀류법

명제 $p \longrightarrow q$에서 p이면 $\sim q$라 가정하고 증명하는 과정에서 $\sim p$나 모순이 생기는 것을 보일 수 있다. 이 방법을 귀류법이라 한다.

반례

$p \longrightarrow q$가 거짓임을 보일 때에는 반례를 하나만 찾으면 된다.
곧, p, q의 진리집합을 P, Q라 할 때, $x \in P$, $x \notin Q$, 곧 $P-Q$에 속하는 원소 x를 찾는다.

개념 Check

◆ 정답 및 풀이 27쪽

1 다음 용어의 정의를 말하시오.

(1) 평행사변형 (2) 정다각형 (3) 정다면체

대우를 이용한 증명

◆ 정답 및 풀이 27쪽

다음은 명제 'a, b, c가 자연수일 때, $a^2+b^2=c^2$이면 a, b, c 중 적어도 하나는 3의 배수이다.' 가 참임을 증명하는 과정이다. (가), (나), (다)에 알맞은 수를 써넣으시오.

증명

대우 'a, b, c가 모두 3의 배수가 아니면 $a^2+b^2\neq c^2$이다.'가 참임을 증명하면 된다.
a, b, c가 모두 3의 배수가 아니면 $3k+1$ 또는 $3k+2$ (k는 0 또는 자연수) 꼴이다.
이때

$$(3k+1)^2=\boxed{(가)}(3k^2+2k)+1,$$
$$(3k+2)^2=\boxed{(가)}(3k^2+4k+1)+1$$

이므로 a^2, b^2, c^2은 모두 3으로 나눈 나머지가 $\boxed{(나)}$이다.
이때 a^2+b^2은 3으로 나눈 나머지가 $\boxed{(다)}$이고, c^2은 3으로 나눈 나머지가 $\boxed{(나)}$이므로 $a^2+b^2\neq c^2$이다.
따라서 대우가 참이므로 주어진 명제도 참이다.

날선 Guide 명제가 참임을 바로 증명하기 어려우므로 명제의 대우가 참임을 증명하는 과정이다.
자연수 a가 3의 배수가 아니면 3으로 나눈 나머지가 1 또는 2이므로
$3k+1$ 또는 $3k+2$ (k는 0 또는 자연수) 꼴로 나타낼 수 있다는 것을 이용한다.
보통 자연수에 대한 성질은 대우를 이용하여 증명하거나 귀류법으로 증명하는 것이 쉬울 때가 많다.

답 (가) : 3, (나) : 1, (다) : 2

- 2의 배수(또는 짝수, 홀수)에 대한 문제
  ➡ $2k$, $2k+1$ (k는 0 또는 자연수)인 경우로 나눈다.
- 3의 배수에 대한 문제
  ➡ $3k$, $3k+1$, $3k+2$ (k는 0 또는 자연수)인 경우로 나눈다.

1-1 m, n이 자연수일 때, 다음 명제가 참임을 대우를 이용하여 증명하시오.

(1) mn이 홀수이면 m과 n은 모두 홀수이다.

(2) m^2+n^2이 홀수이면 mn은 짝수이다.

귀류법

◆ 정답 및 풀이 28쪽

다음은 귀류법을 이용하여 명제

'$\sqrt{2}$는 유리수가 아니다.'

를 증명하는 과정이다. (가), (나), (다)에 알맞은 용어나 식을 써넣으시오.

증명

$\sqrt{2}$가 [(가)]라 가정하면

$$\sqrt{2}=\frac{b}{a}\ (a,\ b\text{는 서로소인 자연수})$$

로 놓을 수 있다.

양변을 제곱하면 $2=\frac{b^2}{a^2}$ $\quad\therefore\ 2a^2=b^2$ $\quad\cdots$ ㉠

b^2이 짝수이므로 b는 짝수이다.

b는 짝수이므로 $b=$ [(나)] (k는 자연수)로 놓고 ㉠에 대입하면

$$2a^2=4k^2 \qquad \therefore\ a^2=2k^2$$

위와 마찬가지로 a^2이 짝수이므로 a도 짝수이다.

곧, a와 b는 모두 짝수이므로 a, b는 [(다)]라는 가정에 모순된다.

따라서 $\sqrt{2}$는 [(가)]가 아니다.

날선 Guide 명제 $p \longrightarrow q$에서 p이면 $\sim q$라 가정하고 증명하는 과정에서 $\sim p$나 모순이 생기는 것을 보이는 증명법을 귀류법이라 한다. 이 문제에서 결론 '$\sqrt{2}$는 유리수가 아니다.'를 부정하면

$\sqrt{2}$는 유리수이다.

이고, 이때 모순이 생기는 것을 보이면 된다.

유리수는 $\frac{b}{a}$ (a, b는 서로소인 자연수)로 나타낼 수 있으므로

$\sqrt{2}$를 유리수로 나타낼 때 모순이 생기는 것을 보인다.

답 (가) : 유리수, (나) : $2k$, (다) : 서로소

날선 Point 명제 $p \longrightarrow q$의 증명(귀류법) ➡ $\sim q$라 가정하고 $\sim p$나 모순을 보인다.

2-1 귀류법을 이용하여 다음을 증명하시오.

(1) $\sqrt{3}$은 유리수가 아니다. (2) $1+\sqrt{3}$은 유리수가 아니다.

2-2 귀류법을 이용하여 다음 명제를 증명하시오.

오각형에서 예각인 내각은 3개를 넘지 않는다.

4-2 부등식의 성질

1 두 식의 대소는 양변의 차의 부호를 조사한다. 곧,

$$A-B>0 \Longleftrightarrow A>B,\ A-B<0 \Longleftrightarrow A<B,\ A-B=0 \Longleftrightarrow A=B$$

2 부호를 조사할 때에는 $(\quad)^2+(\quad)^2$ 또는 $(\quad)\times(\quad)$ 꼴로 정리하고, 다음 실수의 성질을 이용한다.

(1) a, b가 실수일 때, $a^2\ge 0$, $a^2+b^2\ge 0$

(2) $a>0$, $b>0$이면 $a+b>0$, $ab>0$

두 식의 차를 이용한 대소 비교

예를 들어 a, b가 실수일 때, 두 식 a^2+b^2과 $2ab$의 대소는 차를 이용하여 다음과 같이 확인한다.

$$a^2+b^2-2ab=(a-b)^2\ge 0 \quad \cdots ㉠$$

$$\therefore a^2+b^2\ge 2ab$$

이와 같이 두 식 A, B의 대소는 $A-B$의 부호로 알 수 있다.

$$\mathbf{A-B>0 \Longleftrightarrow A>B,\quad A-B<0 \Longleftrightarrow A<B,\quad A-B=0 \Longleftrightarrow A=B}$$

비를 이용한 대소 비교

두 수 또는 두 식 A, B에 대하여 $A>0$, $B>0$이면 다음을 이용하여 대소를 비교할 수도 있다.

$$\frac{A}{B}>1 \Longleftrightarrow A>B,\quad \frac{A}{B}<1 \Longleftrightarrow A<B,\quad \frac{A}{B}=1 \Longleftrightarrow A=B$$

제곱을 이용한 대소 비교

$\sqrt{\ }$ 나 절댓값 기호가 있는 경우 제곱하여 대소를 비교할 수도 있다.

$$A>0,\ B>0\text{일 때 } A^2>B^2 \Longleftrightarrow A>B$$

실수의 성질

㉠에서는 x가 실수이면 $x^2\ge 0$임을 이용하였다.

보통 두 식의 차의 부호를 조사할 때에는 다음 성질을 이용한다.

(1) a, b가 실수일 때, $a^2\ge 0$, $a^2+b^2\ge 0$

(2) $a>0$, $b>0$이면 $a+b>0$, $ab>0$

참고 부등식의 증명에 이용되는 실수의 성질

a, b가 실수일 때

(1) $a^2+b^2=0 \Longleftrightarrow a=b=0$

(2) $|a|^2=a^2$, $|a||b|=|ab|$, $|a|\ge a$

개념 Check

정답 및 풀이 28쪽

2 a, b가 실수일 때, 두 식 $(a+b)^2$, $4ab$의 대소를 비교하시오.

3 $a>0$, $b>0$일 때, 두 식 $\sqrt{a+b}$, $\sqrt{a}+\sqrt{b}$의 대소를 비교하시오.

4-3 절대부등식

1 전체집합의 모든 값에 대하여 성립하는 부등식을 **절대부등식**이라 한다.

2 여러 가지 절대부등식

a, b, c가 실수일 때

(1) $a^2+2ab+b^2\geq 0$ (등호는 $a+b=0$일 때 성립)

(2) $a^2-2ab+b^2\geq 0$ (등호는 $a-b=0$일 때 성립)

(3) $a^2+b^2+c^2-ab-bc-ca\geq 0$ (등호는 $a=b=c$일 때 성립)

절대부등식

$x+1>0$ … ㉠ $x^2+1>0$ … ㉡

부등식 ㉠은 $x>-1$일 때 성립하고,

부등식 ㉡은 모든 실수 x에 대하여 성립한다.

㉡과 같이 모든 실수에 대하여 성립하는 부등식을 절대부등식이라 한다.

절대부등식과 구분하기 위해 ㉠을 조건부등식이라고도 한다.

여러 가지 절대부등식

$a^2+2ab+b^2=(a+b)^2$, $a^2-2ab+b^2=(a-b)^2$

에서 우변은 완전제곱식이므로 a, b가 실수이면 (우변)≥ 0이다. 따라서

$a^2+2ab+b^2\geq 0$ (단, 등호는 $a+b=0$일 때 성립한다.)

$a^2-2ab+b^2\geq 0$ (단, 등호는 $a-b=0$일 때 성립한다.)

또한

$$a^2+b^2+c^2-ab-bc-ca=\frac{1}{2}\{(a-b)^2+(b-c)^2+(c-a)^2\}$$

에서 우변은 완전제곱식의 합이므로 a, b, c가 실수이면 (우변)≥ 0이다.

이때 $a-b=0$, $b-c=0$, $c-a=0$이면 $a=b=c$이므로

$a^2+b^2+c^2-ab-bc-ca\geq 0$ (단, 등호는 $a=b=c$일 때 성립한다.)

개념 Check

◆ 정답 및 풀이 28쪽

4 x가 실수일 때, **보기**에서 절대부등식을 있는 대로 고르시오.

보기

ㄱ. $2x-1\geq 0$ ㄴ. $|x|\geq 0$ ㄷ. $x^2>0$

ㄹ. $x^2-4x+4>0$ ㅁ. $x^2+2x+2>0$

5 $x^2+3x+a\geq 0$이 x에 대한 절대부등식일 때, a값의 범위를 구하시오.

4-4 산술평균과 기하평균의 관계

$a>0$, $b>0$일 때,

$$\frac{a+b}{2} \geq \sqrt{ab} \text{ (등호는 } a=b\text{일 때 성립)}$$

산술평균과 기하평균

$a>0$, $b>0$일 때, $\frac{a+b}{2}$를 a, b의 산술평균, $\sqrt{ab}$를 a, b의 기하평균이라 한다.

그리고 (산술평균) $\geq$ (기하평균)이다.

[증명] $\frac{a+b}{2}-\sqrt{ab}=\frac{(\sqrt{a})^2+(\sqrt{b})^2-2\sqrt{ab}}{2}$

$=\frac{(\sqrt{a}-\sqrt{b})^2}{2} \geq 0$

$\therefore$ **$a>0$, $b>0$일 때 $\frac{a+b}{2} \geq \sqrt{ab}$ (단, 등호는 $a=b$일 때 성립한다.)**

예를 들어 $a>0$이면

$\frac{1}{2}\left(a+\frac{1}{a}\right) \geq \sqrt{a \times \frac{1}{a}}$, $\frac{1}{2}\left(a+\frac{1}{a}\right) \geq 1$

$\therefore a+\frac{1}{a} \geq 2 \left(\text{단, 등호는 } a=\frac{1}{a}\text{, 곧 } a=1\text{일 때 성립한다.}\right)$ … ㉠

㉠에서 $a>0$일 때 $a+\frac{1}{a}$의 최솟값은 $a=1$일 때 2라는 것을 알 수 있다.

이와 같이 산술평균과 기하평균의 관계를 이용하면 최댓값 또는 최솟값을 구할 수 있다.
이때 등호가 성립하는 조건을 꼭 확인해야 한다.

조화평균

$\frac{2ab}{a+b}$를 a, b의 조화평균이라 한다.

$a>0$, $b>0$일 때, $\sqrt{ab} \geq \frac{2ab}{a+b}$ (단, 등호는 $a=b$일 때 성립한다.)

$\sqrt{ab}-\frac{2ab}{a+b}$를 정리하거나 $(\sqrt{ab})^2-\left(\frac{2ab}{a+b}\right)^2$을 정리하면 증명할 수 있다.

개념 Check

정답 및 풀이 29쪽

6 $x>0$, $y>0$일 때, 다음 □ 안에 알맞은 수나 식을 써넣으시오.

(1) $x+\frac{4}{x} \geq$ □ (단, 등호는 □일 때 성립한다.)

(2) $\frac{x}{y}+\frac{y}{x} \geq$ □ (단, 등호는 □일 때 성립한다.)

대표 Q3

부등식의 증명

◆ 정답 및 풀이 29쪽

a, b, x, y가 실수일 때, 다음 부등식을 증명하시오.

(1) $a>b$, $x>y$일 때, $2(ax+by)>(a+b)(x+y)$

(2) $a\geq 0$, $b\geq 0$일 때, $\sqrt{a+b}\leq\sqrt{a}+\sqrt{b}$

(3) $|a+b|\leq|a|+|b|$

날선 Guide (1) 두 식 $2(ax+by)$와 $(a+b)(x+y)$의 대소는

$2(ax+by)-(a+b)(x+y)$의 부호로 알 수 있다.

부호를 조사할 때에는 $(\quad)^2+(\quad)^2$ 또는 $(\quad)\times(\quad)$ 꼴로 정리하고, 다음 실수의 성질을 이용한다.

① a, b가 실수일 때, $a^2\geq 0$, $a^2+b^2\geq 0$

② $a>0$, $b>0$이면 $ab>0$

(2) $A>0$, $B>0$일 때, $\sqrt{A}-\sqrt{B}>0 \Longleftrightarrow A-B>0$

이므로 $(\sqrt{a+b})^2-(\sqrt{a}+\sqrt{b})^2$의 부호를 조사한다.

(3) 절댓값 기호가 있는 경우도 제곱한 다음, 빼서 부호를 조사한다.

이때 $|x|^2=x^2$, $|x||y|=|xy|$임을 이용하면 편하다.

답 풀이 참조

날선 Point 부등식의 증명

- 양변의 차의 부호를 조사한다.
  이때 $(\quad)^2+(\quad)^2$ 또는 $(\quad)\times(\quad)$ 꼴로 정리한다.
- $\sqrt{\quad}$ 나 절댓값 기호가 있는 경우 제곱하여 대소를 비교한다.

3-1 x, y가 실수일 때, 다음 두 식의 대소를 비교하시오.

$$x^2+y^2+1,\ xy+x+y$$

3-2 $a\geq 0$, $b\geq 0$일 때, 다음 부등식을 증명하시오.

$$\sqrt{2(a+b)}\geq\sqrt{a}+\sqrt{b}$$

3-3 a, b가 실수일 때, 다음 부등식을 증명하시오.

$$|a-b|\geq\big||a|-|b|\big|$$

산술평균, 기하평균과 최솟값

◆ 정답 및 풀이 29쪽

다음 물음에 답하시오.

(1) x, y가 양수일 때, $\frac{y}{2x}+\frac{x}{2y}$의 최솟값을 구하시오.

(2) x, y가 양수일 때, $\left(x+\frac{4}{y}\right)\left(y+\frac{9}{x}\right)$의 최솟값을 구하시오.

(3) $x>1$일 때, $4x+\frac{1}{x-1}$의 최솟값을 구하시오.

날선 Guide (1) 양수이고 곱이 상수이므로 산술평균과 기하평균의 관계를 이용한다. 곧,

$$\frac{y}{2x}+\frac{x}{2y}\geq 2\sqrt{\frac{y}{2x}\times\frac{x}{2y}}$$

등호는 $\frac{y}{2x}=\frac{x}{2y}$일 때 성립한다. 등호가 성립해야 최솟값을 찾을 수 있다.

(2) $\left(x+\frac{4}{y}\right)\left(y+\frac{9}{x}\right)$를 전개한 다음, 산술평균과 기하평균의 관계를 이용한다.

참고 다음과 같이 풀어서는 안 된다.

$$\left(x+\frac{4}{y}\right)\left(y+\frac{9}{x}\right)\geq 2\sqrt{x\times\frac{4}{y}}\times 2\sqrt{y\times\frac{9}{x}} \quad \cdots ㉠$$

$$=4\times\sqrt{\frac{4x}{y}}\times\sqrt{\frac{9y}{x}}=4\times 2\times 3=24$$

왜냐하면 ㉠에서 등호가 성립할 조건이 $x=\frac{4}{y}$와 $y=\frac{9}{x}$인데 이 식이 동시에 성립하지 않기 때문이다.

(3) $4x$를 적당히 변형해 $\frac{1}{x-1}$과의 곱이 상수가 되도록 한다.

답 (1) 1 (2) 25 (3) 8

양수이고 분수 꼴의 최대, 최소는 산술평균과 기하평균의 관계를 이용한다.

$a>0$, $b>0$일 때, $\frac{a+b}{2}\geq\sqrt{ab}$ (단, 등호는 $a=b$일 때 성립한다.)

4-1 a, b, c, d가 양수일 때, 다음 식의 최솟값을 구하시오.

(1) $2a+\frac{8}{a}$　　(2) $(a+2b)\left(\frac{2}{a}+\frac{1}{b}\right)$　　(3) $\left(\frac{a}{b}+\frac{c}{d}\right)\left(\frac{b}{a}+\frac{d}{c}\right)$

4-2 $x>-2$일 때, $2x+1+\frac{2}{x+2}$의 최솟값을 구하시오.

대표 Q5 합 또는 곱이 주어진 최대, 최소

◆ 정답 및 풀이 30쪽

$x>0$, $y>0$일 때, 다음 물음에 답하시오.

(1) $xy=12$일 때, $x+3y$의 최솟값을 구하시오.

(2) $2x+3y=6$일 때, $\sqrt{2x}+\sqrt{3y}$의 최댓값을 구하시오.

(3) $x+2y=2$일 때, $\dfrac{2}{x}+\dfrac{3}{y}$의 최솟값을 구하시오.

(1) $x>0$, $y>0$이므로

$$x+3y\ge 2\sqrt{x\times 3y} \text{ (단, 등호는 } x=3y\text{일 때 성립한다.)}$$

따라서 곱 $xy=12$를 이용하면 최솟값을 구할 수 있다.

등호가 성립할 때 최소이므로 등호가 성립하는 조건을 확인해야 한다.

(2) $(\sqrt{2x}+\sqrt{3y})^2=2x+3y+2\sqrt{2x\times 3y}$

$=6+2\sqrt{6xy}$

를 이용할 수 있다.

(3) $\dfrac{2}{x}+\dfrac{3}{y}\ge 2\sqrt{\dfrac{2}{x}\times\dfrac{3}{y}}$이므로 $x+2y=2$를 바로 이용할 수는 없다. 그러나

$$(x+2y)\left(\frac{2}{x}+\frac{3}{y}\right)=2+\frac{3x}{y}+\frac{4y}{x}+6$$

에서 $\dfrac{3x}{y}+\dfrac{4y}{x}$의 최솟값을 구할 수 있다.

답 (1) 12 (2) $2\sqrt{3}$ (3) $2\sqrt{3}+4$

날선 Point $a>0$, $b>0$이고 합이나 곱이 일정할 때 최대와 최소

➡ $\dfrac{a+b}{2}\ge\sqrt{ab}$를 이용한다. (단, 등호는 $a=b$일 때 성립한다.)

5-1 x, y가 양수이고 $xy=45$일 때, 다음 식의 최솟값을 구하시오.

(1) $5x+3y$

(2) $\dfrac{1}{x}+\dfrac{1}{y}$

5-2 $x>0$, $y>0$이고 $x+2y=4$일 때, 다음을 구하시오.

(1) xy의 최댓값

(2) $\sqrt{x}+\sqrt{2y}$의 최댓값

(3) $\dfrac{2}{x}+\dfrac{1}{y}$의 최솟값

코시-슈바르츠 부등식

◆ 정답 및 풀이 31쪽

다음 물음에 답하시오.

(1) a, b, x, y가 실수일 때, 다음 부등식을 증명하고 등호가 성립할 조건을 찾으시오.

$$(a^2+b^2)(x^2+y^2)\ge(ax+by)^2$$

(2) x, y가 실수이고 $x^2+y^2=40$일 때, $x+3y$의 최댓값과 최솟값을 구하시오.

날선 Guide (1) 주어진 절대부등식을 코시-슈바르츠 부등식이라 한다.

$$(a^2+b^2)(x^2+y^2)-(ax+by)^2\ge0$$

을 증명하면 된다.

좌변을 전개하여 A가 실수일 때 $A^2\ge0$임을 이용한다.

(2) 코시-슈바르츠 부등식에서 $a=1$, $b=3$인 경우로 구할 수 있다.

참고 $x+3y=k$로 놓고 $x=-3y+k$를 $x^2+y^2=40$에 대입하면

$$(-3y+k)^2+y^2=40$$

이 식은 y에 대한 이차식이고, x, y가 실수이므로 $D\ge0$을 풀어도 된다.

답 (1) 풀이 참조 (2) 최댓값 : 20, 최솟값 : -20

코시-슈바르츠 부등식

- $(a^2+b^2)(x^2+y^2)\ge(ax+by)^2$ $\left(\text{단, 등호는 } \frac{x}{a}=\frac{y}{b}\text{일 때 성립한다.}\right)$
- $(a^2+b^2+c^2)(x^2+y^2+z^2)\ge(ax+by+cz)^2$ $\left(\text{단, 등호는 } \frac{x}{a}=\frac{y}{b}=\frac{z}{c}\text{일 때 성립한다.}\right)$

6-1 a, b, c, d가 실수이고 $a^2+b^2=4$, $c^2+d^2=9$일 때, $ac+bd$의 최댓값을 구하시오.

up **6-2** a, b, c, x, y, z가 실수일 때, 다음 부등식을 증명하고 등호가 성립할 조건을 찾으시오.

$$(a^2+b^2+c^2)(x^2+y^2+z^2)\ge(ax+by+cz)^2$$

01 다음은 명제 '$a>b$인 자연수 a, b에 대하여 a^2-b^2이 4의 배수가 아니면 a 또는 b는 짝수이다.'가 참임을 증명하는 과정이다. (가), (나)에 알맞은 용어나 식을 써넣으시오.

증명

주어진 명제의 대우 '$a>b$인 자연수 a, b에 대하여 a, b가 모두 [(가)]이면 a^2-b^2은 4의 배수이다.'가 참임을 증명하면 된다.
$a>b$이므로 $m>n$인 자연수 m, n에 대하여
$a=2m-1$, $b=2n-1$이라 하면

$$a^2-b^2=(2m-1)^2-(2n-1)^2=4(m+n-1)(\boxed{\text{(나)}})$$

곧, a^2-b^2은 4의 배수이다.
따라서 대우가 참이므로 주어진 명제도 참이다.

02 a, b, c, d가 실수일 때, **보기**에서 옳은 것만을 있는 대로 고른 것은?

보기

ㄱ. $a>b$이고 $c>d$이면 $a+c>b+d$이다.
ㄴ. $a>b$이고 $c>d$이면 $a-d>b-c$이다.
ㄷ. $a>b$이면 $a^2>b^2$이다.
ㄹ. $a>b$이고 $b>c$이면 $a>c$이다.

① ㄱ, ㄴ ② ㄱ, ㄷ ③ ㄴ, ㄷ ④ ㄱ, ㄴ, ㄷ ⑤ ㄱ, ㄴ, ㄹ

03 $x>0$, $y>0$이고 $x^2+4y^2=4$일 때, xy의 최댓값을 구하시오.

04 $a>1$일 때, $9a+\dfrac{1}{a-1}$의 최솟값을 구하시오.

05 다음은 명제 '1000보다 작은 자연수 n에 대하여 1000과 n이 서로소이면 1000과 $1000-n$도 서로소이다.'가 참임을 증명하는 과정이다.

증명

'1000과 $1000-n$이 [(가)]'라 가정하면
1000과 $1000-n$은 [(나)] 이상의 공약수가 있다.
$1000=at$, $1000-n=bt$ (a, b, t는 자연수, $a>b$, $t\geq 2$)라 하면
$n=($ [(다)] $)t$이므로 t는 1000과 n의 공약수이다.
이것은 '1000과 n이 서로소이다.'에 모순된다.
따라서 1000과 n이 서로소이면 1000과 $1000-n$도 서로소이다.

위의 증명에서 (가)~(다)에 알맞은 것을 순서대로 나열한 것은?

① 서로소이다. 2 $a+b$　② 서로소이다. 3 $a-b$
③ 서로소가 아니다. 2 $a+b$　④ 서로소가 아니다. 2 $a-b$
⑤ 서로소가 아니다. 3 $a+b$

06 $a<b<c<d$일 때, $A=ab+cd$, $B=ac+bd$, $C=ad+bc$의 대소 관계는?

① $A<B<C$　② $A<C<B$　③ $B<A<C$
④ $C<A<B$　⑤ $C<B<A$

07 $x+y=2$를 만족시키는 양수 x, y에 대하여 **보기**에서 옳은 것만을 있는 대로 고른 것은?

보기

ㄱ. $xy\leq 1$　ㄴ. $x^2+y^2\geq 2$　ㄷ. $\frac{1}{x}+\frac{1}{y}\leq 2$

① ㄴ　② ㄷ　③ ㄱ, ㄴ　④ ㄱ, ㄷ　⑤ ㄱ, ㄴ, ㄷ

08 a, b, c가 양수일 때, $\frac{b+c}{a}+\frac{c+a}{b}+\frac{a+b}{c}$의 최솟값을 구하시오.

교육청 기출

09 양수 m에 대하여 직선 $y=mx+2m+3$이 x축, y축과 만나는 점을 각각 A, B라 하자. 삼각형 OAB의 넓이의 최솟값은? (단, O는 원점이다.)

① 8 ② 9 ③ 10 ④ 11 ⑤ 12

교육청 기출

10 그림과 같이 세 모서리의 길이가 x, y, 3인 직육면체 모양의 나무토막의 한 모퉁이에서 모서리의 길이가 1인 정육면체 모양의 나무토막을 잘라 내어 나무토막 A와 B로 나누었다. A의 부피가 47일 때, A의 겉넓이의 최솟값을 구하시오. (단, $x>1$, $y>1$)

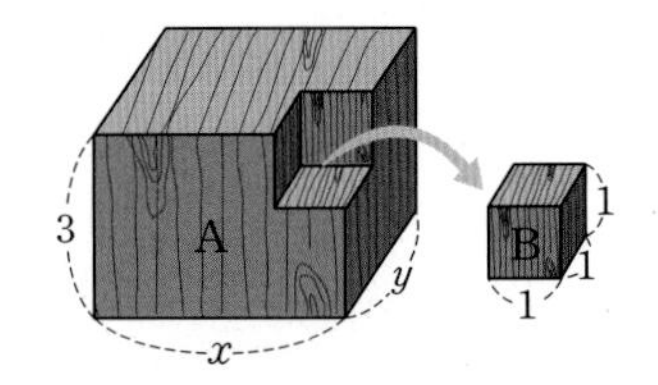

11 x, y가 실수이고 $x^2+y^2=4$일 때, $3x+4y$값의 범위에 속하는 정수의 개수를 구하시오.

12 그림과 같이 $\overline{AB}=6$, $\overline{BC}=8$, $\angle B=90°$인 직각삼각형 ABC의 내부의 한 점 P에서 $\overline{AB}$, $\overline{BC}$, $\overline{CA}$에 내린 수선의 길이가 각각 2, a, b일 때, a^2+b^2의 최솟값을 구하시오.

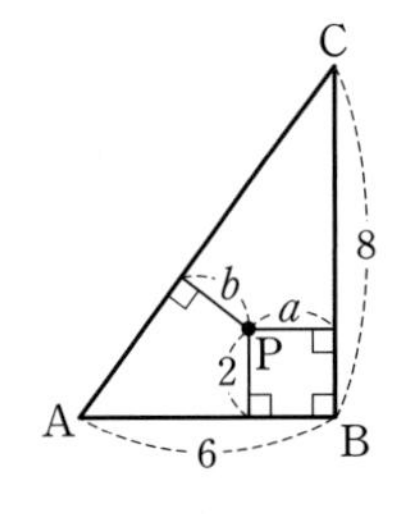

중학교에서 두 변수 x, y에 대하여 x의 값이 변함에 따라 y의 값이 하나씩 정해지는 관계가 있을 때, y를 x의 함수라고 배웠다.

이 단원에서는 함수의 개념을 확장하여 두 집합 사이의 대응 관계로 정의된 함수의 뜻을 이해하고, 일대일함수, 일대일대응, 상수함수, 항등함수 등 여러 가지 함수의 뜻, 그래프와 그 성질에 대하여 알아보자.

함수

5-1 함수

개념

1 함수

(1) 집합 X, Y에 대하여 X의 모든 원소에 Y의 원소가 하나씩 대응할 때, 이 대응을 X에서 Y로의 **함수**라 한다.
이때 X를 **정의역**, Y를 **공역**이라 한다.

(2) f가 X에서 Y로의 함수일 때, X의 원소 x에 대응하는 Y의 값을 x의 **함숫값**이라 하고, $f(x)$로 나타낸다.
또, 함숫값의 집합 $\{f(x)\,|\,x \in X\}$를 **치역**이라 한다.

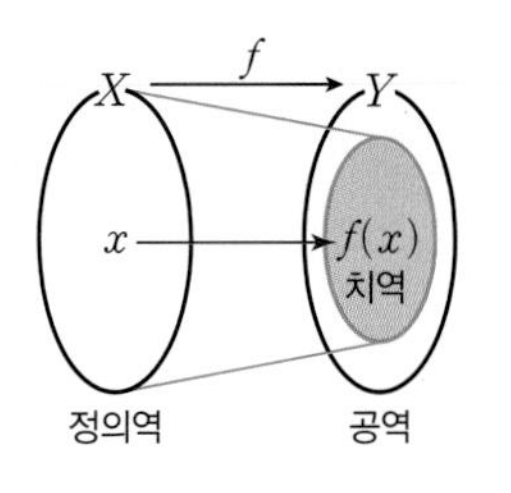

2 서로 같은 함수

두 함수 f, g가 정의역과 공역이 각각 같고, 정의역의 모든 원소 x에 대하여 $f(x)=g(x)$일 때, f와 g는 **서로 같다**고 하고 $\boldsymbol{f=g}$로 나타낸다.

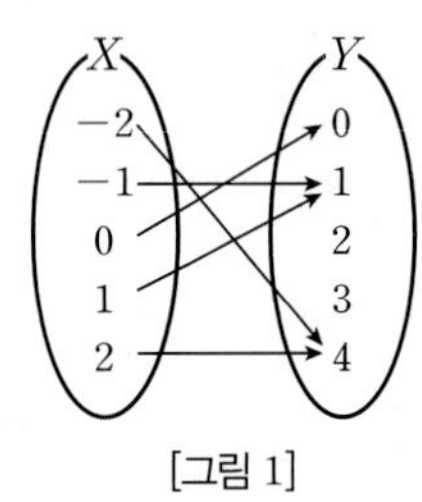

[그림 1]

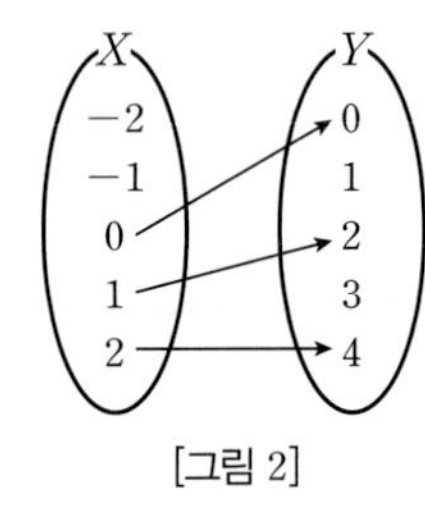

[그림 2]

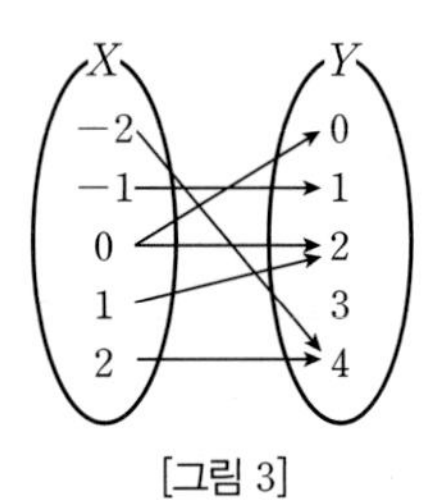

[그림 3]

대응

그림은 집합 X, Y에 대하여 X의 원소에 Y의 원소를 짝 지은 것이다.
이와 같이 X의 원소에 Y의 원소를 짝 지어 주는 것을 X에서 Y로의 대응이라 한다.

함수

[그림 1]에서는

X의 모든 원소에 Y의 원소가 하나씩 대응한다.

이런 대응을 X에서 Y로의 함수라 하고, X를 정의역, Y를 공역이라 한다.
이 함수를 f라 하면 X의 원소 -2에 Y의 원소 4가 대응하므로
$f(-2)=4$로 쓰고, 4를 -2의 함숫값이라 한다.
같은 이유로

$f(-1)=1$, $f(0)=0$, $f(1)=1$, $f(2)=4$

이다. 이때 함숫값의 집합은 $\{0,\ 1,\ 4\}$이고, 이 집합을 치역이라 한다.
치역은 공역의 부분집합이다. ⟶ 공역의 원소 중에는 정의역의 원소에 대응하지 않는 원소가 있을 수 있다.

함수가 아닌 대응

[그림 2]에서는 X의 원소 -2와 -1에 대응하는 Y의 원소가 없다.
[그림 3]에서는 X의 원소 0에 대응하는 Y의 원소가 0, 2로 2개이다.
따라서 [그림 2], [그림 3]의 대응은 함수가 아니다.

함수의 표현

f가 X에서 Y로의 함수이고 x의 함숫값이 x^2일 때,

$$f : X \longrightarrow Y$$
$$x \longrightarrow x^2$$

과 같이 나타내고, 간단히 $f(x)=x^2$, $y=x^2$으로도 쓴다. 이때 치역은 $\{f(x) \mid x \in X\}$이다. X에서 Y로 정의된 함수를 $y=f(x)$라 하면 X의 원소 x에 대응하는 Y의 원소는 y라는 의미이다. f는 영어로 함수 function의 첫 글자이다.

참고 (1) 보통 처음 정의하는 함수는 f라 하고, f와 구분하여 새로운 함수를 정의할 때에는 g, h, …를 이용한다. 예를 들어 X에서 Y로 정의된 함수 $g(x)=x+1$이라 하면 g는 X의 원소 x에 $x+1$을 대응시키는 함수라는 뜻이다.

(2) 함수 $y=f(x)$의 정의역이나 공역이 주어지지 않으면 함숫값이 정의되는 실수 전체의 집합을 정의역으로 하고, 실수 전체의 집합을 공역으로 생각한다.

서로 같은 함수

집합 $X=\{0, 2\}$에서 집합 $Y=\{0, 1, 2, 4\}$로 정의된 두 함수 $f(x)=2x$, $g(x)=x^2$에서

$$f(0)=g(0)=0,\ f(2)=g(2)=4$$

이므로 X의 모든 원소 x에 대하여

$$f(x)=g(x)$$

이다. 이때 두 함수 f와 g는 서로 같다고 하고, $f=g$로 나타낸다.

서로 같지 않은 함수

집합 $X=\{0, 1, 2\}$에서 집합 $Y=\{0, 1, 2, 4\}$로 정의된 두 함수 $f(x)=2x$, $g(x)=x^2$에 대하여 $f(1)=2$, $g(1)=1$이므로 두 함수는 서로 같지 않다고 하고, $f \neq g$로 나타낸다.

개념 Check

◆ 정답 및 풀이 35쪽

1 그림과 같은 함수 f에 대하여 다음을 구하시오.

(1) $f(1)$, $f(2)$, $f(x)$

(2) 정의역, 공역, 치역

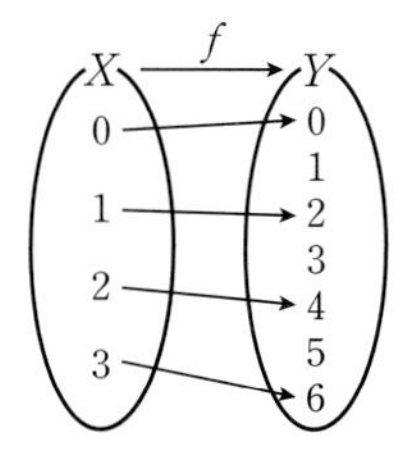

2 실수 전체의 집합에서 정의된 함수 $f(x)=x^2-2x$에 대하여 다음을 구하시오.

(1) $f(2)$ (2) $f(2x)$ (3) $f(x^2)$

3 집합 $X=\{1, 2\}$에서 정의된 함수 $f(x)=x+a$, $g(x)=bx^2$이 있다. $f=g$일 때, 상수 a, b의 값을 구하시오.

5-2 함수의 그래프

1 함수 $f : X \longrightarrow Y$에서 X의 원소 x와 그 함숫값 $f(x)$의 순서쌍의 집합

$$\{(x,\ f(x))\,|\,x\in X\}$$

를 함수 f의 그래프라 한다.

2 X와 Y가 실수 전체의 부분집합이면 그래프를 좌표평면 위에 나타낼 수 있다.

함수의 그래프

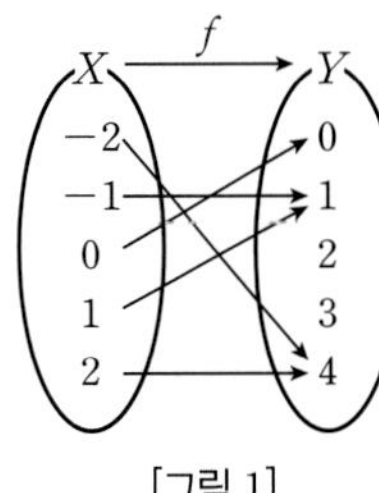

[그림 1]

[그림 2]

함수 f가 [그림 1]과 같을 때, f의 대응을

$$(-2,\ 4),\ (-1,\ 1),\ (0,\ 0),\ (1,\ 1),\ (2,\ 4) \quad \longrightarrow (x,\ f(x))$$

와 같이 순서쌍으로 정리할 수 있다. 이 순서쌍으로 이루어진 집합

$$\{(-2,\ 4),\ (-1,\ 1),\ (0,\ 0),\ (1,\ 1),\ (2,\ 4)\}$$

를 함수 f의 그래프라 한다.

함수 f의 그래프의 원소를 점의 좌표로 생각하고 좌표평면 위에 나타내면 [그림 2]와 같다.

함수의 그래프의 표현

함수 $f : X \longrightarrow Y$에서 X, Y가 실수 전체의 집합 또는 실수의 부분집합이라 하자.

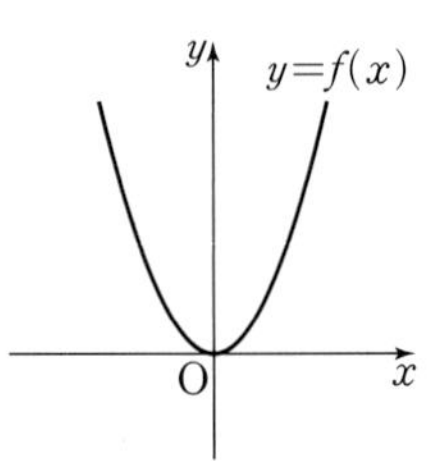

이때 순서쌍 $(x,\ f(x))$는 좌표평면 위의 점으로 생각할 수 있으므로 그래프 $\{(x,\ f(x))\,|\,x\in X\}$는 좌표평면 위에 나타낼 수 있다.

그림은 X가 실수 전체의 집합이고 $f(x)=x^2$일 때, $y=f(x)$의 그래프이다.

개념 Check

◆ 정답 및 풀이 **35**쪽

4 집합 $X=\{-2,\ -1,\ 0,\ 1,\ 2\}$에서 정의된 함수

$$f : x \longrightarrow -x^2+1$$

이 있다. 물음에 답하시오.

(1) 치역을 구하시오.

(2) 함수 f의 그래프를 오른쪽 좌표평면 위에 나타내시오.

5-3 함수의 종류

함수 $f : X \longrightarrow Y$에 대하여

(1) x_1, x_2가 X의 원소이고 $x_1 \neq x_2$이면 $f(x_1) \neq f(x_2)$
 를 만족시키면 f를 **일대일함수**라 한다.

(2) 일대일함수이고 치역과 공역이 같으면 f를 **일대일대응**이라 한다.

(3) $f(x)=c$ (c는 상수)인 함수 f를 **상수함수**라 한다.

(4) $X=Y$이고, $f(x)=x$이면 f를 **항등함수**라 한다.

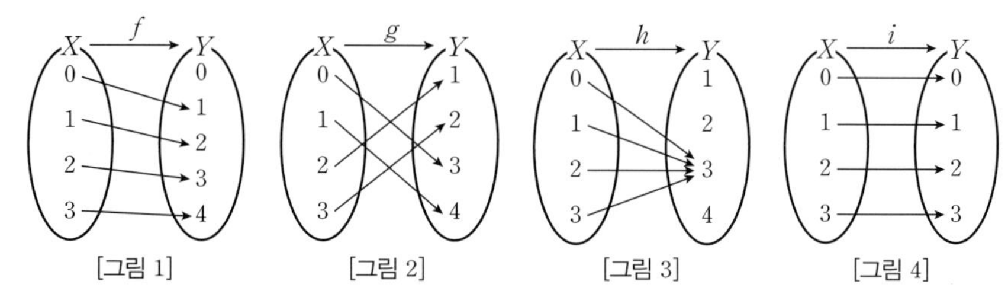

[그림 1] [그림 2] [그림 3] [그림 4]

일대일함수 • [그림 1]의 함수 f에서 X의 원소 0, 1, 2, 3의 함숫값이 각각 다르다.

이와 같이 $x \in X$의 값이 다르면 함숫값이 다른 함수를 일대일함수라 한다.

곧, 일대일함수 $f : X \longrightarrow Y$는 정의역 X의 원소 x_1, x_2에 대하여 다음을 만족시킨다.

일대일함수 ➡ $x_1 \neq x_2$이면 $f(x_1) \neq f(x_2)$

다음 대우를 기억해도 된다.

일대일함수 ➡ $f(x_1)=f(x_2)$이면 $x_1=x_2$

일대일대응 • [그림 2]의 함수 g에서 X의 원소 0, 1, 2, 3의 함숫값이 각각 다르고, 치역과 공역이 같다.

이와 같은 함수를 일대일대응이라 한다. 곧,

일대일대응 ➡ ① 일대일함수이고
② 치역과 공역이 같다.

상수함수 • [그림 3]의 함수 h에서 X의 원소 0, 1, 2, 3의 함숫값은 3뿐이다. 곧, $h(x)=3$

이와 같이 함숫값이 하나뿐인 함수를 상수함수라 한다.

곧, 상수함수는 치역의 원소가 1개이다.

상수함수 ➡ $h(x)=c$ (c는 상수)

항등함수 • [그림 4]의 함수 i에서 X의 원소 0, 1, 2, 3의 함숫값은 0, 1, 2, 3 자신이다.

이와 같이 공역이 정의역과 같고 함숫값이 자기 자신인 함수를 항등함수라 한다.

함수 $i : X \longrightarrow Y$가 항등함수이면 $X=Y$이고 $i(x)=x$

항등함수 ➡ $I(x)=x$

항등함수는 일대일대응이고 보통 대문자 I를 써서 나타낸다.

참고 함수의 종류와 함수의 그래프

다음은 실수의 집합에서 실수의 집합으로 정의된 몇 가지 대응을 좌표평면에 나타낸 것이다.

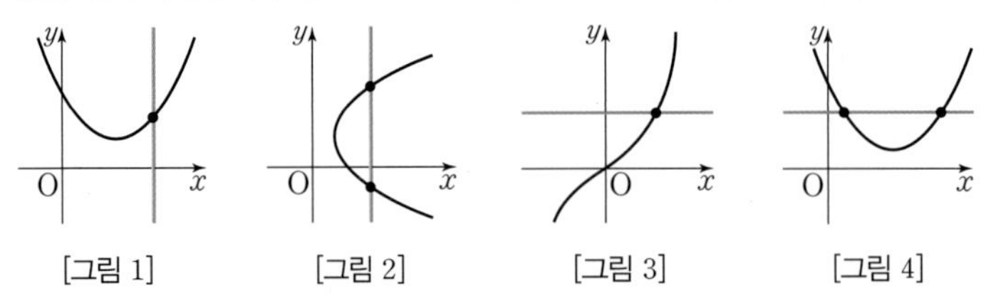

[그림 1] [그림 2] [그림 3] [그림 4]

[그림 1]에서 y축에 평행한 직선이 그래프와 한 점에서만 만난다.

따라서 이 그림이 나타내는 대응은 함수이다. → 정의역의 모든 원소에 공역의 원소가 하나씩 대응한다.

[그림 2]에서 y축에 평행한 직선이 그래프와 두 점 이상에서 만나는 경우가 있다.

따라서 이 그림이 나타내는 대응은 함수가 아니다.

[그림 3]은 함수의 그래프이다. 그리고 x축에 평행한 직선이 그래프와 두 점 이상에서 만나는 경우가 없다. 따라서 이 함수는 일대일함수이다. → $x \in X$의 값이 다르면 함숫값이 다르다.

[그림 4]는 함수의 그래프이다. 그리고 x축에 평행한 직선이 그래프와 두 점에서 만나는 경우가 있다. 따라서 이 함수는 일대일함수가 아니다.

개념 Check

◆ 정답 및 풀이 35쪽

5 **보기**는 집합 $X=\{0, 1, 2, 3\}$에서 집합 $Y=\{0, 1, 2, 3\}$으로 정의된 대응이다. 다음 물음에 답하시오.

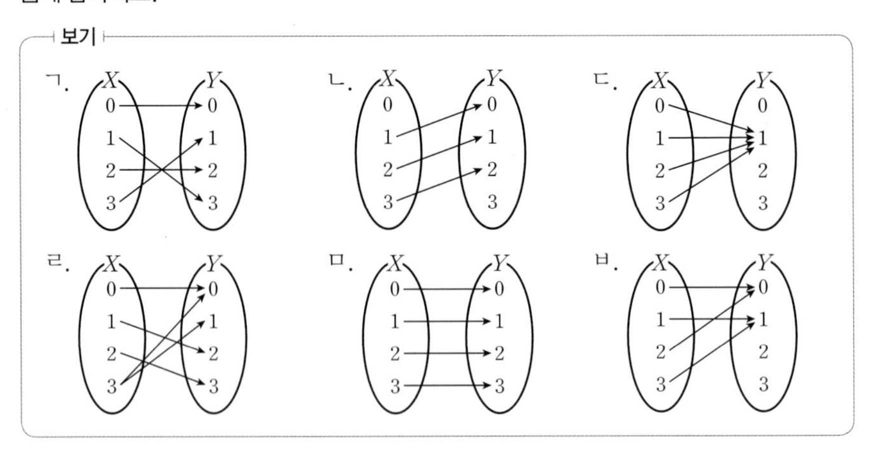

(1) X에서 Y로의 함수가 아닌 것을 모두 찾으시오.

(2) X에서 Y로의 일대일대응을 모두 찾으시오.

(3) X에서 Y로의 상수함수를 찾으시오.

(4) X에서 Y로의 항등함수를 찾으시오.

대표 Q1

여러 가지 함수

◆ 정답 및 풀이 35쪽

집합 $X=\{-1, 0, 1, 2\}$에서 집합 $Y=\{-2, -1, 0, 1, 2, 4\}$로의 대응이 보기와 같을 때, 물음에 답하시오.

보기

ㄱ. $x \longrightarrow x+2$

ㄴ. $x \longrightarrow x^2$

ㄷ. $x \longrightarrow \begin{cases} x & (x \geq 0) \\ -x^2 & (x < 0) \end{cases}$

ㄹ. $x \longrightarrow \begin{cases} x\text{의 배수} & (x > 0) \\ 0 & (x \leq 0) \end{cases}$

(1) X에서 Y로의 함수인 것을 모두 찾으시오.

(2) X에서 Y로의 일대일함수인 것을 찾으시오.

날선 Guide ㄱ, ㄴ의 대응을 그림으로 나타내면 다음과 같다.

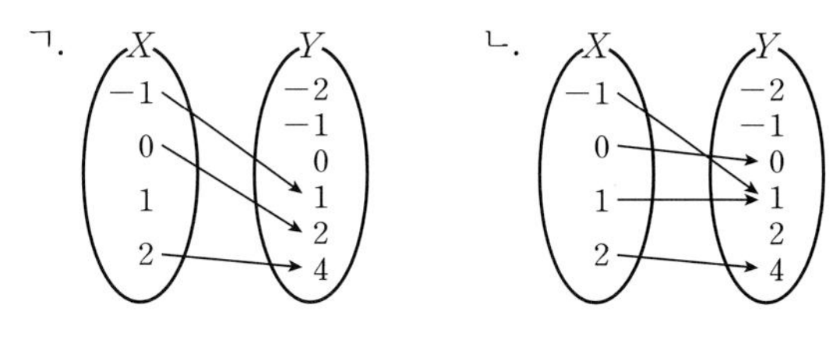

ㄷ, ㄹ의 대응도 그림으로 나타내고 찾으면 편하다.

(1) 함수이므로 X의 모든 원소에 Y의 원소가 하나씩 대응하는 것을 찾는다.

(2) 일대일함수는 X의 원소 x의 값이 다르면 그 함숫값도 다르다.

답 (1) ㄴ, ㄷ (2) ㄷ

- 함수 ➡ X의 모든 원소에 Y의 원소가 하나씩 대응한다.
- 일대일함수 ➡ $x_1 \neq x_2$이면 $f(x_1) \neq f(x_2)$

1-1 집합 $X=\{-2, -1, 1, 2\}$에서 집합 $Y=\{-2, -1, 0, 1, 2\}$로의 대응이 **보기**와 같을 때, 물음에 답하시오.

보기

ㄱ. $x \longrightarrow -x^2+2$

ㄴ. $x \longrightarrow$ (x^2을 2로 나눈 나머지)

ㄷ. $x \longrightarrow$ (x와 더해서 0인 수)

ㄹ. $x \longrightarrow \begin{cases} -|x| & (x \geq 0) \\ |x|+1 & (x < 0) \end{cases}$

(1) X에서 Y로의 함수인 것을 모두 찾으시오.

(2) X에서 Y로의 일대일함수인 것을 찾으시오.

일대일함수나 일대일대응의 그래프

◆ 정답 및 풀이 36쪽

다음 물음에 답하시오.

(1) 집합 $X=\{x|-1\le x\le 5\}$에서 집합 $Y=\{y|1\le y\le 4\}$로의 함수 $f(x)=ax+b$가 일대일대응일 때, 상수 a, b의 값을 모두 구하시오.

(2) 집합 $X=\{x|x\le k\}$에서 X로의 함수 $g(x)=-x^2+2x+2$가 일대일대응일 때, 실수 k의 값을 구하시오.

날선 Guide (1) 정의역 X에서 $y=f(x)$의 그래프는 선분이므로 일대일대응이면 그림과 같이

(i) $a>0$일 때

점 $(-1, 1)$, $(5, 4)$를 지난다.

(ii) $a<0$일 때

점 $(-1, 4)$, $(5, 1)$을 지난다.

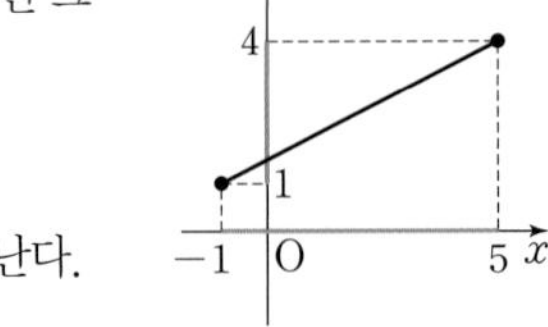

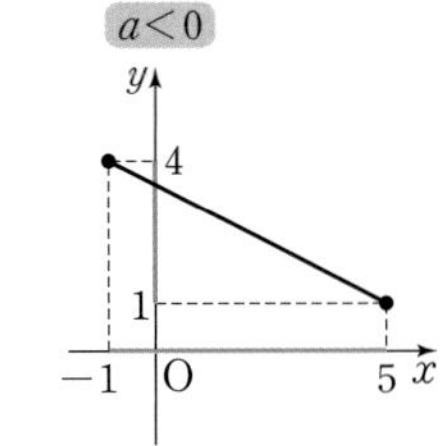

(2) $g(x)=-(x-1)^2+3$이므로 정의역 X에서 $y=g(x)$가 일대일대응이면 그림과 같이 직선 $x=k$가 축 $x=1$이거나 축보다 왼쪽에 있고 점 (k, k)를 지난다.

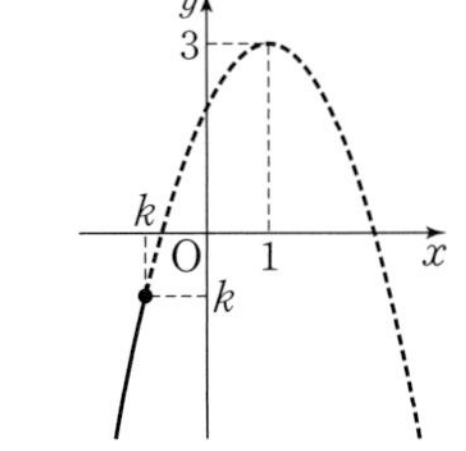

참고 실수 전체의 집합에서 실수 전체의 집합으로 정의된 일차함수 $f(x)=ax+b$는 일대일대응이지만, 이차함수 $g(x)=ax^2+bx+c$는 일대일대응이 아니다.
하지만 (2)와 같이 적당히 정의역과 공역을 정하면 이차함수도 일대일대응이 된다.

답 (1) $a=\frac{1}{2}$, $b=\frac{3}{2}$ 또는 $a=-\frac{1}{2}$, $b=\frac{7}{2}$ (2) -1

일대일대응일 조건 ➡ 함수의 그래프를 조사한다.

2-1 집합 $X=\{x|-2\le x\le 4\}$에서 집합 $Y=\{y|0\le y\le a\}$로의 함수 $f(x)=bx+2$가 일대일대응일 때, 실수 a, b의 값을 모두 구하시오.

2-2 집합 $X=\{x|x\ge k\}$에서 집합 $Y=\{y|y\ge 2k-1\}$로의 함수 $f(x)=x^2-4x+4$가 일대일대응일 때, 실수 k의 값을 구하시오.

Q3 함수값 구하기

◆ 정답 및 풀이 37쪽

다음 물음에 답하시오.

(1) 정의역이 $\left\{2,\ \sqrt{3},\ \frac{1}{3},\ \frac{1}{\sqrt{2}}\right\}$인 함수 $f(x)=\begin{cases} \frac{1}{x} & (x\text{가 유리수}) \\ x^2 & (x\text{가 무리수}) \end{cases}$ 의 치역을 구하시오.

(2) $f(x)$는 실수 전체의 집합에서 정의된 함수이다.

$$f(x+y)=f(x)+f(y)$$

이고 $f(2)=4$일 때, $f(5)$와 $f(-1)$의 값을 구하시오.

날선 Guide (1) $x=2,\ x=\frac{1}{3}$이면 x가 유리수이므로 $f(x)=\frac{1}{x}$에 대입한다.

$x=\sqrt{3},\ x=\frac{1}{\sqrt{2}}$이면 x가 무리수이므로 $f(x)=x^2$에 대입한다.

(2) $f(x+y)=f(x)+f(y)$에서

$f(2)$의 값을 알고 있으므로 $x=1,\ y=1$을 대입하면

$$f(2)=f(1)+f(1) \qquad \therefore f(1)=2$$

$x=1,\ y=2$를 대입하면 $f(3)=f(1)+f(2)=2+4=6$

이와 같은 방법으로 $f(5)$와 $f(-1)$의 값을 구한다.

답 (1) $\left\{\frac{1}{2},\ 3\right\}$ (2) $f(5)=10,\ f(-1)=-2$

함수값을 구하는 문제 ➡ 규칙에 따라 함수값을 하나씩 구한다.

3-1 정의역이 $\{5,\ 9,\ 12,\ 16\}$인 함수

$$f(n)=\begin{cases} 2n & (\sqrt{n}\text{은 무리수}) \\ \sqrt{n} & (\sqrt{n}\text{은 유리수}) \end{cases}$$

의 치역을 구하시오.

up **3-2** $f(x)$는 실수 전체의 집합에서 정의된 함수이다.

$$xf(1-x)+(1+x)f(x)=4x+1$$

일 때, 다음 값을 구하시오.

(1) $f(0)$ (2) $f(2)$ (3) $f(1)$

함수의 개수

◆ 정답 및 풀이 37쪽

집합 $X=\{-1, 0, 1\}$, $Y=\{3, 4, 5, 6\}$이 있다. X에서 Y로의 함수 f에 대하여 다음 물음에 답하시오.

(1) 함수 f의 개수를 구하시오.

(2) 일대일함수 f의 개수를 구하시오.

(3) $f(x)=f(-x)$인 함수의 개수를 구하시오.

날선 Guide (1) 그림과 같이 -1의 함숫값이 3인 경우
0의 함숫값은 3, 4, 5, 6이 가능하고,
각각의 경우 1의 함숫값도 3, 4, 5, 6이 가능하다.
➡ 함수의 개수는 4×4
따라서 -1의 함숫값이 4, 5, 6인 경우도 함수의 개수는 각각 4×4이다.

(2) -1의 함숫값이 3인 경우
0의 함숫값은 3이 아니어야 하므로 4, 5, 6이 가능하고,
1의 함숫값은 3과 0의 함숫값을 뺀 2개가 가능하다.
➡ 함수의 개수는 3×2
따라서 -1의 함숫값이 4, 5, 6인 경우도 함수의 개수는 각각 3×2이다.

(3) $f(x)=f(-x)$이므로 $f(1)=f(-1)$이다.
따라서 $f(0)$과 $f(1)$의 값만 생각하면 충분하다.

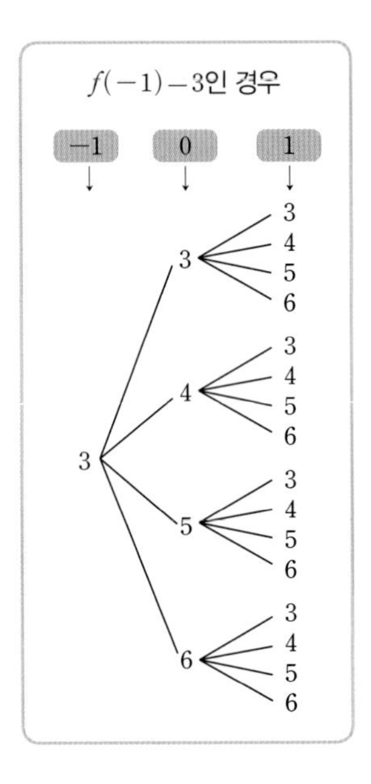

답 (1) 64 (2) 24 (3) 16

함수의 개수 ➡ 정의역의 각 원소에 대응 가능한 함숫값의 개수를 세고, 곱한다.

4-1 집합 $X=\{-2, -1, 1, 2\}$에서 집합 $Y=\{0, 1, 2, 3, 4\}$로의 함수 f에 대하여 다음을 구하시오.

(1) 함수 f의 개수

(2) 일대일함수 f의 개수

(3) 상수함수 f의 개수

(4) $f(1)=1$인 함수의 개수

4-2 집합 $X=\{0, 1, 2, 3\}$에 대하여 X에서 X로의 함수의 개수, 일대일대응의 개수, 상수함수의 개수를 구하시오.

5 함수

01 집합 $X=\{1, 2, 3, 4, 5\}$에서 집합 $Y=\{0, 2, 4, 6, 8\}$로의 함수 f를

$$f(x)=(2x^2\text{의 일의 자리 숫자})$$

로 정의하자. $f(a)=8$을 만족시키는 X의 원소 a값의 합을 구하시오.

02 **보기**는 집합 $X=\{-1, 1, 2\}$에서 집합 $Y=\{1, 2, 3, 4\}$로의 대응이다. 다음 물음에 답하시오.

보기

ㄱ. $x \longrightarrow |x|$　　ㄴ. $x \longrightarrow x^2-1$　　ㄷ. $x \longrightarrow x^3$

ㄹ. $x \longrightarrow \begin{cases} 1 & (x \geq 0) \\ 3 & (x < 0) \end{cases}$　　ㅁ. $x \longrightarrow \begin{cases} x+2 & (x \geq 0) \\ -x^2+2 & (x < 0) \end{cases}$

(1) X에서 Y로의 함수인 것을 모두 찾으시오.

(2) X에서 Y로의 일대일함수인 것을 찾으시오.

03 실수 전체의 집합에서 정의된 **보기**의 그래프에서 다음을 모두 찾으시오.

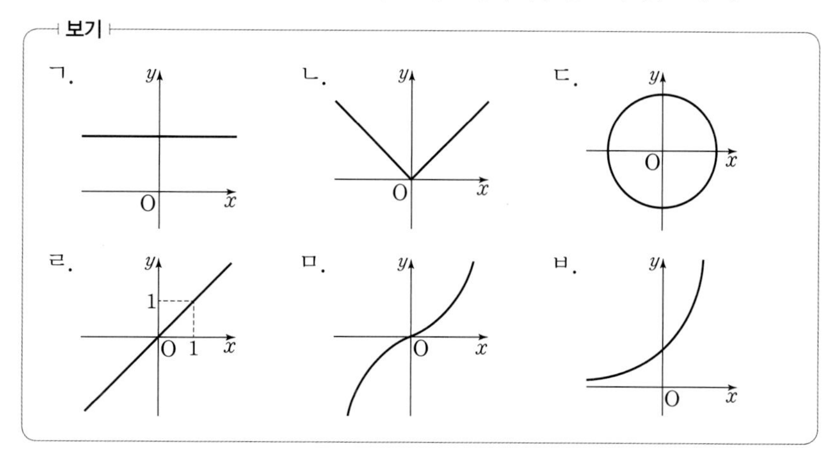

(1) 함수의 그래프　　(2) 일대일대응의 그래프

(3) 상수함수의 그래프　　(4) 항등함수의 그래프

04 실수 전체의 집합에서 정의된 함수 $f(x)$의 정의역의 임의의 두 원소 x_1, x_2에 대하여 **보기**에서 옳은 것만을 있는 대로 고른 것은?

보기

ㄱ. $x_1=x_2$이면 $f(x_1)=f(x_2)$이다.

ㄴ. '$f(x_1)=f(x_2)$이면 $x_1=x_2$이다.'를 만족시키면 f는 일대일함수이다.

ㄷ. 치역이 공역과 같고, '$x_1 \neq x_2$이면 $f(x_1) \neq f(x_2)$이다.'를 만족시키면 일대일대응이다.

① ㄱ ② ㄷ ③ ㄱ, ㄴ ④ ㄴ, ㄷ ⑤ ㄱ, ㄴ, ㄷ

05 정의역과 공역이 실수 전체의 집합인 다음 함수 중 일대일함수를 모두 고르면?

① $f(x)=2$ ② $f(x)=-3x+1$ ③ $f(x)=x^2-2x-1$

④ $f(x)=|x-1|$ ⑤ $f(x)=x|x|$

06 집합 $X=\{x|x \geq k\}$에서 X로의 함수 $f(x)=x^2-2x-4$가 일대일대응일 때, 실수 k의 값을 구하시오.

07 함수 $f(x)$에 대하여 $f(3x-1)=x+4$일 때, $f(5)$의 값을 구하시오.

08 집합 $X=\{-2, 0, 2\}$에서 집합 $Y=\{-1, 1, 5\}$로의 함수 f, g를

$$f(x)=x^2+1, \ g(x)=a|x|+b$$

라 하자. $f=g$일 때, 상수 a, b의 값을 구하시오.

09 두 집합 $X=\{1, 2, 3, 4\}$, $Y=\{5, 6, 7, 8\}$에 대하여 함수 f는 X에서 Y로의 일대일대응이고 $f(1)=7$, $f(2)-f(3)=3$일 때, $f(3)+f(4)$의 값을 구하시오.

10 집합 $X=\{-1, 0, 1\}$에 대하여 함수 f가 $f: X \longrightarrow X$일 때, $f(1)+f(-1)=0$이 되는 함수 f의 개수를 구하시오.

11 정의역이 $\{-2, -1, 1, 2\}$, 치역이 $\{-11, -6, 2, 3\}$이고 함수

$$f(x)=\begin{cases} x^2-ax+3 & (x\ge 1) \\ -x^2+2bx-3 & (x<1) \end{cases}$$

이 일대일대응일 때, 상수 a, b의 값을 구하시오.

12 실수의 부분집합 X에 대하여 항등함수 $f: X \longrightarrow X$는

$$f(x)=\begin{cases} -2 & (x<-1) \\ 2x-1 & (-1\le x\le 2) \\ 3 & (x>2) \end{cases}$$

이고 $n(X)=3$일 때, 집합 X를 구하시오.

13 실수 전체의 집합에서 정의된 함수 $f(x)=a|x-2|+3x-1$이 일대일대응이 되게 하는 상수 a값의 범위를 구하시오.

14 $f(x)$는 $x>0$에서 정의된 함수이고 $f(x+2)=2f(x)$를 만족시킨다. $0<x\leq 2$에서 $f(x)=x+1$일 때, $f(19)$의 값을 구하시오.

교육청 기출

15 모든 실수 x에 대하여 일차함수 $f(x)$가 다음 조건을 모두 만족시킨다.

(가) $f(x)-f(1+x)=2$	(나) $f(x)+f(1-x)=-4$

$f(x)+f(-x)$의 값을 구하시오.

16 자연수 전체의 집합에서 정의된 함수 f가 다음 조건을 모두 만족시킨다.

(가) k가 소수이면 $f(k)=k$
(나) 자연수 a, b에 대하여 $f(ab)=f(a)+f(b)$

$f(100)$의 값을 구하시오.

교육청 기출

17 집합 $X=\{1, 2, 3, 4\}$일 때, 함수 $f : X \longrightarrow X$ 중에서 집합 X의 모든 원소 x에 대하여 $x+f(x)\geq 4$를 만족시키는 함수 f의 개수를 구하시오.

교육청 기출

18 집합 $X=\{3, 4, 5, 6, 7\}$에 대하여 함수 $f : X \longrightarrow X$는 일대일대응이다. $3\leq n\leq 5$인 모든 자연수 n에 대하여 $f(n)f(n+2)$의 값이 짝수일 때, $f(3)+f(7)$의 최댓값을 구하시오.

정답 개수: /18 오답 번호 Check:

여러 나라를 그 나라의 수도에 대응시키는 함수가 있을 때, 수도와 그 도시의 상징물 사이에도 함수 관계가 성립한다. 이때 중간에 있는 수도를 생각하지 않고 여러 나라를 도시의 상징물에 대응시키는 새로운 함수를 생각할 수 있다. 이와 같이 둘 이상의 함수를 새로운 하나의 함수로 만드는 것이 함수의 합성이다.

이 단원에서는 합성함수, 역함수의 뜻과 성질을 이해하고, 함수의 그래프와 역함수의 그래프 사이에는 어떤 관계가 있는지 알아보자.

합성함수와 역함수

6-1 합성함수의 정의

개념

함수 $f: X \longrightarrow Y$, $g: Y \longrightarrow Z$일 때,
X의 원소 x를 Z의 원소 $g(f(x))$에 대응시키는 함수를 f와 g의 **합성함수**라 하고, $g \circ f$로 나타낸다. 곧,

$$(g \circ f)(x) = g(f(x))$$

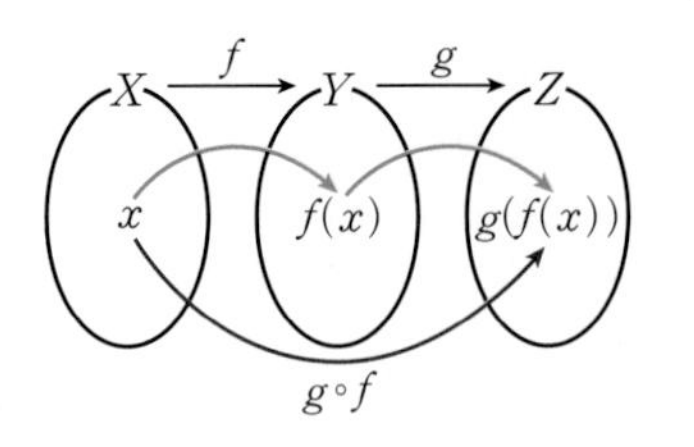

합성함수의 정의

그림과 같은 함수 $f: X \longrightarrow Y$, $g: Y \longrightarrow Z$가 있다.

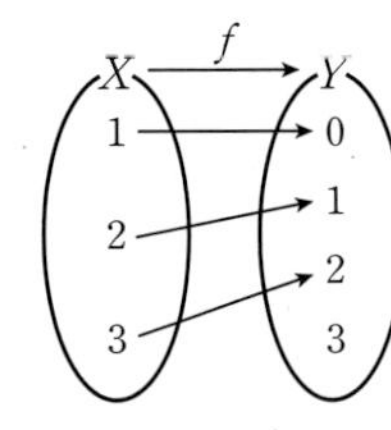

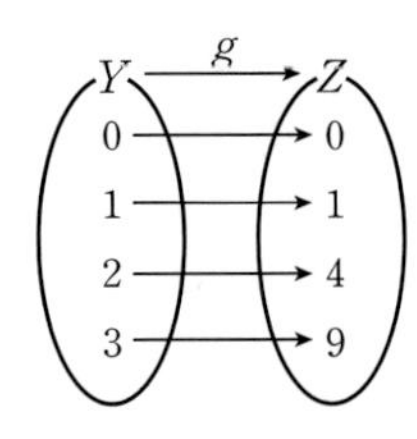

➡

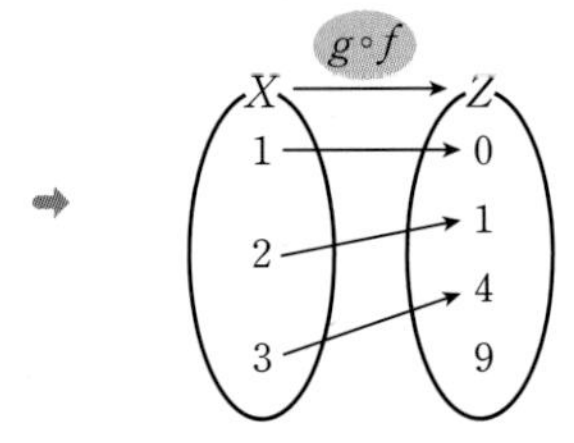

f를 따라 X의 원소 1은 Y의 원소 0에, g를 따라 Y의 원소 0은 Z의 원소 0에 대응한다.
X의 나머지 원소도 같은 방법으로 Z의 원소에 대응한다.
이때 X의 모든 원소에 Z의 원소가 하나씩 대응하므로 이 대응은 X에서 Z로의 함수이다.
이 함수를 f와 g의 합성함수라 하고, $g \circ f$로 나타낸다.

$(g \circ f)(x)$ $= g(f(x))$

$f: X \longrightarrow Y$, $g: Y \longrightarrow Z$일 때 그림과 같이 f에 의해 X의 원소 x는 Y의 원소 $f(x)$에 대응하고, g에 의해 $f(x)$는 Z의 원소 $g(f(x))$에 대응한다. 따라서

$$g \circ f : X \longrightarrow Z$$
$$x \longrightarrow g(f(x))$$

곧, $(\boldsymbol{g} \circ \boldsymbol{f})(\boldsymbol{x}) = \boldsymbol{g}(\boldsymbol{f}(\boldsymbol{x}))$

└ $g(x)$의 x에 $f(x)$를 대입한 꼴

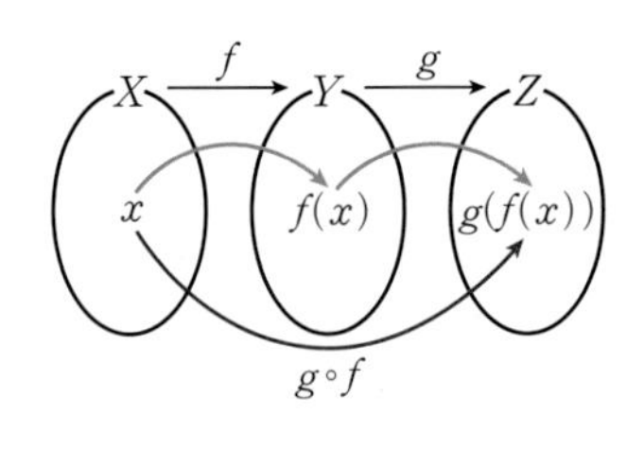

합성함수 구하기

$g(f(x))$는 $g(x)$의 x에 $f(x)$를 대입한 꼴이다.
예를 들어 $f(x) = x-1$, $g(x) = x^2$일 때

$$(g \circ f)(x) = g(f(x)) = g(x-1) = (x-1)^2$$

$f(x)$에 $x-1$ 대입

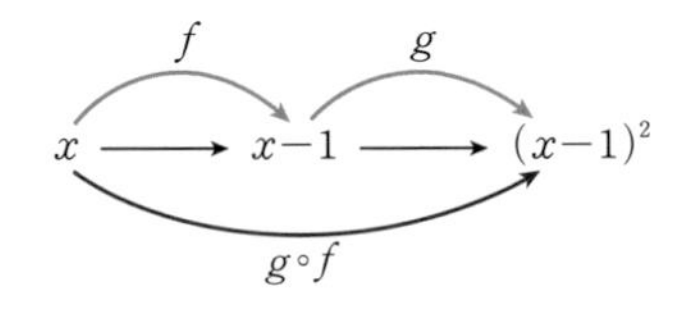

개념 Check

◆ 정답 및 풀이 42쪽

1 함수 $f(x) = 2x-1$, $g(x) = -x^2+1$에 대하여 다음을 구하시오.

(1) $(g \circ f)(1)$ (2) $(f \circ g)(1)$ (3) $(f \circ f)(1)$

6-2 합성함수의 성질

함수 f, g, h에 대하여

(1) $g \circ f \neq f \circ g$

(2) $(h \circ g) \circ f = h \circ (g \circ f)$

(3) $I \circ f = f \circ I = f$ (I는 항등함수이다.)

합성함수의 성질 (1)

함수 $f(x) = x-1$, $g(x) = x^2$에 대하여

$$(g \circ f)(x) = g(f(x)) = g(x-1) = (x-1)^2$$

$$(f \circ g)(x) = f(g(x)) = f(x^2) = x^2-1$$

이므로

$$\boldsymbol{g \circ f \neq f \circ g}$$ ⟶ 합성함수는 교환법칙이 성립하지 않는다.

합성함수의 성질 (2)

집합 X, Y, Z, W에 대하여 함수 $f : X \longrightarrow Y$, $g : Y \longrightarrow Z$, $h : Z \longrightarrow W$가 있다.

X의 원소 x에 대하여 $y = f(x)$, $z = g(y)$, $w = h(z)$라 하면

$$x \xrightarrow{f} y \xrightarrow{g} z \xrightarrow{h} w$$

이므로 $(h \circ g) \circ f$와 $h \circ (g \circ f)$를 그림으로 나타내면

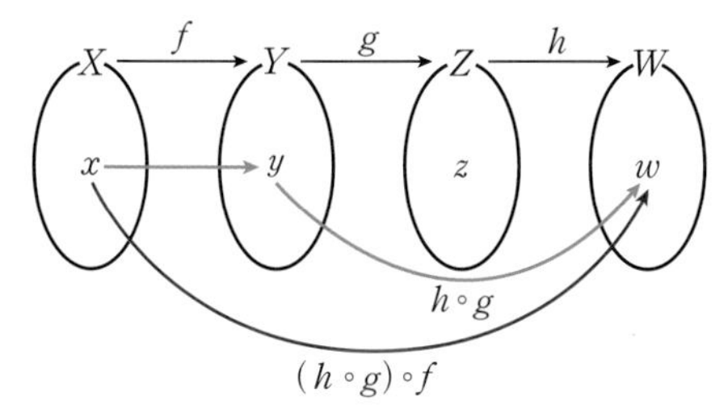

X Y Z W, f g h, x y z w, g∘f

$h \circ (g \circ f)$

어느 경우나 x는 w에 대응한다. 곧,

$$\boldsymbol{(h \circ g) \circ f = h \circ (g \circ f)}$$

따라서 합성함수는 결합법칙이 성립하므로 괄호를 생략하고 $h \circ g \circ f$와 같이 나타내기도 한다.

합성함수의 성질 (3)

함수 $f : X \longrightarrow X$에 대하여 I가 항등함수이면

$$(f \circ I)(x) = f(\underbrace{I(x)) = f(x}_{I(x)=x}), \quad (I \circ f)(x) = I(f(x)) = f(x)$$

이므로

$$\boldsymbol{f \circ I = f,\ I \circ f = f}$$

개념 Check

◆ 정답 및 풀이 42쪽

2 함수 $f(x) = -x+1$, $g(x) = 2x$, $h(x) = x^2$에 대하여 다음을 구하시오.

(1) $((f \circ g) \circ h)(1)$ (2) $(f \circ (g \circ h))(-2)$ (3) $(f \circ g \circ h)(0)$

대표 **Q1**

합성함수

◆ 정답 및 풀이 42쪽

함수 $f: X \longrightarrow X$, $g: X \longrightarrow X$, $h: X \longrightarrow Y$가 그림과 같다.

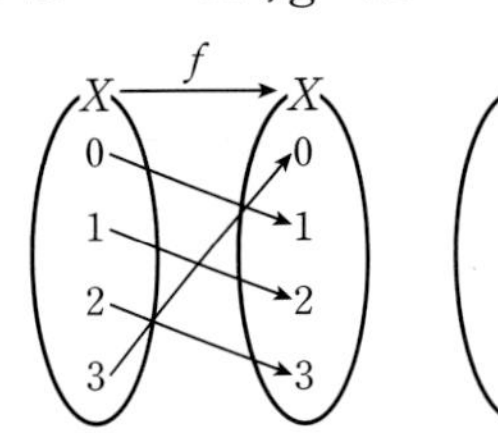

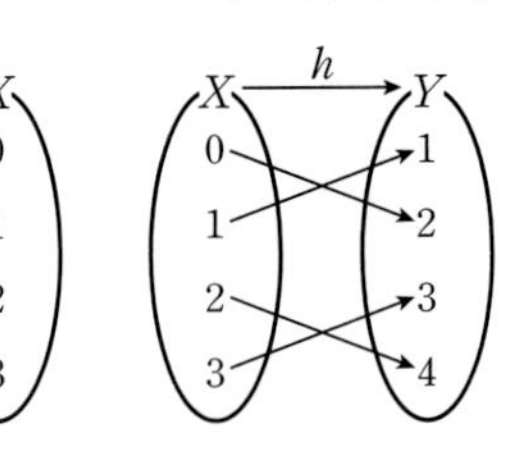

다음 함수를 위와 같이 벤다이어그램을 이용하여 그림으로 나타내시오.

(1) $g \circ f$ (2) $f \circ g$ (3) $h \circ (f \circ g)$ (4) $(h \circ g) \circ f$

날선 Guide (1) 예를 들어 $(g \circ f)(0)$은

$$0 \xrightarrow{f} 1 \xrightarrow{g} 1$$

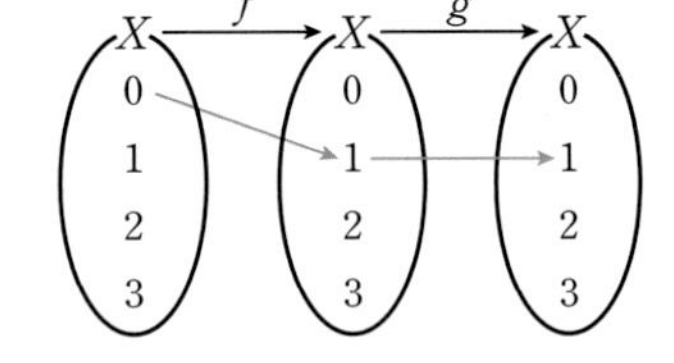

같은 방법으로 1, 2, 3에 대한 함숫값도 찾는다.

(2) $f \circ g$에서는 g를 앞에, f를 뒤에 둔다.

(3) (2)에서 구한 $f \circ g$를 이용한다.

(4) 결합법칙이 성립하므로 $(h \circ g) \circ f = h \circ (g \circ f)$를 이용하면 편하다.

답 (1)

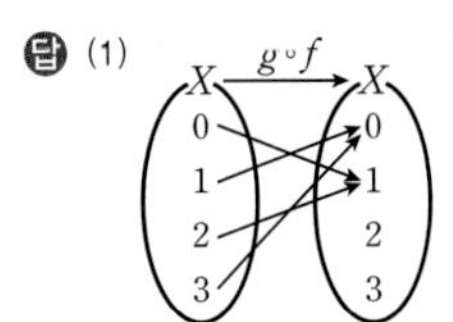

(2)

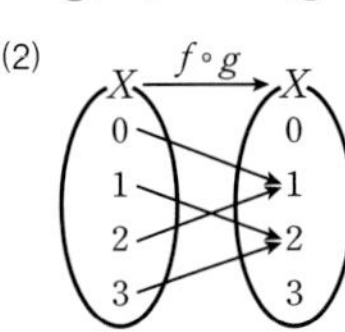

(3)

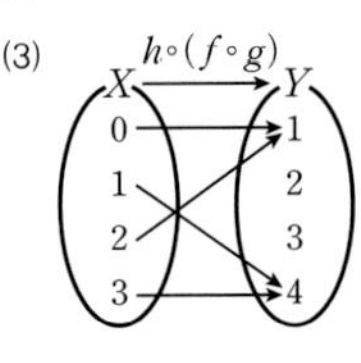

(4)

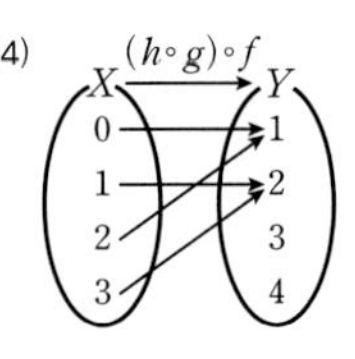

날선 Point

- $g \circ f$ ➡ $x \xrightarrow{f} f(x) \xrightarrow{g} g(f(x))$
- $f \circ g$ ➡ $x \xrightarrow{g} g(x) \xrightarrow{f} f(g(x))$

1-1 함수 $f: X \longrightarrow X$, $g: X \longrightarrow X$, $h: X \longrightarrow X$가 그림과 같다.

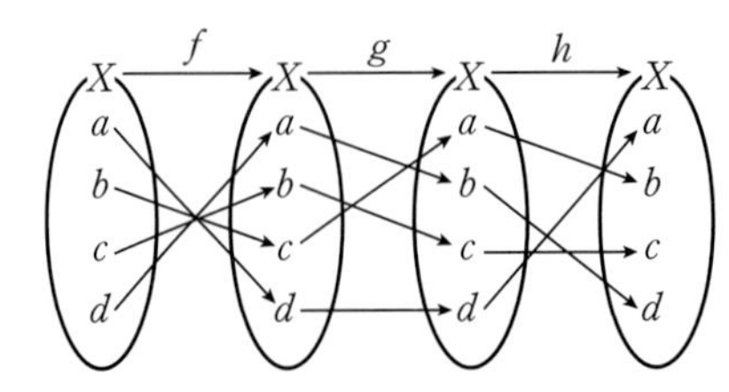

다음 중 항등함수를 모두 고르면?

① $g \circ f$ ② $h \circ g$ ③ $f \circ f$ ④ $h \circ f$ ⑤ $h \circ g \circ f$

대표 **Q2** 합성함수의 계산

◆ 정답 및 풀이 43쪽

함수 $f(x)=x-2$, $g(x)=ax+3$, $h(x)=x^2$에 대하여 다음 물음에 답하시오.

(1) $f\circ g=g\circ f$일 때, 상수 a의 값을 구하시오.

(2) $a=2$일 때, $(h\circ g\circ f)(x)$를 구하시오.

(3) $(f\circ f\circ f\circ f)(x)$를 구하시오.

날선 Guide (1) 일반적으로 $f\circ g\neq g\circ f$이지만 함수나 정의역에 따라 $f\circ g=g\circ f$가 성립하는 경우도 있다. 이때 $(f\circ g)(x)$와 $(g\circ f)(x)$를 구한 다음

$$(f\circ g)(x)=(g\circ f)(x)$$

가 x에 대한 항등식일 조건을 찾는다.

(2) $h\circ g\circ f$는 $(h\circ g)\circ f$ 또는 $h\circ(g\circ f)$에서 괄호를 생략한 꼴이다.
$h\circ g$를 구한 다음 $(h\circ g)\circ f$를 구해도 되고,
$g\circ f$를 구한 다음 $h\circ(g\circ f)$를 구해도 된다.

(3) $f\circ f\circ f$는 $(f\circ f)\circ f$ 또는 $f\circ(f\circ f)$를 계산한다.
또 $f\circ f\circ f\circ f$는 $(f\circ f\circ f)\circ f$나 $f\circ(f\circ f\circ f)$를 계산한다.

참고 $f\circ g\circ h\circ k$와 같이 함수 여러 개를 합성할 때에는 결합법칙이 성립하므로

$$(f\circ g)\circ h\circ k,\quad f\circ(g\circ h)\circ k,\quad f\circ g\circ(h\circ k)$$

와 같이 어느 두 함수의 합성을 먼저 계산해도 관계없다.
그러나 교환법칙은 성립하지 않으므로 $(g\circ h)\circ f\circ k$와 같이 함수의 순서를 바꾸어 계산해서는 안 된다.

답 (1) 1 (2) $(h\circ g\circ f)(x)=(2x-1)^2$ (3) $(f\circ f\circ f\circ f)(x)=x-8$

날선 Point $(f\circ g)(x)=f(g(x))$, $(g\circ f)(x)=g(f(x))$

2-1 함수 $f(x)=ax+b$이고 $f\circ f=f$일 때, 상수 a, b의 값을 구하시오. (단, $a\neq 0$)

2-2 함수 $f(x)=2x$, $g(x)=-x+3$, $h(x)=(x+1)^2$에 대하여 다음을 구하시오.

(1) $(g\circ f)(x)$ (2) $(h\circ f\circ g)(x)$ (3) $(f\circ f\circ f)(x)$

대표 **Q3** **그래프와 합성함수의 함숫값**

◆ 정답 및 풀이 **44**쪽

$0\le x\le 2$에서 함수 $y=f(x)$의 그래프가 그림과 같다.

$$f^1=f,\quad f^{n+1}=f\circ f^n\ (n\text{은 자연수})$$

이라 할 때, 다음 물음에 답하시오.

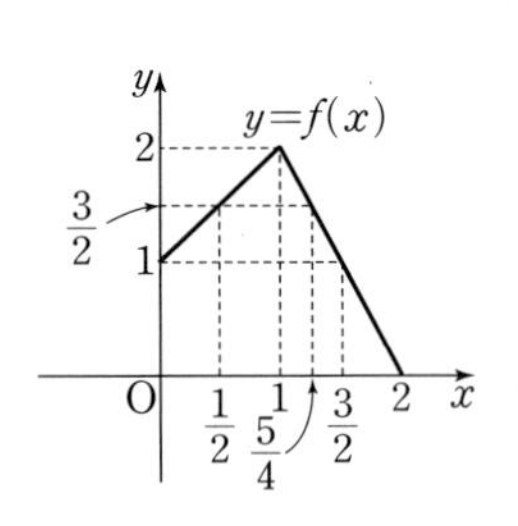

(1) $f^{49}\left(\frac{5}{4}\right)$, $f^{50}\left(\frac{5}{4}\right)$의 값을 구하시오.

(2) $f^2(a)=1$인 상수 a의 값을 모두 구하시오.

날선 **Guide** (1) $f\left(\frac{5}{4}\right)=\frac{3}{2}$, $f^2\left(\frac{5}{4}\right)=f\left(f\left(\frac{5}{4}\right)\right)=f\left(\frac{3}{2}\right)=1$, $\cdots$

과 같이 $f\left(\frac{5}{4}\right)$, $f^2\left(\frac{5}{4}\right)$, $f^3\left(\frac{5}{4}\right)$, $\cdots$를 차례로 구해 합성함수의 규칙을 찾는다.

(2) $f^2(a)=1$에서 $f(f(a))=1$이다.

그림에서 $f(0)=1$ 또는 $f\left(\frac{3}{2}\right)=1$이므로

$f^2(a)=1$이면 $f(a)=0$ 또는 $f(a)=\frac{3}{2}$인 a의 값을 구한다.

답 (1) $f^{49}\left(\frac{5}{4}\right)=0$, $f^{50}\left(\frac{5}{4}\right)=1$ (2) $\frac{1}{2}$, $\frac{5}{4}$, 2

$f^n(a)$ 꼴의 문제

➡ $f(a)$, $f^2(a)$, $f^3(a)$, $\cdots$를 차례로 구하고 규칙을 찾는다.

3-1 $0\le x\le 4$에서 함수 $y=f(x)$의 그래프가 그림과 같다.

$$f^1=f,\ f^{n+1}=f\circ f^n\ (n\text{은 자연수})$$

이라 할 때, 다음 물음에 답하시오.

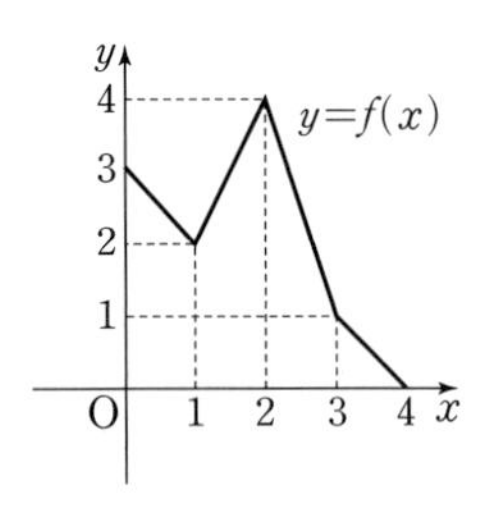

(1) $f^{33}(0)$의 값을 구하시오.

(2) $f^3(a)=0$인 상수 a값의 개수를 구하시오.

3-2 집합 $X=\{1, 2, 3\}$에 대하여 함수 $f: X\longrightarrow X$가 그림과 같다.

$$f^1(x)=f(x),\ f^{n+1}(x)=f(f^n(x))\ (n\text{은 자연수})$$

라 할 때, $f^{100}(2)$, $f^{101}(3)$의 값을 구하시오.

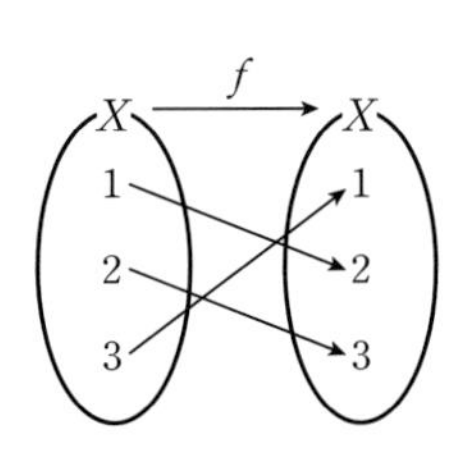

대표 Q4 합성함수와 치환

◆ 정답 및 풀이 45쪽

함수 $f(x)=x^2-2x$, $g(x)=x^2+2x+2$에 대하여 다음 물음에 답하시오.

(1) $-2\le x\le 2$일 때, 함수 $g(f(x))$의 최댓값과 최솟값을 구하시오.

(2) 방정식 $f(f(x))=f(x)$를 만족시키는 x의 값을 구하시오.

(3) 부등식 $f(g(x))\le 0$을 만족시키는 x값의 범위를 구하시오.

날선 Guide (1) $f(x)=t$로 놓고

$-2\le x\le 2$에서 t값의 범위를 구한 다음

이 범위에서 $g(t)$의 최댓값과 최솟값을 구한다.

(2) $f(f(x))=f(x)$에서 $f(x)=t$로 놓으면

$$f(t)=t$$

따라서 이 식을 만족시키는 t의 값을 구한 다음

$f(x)=t$에 대입하면 x의 값을 구할 수 있다.

(3) $f(g(x))\le 0$에서 $g(x)=t$로 놓으면

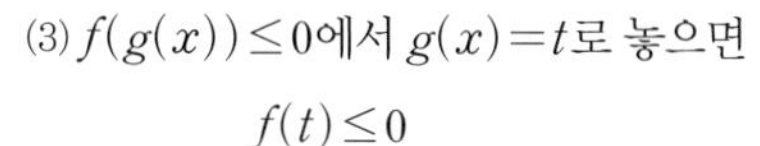

$$f(t)\le 0$$

곧, $t^2-2t\le 0$이므로 $0\le t\le 2$

따라서 연립부등식 $0\le g(x)\le 2$를 푼다.

답 (1) 최댓값 : 82, 최솟값 : 1 (2) $x=-1$ 또는 $x=0$ 또는 $x=2$ 또는 $x=3$ (3) $-2\le x\le 0$

$f(g(x))$ 꼴을 포함한 방정식, 부등식의 풀이, 최대·최소 문제

➡ $g(x)=t$로 치환하고 t의 값이나 범위부터 구한다.

4-1 함수 $f(x)=-2x^2+2x$, $g(x)=x^2-4x+1$이다. $0\le x\le 3$에서 함수 $f(g(x))$의 최댓값과 최솟값을 구하시오.

4-2 함수 $f(x)=x^2+2x$이고 함수 $y=g(x)$의 그래프와 직선 $y=x$가 그림과 같을 때, 방정식 $g(f(x))=f(x)$의 해를 구하시오.

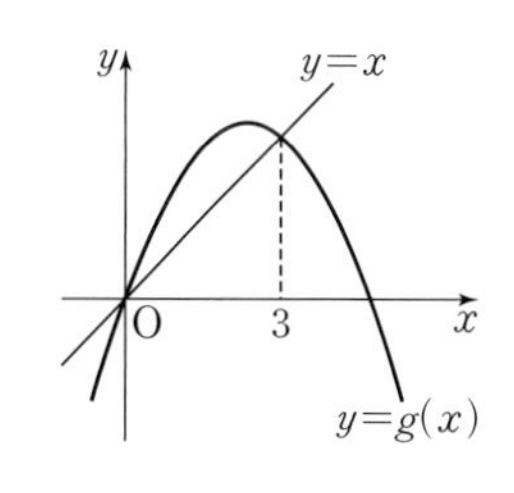

대표 Q5

범위를 나누는 합성함수의 그래프

◆ 정답 및 풀이 45쪽

$0 \le x \le 2$에서 함수 $y=f(x)$와 $y=g(x)$의 그래프가 그림과 같을 때, 다음 물음에 답하시오.

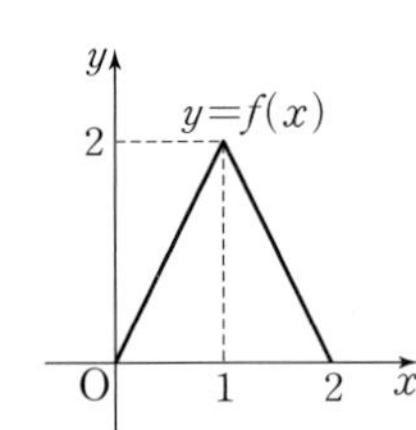

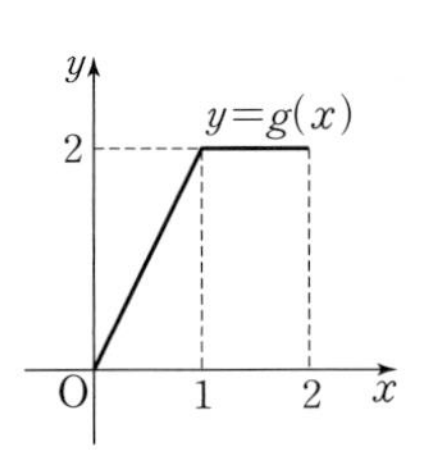

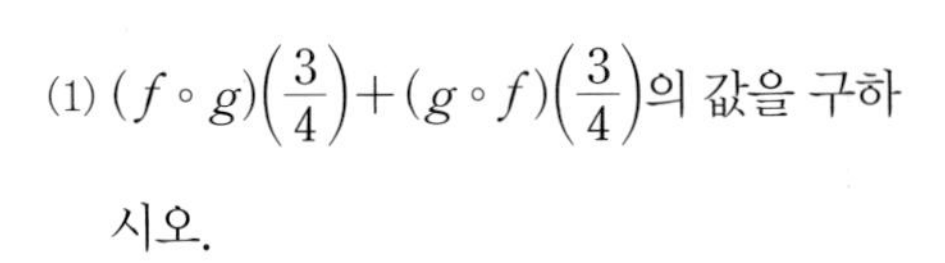

(1) $(f\circ g)\left(\frac{3}{4}\right)+(g\circ f)\left(\frac{3}{4}\right)$의 값을 구하시오.

(2) $y=(g\circ f)(x)$의 그래프를 그리시오.

날선 Guide 그래프에서 $0\le x<1$, $1\le x\le 2$로 나누어 $f(x)$와 $g(x)$를 구하면

$$f(x)=\begin{cases} 2x & (0\le x<1) \\ -2x+4 & (1\le x\le 2) \end{cases},\quad g(x)=\begin{cases} 2x & (0\le x<1) \\ 2 & (1\le x\le 2) \end{cases}$$

(1) 위 식을 이용하여 $g\left(\frac{3}{4}\right)$과 $f\left(\frac{3}{4}\right)$의 값부터 구한다.

(2) $y=(g\circ f)(x)=g(f(x))$에서

$$g(f(x))=\begin{cases} 2f(x) & (0\le f(x)<1) & \cdots ㉠ \\ 2 & (1\le f(x)\le 2) & \cdots ㉡ \end{cases}$$

$0\le f(x)<1$이면 $0\le x<\frac{1}{2}$, $\frac{3}{2}<x\le 2$이므로

$0\le x<\frac{1}{2}$일 때는 $f(x)=2x$를 ㉠에,

$\frac{3}{2}<x\le 2$일 때는 $f(x)=-2x+4$를 ㉠에 대입한다.

$1\le f(x)\le 2$이면 $\frac{1}{2}\le x\le\frac{3}{2}$이고,

㉡에서 $y=2$이다.

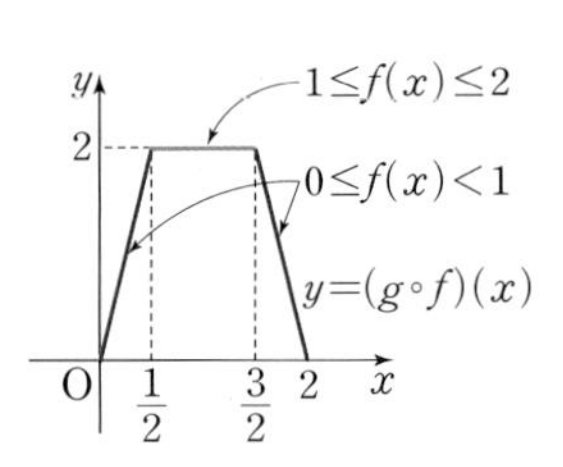

답 (1) 3 (2) 풀이 참조

$y=g(f(x))$의 그래프를 그릴 때 ➡ ❶ $f(x)$의 범위를 나누고
❷ x의 범위를 나눈다.

5-1 $0\le x\le 2$에서 함수 $y=f(x)$와 $y=g(x)$의 그래프가 그림과 같을 때, $y=(f\circ g)(x)$의 그래프를 그리시오.

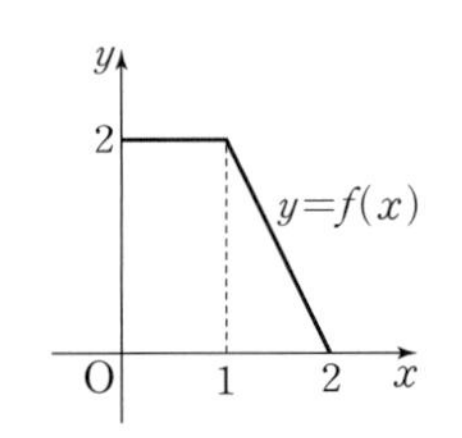

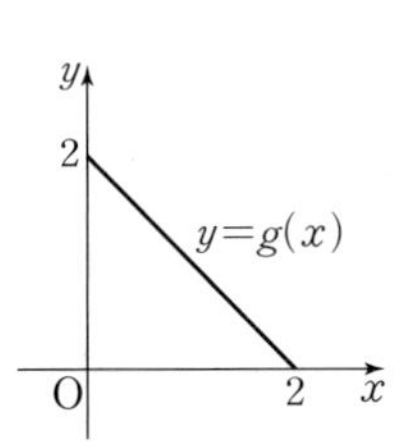

6-3 역함수의 정의

함수 $f : X \longrightarrow Y$가 일대일대응이면

Y의 원소 $f(x)$에 X의 원소 x를 대응시키는 함수를

f의 **역함수**라 하고 $\boldsymbol{f^{-1}}$로 나타낸다. 곧,

$$f^{-1} : Y \longrightarrow X,\ x=f^{-1}(y)$$

이때 f^{-1}의 정의역은 Y, 치역은 X이다.

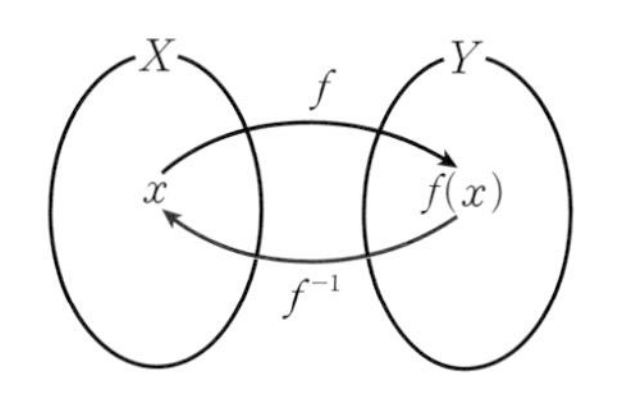

역함수의 정의 ● 그림과 같은 함수 $f : X \longrightarrow Y$, $g : X \longrightarrow Y$가 있다.

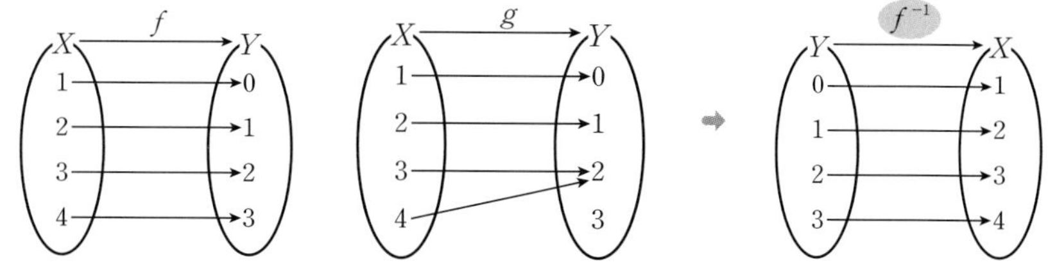

f는 일대일대응이므로 Y에서 X로의 역대응을 생각하면 Y의 모든 원소에 X의 원소가 하나씩 대응하는 함수이다. 이 함수를 f의 역함수라 하고, f^{-1}로 나타낸다.

함수 $\boldsymbol{f}$가 일대일대응이면 역함수 $\boldsymbol{f^{-1}}$가 있다.

역함수가 없는 경우 ● g의 역대응을 생각하면 Y의 원소 2에 대응하는 X의 원소가 2개이고, Y의 원소 3에 대응하는 X의 원소가 없으므로 함수가 아니다. 이와 같이 일대일대응이 아니면 역함수가 없다.

역함수의 정의역, 공역 ● 함수 $f : X \longrightarrow Y$가 일대일대응일 때

$$x \xrightarrow{f} y \quad ➡ \quad y \xrightarrow{f^{-1}} x$$

곧, $y=f(x)$이면 $x=f^{-1}(y)$이다. 역도 성립하므로

$$\boldsymbol{y=f(x) \Longleftrightarrow x=f^{-1}(y)}$$

또 f^{-1}의 정의역은 f의 공역, f^{-1}의 공역은 f의 정의역이다.

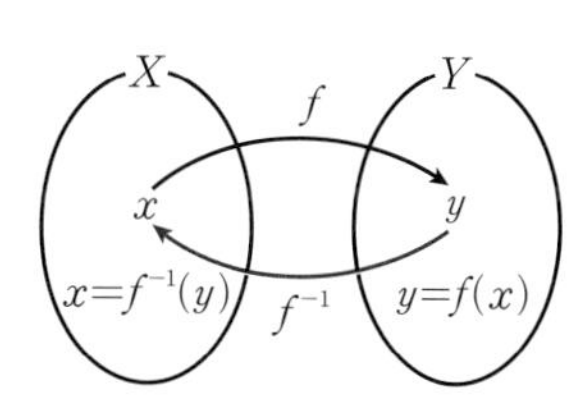

개념 Check ◆ 정답 및 풀이 46쪽

3 그림과 같은 함수 f의 역함수 f^{-1}를 오른쪽 그림에 나타내시오.

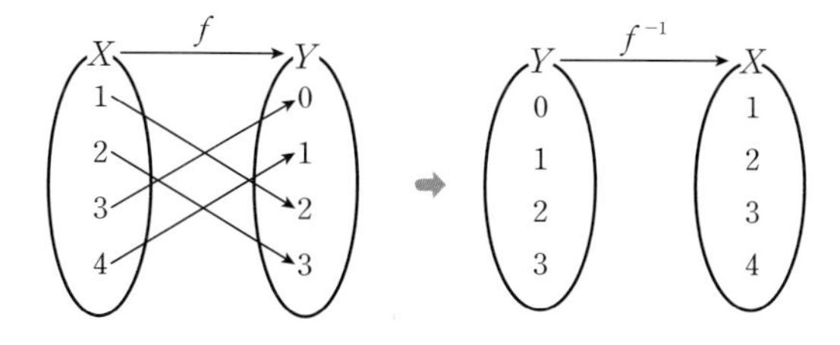

6-4 역함수의 성질

(1) $f : X \longrightarrow Y$의 역함수가 존재하면 $x \in X$일 때 $f^{-1}(f(x))=x$, $y \in Y$일 때 $f(f^{-1}(y))=y$ 곧, $f^{-1} \circ f$와 $f \circ f^{-1}$는 항등함수이다.

(2) $f : X \longrightarrow Y$, $g : Y \longrightarrow Z$가 일대일대응이면 $f \circ g$의 역함수가 존재하고 $(f \circ g)^{-1}=g^{-1} \circ f^{-1}$이다.

$f^{-1} \circ f$, $f \circ f^{-1}$

함수 $f : X \longrightarrow Y$가 그림과 같으면

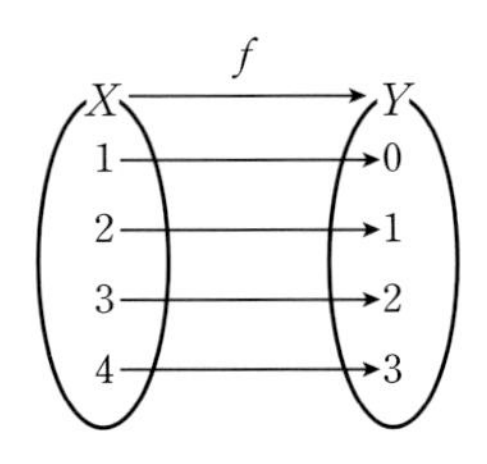

f가 일대일대응이므로 역함수 f^{-1}가 존재한다.

그런데 $f(1)=0$, $f^{-1}(0)=1$이므로

$$f^{-1}(f(1))=f^{-1}(0)=1,\ f(f^{-1}(0))=f(1)=0$$

이와 같이 $f^{-1}(f(x))=x$, $f(f^{-1}(y))=y$임을 알 수 있다.

곧, f와 f^{-1}의 합성함수 $f^{-1} \circ f$와 $f \circ f^{-1}$는 항등함수이다.

일반적으로 f^{-1}가 존재하고 $y=f(x)$일 때

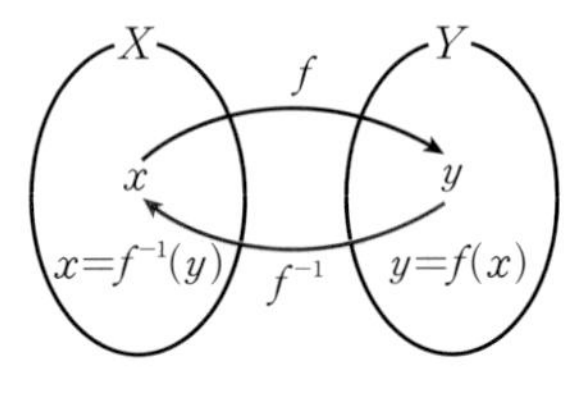

$$(f^{-1} \circ f)(x)=f^{-1}(f(x))=f^{-1}(y)=x\ (x \in X)$$

$$(f \circ f^{-1})(y)=f(f^{-1}(y))=f(x)=y\ (y \in Y)$$

따라서 $f^{-1} \circ f$는 X에서 X로의 항등함수이고,

$f \circ f^{-1}$는 Y에서 Y로의 항등함수이다.

합성함수의 역함수

함수 $f : X \longrightarrow Y$, $g : Y \longrightarrow Z$가 일대일대응이면

$g \circ f$도 일대일대응이므로 $(g \circ f)^{-1}$가 존재한다. 이때

$$(g \circ f)(x)=z \quad \Rightarrow \quad x=(g \circ f)^{-1}(z)$$

그림과 같이

$$z \xrightarrow{g^{-1}} y \xrightarrow{f^{-1}} x$$

이므로 다음이 성립한다.

$$\boldsymbol{(g \circ f)^{-1}=f^{-1} \circ g^{-1}}$$

$(f^{-1})^{-1}$

그림에서 f^{-1}의 역함수를 생각하면 f임을 알 수 있다. 따라서 $(f^{-1})^{-1}=f$이다.

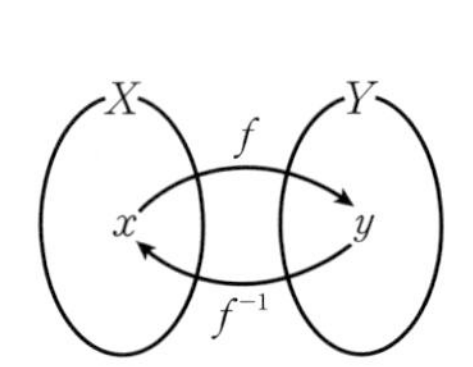

개념 Check

◆ 정답 및 풀이 46쪽

4 $f(x)$, $g(x)$의 역함수가 $f^{-1}(x)=2x-3$, $g^{-1}(x)=\dfrac{x+1}{2}$일 때, 다음을 구하시오.

(1) $(f \circ g)^{-1}(3)$

(2) $(g \circ f)^{-1}(0)$

6-5 역함수와 그래프

1 역함수를 구하는 방법

❶ $x=$(y에 대한 식) 꼴로 나타낸다.

❷ x를 y로, y를 x로 바꾼다.

2 $y=f(x)$의 그래프와 역함수 $y=f^{-1}(x)$의 그래프는 직선 $y=x$에 대칭이다.

역함수를 구하는 방법

$f(x)=2x-1$이면 일대일대응이므로 역함수 f^{-1}가 존재한다.

$f^{-1}(y)$는 Y의 원소 y에 대응하는 X의 원소 x이므로

$y=2x-1$에서 $y+1=2x$, $x=\dfrac{y+1}{2}$

x와 y를 서로 바꾸면 $y=\dfrac{x+1}{2}$ $\left(\text{또는 } f^{-1}(x)=\dfrac{x+1}{2}\right)$

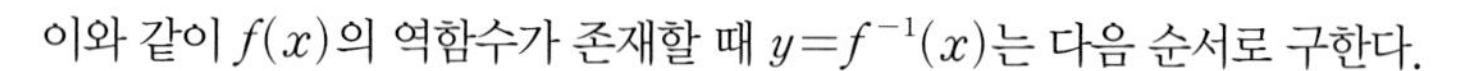
이와 같이 $f(x)$의 역함수가 존재할 때 $y=f^{-1}(x)$는 다음 순서로 구한다.

❶ $x=$(y에 대한 식) 꼴로 나타낸다.

❷ x를 y로, y를 x로 바꾼다.

역함수의 그래프

점 (a, b)가 $y=f(x)$의 그래프 위의 점이면

$$b=f(a) \iff a=f^{-1}(b)$$

따라서 점 (b, a)는 역함수 $y=f^{-1}(x)$의 그래프 위의 점이다.

그런데 점 (a, b)와 점 (b, a)는 직선 $y=x$에 대칭이므로

$y=f(x)$와 역함수 $y=f^{-1}(x)$의 그래프는 직선 $y=x$에 대칭이다.

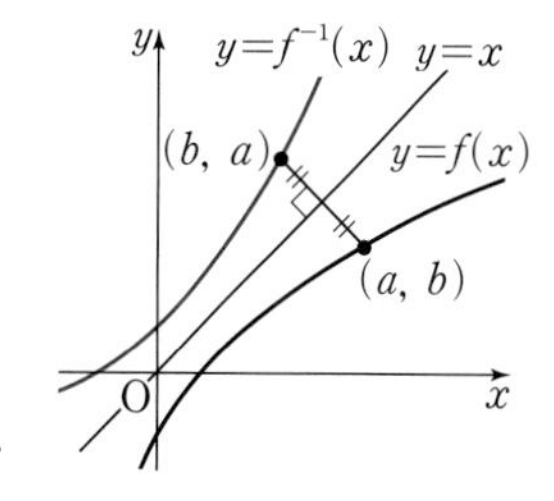

개념 Check

◆ 정답 및 풀이 46쪽

5 다음은 함수 $y=\dfrac{1}{2}x+1$의 역함수를 구하는 과정이다. (가), (나)에 알맞은 식을 써넣으시오.

> $x=$(y에 대한 식) 꼴로 나타내면 $x=$ [(가)]
> x를 y로, y를 x로 바꾸면 $y=$ [(나)]

6 함수 $y=f(x)$의 그래프와 직선 $y=x$가 그림과 같을 때, 다음 물음에 답하시오.

(1) $f^{-1}(2)$의 값을 구하시오.

(2) $y=f^{-1}(x)$의 그래프를 그리시오.

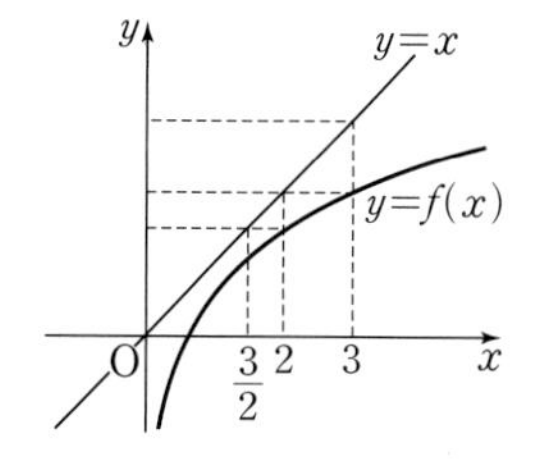

대표 Q6

역함수의 식 구하기

◆ 정답 및 풀이 47쪽

함수 $f(x)=3x+2$, $g(x)=\frac{3}{2}x+1$에 대하여 다음 물음에 답하시오.

(1) $f^{-1}(x)$를 구하시오.

(2) $h \circ f=g$를 만족시키는 함수 $h(x)$를 구하시오.

(3) $f \circ h=g$를 만족시키는 함수 $h(x)$를 구하시오.

날선 Guide (1) $y=3x+2$로 놓고 다음 순서로 역함수를 구한다.

❶ $x=$(y에 대한 식) 꼴로 나타낸다.

❷ x를 y로, y를 x로 바꾼다.

또는 x와 y를 먼저 바꾸고 $y=$(x에 대한 식) 꼴로 나타낸다고 생각해도 된다.

(2) $h \circ f=g$에서 양변의 오른쪽에 f^{-1}를 합성하면

$$(h \circ f) \circ f^{-1}=g \circ f^{-1}$$ 결합법칙

$$h \circ (f \circ f^{-1})=g \circ f^{-1}$$ $f \circ f^{-1}=I$

$$h \circ I=g \circ f^{-1}$$

$$\therefore h=g \circ f^{-1}$$

위 관계를 이용한다.

(3) $f \circ h=g$에서 양변의 왼쪽에 f^{-1}를 합성하고 (2)와 같이 정리하면

$$f^{-1} \circ (f \circ h)=f^{-1} \circ g$$ ⟶ 역함수를 합성할 때에는 위치에 주의한다.

$$\therefore h=f^{-1} \circ g$$

위 관계를 이용한다.

답 (1) $f^{-1}(x)=\frac{1}{3}x-\frac{2}{3}$ (2) $h(x)=\frac{1}{2}x$ (3) $h(x)=\frac{1}{2}x-\frac{1}{3}$

- $h \circ f=g$ ➡ $h=g \circ f^{-1}$
- $f \circ h=g$ ➡ $h=f^{-1} \circ g$

6-1 함수 $f(x)=-x+3$, $g(x)=2x-4$에 대하여 다음 물음에 답하시오.

(1) $f^{-1}(x)$를 구하시오.

(2) $h \circ f=g$를 만족시키는 함수 $h(x)$를 구하시오.

(3) $f \circ h=g$를 만족시키는 함수 $h(x)$를 구하시오.

역함수의 대응 찾기

◆ 정답 및 풀이 47쪽

$f(x)$, $g(x)$는 집합 $A=\{1, 2, 3, 4\}$에서 A로의 함수이다. $f(x)$, $(f \circ g)(x)$가 그림과 같을 때, 다음 함수를 벤다이어그램을 이용하여 그림으로 나타내시오.

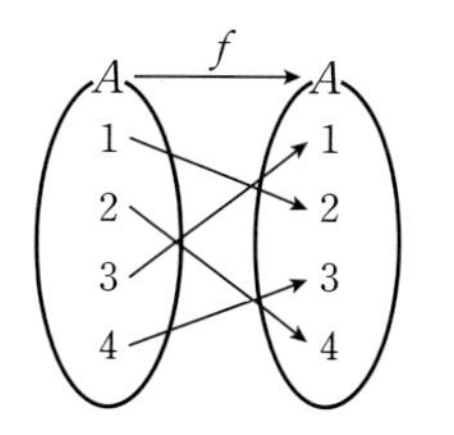

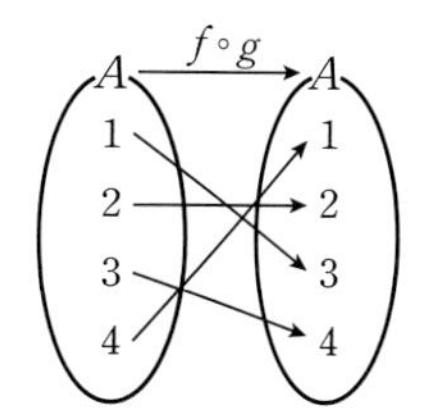

(1) $(g^{-1} \circ f^{-1})(x)$

(2) $g(x)$

날선 Guide (1) $g^{-1} \circ f^{-1}=(f \circ g)^{-1}$

이므로 $f \circ g$의 역대응을 나타내면

함수 $y=(g^{-1} \circ f^{-1})(x)$를 구할 수 있다.

따라서 $f \circ g$의 대응에서 화살표 방향만 바꾼다.

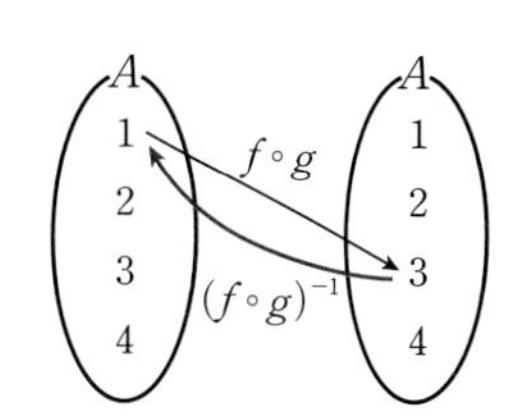

(2) f는 일대일대응이고 그림에서

f에 의해 1은 2에 대응되고

$f \circ g$에 의해 2가 2에 대응되므로

g는 2를 1에 대응시킨다.

이와 같은 방법으로 나머지 대응도 찾는다.

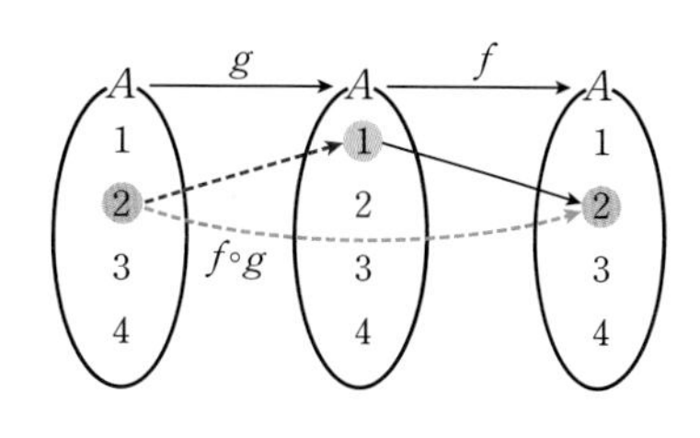

참고 $f^{-1} \circ (f \circ g)=(f^{-1} \circ f) \circ g=g$

이므로 f^{-1}를 구한 다음, f^{-1}와 $f \circ g$를 합성한다고 생각해도 g를 찾을 수 있다.

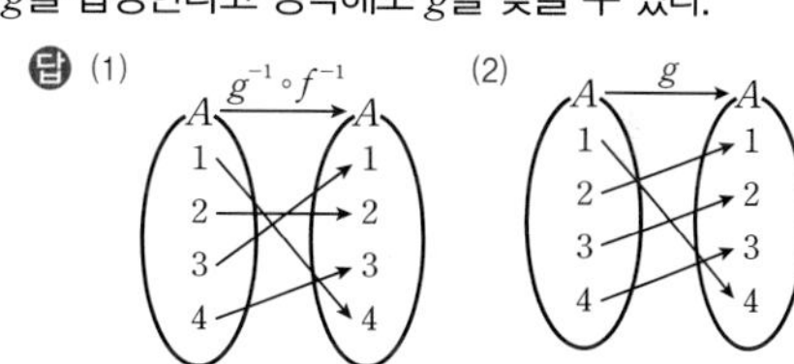

답 (1)

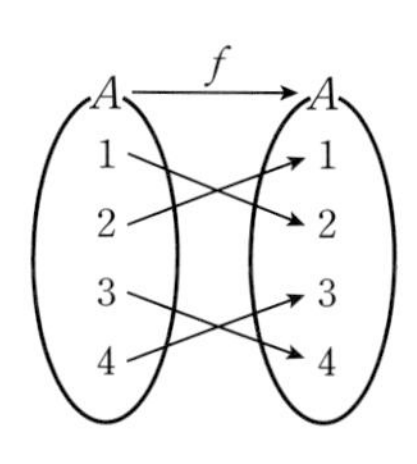

(2)

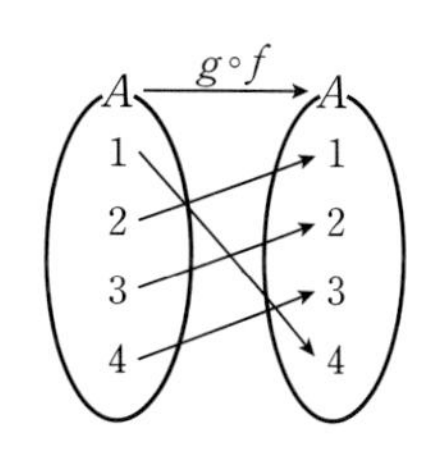

날선 Point 역함수 ➡ 역대응을 찾는다.

7-1 $f(x)$, $g(x)$는 집합 $A=\{1, 2, 3, 4\}$에서 A로의 함수이다. 함수 $f(x)$, $(g \circ f)(x)$가 그림과 같을 때, 다음 함수의 그래프를 좌표평면 위에 나타내시오.

(1) $y=g(x)$

(2) $y=(f^{-1} \circ g)(x)$

역함수의 성질

◆ 정답 및 풀이 48쪽

다음 물음에 답하시오.

(1) 함수 $f(x)=x-2$, $g(x)=\frac{2}{3}x-1$에 대하여 $(f\circ(g\circ f)^{-1}\circ f)(2)$의 값을 구하시오.

(2) 함수 $f(x)$의 역함수를 $g(x)$라 할 때, 함수 $f(3x)$의 역함수를 $h(x)$라 하자. $g(3)=1$일 때, $h(3)$의 값을 구하시오.

날선 Guide (1) $(g\circ f)^{-1}$를 구한 다음 $f\circ(g\circ f)^{-1}\circ f$를 계산하는 문제는 아니다.

$$(g\circ f)^{-1}=f^{-1}\circ g^{-1}$$
$$f\circ f^{-1}=I$$

를 이용하여 식을 정리한다.

(2) g가 f의 역함수이므로 $g(3)=1$에서 $f(1)=3$이다.

또 $f(3x)$의 역함수가 $h(x)$이므로 $h(3)=a$라 하면 $f(3a)=3$이다.

이를 이용하면 a의 값을 구할 수 있다.

참고 $k(x)=3x$라 하면 $f(3x)=f(k(x))=(f\circ k)(x)$

따라서 $h(x)=(f\circ k)^{-1}(x)=(k^{-1}\circ f^{-1})(x)$

$k^{-1}(x)=\frac{1}{3}x$이므로 $h(x)=\frac{1}{3}f^{-1}(x)=\frac{1}{3}g(x)$

답 (1) $\frac{3}{2}$ (2) $\frac{1}{3}$

날선 Point

- $(g\circ f)^{-1}=f^{-1}\circ g^{-1}$
- $f^{-1}(a)=b$이면 $f(b)=a$
- g가 f의 역함수 $\Longleftrightarrow$ $g\circ f=I$, $f\circ g=I$

8-1 함수 $f(x)=3x-2$, $g(x)=-2x+4$에 대하여 $(f\circ(f\circ g)^{-1}\circ f)(k)=4$일 때, 상수 k의 값을 구하시오.

8-2 함수 $f(x)$의 역함수를 $g(x)$, 함수 $f(-x+2)$의 역함수를 $h(x)$라 하자. $g(0)=3$일 때, $h(0)$의 값을 구하시오.

역함수가 존재할 조건

◆ 정답 및 풀이 48쪽

실수에서 정의된 함수 $f(x)=\begin{cases} 2kx+k^2 & (x<1) \\ x^2+2 & (x\geq 1) \end{cases}$ 의 역함수가 존재할 때, 다음 물음에 답하시오.

(1) 상수 k의 값을 구하시오.

(2) $f^{-1}(f^{-1}(6))$의 값을 구하시오.

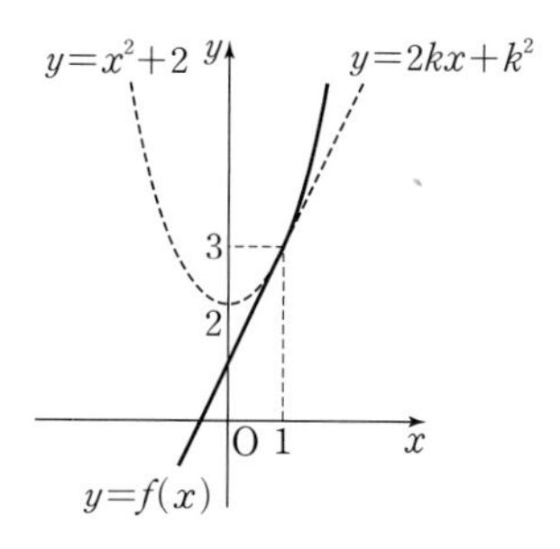

날선 Guide (1) $f(x)$의 역함수가 존재하면 일대일대응이므로 $y=f(x)$의 그래프를 그려 일대일대응일 조건을 찾는다.

$f_1(x)=2kx+k^2$, $f_2(x)=x^2+2$라 하자.

$y=f_1(x)$는 기울기가 $2k$인 직선이고, $y=f_2(x)$의 그래프는 축이 y축인 이차함수의 그래프이다.

따라서 그림과 같이 직선의 기울기가 양수이고, $f_1(1)=f_2(1)$이면 $f(x)$는 일대일대응이다.

(2) $f^{-1}(6)=a$라 하고 a의 값을 구한 다음, $f^{-1}(f^{-1}(6))=f^{-1}(a)$를 구한다.

이때 $f^{-1}(6)=a$라 하면 $f(a)=6$이므로 $a<1$인지 $a\geq 1$인지부터 확인한다.

답 (1) 1 (2) $\frac{1}{2}$

- $f(x)$의 역함수가 존재한다. ➡ $f(x)$는 일대일대응이다.
- $f^{-1}(a)=b$ ➡ $f(b)=a$

9-1 실수에서 정의된 함수

$$f(x)=\begin{cases} 2x-1 & (x\geq 2) \\ ax-a^2+6 & (x<2) \end{cases}$$

의 역함수가 존재할 때, 상수 a의 값을 구하시오.

up **9-2** 실수에서 정의된 함수 $f(x)=|x|+kx+1$의 역함수가 존재할 때, 다음 물음에 답하시오.

(1) 상수 k값의 범위를 구하시오.

(2) $f^{-1}(0)=-2$일 때, $f^{-1}(4)$의 값을 구하시오.

역함수와 그래프

◆ 정답 및 풀이 49쪽

다음 물음에 답하시오.

(1) 함수 $f(x)=ax+b$의 그래프는 점 $(1,\ 4)$를 지나고 $y=f^{-1}(x)$의 그래프는 점 $(2,\ 0)$을 지날 때, 상수 $a,\ b$의 값을 구하시오.

(2) 함수 $f(x)=\frac{1}{5}(x^2+4)\ (x\geq 0)$의 역함수를 $g(x)$라 할 때, $y=f(x)$와 $y=g(x)$의 그래프가 만나는 두 점 사이의 거리를 구하시오.

날선 Guide (1) $y=f(x)$와 $y=f^{-1}(x)$의 그래프는 직선 $y=x$에 대칭이므로 점 $(2,\ 0)$이 $y=f^{-1}(x)$의 그래프 위의 점이면 점 $(0,\ 2)$는 $y=f(x)$의 그래프 위의 점이다.
곧, $f^{-1}(2)=0$이면 $f(0)=2$이다.
이를 이용하면 $f^{-1}(x)$를 직접 구하지 않아도 풀 수 있다.

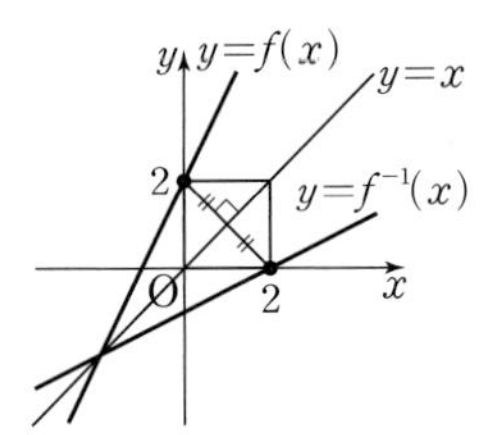

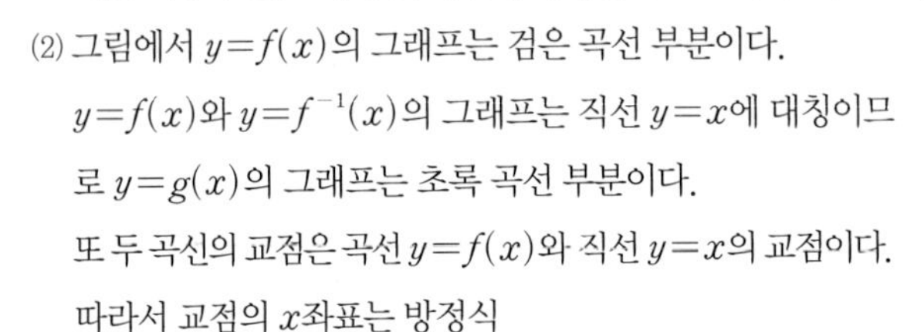

(2) 그림에서 $y=f(x)$의 그래프는 검은 곡선 부분이다.
$y=f(x)$와 $y=f^{-1}(x)$의 그래프는 직선 $y=x$에 대칭이므로 $y=g(x)$의 그래프는 초록 곡선 부분이다.
또 두 곡선의 교점은 곡선 $y=f(x)$와 직선 $y=x$의 교점이다.
따라서 교점의 x좌표는 방정식

$$f(x)=x$$

의 해임을 이용한다.

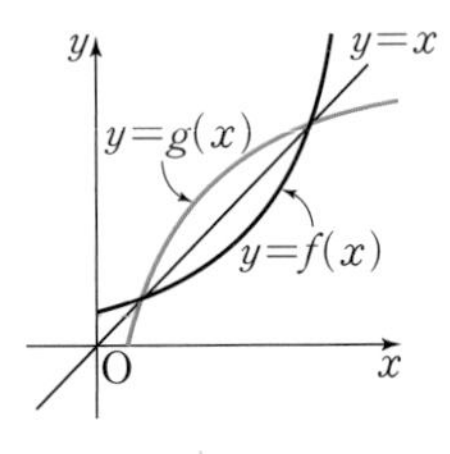

답 (1) $a=2,\ b=2$ (2) $3\sqrt{2}$

- $y=f(x)$와 $y=f^{-1}(x)$의 그래프는 직선 $y=x$에 대칭이다.
- $y=f(x)$와 $y=f^{-1}(x)$의 그래프의 교점은 $y=f(x)$의 그래프와 직선 $y=x$의 교점을 이용한다.

10-1 함수 $f(x)=ax+b$의 그래프와 $y=f^{-1}(x)$의 그래프가 점 $(2,\ 1)$을 지날 때, 상수 $a,\ b$의 값을 구하시오.

10-2 $x\geq -1$에서 함수 $f(x)=x^2+2x+k$라 하자. $y=f(x)$의 그래프와 $y=f^{-1}(x)$의 그래프가 만날 때, 상수 k값의 범위를 구하시오.

◆ 정답 및 풀이 50쪽

6 합성함수와 역함수

01 함수 $f: X \longrightarrow X$가 그림과 같을 때, 다음 값을 구하시오.

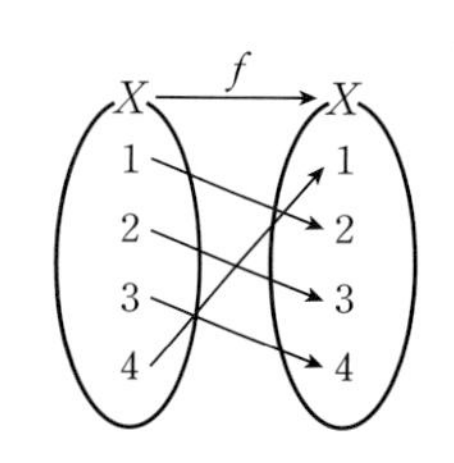

(1) $(f \circ f)(2)$　　　(2) $f^{-1}(4)$

02 함수 $f(x)=\begin{cases} 1-x & (x \geq 0) \\ x^2+1 & (x<0) \end{cases}$, $g(x)=-x$일 때, 다음을 구하시오.

(1) $(f \circ g)(2)$　　　(2) $(f \circ f)(2)$　　　(3) $(f \circ g \circ f)(2)$

03 함수 $f(x)=2x-1$, $g(x)=x^2-1$에 대하여 $(f \circ g)(a)=5$를 만족시키는 양수 a의 값을 구하시오.

04 함수 $f(x)$, $g(x)$가 $f(x)=2x-1$, $g(x)=-x+a$일 때, 모든 실수 x에 대하여 $(g \circ f)(x)=(f \circ g)(x)$가 성립하도록 하는 상수 a의 값을 구하시오.

05 함수 f, g, h에 대하여 $(h \circ g)(x)=2x-1$, $(h \circ (g \circ f))(x)=2x+5$일 때, $f(x)$를 구하시오.

06 함수 $f(x)=ax+4$의 역함수가 $f^{-1}(x)=\frac{1}{2}x+b$일 때, 상수 a, b의 값을 구하시오.

07 함수 $f : X \longrightarrow Y$,
$g : Y \longrightarrow Y$가 그림과 같을 때,
$(f^{-1} \circ g)(4)$의 값을 구하시오.

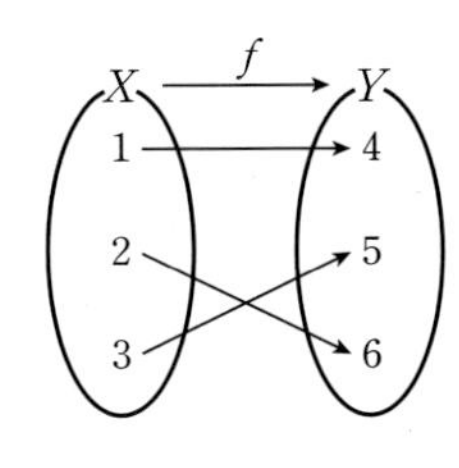

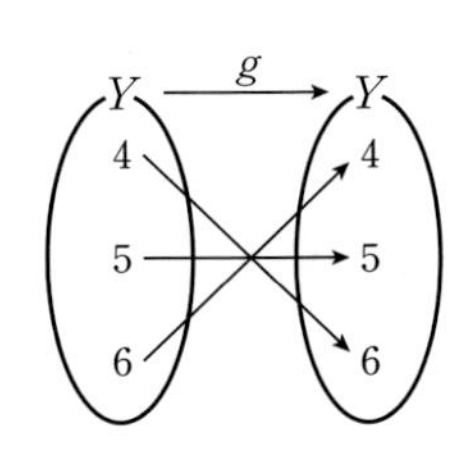

08 함수 $y=f(x)$의 그래프가 그림과 같을 때,
$(f \circ f)(-4)+f^{-1}(4)$의 값을 구하시오.

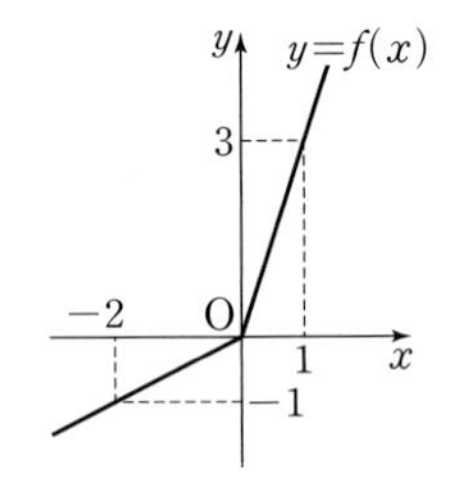

09 함수 $f(x)=ax+b$에 대하여 $f^{-1}(1)=0$, $f^{-1}(f^{-1}(b))=2b$일 때, 상수 a, b의 값을 구하시오.

10 실수에서 정의된 다음 함수 중 역함수가 존재하는 것을 모두 고르면?

① $f(x)=x-2$ ② $f(x)=|x|$ ③ $f(x)=5$

④ $f(x)=2x^2-x$ ⑤ $f(x)=\begin{cases} (x-1)^2 & (x \geq 1) \\ -(x-1)^2 & (x<1) \end{cases}$

11 집합 $X=\{x \mid x \leq a\}$, $Y=\{y \mid y \geq b\}$에 대하여

$$f : X \longrightarrow Y,\ f(x)=3x^2-4x+1$$

이다. 함수 $f(x)$의 역함수가 존재할 때, a의 최댓값과 a가 최대일 때 b의 값을 구하시오.

교육청 기출

12 그림은 함수

$$f: X \longrightarrow X,\ g: X \longrightarrow X$$

를 나타낸 것이다.

함수 $h: X \longrightarrow X$가 $f \circ h = g$를 만족시킬 때, $(h \circ f)(3)$의 값은?

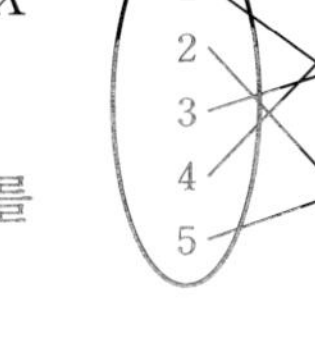

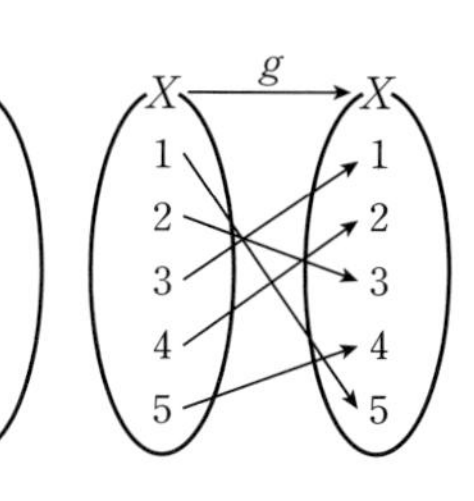

① 1 ② 2 ③ 3 ④ 4 ⑤ 5

13 실수에서 정의된 일대일함수 f, g에 대하여

$$g(4)=3,\ f(x)=ax+3,\ (g \circ f)(x)=3x+1$$

일 때, 상수 a의 값을 구하시오.

14 집합 $A=\{1, 2, 3, 4\}$에 대하여 함수 $f: A \longrightarrow A$를 다음과 같이 정의하자.

$$f(x)=\begin{cases} 4 & (x=1) \\ x-1 & (x \ge 2) \end{cases}$$

$f^1(x)=f(x)$, $f^{n+1}(x)=f(f^n(x))$라 할 때, $f^{99}(1)$, $f^{100}(3)$의 값을 구하시오.
(단, n은 자연수이다.)

15 실수에서 정의된 함수 $f(x)$와 $g(x)$에 대하여

$$(f \circ g)(x)=\{g(x)\}^2+4,\ (g \circ f)(x)=4\{g(x)\}^2+1$$

이고 $g(x)$는 일차함수일 때, $f(x)$와 $g(x)$를 구하시오.

16 함수 $f(x)=2x+1$과 모든 함수 $h(x)$에 대하여 $h \circ (g \circ f)=h$를 만족시키는 함수 $g(x)$를 구하시오.

17 $x \geq 0$에서 정의된 함수 $y=f(x)$의 그래프와 직선 $y=x$가 그림과 같을 때, 다음 물음에 답하시오. (단, 모든 점선은 x축 또는 y축에 평행하다.)

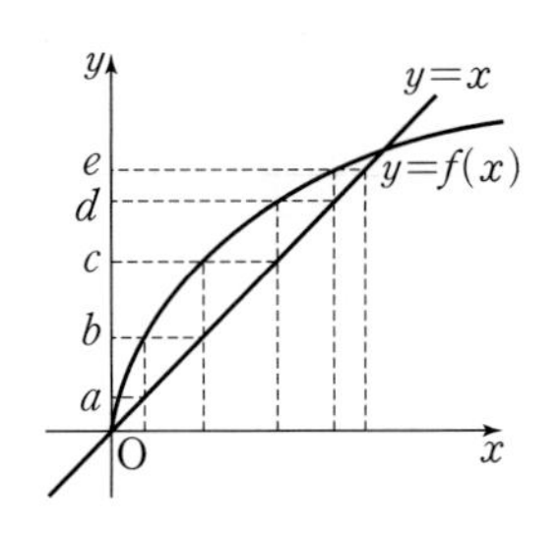

(1) $(f \circ f)(x)=c$인 x의 값을 구하시오.

(2) $(f^{-1} \circ f^{-1})(d)$의 값을 구하시오.

교육청 기출

18 집합 $X=\{1, 2, 3, 4\}$에 대하여 함수 $f : X \longrightarrow X$가 그림과 같다. 함수 $g : X \longrightarrow X$의 역함수가 존재하고 $g(2)=3$, $g^{-1}(1)=3$, $(g \circ f)(2)=2$일 때, $g^{-1}(4)+(f \circ g)(2)$의 값을 구하시오.

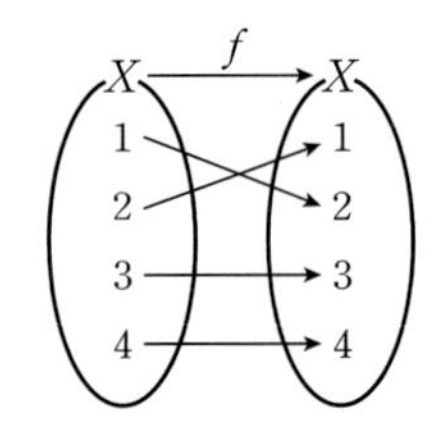

교육청 기출

19 일차함수 $f(x)$의 역함수를 $g(x)$라 할 때, 함수 $y=f(2x+3)$의 역함수를 $g(x)$에 대한 식으로 나타내면 $y=ag(x)+b$이다. $a+b$의 값은?

① $-\frac{5}{2}$ ② -2 ③ $-\frac{3}{2}$ ④ -1 ⑤ $-\frac{1}{2}$

교육청 기출

20 함수 $f(x)=|2x-4|$ $(0 \leq x \leq 4)$에 대하여 **보기**에서 옳은 것만을 있는 대로 고른 것은?

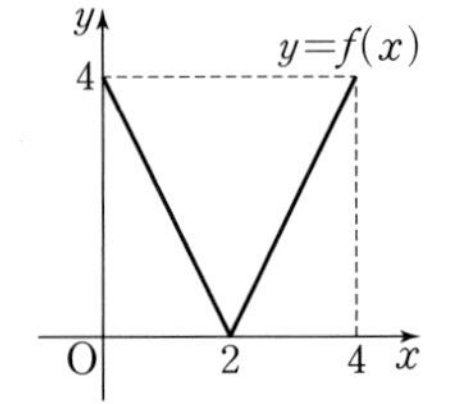

보기

ㄱ. $f(f(1))=0$

ㄴ. 방정식 $f(x)=x$의 실근의 개수는 2이다.

ㄷ. 방정식 $f(f(x))=f(x)$의 실근의 합은 8이다.

① ㄱ ② ㄱ, ㄴ ③ ㄱ, ㄷ ④ ㄴ, ㄷ ⑤ ㄱ, ㄴ, ㄷ

7 유리함수

중학교에서 두 정수 a, b에 대하여 $\frac{a}{b}$ $(b\neq0)$의 꼴로 나타낼 수 있는 수를 유리수라고 배웠다. 이와 같이 수의 체계에서 정수를 확장하여 유리수를 정의했던 것과 비슷하게 다항식의 개념을 확장하여 유리식에 대하여 배워 보자.

또 유리수 성질과 마찬가지로 유리식에서도 분모, 분자에 0이 아닌 같은 다항식을 곱하거나 나누어도 그 값이 변하지 않는 성질이 성립하고, 유리식의 덧셈과 뺄셈, 곱셈과 나눗셈도 유리수의 사칙연산과 마찬가지 방법으로 계산한다.

지금까지 다루었던 일차함수, 이차함수 등과 같은 다항함수와 유리함수의 관계를 생각해 보고, 중학교에서 배운 반비례 관계에 있는 함수의 그래프를 이용하여 유리함수의 그래프를 그려 보자.

7-1 유리식

개념

1 A, $B\,(B\neq0)$가 다항식일 때, $\dfrac{A}{B}$ 꼴의 식을 **유리식**이라 한다.

2 유리식의 성질

다항식 A, B, $C\,(B\neq0,\ C\neq0)$에서

(1) $\dfrac{A}{B}=\dfrac{A\times C}{B\times C}$　　(2) $\dfrac{A}{B}=\dfrac{A\div C}{B\div C}$

유리식의 분모, 분자에 0이 아닌 같은 식을 곱하거나 나누어도 같은 식이다.

유리식 ● $\dfrac{3}{x+2}$, $\dfrac{x-2}{x}$, $\dfrac{x^2-1}{2x}$과 같이 $\dfrac{A}{B}$ (A, B는 다항식, $B\neq0$) 꼴의 식을 유리식이라 한다.

B가 0이 아닌 상수이면 $\dfrac{A}{B}$는 다항식이므로 다항식도 유리식이다.

다항식이 아닌 유리식을 분수식이라 한다.

유리식의 성질 ● 유리수의 분모, 분자에 0이 아닌 같은 수를 곱하거나 나누어도 같은 수이다.

이 성질은 유리식에서도 성립한다.

$$\frac{A}{B}=\frac{A\times C}{B\times C},\quad \frac{A}{B}=\frac{A\div C}{B\div C}\ (B\neq0,\ C\neq0)$$

예를 들어 $\dfrac{x^2-4}{x^2+4x+4}$는 다음과 같이 간단히 할 수 있다.

$$\frac{x^2-4}{x^2+4x+4}=\frac{(x+2)(x-2)}{(x+2)^2}=\frac{x-2}{x+2}$$

분모의 통분 ● 2개 이상의 유리식에서 분모를 같게 만드는 것을 통분이라 한다.

예를 들어 $\dfrac{3}{x+2}$, $\dfrac{x-2}{x}$를 통분하면

$$\frac{3}{x+2}=\frac{3x}{(x+2)x},\quad \frac{x-2}{x}=\frac{(x-2)(x+2)}{x(x+2)}$$

개념 Check

◆ 정답 및 풀이 **53**쪽

1 다음 식을 약분하시오.

(1) $\dfrac{24x^3yz^2}{56xy^4z^3}$　　(2) $\dfrac{x^3+x^2-x-1}{x^4-x^2}$

2 다음 두 식을 통분하시오.

(1) $\dfrac{2}{(x+1)(x-2)}$, $\dfrac{x}{(x^2+1)(x-2)}$　　(2) $\dfrac{x+1}{x^2-4}$, $\dfrac{3}{x^2-3x+2}$

7-2 유리식의 사칙연산

다항식 A, B, C, D에서

(1) 덧셈과 뺄셈 : $\dfrac{A}{C}\pm\dfrac{B}{C}=\dfrac{A\pm B}{C}$, $\dfrac{A}{B}\pm\dfrac{C}{D}=\dfrac{AD\pm BC}{BD}$

(2) 곱셈과 나눗셈 : $\dfrac{A}{B}\times\dfrac{C}{D}=\dfrac{AC}{BD}$, $\dfrac{A}{B}\div\dfrac{C}{D}=\dfrac{A}{B}\times\dfrac{D}{C}=\dfrac{AD}{BC}$

유리식의 $+$, $-$, $\times$, $\div$는 유리수의 $+$, $-$, $\times$, $\div$와 같다.

예를 들어 두 유리식 $\dfrac{3}{x+2}$, $\dfrac{x-2}{x}$에 대하여

유리식의 덧셈과 뺄셈

덧셈과 뺄셈 : 분모를 통분한 후 분자끼리 더하거나 뺀다.

$$\frac{3}{x+2}+\frac{x-2}{x}=\frac{3x}{(x+2)x}+\frac{(x-2)(x+2)}{x(x+2)}$$
$$=\frac{3x+(x^2-4)}{x(x+2)}=\frac{x^2+3x-4}{x(x+2)}=\frac{(x+4)(x-1)}{x(x+2)}$$

$$\frac{3}{x+2}-\frac{x-2}{x}=\frac{3x}{(x+2)x}-\frac{(x-2)(x+2)}{x(x+2)}$$
$$=\frac{3x-(x^2-4)}{x(x+2)}=\frac{-x^2+3x+4}{x(x+2)}=-\frac{(x+1)(x-4)}{x(x+2)}$$

유리식의 곱셈

곱셈 : 분모끼리, 분자끼리 곱한다.

$$\frac{3}{x+2}\times\frac{x-2}{x}=\frac{3(x-2)}{x(x+2)}$$

유리식의 나눗셈

나눗셈 : 나눗셈을 곱셈으로 고친다.

$$\frac{3}{x+2}\div\frac{x-2}{x}=\frac{3}{x+2}\times\frac{x}{x-2}=\frac{3x}{(x+2)(x-2)}$$

참고 유리식에서 (분모)$\neq0$이라는 조건이 없더라도 (분모)$\neq0$으로 생각한다.

개념 Check

정답 및 풀이 53쪽

3 다음을 계산하시오.

(1) $\dfrac{3}{x+1}+\dfrac{2x-1}{x+1}$

(2) $\dfrac{x+1}{x+2}+\dfrac{2}{x}$

(3) $2-\dfrac{3}{x+1}$

(4) $\dfrac{x+1}{x+2}-\dfrac{2x+4}{x-1}$

4 다음을 계산하시오.

(1) $\dfrac{x}{x+2}\times\dfrac{3x+6}{x-1}$

(2) $\dfrac{x-1}{x^2-4x+4}\times\dfrac{x^2-3x+2}{x+1}$

(3) $\dfrac{3}{x+2}\div\dfrac{2x+4}{x-1}$

(4) $\dfrac{2x+1}{x^2-2x-3}\div\dfrac{4x^2+4x+1}{x+1}$

7-3 비례식

1 비가 같은 두 식 $a:b$와 $c:d$를 $a:b=c:d$ 꼴로 나타낸 것을 비례식이라 한다.

2 비례식의 성질

(1) $a:b=c:d \Longleftrightarrow \dfrac{a}{b}=\dfrac{c}{d} \Longleftrightarrow a=bk,\ c=dk\ (k\neq 0)$

(2) $a:b=c:d=e:f \Longleftrightarrow \dfrac{a}{b}=\dfrac{c}{d}=\dfrac{e}{f} \Longleftrightarrow a=bk,\ c=dk,\ e=fk\ (k\neq 0)$

또 $a:b=c:d=e:f$는 $a:c:e=b:d:f$로 쓸 수도 있다.

비례식의 성질

비 $a:b$의 값을 $\dfrac{a}{b}$라 한다. 따라서 $a:b=c:d$ 이면 $\dfrac{a}{b}=\dfrac{c}{d}$이다.

또 $\dfrac{a}{b}=\dfrac{c}{d}=k\ (k\neq 0)$로 놓으면 $a=bk,\ c=dk$라 할 수 있다. 따라서

$$a:b=c:d \Longleftrightarrow \frac{a}{b}=\frac{c}{d} \Longleftrightarrow a=bk,\ c=dk\ (k\neq 0)$$

세 개의 비의 경우도 다음이 성립한다.

$$a:b=c:d=e:f \Longleftrightarrow \frac{a}{b}=\frac{c}{d}=\frac{e}{f} \Longleftrightarrow a=bk,\ c=dk,\ e=fk\ (k\neq 0)$$

조건이 비례식으로 주어진 유리식의 계산

예를 들어 $\dfrac{a}{2}=b=\dfrac{c}{3}$일 때, $\dfrac{a^3+b^3+c^3}{abc}$의 값은 다음과 같이 구한다.

$\dfrac{a}{2}=b=\dfrac{c}{3}=k\ (k\neq 0)$로 놓으면 $a=2k,\ b=k,\ c=3k$이므로

$$\frac{a^3+b^3+c^3}{abc}=\frac{8k^3+k^3+27k^3}{6k^3}=6$$

또 $a:2=b:1=c:3$인 경우도 $a=2k,\ b=k,\ c=3k$로 놓고 푼다.

조건이 비례식인 경우 ➡ $=k$로 놓고 식을 정리한다.

항이 세 개인 비례식

$a:2=b:1=c:3$이면 $a=2k,\ b=k,\ c=3k$이므로 $a:b:c=2:1:3$이다.

이와 같이 $a:b=c:d=e:f$와 $a:c:e=b:d:f$는 같다.

$$a:c:e=b:d:f \Longleftrightarrow \frac{a}{b}=\frac{c}{d}=\frac{e}{f} \Longleftrightarrow a=bk,\ c=dk,\ e=fk\ (k\neq 0)$$

개념 Check

◆ 정답 및 풀이 **54**쪽

5 다음을 구하시오.

(1) $x:y=2:3$일 때, $\dfrac{x^2+y^2}{xy}$의 값을 구하시오.

(2) $\dfrac{x}{3}=\dfrac{y}{3}=\dfrac{z}{2}$일 때, $\dfrac{x^3+y^3+z^3}{xyz}$의 값을 구하시오.

대표 Q1 유리식의 계산

◆ 정답 및 풀이 54쪽

다음을 계산하시오.

(1) $\dfrac{x+3}{x^2+x-2}\times\dfrac{3x^2+2x-8}{2x^2+x-1}\div\dfrac{3x^2+5x-12}{x^2-1}$

(2) $\dfrac{x^2+3x+3}{x+1}-\dfrac{x^2-2x+2}{x-1}$

날선 Guide (1) 유리식의 계산은 먼저 유리식의 분모, 분자를 인수분해하고,

유리식의 나눗셈은 나누는 식의 역수를 곱한 다음, 약분하여 간단히 한다.

$$\frac{x+3}{(x+2)(x-1)}\times\frac{(x+2)(3x-4)}{(x+1)(2x-1)}\div\frac{(x+3)(3x-4)}{(x+1)(x-1)}$$
$$=\frac{x+3}{(x+2)(x-1)}\times\frac{(x+2)(3x-4)}{(x+1)(2x-1)}\times\frac{(x+1)(x-1)}{(x+3)(3x-4)}$$

(2) 유리식의 분자의 차수가 분모의 차수보다 높거나 같은 경우

$x^2+3x+3=(x+1)(x+2)+1$이므로

$$\frac{x^2+3x+3}{x+1}=\frac{(x+1)(x+2)+1}{x+1}=x+2+\frac{1}{x+1}$$

$\dfrac{x^2-2x+2}{x-1}$도 이와 같이 분자의 차수가 분모의 차수보다 낮게 정리하고 계산한다.

참고 A를 B로 나눈 몫을 Q, 나머지를 R라 하면 $A=BQ+R$이므로

$$\frac{A}{B}=Q+\frac{R}{B}$$

따라서 x^2+3x+3을 $x+1$로 나눈 몫이 $x+2$, 나머지가 1이므로

$$\frac{x^2+3x+3}{x+1}=x+2+\frac{1}{x+1}$$

답 (1) $\dfrac{1}{2x-1}$ (2) $\dfrac{3x^2-5}{(x+1)(x-1)}$

- 유리식의 계산 ➡ 유리수의 사칙연산과 같은 방법으로 계산한다.
- (분자의 차수) $\geq$ (분모의 차수)인 유리식
  ➡ (분자의 차수) $<$ (분모의 차수)가 되도록 변형한다.

1-1 다음을 계산하시오.

(1) $\dfrac{x^2-2x-3}{4x^2+12x-7}\div\dfrac{x+1}{x^2-2x}\times\dfrac{2x-1}{x^2-5x+6}$

(2) $\dfrac{x^2+3x+2}{x+3}-\dfrac{x^2+4x+3}{x+2}$

대표 Q2

부분분수의 계산

◆ 정답 및 풀이 55쪽

다음 물음에 답하시오.

(1) $x \neq 1$인 실수 x에 대하여 다음 등식이 성립할 때, 상수 a, b, c의 값을 구하시오.

$$\frac{x-4}{x^3-1}=\frac{a}{x-1}+\frac{bx+c}{x^2+x+1}$$

(2) 다음 식을 간단히 하시오.

$$\frac{1}{a(a+2)}+\frac{1}{(a+2)(a+4)}+\frac{1}{(a+4)(a+6)}$$

날선 Guide (1) 우변을 통분하면 분모는 $(x-1)(x^2+x+1)=x^3-1$이므로 좌변의 분모와 같다.
따라서 우변을 통분한 다음 분자만 비교하면 된다.

(2) $\frac{1}{B-A}\left(\frac{1}{A}-\frac{1}{B}\right)=\frac{1}{B-A}\left(\frac{B}{AB}-\frac{A}{BA}\right)=\frac{1}{B-A}\times\frac{B-A}{AB}=\frac{1}{AB}$

이므로 다음이 성립함을 알 수 있다.

$$\frac{1}{a(a+2)}=\frac{1}{(a+2)-a}\left(\frac{1}{a}-\frac{1}{a+2}\right)=\frac{1}{2}\left(\frac{1}{a}-\frac{1}{a+2}\right)$$

$\frac{1}{(a+2)(a+4)}$, $\frac{1}{(a+4)(a+6)}$도 이와 같이 두 유리식의 차로 나타내고 계산한다.

참고 (1), (2)는 분모가 두 다항식 A, B의 곱일 때 분모가 A, B인 두 유리식의 합 또는 차로 나타내는 문제이다. 특히 (2)는 $B-A$가 간단한 상수인 꼴이다. 자주 이용하므로 공식처럼 기억한다.

답 (1) $a=-1$, $b=1$, $c=3$ (2) $\frac{3}{a(a+6)}$

$\frac{1}{AB}=\frac{1}{B-A}\left(\frac{1}{A}-\frac{1}{B}\right)$ (단, $A \neq B$)

2-1 분모가 0이 아닌 모든 실수 x에 대하여 등식 $\frac{1}{x^2+3x+2}=\frac{a}{x+1}+\frac{b}{x+2}$가 성립할 때, 상수 a, b의 값을 구하시오.

2-2 다음 식을 간단히 하시오.

$$\frac{1}{x(x+1)}+\frac{1}{(x+1)(x+2)}+\frac{1}{(x+2)(x+3)}$$

대표 Q3 번분수식의 계산

정답 및 풀이 56쪽

다음 식을 간단히 하시오.

(1) $1-\dfrac{1}{1-\dfrac{1}{1-x}}$ (2) $\dfrac{2-\dfrac{2-x}{1+x}}{\dfrac{2-x}{1+x}-1}$

날선 Guide 분수의 분모나 분자가 분수인 분수식을 번분수식이라 한다.

앞으로 공부할 유리함수의 합성함수나 역함수를 계산할 때 자주 나오는 꼴이다.

(1) 다음과 같이 분수선이 가장 짧은 부분부터 계산한다.

$$1-\frac{1}{1-\frac{1}{1-x}}=1-\frac{1}{\frac{-x}{1-x}}=1+\frac{1-x}{x}$$

(2) 분모, 분자를 각각 통분하여 계산한다.

다음과 같이 분모, 분자에 $1+x$를 곱하고 정리해도 간단하다.

$$\frac{2-\frac{2-x}{1+x}}{\frac{2-x}{1+x}-1}=\frac{\left(2-\frac{2-x}{1+x}\right)\times(1+x)}{\left(\frac{2-x}{1+x}-1\right)\times(1+x)}=\frac{2(1+x)-(2-x)}{2-x-(1+x)}$$

참고 다음 변형을 공식처럼 기억하고 이용하면 편하다.

$$\frac{1}{\frac{a}{b}}=1\div\frac{a}{b}=1\times\frac{b}{a}=\frac{b}{a} \quad \Rightarrow \quad \frac{1}{\frac{a}{b}}=\frac{b}{a}$$

$$\frac{\frac{a}{b}}{\frac{c}{d}}=\frac{a}{b}\div\frac{c}{d}=\frac{a}{b}\times\frac{d}{c}=\frac{ad}{bc} \quad \Rightarrow \quad \frac{\frac{a}{b}}{\frac{c}{d}}=\frac{ad}{bc}$$

답 (1) $\dfrac{1}{x}$ (2) $\dfrac{3x}{1-2x}$

날선 Point 번분수식의 계산

- 분수선이 가장 짧은 부분부터 정리한다.
- 분모, 분자에 적당한 식을 곱하고 정리한다.

3-1 다음 식을 간단히 하시오.

(1) $1-\dfrac{x+1}{x-\dfrac{x}{x+1}}$ (2) $\dfrac{\dfrac{1-x^2}{x}}{\dfrac{1+x}{x^2}}$ (3) $\dfrac{\dfrac{3(x+1)}{2x-1}+2}{\dfrac{x+1}{2x-1}-1}$

대표 **Q4** **비례식**

◆ 정답 및 풀이 **56**쪽

0이 아닌 실수 x, y, z에 대하여 다음 물음에 답하시오.

(1) $2x=3y=z$일 때, $\dfrac{x+2y+3z}{x+y-z}$의 값을 구하시오.

(2) $x : y : z=2 : 3 : 4$일 때, $\dfrac{x^2+y^2+z^2}{xy+yz+zx}$의 값을 구하시오.

날선 Guide (1) $2x=3y=z$의 각 변을 6으로 나누면 $\dfrac{x}{3}=\dfrac{y}{2}=\dfrac{z}{6}$이다.

$\dfrac{x}{3}=\dfrac{y}{2}=\dfrac{z}{6}=k\ (k\neq0)$로 놓으면

$x=3k$, $y=2k$, $z=6k$

이 식을 $\dfrac{x+2y+3z}{x+y-z}$에 대입한다.

참고 $2x=3y=z$이면 $x : y : z=3 : 2 : 6$이다. $x : y : z=2 : 3 : 1$이 아님에 주의한다.

(2) $x : y : z=2 : 3 : 4$이면 $x : 2=y : 3=z : 4$이다.

$\dfrac{x}{2}=\dfrac{y}{3}=\dfrac{z}{4}=k\ (k\neq0)$로 놓으면

$x=2k$, $y=3k$, $z=4k$

이 식을 $\dfrac{x^2+y^2+z^2}{xy+yz+zx}$에 대입한다.

답 (1) -25 (2) $\dfrac{29}{26}$

- $x : a=y : b=z : c$ ➡ $\dfrac{x}{a}=\dfrac{y}{b}=\dfrac{z}{c}=k\ (k\neq0)$로 놓는다.
- $x : y : z=a : b : c$ ➡ $\dfrac{x}{a}=\dfrac{y}{b}=\dfrac{z}{c}=k\ (k\neq0)$로 놓는다.

4-1 $3x=4y=6z$일 때, 다음 물음에 답하시오.

(1) $x : y : z$를 가장 간단한 자연수의 비로 나타내시오.

(2) $\dfrac{x^3-y^3+z^3}{xyz}$의 값을 구하시오.

up **4-2** $(x+y) : (y+z) : (z+x)=3 : 4 : 5$일 때, $\dfrac{xy+2yz+zx}{x^2+y^2+z^2}$의 값을 구하시오.

7-4 $y=\frac{1}{x}$의 그래프

1 함수 $y=f(x)$에서 $f(x)$가 x에 대한 유리식일 때, 이 함수를 **유리함수**라 한다.

2 $y=\frac{1}{x}$의 그래프에 대한 성질

(1) 제1, 3사분면에 있고 원점에 대칭이다.

(2) 점근선은 x축, y축이다.

(3) 직선 $y=x$와 $y=-x$에 대칭이다.

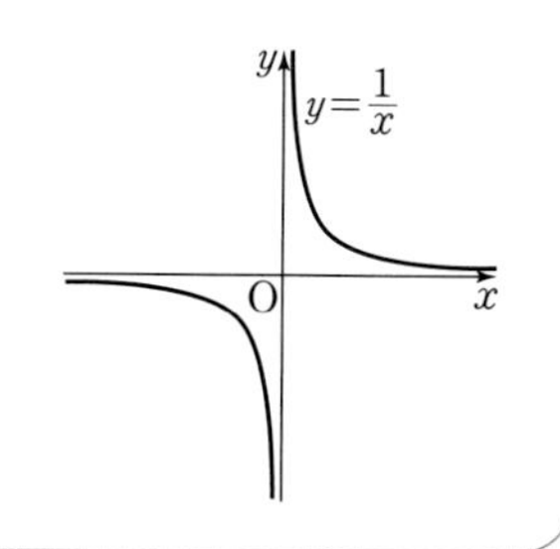

참고 그래프가 어떤 직선에 한없이 가까워질 때, 이 직선을 그래프의 점근선이라 한다.

유리함수 • 함수 $y=f(x)$에서 $f(x)$가 x에 대한 유리식일 때, 이 함수를 유리함수라 한다. 예를 들어 함수 $y=\frac{2}{x}$, $y=\frac{-2x}{1-x}$에서 $\frac{2}{x}$, $\frac{-2x}{1-x}$는 유리식이므로 이 함수는 모두 유리함수이다.

또 $f(x)$가 x에 대한 다항식일 때, 이 함수를 다항함수라 한다. 다항식은 유리식이므로 다항함수는 유리함수이다.

참고 다항함수가 아닌 유리함수에서 정의역이 주어지지 않을 때 분모를 0으로 하는 x의 값을 제외한 실수 전체의 집합을 정의역으로 한다.

$y=\frac{1}{x}$의 그래프 • 함수 $y=\frac{1}{x}$의 그래프를 그리기 위해 x의 값 몇 개와 대응하는 y의 값을 조사하면

x	-4	-2	-1	$-\frac{1}{2}$	$\frac{1}{2}$	1	2	4
y	$-\frac{1}{4}$	$-\frac{1}{2}$	-1	-2	2	1	$\frac{1}{2}$	$\frac{1}{4}$

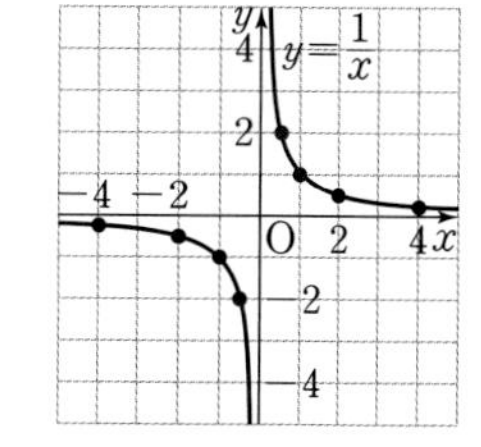

이렇게 구한 x, y의 순서쌍 (x, y)를 좌표평면에 나타낸 다음 매끄러운 곡선으로 나타내면 그림과 같다. 그리고

(1) 제1, 3사분면의 두 곡선이고 원점에 대칭이다.

(2) x가 한없이 커지거나 작아지면 x축에 한없이 가까워진다.
또 x의 절댓값이 한없이 작아지면 y축에 한없이 가까워진다.
이때 x축과 y축을 그래프의 점근선이라 한다.

(3) 직선 $y=x$와 $y=-x$에 대칭이다.

참고 $y=\frac{1}{x}$에서 x와 y를 바꾸어도 식이 바뀌지 않으므로 $y=\frac{1}{x}$의 역함수는 자기 자신이고, 그래프는 직선 $y=x$에 대칭이라 해도 된다.

(4) $y=\frac{1}{x}$에서 분모는 0이 아니고 $\frac{1}{x}\neq0$이므로
정의역은 $\{x|x\neq0$인 실수$\}$, 치역은 $\{y|y\neq0$인 실수$\}$이다.

7-5 $y=\frac{k}{x}$의 그래프

(1) $k>0$이면 제1, 3사분면에 있고,
　$k<0$이면 제2, 4사분면에 있다.
(2) 원점에 대칭이다.
(3) 점근선은 x축, y축이다.
(4) $|k|$가 클수록 원점에서 멀어진다.

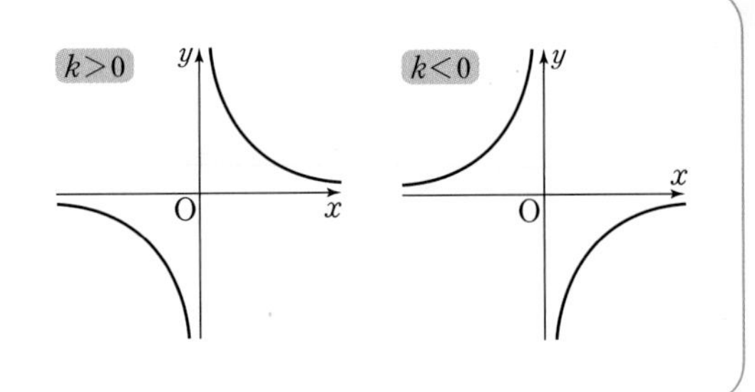

$y=-\frac{1}{x}$의 그래프

$y=-\frac{1}{x}$은 $y=\frac{1}{x}$의 x에 $-x$를 대입한 꼴이다.

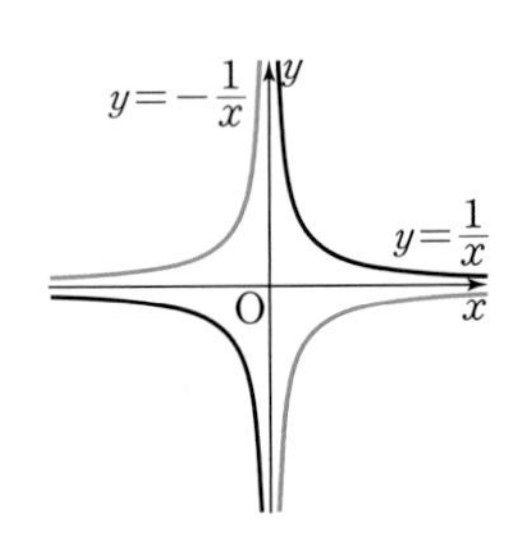

따라서 $y=-\frac{1}{x}$의 그래프는 그림과 같이 $y=\frac{1}{x}$의 그래프를 y축에 대칭한 것이므로 제2, 4사분면에 있는 두 곡선이다. 그리고 x축, y축은 그래프의 점근선이다.

$y=\frac{k}{x}$의 그래프

$y=\frac{k}{x}$에서 $k=\frac{1}{2}$, 1, 2, $-\frac{1}{2}$, -1, -2일 때 그래프를 그리면 그림과 같이 점 $(1, k)$와 $(-1, -k)$를 지난다.

(1) $k>0$이면 제1, 3사분면에 있고,
　$k<0$이면 제2, 4사분면에 있다.
(2) 원점에 대칭인 두 곡선이다.
(3) 점근선은 x축, y축이다.
(4) $|k|$가 클수록 원점에서 멀어진다.
(5) 직선 $y=x$와 $y=-x$에 대칭이다.

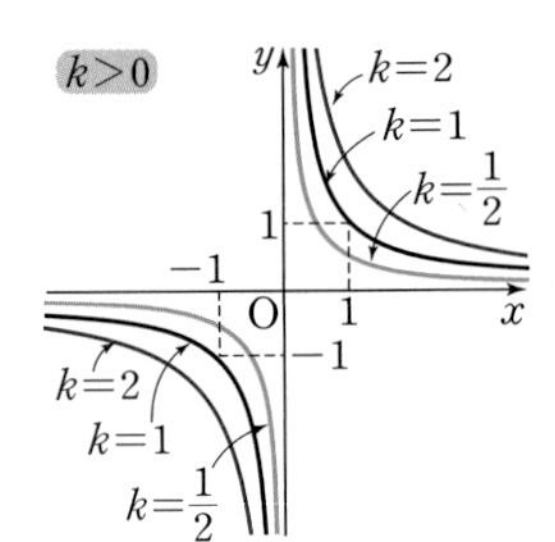

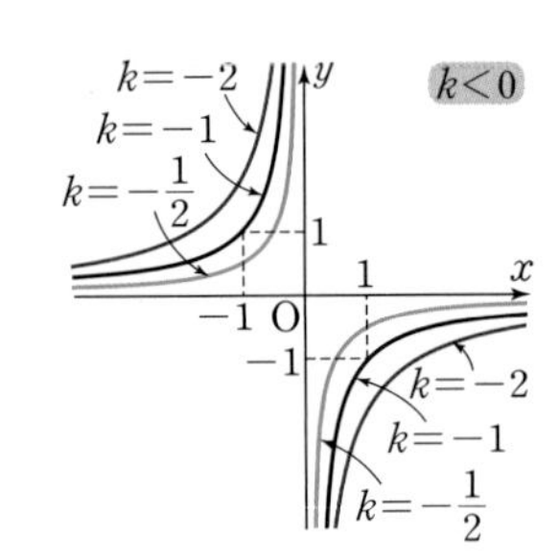

정의역, 치역

$y=\frac{k}{x}$에서 분모는 0이 아니고 $\frac{k}{x}\neq0$이므로
정의역은 $\{x|x\neq0$인 실수$\}$, 치역은 $\{y|y\neq0$인 실수$\}$이다.

개념 Check

◆ 정답 및 풀이 57쪽

6 다음 함수의 그래프를 좌표평면 위에 나타내시오.

(1) $y=\frac{2}{x}$　　(2) $y=\frac{3}{x}$

(3) $y=-\frac{2}{x}$　　(4) $y=-\frac{3}{x}$

7-6 $y=\dfrac{k}{x-p}+q$의 그래프

(1) $y=\dfrac{k}{x-p}+q$의 그래프는 $y=\dfrac{k}{x}$의 그래프를

x축 방향으로 p만큼, y축 방향으로 q만큼 평행이동한 것이다.

(2) 점 $(p,\ q)$에 대칭이고, 점근선은 직선 $x=p$, $y=q$이다.

그리고 함수의 정의역은 $\{x\,|\,x\neq p$인 실수$\}$, 치역은 $\{y\,|\,y\neq q$인 실수$\}$이다.

(3) $y=\dfrac{cx+d}{ax+b}$는 $y=\dfrac{k}{x-p}+q$ 꼴로 고쳐 그래프를 그린다.

$y=\dfrac{1}{x-2}+3$ 의 그래프

$y=\dfrac{1}{x-2}+3$은 $y=\dfrac{1}{x}$에서

x에 $x-2$를, y에 $y-3$을 대입한 꼴이다.

따라서 $y=\dfrac{1}{x-2}+3$의 그래프는 $y=\dfrac{1}{x}$의 그래프를 x축 방향으로 2만큼, y축 방향으로 3만큼 평행이동한 것이다.

또 점 $(2,\ 3)$에 대칭이고, 점근선은 직선 $x=2$, $y=3$이다.

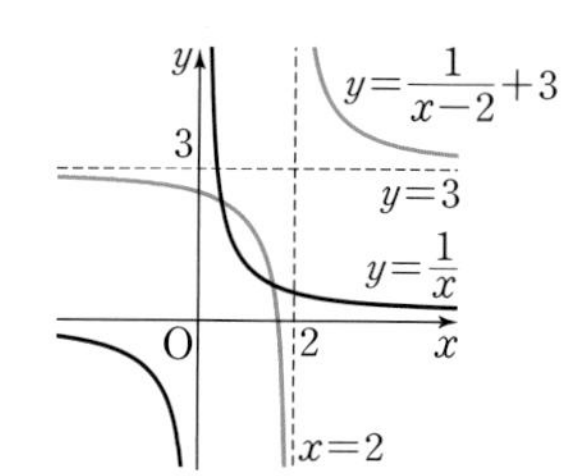

$y=\dfrac{k}{x-p}+q$ 의 그래프

$y=\dfrac{k}{x-p}+q$의 그래프는 $y=\dfrac{k}{x}$의 그래프를

x축 방향으로 p만큼, y축 방향으로 q만큼

평행이동한 것이다.

따라서 점 $(p,\ q)$에 대칭인 두 곡선이고, 점근선은 직선 $x=p$, $y=q$이다.

그래프를 그릴 때에는 점근선 $x=p$, $y=q$를 먼저 그리고, 두 곡선을 그린다.

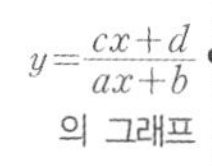
$y=\dfrac{cx+d}{ax+b}$ 의 그래프

예를 들어 $y=\dfrac{3x-5}{x-2}$의 그래프를 그릴 때에는

$$y=\frac{3(x-2)+1}{x-2}=\frac{1}{x-2}+3$$

과 같이 $y=\dfrac{k}{x-p}+q$ 꼴로 고친 다음, 평행이동을 생각한다.

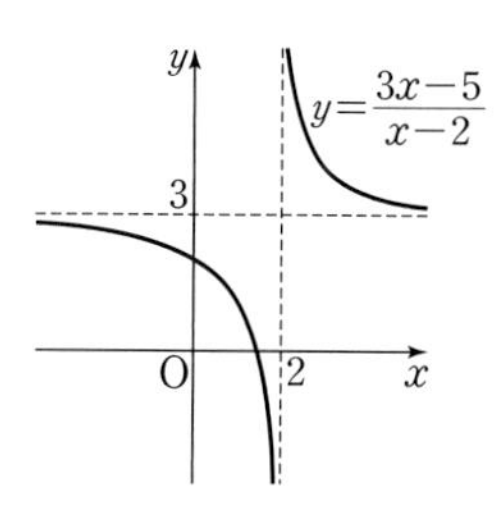

개념 Check

◆ 정답 및 풀이 57쪽

7 다음 함수의 그래프를 그리고, 정의역, 치역, 점근선의 방정식을 구하시오.

(1) $y=\dfrac{1}{x+2}$

(2) $y=-\dfrac{2}{x}+1$

(3) $y=\dfrac{2}{x-2}-1$

(4) $y=-\dfrac{1}{x+1}+2$

대표 Q5 유리함수의 그래프

◆ 정답 및 풀이 57쪽

함수와 정의역이 다음과 같을 때, 함수의 치역을 구하시오.

(1) $y=\dfrac{2x+7}{x+3}$, $\{x\mid -4\leq x\leq 0,\ x\neq -3\}$

(2) $y=-\dfrac{x}{x-2}$, $\{x\mid x\leq 0$ 또는 $x\geq 4\}$

날선 Guide 유리함수의 그래프는 다음 순서로 그리고 치역을 찾는다.

❶ $y=\dfrac{k}{x-p}+q$ 꼴로 고친다.

❷ 점근선인 직선 $x=p$, $y=q$를 그린다.

❸ $k>0$, $k<0$일 때로 나누어 그림과 같이 그래프를 그린다.

❹ x축, y축과 만나는 점의 좌표를 표시한다.

먼저 각 함수를 다음과 같이 $y=\dfrac{k}{x-p}+q$ 꼴로 정리한다.

(1) $y=\dfrac{2x+7}{x+3}=\dfrac{2(x+3)+1}{x+3}=\dfrac{1}{x+3}+2$

(2) $y=-\dfrac{x}{x-2}=-\dfrac{(x-2)+2}{x-2}=-\dfrac{2}{x-2}-1$

답 (1) $\left\{y\,\middle|\,y\leq 1 \text{ 또는 } y\geq \dfrac{7}{3}\right\}$ (2) $\{y\mid -2\leq y<-1$ 또는 $-1<y\leq 0\}$

유리함수의 그래프 ➡ $y=\dfrac{k}{x-p}+q$ 꼴로 고치고 점근선인 직선 $x=p$, $y=q$를 그린다.

5-1 함수와 정의역이 다음과 같을 때, 함수의 치역을 구하시오.

(1) $y=\dfrac{-3x+2}{x+2}$, $\{x\mid -3\leq x<2,\ x\neq -2\}$

(2) $y=\dfrac{2x-1}{2x+1}$, $\left\{x\,\middle|\,-1\leq x\leq 1,\ x\neq -\dfrac{1}{2}\right\}$

5-2 함수 $y=\dfrac{k}{x-p}+q$의 그래프가 그림과 같을 때, 상수 k, p, q의 값을 구하시오.

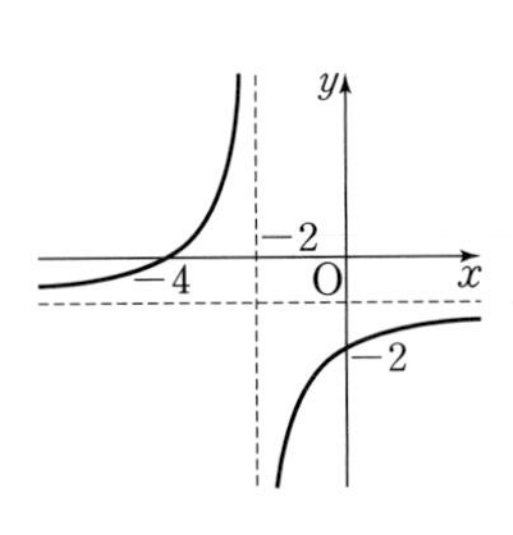

대표 Q6 유리함수의 평행이동과 점근선

◆ 정답 및 풀이 58쪽

다음 물음에 답하시오.

(1) 함수 $y=\frac{2x-3}{x+1}$의 그래프는 $y=\frac{a}{x}$의 그래프를 x축 방향으로 b만큼, y축 방향으로 c만큼 평행이동한 것이다. 상수 a, b, c의 값을 구하시오.

(2) 함수 $y=\frac{bx+c}{ax+6}$의 그래프는 점근선이 직선 $x=3$, $y=-2$이고 점 (6, 0)을 지날 때, 상수 a, b, c의 값을 구하시오.

날선 Guide (1) $y=\frac{2x-3}{x+1}$을 $y=\frac{k}{x-p}+q$ 꼴로 고친 다음,

$y=\frac{k}{x-p}+q$의 그래프는 $y=\frac{k}{x}$의 그래프를 x축 방향으로 p만큼, y축 방향으로 q만큼 평행이동한 것임을 이용한다.

(2) 점근선이 직선 $x=3$, $y=-2$이므로

$y=\frac{k}{x-3}-2$

꼴이다. 이 식을 정리하여 $y=\frac{bx+c}{ax+6}$와 비교하는 것이 편하다.

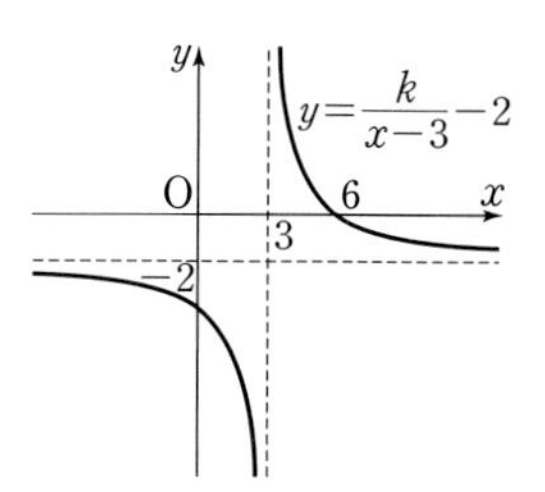

답 (1) $a=-5$, $b=-1$, $c=2$ (2) $a=-2$, $b=4$, $c=-24$

- 평행이동이나 점근선을 찾을 때 ➡ $y=\frac{k}{x-p}+q$ 꼴로 고친다.
- 평행이동이나 점근선이 주어진 유리함수 ➡ $y=\frac{k}{x-p}+q$로 놓는다.

6-1 함수 $y=\frac{ax+1}{x+4}$의 그래프는 $y=\frac{5}{x}$의 그래프를 x축 방향으로 b만큼, y축 방향으로 c만큼 평행이동한 것이다. a, b, c의 값을 구하시오.

6-2 함수 $y=\frac{4x+c}{ax+b}$의 그래프는 원점을 지나고 점근선은 직선 $x=1$, $y=-2$이다. 상수 a, b, c의 값을 구하시오.

대표 Q7 유리함수의 최댓값, 최솟값

◆ 정답 및 풀이 59쪽

다음 물음에 답하시오.

(1) $a \le x \le -2$에서 함수 $y=\dfrac{kx+3}{x+1}$의 최댓값이 $\dfrac{5}{3}$, 최솟값이 1일 때, a와 k의 값을 구하시오. (단, $k<3$)

(2) $x \ge 0$에서 함수 $y=\dfrac{bx+c}{x+a}$의 최솟값이 0이고, 그래프의 점근선이 직선 $x=-2$, $y=2$이다. 상수 a, b, c의 값을 구하시오.

날선 Guide

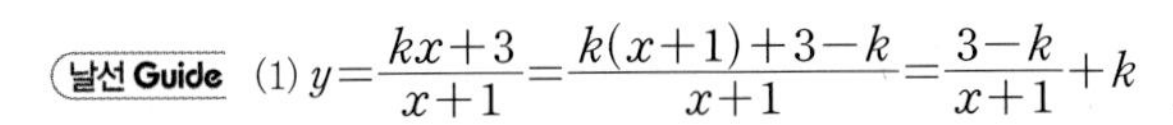

(1) $y=\dfrac{kx+3}{x+1}=\dfrac{k(x+1)+3-k}{x+1}=\dfrac{3-k}{x+1}+k$

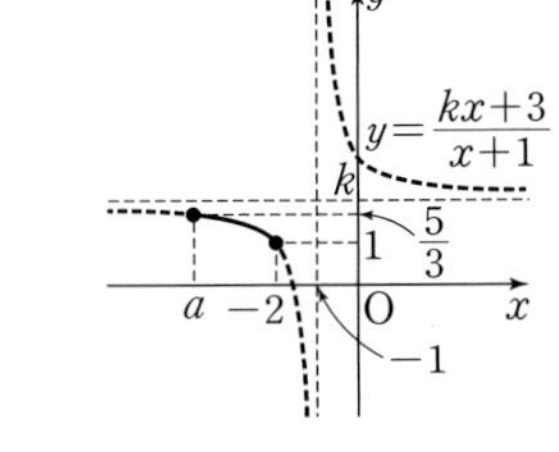

이므로 점근선이 직선 $x=-1$, $y=k$이다.

또 $k<3$에서 $3-k>0$이므로

함수의 그래프는 그림과 같다.

$a \le x \le -2$에서 최댓값과 최솟값을 찾는다.

(2) 점근선이 직선 $x=-2$, $y=2$

이므로

$$y=\frac{k}{x+2}+2$$

로 놓고, k의 값을 구한 다음,

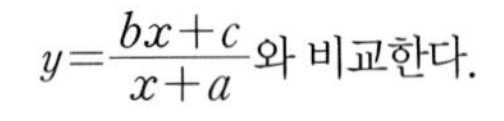

$y=\dfrac{bx+c}{x+a}$와 비교한다.

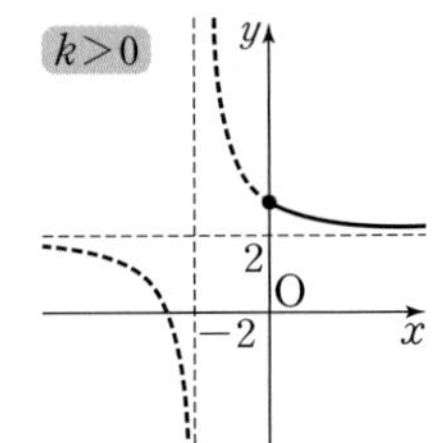

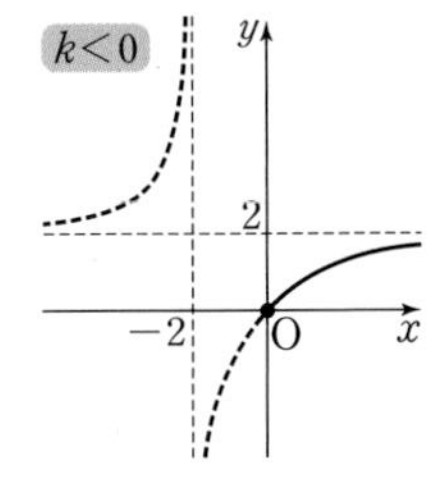

$k>0$일 때와 $k<0$일 때 그래프의 위치가 다르다. 이 중 $x \ge 0$에서 최솟값이 0이 될 수 있는 경우를 생각한다.

답 (1) $a=-4$, $k=2$ (2) $a=2$, $b=2$, $c=0$

날선 Point 유리함수의 최대, 최소 ➡ $y=\dfrac{k}{x-p}+q$ 꼴로 고쳐 그래프를 그린다.

7-1 함수와 정의역이 다음과 같을 때, 최댓값과 최솟값을 구하시오.

(1) $y=\dfrac{x}{x-1}$, $\{x \mid -1 \le x < 1\}$

(2) $y=\dfrac{3x-2}{2-x}$, $\{x \mid x \le -2$ 또는 $x \ge 3\}$

7-2 $0 \le x \le 3$에서 함수 $y=\dfrac{a-2x}{x-4}$의 최솟값이 -1일 때, 상수 a의 값과 최댓값을 구하시오.

대표 **Q8** **유리함수의 합성함수**

정답 및 풀이 60쪽

함수 $f(x)=\frac{x}{x-1}$, $g(x)=\frac{2x+1}{x-2}$에 대하여 다음 물음에 답하시오.

(1) $y=(g\circ f)(x)$의 그래프의 점근선의 방정식을 구하시오.

(2) $f^1=f$, $f^{n+1}=f\circ f^n$ (n은 자연수)이라 할 때, $f^{100}(3)$의 값을 구하시오.

날선 Guide (1) $(g\circ f)(x)=g(f(x))=\frac{2f(x)+1}{f(x)-2}$

이 식에 $f(x)=\frac{x}{x-1}$를 대입하면

$y=(g\circ f)(x)$를 구할 수 있다.

$g(x)=\frac{2x+1}{x-2}$

➡ $g(f(x))=\frac{2f(x)+1}{f(x)-2}$

참고 $f(x)=\frac{x}{x-1}$는 $x=1$, $g(x)=\frac{2x+1}{x-2}$은 $x=2$에서 정의되지 않는다.

또 $g(f(x))=\frac{2f(x)+1}{f(x)-2}$은 $f(x)=2$에서 정의되지 않으므로 $\frac{x}{x-1}=2$,

곧 $x=2$에서 정의되지 않는다.

따라서 $g(f(x))$라 하면 특별한 말이 없어도 $x\neq1$이고 $x\neq2$로 생각한다.

(2) $f^2(x)=f(f(x))$, $f^3(x)=f(f^2(x))$, $f^4(x)=f(f^3(x))$, $\cdots$

를 차례로 구하면 f^n의 규칙을 찾을 수 있다.

이 문제는 $f^{100}(3)$의 값을 구하므로

$$f(3),\ f(f(3)),\ f(f^2(3)),\ \cdots$$

을 구해 규칙을 찾아도 된다.

답 (1) $x=2$, $y=-3$ (2) 3

f^n ➡ $f^2, f^3, f^4, \cdots$를 차례로 구한다.

8-1 함수 $f(x)=\frac{3x+1}{x-3}$, $g(x)=-\frac{2}{x-1}-1$에 대하여 다음 물음에 답하시오.

(1) $(f\circ f)(x)$를 구하시오.

(2) $(g\circ f)(x)$를 구하시오.

8-2 함수 $f(x)=-\frac{2x+3}{x+1}$에 대하여 $f^1=f$, $f^{n+1}=f\circ f^n$ (n은 자연수)이라 할 때, $f^{50}(0)$의 값을 구하시오.

대표 Q9

유리함수의 역함수

◆ 정답 및 풀이 61쪽

다음 물음에 답하시오.

(1) 함수 $f(x)=\dfrac{x+3}{x+1}$일 때, $f^{-1}(x)$를 구하시오.

(2) 함수 $g(x)=\dfrac{ax+b}{x+2}$에 대하여 $y=g^{-1}(x)$의 그래프의 점근선은 직선 $x=1$, $y=2b$이다. $g^{-1}(b)$의 값을 구하시오.

날선 Guide (1) 유리함수 $f(x)$의 역함수를 구하는 방법은

❶ $f(x)=y$로 놓고 $x=$(y에 대한 식) 꼴로 정리한다.

❷ x와 y를 서로 바꾼다.

이때 f^{-1}의 정의역은 f의 치역이다.

(2) $y=g(x)$와 $y=g^{-1}(x)$의 그래프는 직선 $y=x$에 대칭이므로 점근선도 직선 $y=x$에 대칭임을 이용한다.

곧, $y=g(x)$의 점근선이 $x=p$, $y=q$이면 $y=g^{-1}(x)$의 점근선은 $x=q$, $y=p$이다.

따라서 $g(x)=\dfrac{k}{x-p}+q$의 역함수는

$g^{-1}(x)=\dfrac{k}{x-q}+p$임을 알 수 있다.

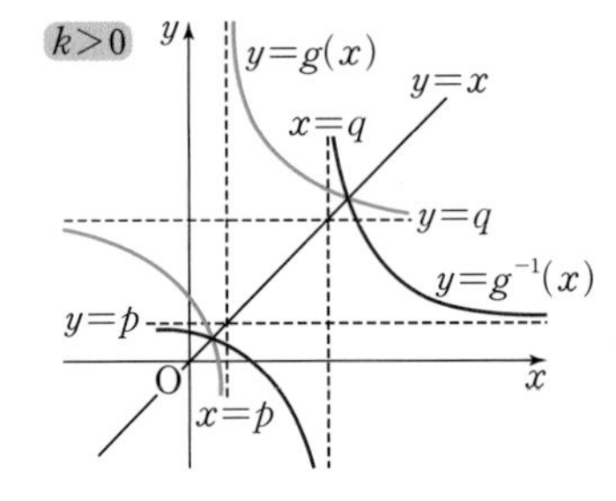

답 (1) $f^{-1}(x)=-\dfrac{x-3}{x-1}$ (2) $-\dfrac{1}{2}$

$g(x)=\dfrac{k}{x-p}+q$ ➡ $g^{-1}(x)=\dfrac{k}{x-q}+p$

9-1 다음 함수의 역함수를 구하시오.

(1) $f(x)=\dfrac{3x+1}{x-3}$

(2) $g(x)=-\dfrac{2}{x-1}-1$

9-2 $f^{-1}(x)=\dfrac{4x-1}{x+1}$일 때, $y=f(x)$의 그래프의 점근선의 방정식을 구하시오.

유리함수의 그래프와 직선

◆ 정답 및 풀이 61쪽

함수 $f(x)=\dfrac{x+1}{x-1}$에 대하여 다음 물음에 답하시오.

(1) 직선 $y=-x+k$와 곡선 $y=f(x)$가 접할 때, 상수 k의 값을 모두 구하시오.

(2) $2\le x\le 4$에서 $y=f(x)$의 그래프와 직선 $y=m(x+1)+2$가 만날 때, 실수 m값의 범위를 구하시오.

날선 Guide $f(x)=\dfrac{x+1}{x-1}=\dfrac{2}{x-1}+1$이므로 $y=f(x)$의 그래프의 점근선은 직선 $x=1$, $y=1$이다.

(1) 곡선 $y=f(x)$와 직선 $y=-x+k$의 교점의 x좌표는 방정식 $f(x)=-x+k$의 해이다. 따라서

$$\frac{x+1}{x-1}=-x+k$$

가 중근을 가질 조건을 찾는다.

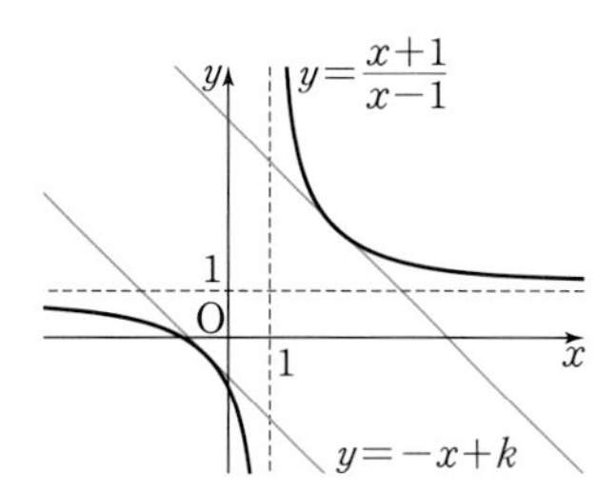

(2) $y=m(x+1)+2$는 m의 값에 관계없이 항상 점 $(-1, 2)$를 지나는 직선이다.
따라서 $2\le x\le 4$에서 곡선 $y=f(x)$와 만나려면 그림과 같이 직선이 색칠한 부분에 있으면 된다.
이를 이용하여 m값의 범위를 구한다.

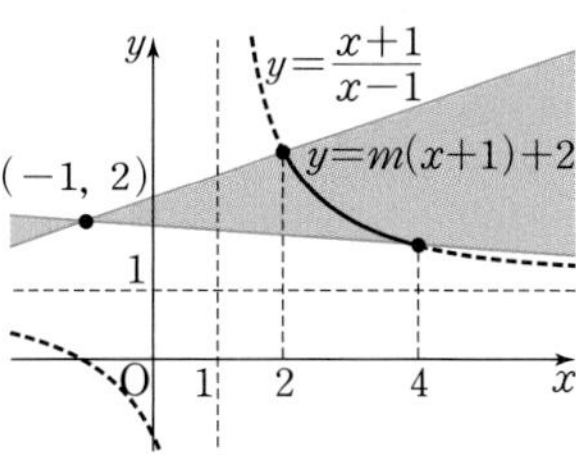

답 (1) $2\pm2\sqrt{2}$ (2) $-\dfrac{1}{15}\le m\le\dfrac{1}{3}$

유리함수 $y=f(x)$의 그래프와 직선 $y=mx+n$의 위치 관계
➡ $f(x)=mx+n$을 정리하고, 해를 구하거나 판별식을 이용한다.

10-1 함수 $y=\dfrac{2x+k}{x-2}$의 그래프가 직선 $y=-x+8$과 만나는 두 점을 P, Q라 하자. 점 P, Q의 x좌표의 곱이 14일 때, 상수 k의 값을 구하시오.

10-2 함수 $f(x)=\dfrac{x+2}{x}$에 대하여 다음 물음에 답하시오.

(1) $y=f(x)$의 그래프에 접하고 기울기가 -1인 직선의 방정식을 모두 구하시오.

(2) 직선 $y=mx-1$과 $y=f(x)$의 그래프가 만나지 않을 때, 실수 m값의 범위를 구하시오.

01 다음을 계산하시오.

(1) $\dfrac{2x-1}{x^2-x-6}-\dfrac{2}{x^2-4x+3}$ (2) $\dfrac{x+2}{x+1}-\dfrac{x+1}{x+2}-\dfrac{x+4}{x+3}+\dfrac{x+3}{x+4}$

02 서로 다른 두 실수 a, b에 대하여 $\dfrac{(a-5)^2}{a-b}+\dfrac{(b-5)^2}{b-a}=0$일 때, $a+b$의 값을 구하시오.

03 다음 함수의 그래프 중 평행이동하여 서로 겹쳐지지 않는 것은?

① $y=\dfrac{x-4}{x-3}$ ② $y=\dfrac{3x-4}{x-1}$ ③ $y=\dfrac{-3x-7}{x+2}$

④ $y=\dfrac{-2x-1}{x+1}$ ⑤ $y=\dfrac{2x-5}{3-x}$

04 함수 $y=\dfrac{3x-14}{x-5}$의 그래프가 직선 $y=x+k$에 대칭일 때, 상수 k의 값을 구하시오.

05 정의역이 $\{x\,|\,2\le x\le a\}$인 함수 $y=\dfrac{3}{x-1}-2$의 최댓값이 b, 최솟값이 -1일 때, a, b의 값을 구하시오. (단, $a>2$, $b>-1$)

06 함수 $f(x)=\dfrac{2x+5}{x+3}$의 역함수 $y=f^{-1}(x)$의 그래프는 점 (p, q)에 대칭이다. $p-q$의 값을 구하시오.

07 분모가 0이 아닌 실수 x에 대하여 다음 등식이 성립할 때, 상수 a, b, c의 값을 구하시오.

$$\frac{5x+c}{(x-1)(x+2)(2x-3)}=\frac{a}{x-1}+\frac{b}{x+2}-\frac{2}{2x-3}$$

08 $abc\neq0$이고 $a+b+c=0$일 때, $\left(\frac{b}{a}+\frac{a}{b}\right)+\left(\frac{c}{b}+\frac{b}{c}\right)+\left(\frac{a}{c}+\frac{c}{a}\right)$의 값을 구하시오.

09 다음을 계산하시오.

$$\frac{1}{1\times3}+\frac{1}{3\times5}+\frac{1}{5\times7}+\cdots+\frac{1}{97\times99}$$

10 함수 $f(x)=\frac{3x+k}{x+4}$의 그래프를 x축 방향으로 -2만큼, y축 방향으로 3만큼 평행이동한 곡선을 $y=g(x)$라 하자. 곡선 $y=g(x)$의 두 점근선의 교점이 곡선 $y=f(x)$ 위의 점일 때, 상수 k의 값은?

① -6 ② -3 ③ 0 ④ 3 ⑤ 6

11 함수 $f(x)=\frac{2x+1}{x-1}$, $g(x)=x+1$에 대하여 다음 물음에 답하시오.

(1) $(g\circ f^{-1})(3)$의 값을 구하시오.

(2) $(g\circ(f\circ g)^{-1}\circ g)(a)=3$을 만족시키는 a의 값을 구하시오. (단, $a>1$)

12 $x>1$에서 정의된 함수 $f(x)=\dfrac{x-1}{x}$에 대하여

$$f^1=f,\ f^{n+1}=f\circ f^n\ (n\text{은 자연수})$$

이라 할 때, $f^{1001}(1001)$의 값을 구하시오.

13 함수 $f(x)=\dfrac{x+2}{x-3}$, $g(x)=\dfrac{ax+b}{x+c}$가 $(f\circ g)(x)=\dfrac{1}{x}$을 만족시킬 때, 상수 a, b, c의 값을 구하시오.

14 $3\le x\le 5$에서 부등식 $ax-1\le\dfrac{x+1}{x-2}\le bx-1$이 성립할 때, 실수 a의 최댓값과 b의 최솟값을 구하시오.

15 그림과 같이 $x>1$에서 정의된 함수 $y=\dfrac{2}{x-1}$의 그래프 위를 움직이는 점 P가 있다. P에서 x축, y축에 내린 수선의 발을 각각 Q, R라 할 때, $\overline{PQ}+\overline{PR}$의 최솟값을 구하시오.

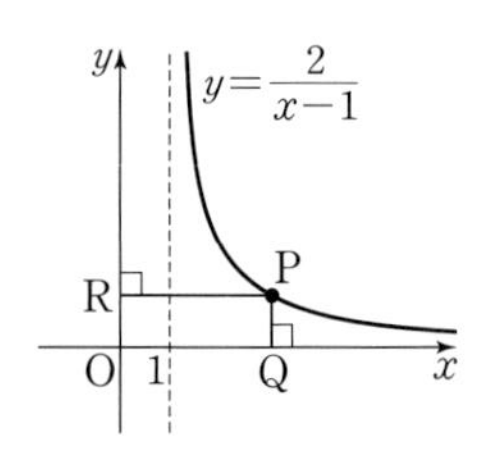

교육청 기출

16 그림과 같이 $x>0$에서 정의된 함수 $y=\dfrac{1}{x}$의 그래프 위의 점 A에서 x축, y축에 평행한 직선을 그어 함수 $y=\dfrac{k}{x}$ $(k>1)$의 그래프와 만나는 점을 각각 B, C라 하자. 삼각형 ABC의 넓이가 18일 때, 상수 k의 값을 구하시오.

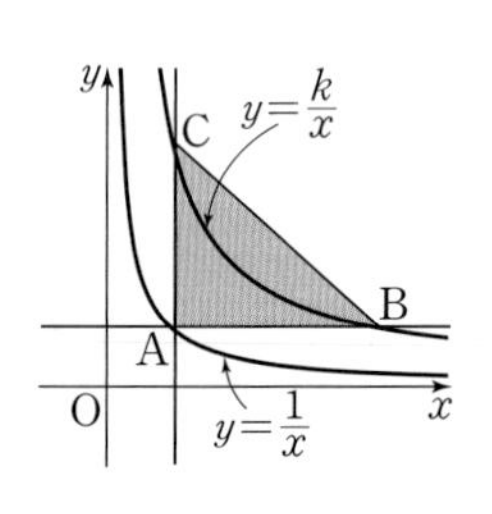

중학교에서 실수 중 유리수가 아닌 수를 무리수라 한 것과 같이 식 중에서 유리식으로 나타낼 수 없는 식을 무리식이라 한다.

또 중학교에서 다루었던 무리수의 계산을 무리식에 대한 계산으로 확장하여 적용하고, 분모에 무리수가 있을 때 분모를 유리화하여 계산했듯이 분모에 무리식이 있으면 분모를 유리화하여 계산이 편리하도록 한다.

또 무리함수의 뜻, 그래프와 그 성질에 대하여 알아보자.

무리함수

8-1 무리식

개념

1 $\sqrt{\quad}$ 안에 문자가 포함된 식 중 유리식으로 나타낼 수 없는 식을 **무리식**이라 한다.

무리식 $\sqrt{A}$는 $A \ge 0$인 경우만 생각한다.

2 무리식의 성질

(1) $(\sqrt{A})^2=A$, $(-\sqrt{A})^2=A$

(2) $\sqrt{A^2}=|A|=\begin{cases} A & (A \ge 0) \\ -A & (A<0) \end{cases}$

무리식

$\sqrt{x}$, $\sqrt{2x}$, $\sqrt{-2x}$, $\sqrt{x-1}$과 같이 $\sqrt{\quad}$ 안에 문자가 포함된 식 중 유리식으로 나타낼 수 없는 식을 무리식이라 한다. 무리식에서는 식의 값이 실수인 경우만 생각하므로 특별한 말이 없어도 근호 안의 식이 0 또는 양수인 경우만 생각한다. 예를 들어

$\sqrt{x}$에서는 $x \ge 0$, $\sqrt{-2x}$에서는 $x \le 0$, $\sqrt{x-1}$에서는 $x \ge 1$인 경우만 생각한다.

무리식의 성질 (1)

무리수에서와 같이 무리식 $\sqrt{x-1}$에서

$$\sqrt{x-1} \ge 0 \text{이고 } -\sqrt{x-1} \le 0$$

또 두 경우 모두 제곱하면 $(\sqrt{x-1})^2=x-1$, $(-\sqrt{x-1})^2=x-1$이다.

무리식의 성질 (2)

$\sqrt{2^2}=2$, $\sqrt{(-2)^2}=2$이므로 a가 실수일 때, $\sqrt{a^2}=|a|$이다.

A가 식일 때에도 $\sqrt{A^2}=|A|$이므로

$$\boldsymbol{A \ge 0}\text{이면 } \boldsymbol{\sqrt{A^2}=A}, \quad \boldsymbol{A<0}\text{이면 } \boldsymbol{\sqrt{A^2}=-A}$$

이와 같이 $\sqrt{A^2}$의 꼴은 A의 부호를 나누어 정리한다.

예를 들어 $\sqrt{(x-1)^2}$에서

$$x \ge 1\text{이면 } x-1 \ge 0\text{이므로 } \sqrt{(x-1)^2}=x-1$$

$$x<1\text{이면 } x-1<0\text{이므로 } \sqrt{(x-1)^2}=-(x-1)$$

따라서 $\sqrt{(x-1)^2}$과 같은 무리식을 간단히 하기 위해서는 x값의 범위를 나누어 생각한다.

개념 Check

◆ 정답 및 풀이 66쪽

1 다음 식의 값이 실수일 때, x값의 범위를 구하시오.

(1) $\sqrt{x-2}$ (2) $\sqrt{x^2-1}$ (3) $\sqrt{x}+\sqrt{3-x}$

2 다음 범위에서 $\sqrt{x^2}+\sqrt{(x-2)^2}$을 간단히 하시오.

(1) $x<0$ (2) $0 \le x<2$ (3) $x \ge 2$

8-2 무리식의 계산

1 무리식의 계산

$$\sqrt{A}\sqrt{B}=\sqrt{AB},\quad \frac{\sqrt{A}}{\sqrt{B}}=\sqrt{\frac{A}{B}}$$

2 분모의 유리화

$$\frac{1}{\sqrt{A}+\sqrt{B}}=\frac{\sqrt{A}-\sqrt{B}}{(\sqrt{A}+\sqrt{B})(\sqrt{A}-\sqrt{B})}=\frac{\sqrt{A}-\sqrt{B}}{A-B}$$

무리식의 계산

무리식을 계산하는 기본은 곱셈 공식

$$(a\pm b)^2=a^2\pm 2ab+b^2,\ (a+b)(a-b)=a^2-b^2$$

과 다음 무리수의 성질이다.

$$a\geq 0,\ b\geq 0\text{일 때 } \sqrt{a}\sqrt{b}=\sqrt{ab},\ \frac{\sqrt{a}}{\sqrt{b}}=\sqrt{\frac{a}{b}}\ (\text{단, 분모는 0이 아니다.})$$

예를 들어 $(\sqrt{x}+\sqrt{x-1})^2$, $(\sqrt{x}+\sqrt{x-1})(\sqrt{x}-\sqrt{x-1})$은 다음과 같이 계산한다.

$$\begin{aligned}(\sqrt{x}+\sqrt{x-1})^2&=(\sqrt{x})^2+2\sqrt{x}\sqrt{x-1}+(\sqrt{x-1})^2\\&=x+2\sqrt{x(x-1)}+x-1\\&=2x-1+2\sqrt{x(x-1)}\end{aligned}$$

$$\begin{aligned}(\sqrt{x}+\sqrt{x-1})(\sqrt{x}-\sqrt{x-1})&=(\sqrt{x})^2-(\sqrt{x-1})^2\\&=x-(x-1)=1\end{aligned}$$

분모의 유리화

$\frac{1}{\sqrt{x}+\sqrt{x-1}}$과 같이 분모가 무리식인 경우 다음과 같이 분모를 유리화한다.

$$\begin{aligned}\frac{1}{\sqrt{x}+\sqrt{x-1}}&=\frac{\sqrt{x}-\sqrt{x-1}}{(\sqrt{x}+\sqrt{x-1})(\sqrt{x}-\sqrt{x-1})}\\&=\frac{\sqrt{x}-\sqrt{x-1}}{(\sqrt{x})^2-(\sqrt{x-1})^2}\\&=\frac{\sqrt{x}-\sqrt{x-1}}{x-(x-1)}=\sqrt{x}-\sqrt{x-1}\end{aligned}$$

개념 Check

◆ 정답 및 풀이 66쪽

3 다음 식을 전개하시오.

(1) $(x+\sqrt{2x+1})^2$

(2) $(\sqrt{x^2+1}+\sqrt{x^2-1})(\sqrt{x^2+1}-\sqrt{x^2-1})$

4 다음 식의 분모를 유리화하시오.

(1) $\frac{3}{\sqrt{x+3}}$

(2) $\frac{x}{x+\sqrt{x^2+3}}$

대표 Q1

무리식의 계산

◆ 정답 및 풀이 67쪽

다음 물음에 답하시오.

(1) $\dfrac{x}{1+\sqrt{x+1}}-\dfrac{x}{1-\sqrt{x+1}}$를 간단히 하시오.

(2) $f(x)=\sqrt{x+1}+\sqrt{x}$일 때, $\dfrac{1}{f(1)}+\dfrac{1}{f(2)}+\dfrac{1}{f(3)}+\cdots+\dfrac{1}{f(99)}$의 값을 구하시오.

날선 Guide (1) $\dfrac{x}{1+\sqrt{x+1}}$의 분모, 분자에 $1-\sqrt{x+1}$을,

$\dfrac{x}{1-\sqrt{x+1}}$의 분모, 분자에 $1+\sqrt{x+1}$을

곱하여 분모를 유리화한 다음 간단히 한다.

두 분모가 대칭 꼴이어서 통분해서 간단히 한다고 생각해도 된다.

(2) $\dfrac{1}{f(x)}=\dfrac{1}{\sqrt{x+1}+\sqrt{x}}=\dfrac{\sqrt{x+1}-\sqrt{x}}{(x+1)-x}=\sqrt{x+1}-\sqrt{x}$

로 변형한 다음

$$\frac{1}{f(1)}+\frac{1}{f(2)}+\frac{1}{f(3)}+\frac{1}{f(4)}+\cdots$$

을 나열하면 합이 0인 쌍으로 묶을 수 있다.

답 (1) $2\sqrt{x+1}$ (2) 9

무리식 계산의 기본

- $\sqrt{A}\sqrt{B}=\sqrt{AB}$, $\dfrac{\sqrt{A}}{\sqrt{B}}=\sqrt{\dfrac{A}{B}}$
- $\dfrac{1}{\sqrt{A}+\sqrt{B}}=\dfrac{\sqrt{A}-\sqrt{B}}{A-B}$

1-1 다음 식을 간단히 하시오.

(1) $\dfrac{\sqrt{x+1}+\sqrt{x}}{\sqrt{x+1}-\sqrt{x}}$

(2) $\dfrac{1}{1+\sqrt{x^2+1}}+\dfrac{1}{1-\sqrt{x^2+1}}$

1-2 $f(x)=\sqrt{2x+1}+\sqrt{2x-1}$일 때, $\dfrac{1}{f(1)}+\dfrac{1}{f(2)}+\dfrac{1}{f(3)}+\cdots+\dfrac{1}{f(40)}$의 값을 구하시오.

대표 Q2 무리식의 값

◆ 정답 및 풀이 67쪽

다음 물음에 답하시오.

(1) $x=\sqrt{3}+\sqrt{2}$, $y=\sqrt{3}-\sqrt{2}$일 때, $\dfrac{\sqrt{x}+\sqrt{y}}{\sqrt{x}-\sqrt{y}}$의 값을 구하시오.

(2) $x=\sqrt{3}$일 때, $\dfrac{\sqrt{x+1}}{\sqrt{x-1}}+\dfrac{\sqrt{x-1}}{\sqrt{x+1}}$의 값을 구하시오.

날선 Guide (1) 먼저 분모, 분자에 $\sqrt{x}+\sqrt{y}$를 곱하면

$$(\sqrt{x}+\sqrt{y})^2=x+y+2\sqrt{xy}$$

$$(\sqrt{x}-\sqrt{y})(\sqrt{x}+\sqrt{y})=x-y$$

그리고 $x+y$, $x-y$, xy의 값을 구한 다음 대입한다.

이와 같이 $\sqrt{x}$나 $\sqrt{y}$에 x, y의 값을 바로 대입해서 정리할 수 없는 경우 구하고자 하는 식을 제곱하거나 유리화해서 간단히 한다.

(2) 역시 x에 $\sqrt{3}$을 바로 대입하여 정리할 수 없다.

두 식을 통분하면

$$\frac{\sqrt{x+1}}{\sqrt{x-1}}+\frac{\sqrt{x-1}}{\sqrt{x+1}}=\frac{(\sqrt{x+1})^2+(\sqrt{x-1})^2}{\sqrt{x-1}\sqrt{x+1}}$$

이 식을 정리하고 $x=\sqrt{3}$을 대입한다.

답 (1) $\dfrac{\sqrt{6}+\sqrt{2}}{2}$ (2) $\sqrt{6}$

무리식의 값을 바로 대입하기 어려운 경우

➡ 식을 정리하고 대입한다.

2-1 x, y가 실수이고 $x+y=6$, $xy=3$일 때, $\sqrt{\dfrac{x}{y}}+\sqrt{\dfrac{y}{x}}$의 값을 구하시오.

2-2 $x=1+\sqrt{2}$, $y=1-\sqrt{2}$일 때, $\dfrac{\dfrac{1}{\sqrt{x}+\sqrt{y}}+\dfrac{1}{\sqrt{x}-\sqrt{y}}}{2\sqrt{x}}$의 값을 구하시오.

up 2-3 $x=\dfrac{2a}{a^2+1}$일 때, $\sqrt{1-x}-\sqrt{1+x}$를 a로 나타내면? (단, $a\geq1$)

① $\dfrac{a}{\sqrt{a^2+1}}$ ② $-\dfrac{2}{\sqrt{a^2+1}}$ ③ $\dfrac{2a}{\sqrt{a^2+1}}$ ④ $-\dfrac{2a}{\sqrt{a^2+1}}$ ⑤ $\dfrac{2a-2}{\sqrt{a^2+1}}$

8-3 $y=\sqrt{x}$의 그래프

1 함수 $y=f(x)$에서 $f(x)$가 x에 대한 무리식일 때, 이 함수를 **무리함수**라 한다.
무리함수의 정의역은 근호 안의 식이 0 또는 양수인 x의 값이다.

2 $y=\sqrt{x}$의 그래프

$y=\sqrt{x}$의 그래프는 이차함수 $y=x^2$의 그래프 중 $x\ge 0$인 부분과 직선 $y=x$에 대칭인 곡선이다.

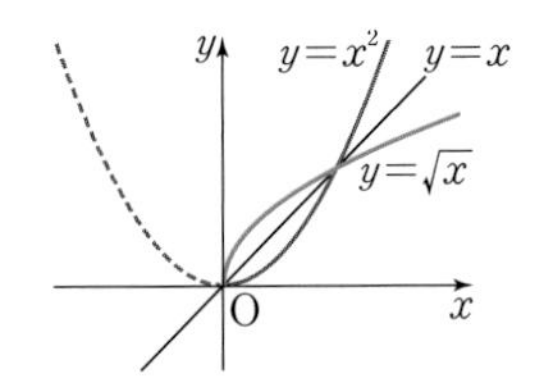

무리함수

함수 $y=f(x)$에서 $f(x)$가 x에 대한 무리식일 때, 이 함수를 무리함수라 한다.
예를 들어 함수 $y=\sqrt{2x-1}$, $y=\sqrt{-x}$, $y=\sqrt{1-x^2}$에서 $\sqrt{2x-1}$, $\sqrt{-x}$, $\sqrt{1-x^2}$은 무리식이므로 이 함수는 모두 무리함수이다.

무리함수의 정의역

무리함수의 정의역은 근호 안이 0 이상인 실수 전체의 집합이다. 곧,

$y=\sqrt{2x-1}$의 정의역은 $\left\{x \,\middle|\, x\ge\frac{1}{2}\right\}$ → $2x-1\ge 0$

$y=\sqrt{-x}$의 정의역은 $\{x\,|\,x\le 0\}$ → $-x\ge 0$

$y=\sqrt{x}$의 그래프

$X=\{x\,|\,x\ge 0\}$에서 $Y=\{y\,|\,y\ge 0\}$으로 정의된 함수 $y=x^2$은 일대일대응이므로 역함수가 존재한다.
그리고 역함수는 $y=x^2$에서 $x=\sqrt{y}$이므로 x와 y를 바꾸면 $y=\sqrt{x}$이다.
따라서 $y=\sqrt{x}$의 그래프는 그림과 같이 $y=x^2\ (x\ge 0)$의 그래프와 직선 $y=x$에 대칭인 꼴이다.

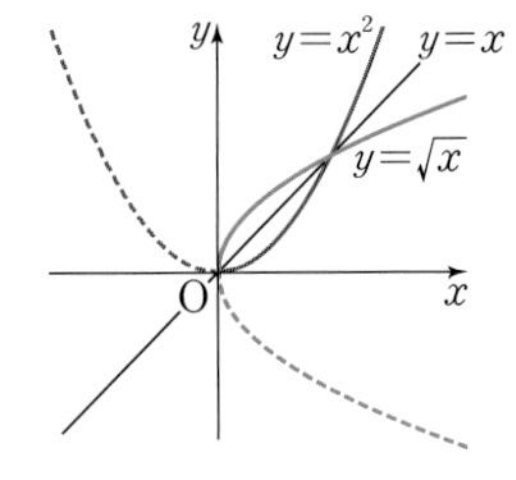

참고 $y=\sqrt{x}$의 x에 $0, \frac{1}{4}, 1, 4, \cdots$를 대입하여 y의 값을 구한 다음,
점 (x, y)를 좌표평면에 나타내고,
매끄러운 곡선으로 연결하여 그래프를 그릴 수도 있다.

$y=-\sqrt{x}$의 그래프

함수 $y=x^2\ (x\le 0)$의 역함수는 $y=x^2$에서 $x=-\sqrt{y}$이므로 x와 y를 바꾸면 $y=-\sqrt{x}$이다.
(위 그림에서 초록색 점선 부분)

개념 Check

◆ 정답 및 풀이 68쪽

5 다음 무리함수의 정의역을 구하시오.

(1) $y=\sqrt{3x+6}$ (2) $y=\sqrt{-2x+3}$ (3) $y=\sqrt{1-x^2}$

8-4 $y=\pm\sqrt{ax}$의 그래프

1 $y=\sqrt{-x}$, $y=-\sqrt{x}$, $y=-\sqrt{-x}$의 그래프는 $y=\sqrt{x}$의 그래프를 y축, x축, 원점에 대칭인 곡선으로 그린다.

2 $y=\sqrt{ax}$의 정의역은

$a>0$이면 $\{x|x\geq 0\}$, $a<0$이면 $\{x|x\leq 0\}$

$y=\sqrt{-x}$, $y=-\sqrt{x}$, $y=-\sqrt{-x}$의 그래프

그림과 같이 $y=\sqrt{-x}$, $y=-\sqrt{x}$, $y=-\sqrt{-x}$의 그래프는 $y=\sqrt{x}$의 그래프를 각각 y축, x축, 원점에 대칭인 곡선으로 그린다.

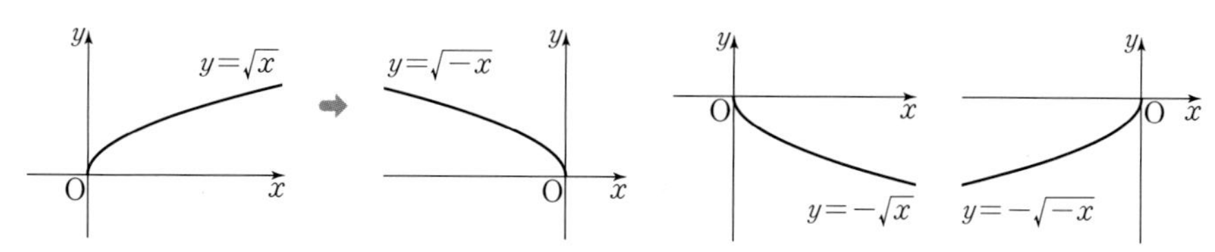

이때 $y=\sqrt{-x}$, $y=-\sqrt{-x}$의 정의역은 $-x\geq 0$에서 $\{x|x\leq 0\}$이다.

또 $y=-\sqrt{x}$, $y=-\sqrt{-x}$의 치역은 $\{y|y\leq 0\}$이다.

$y=\sqrt{ax}$의 그래프

$y=\sqrt{ax}$에서 $a=\frac{1}{2}$, 1, 2, $-\frac{1}{2}$, -1, -2일 때 그래프를 그리면 그림과 같다.

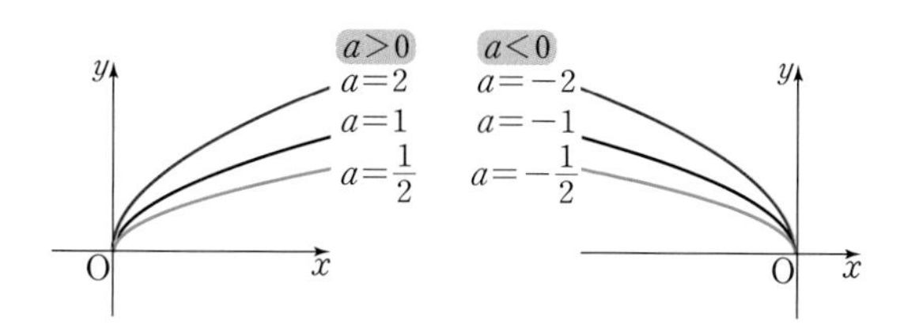

(1) 정의역은 $a>0$이면 $\{x|x\geq 0\}$

$a<0$이면 $\{x|x\leq 0\}$

(2) 치역은 $\{y|y\geq 0\}$

(3) a의 절댓값이 커지면 x축에서 멀어진다.

$y=-\sqrt{ax}$의 그래프

$y=-\sqrt{ax}$의 그래프는 $y=\sqrt{ax}$의 그래프를 x축에 대칭인 곡선으로 그린다.

정의역과 치역으로 그래프 그리기

무리함수에서는 정의역과 치역을 먼저 생각하면 그래프를 그리기 편하다. 예를 들어 $y=\sqrt{-3x}$는 $-3x\geq 0$이므로 정의역은 $\{x|x\leq 0\}$, $\sqrt{-3x}\geq 0$이므로 치역은 $\{y|y\geq 0\}$ 따라서 제2사분면에 그래프를 그린다.

개념 Check

◆ 정답 및 풀이 68쪽

6 다음 함수의 그래프를 좌표평면 위에 나타내시오.

(1) $y=\sqrt{2x}$ (2) $y=\sqrt{-2x}$

(3) $y=-\sqrt{2x}$ (4) $y=-\sqrt{-2x}$

8-5 $y=\pm\sqrt{a(x-p)}+q$의 그래프

1 $y=\pm\sqrt{a(x-p)}+q$의 그래프는 $y=\pm\sqrt{ax}$의 그래프를 x축 방향으로 p만큼, y축 방향으로 q만큼 평행이동한 것이다.

2 $y=\pm\sqrt{ax+b}+c$는 $y=\pm\sqrt{a(x-p)}+q$ 꼴로 고쳐 그래프를 그린다.

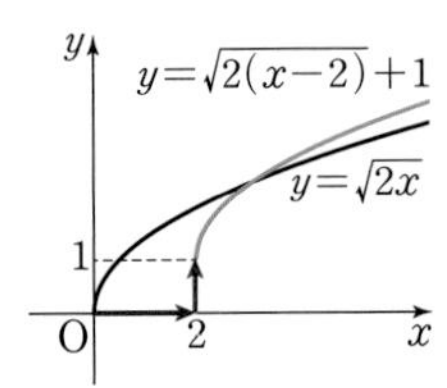

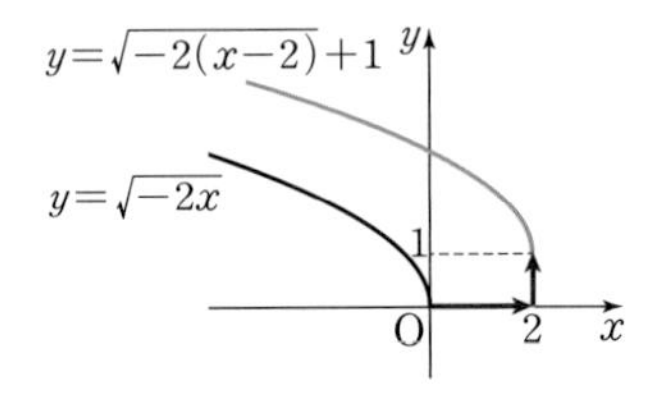

$y=\sqrt{2(x-2)}+1$의 그래프

$y=\sqrt{2(x-2)}+1$은 $y=\sqrt{2x}$에서 x에 $x-2$, y에 $y-1$을 대입한 꼴이다.
따라서 $y=\sqrt{2(x-2)}+1$의 그래프는 $y=\sqrt{2x}$의 그래프를
x축 방향으로 2만큼, y축 방향으로 1만큼 평행이동한 것이다.

$y=\sqrt{-2(x-2)}+1$의 그래프

$y=\sqrt{-2(x-2)}+1$은 $y=\sqrt{-2x}$에서 x에 $x-2$, y에 $y-1$을 대입한 꼴이다.
따라서 $y=\sqrt{-2(x-2)}+1$의 그래프는 $y=\sqrt{-2x}$의 그래프를
x축 방향으로 2만큼, y축 방향으로 1만큼 평행이동한 것이다.

$y=\sqrt{a(x-p)}+q$의 그래프

$y=\sqrt{a(x-p)}+q$의 그래프는 $y=\sqrt{ax}$의 그래프를

x축 방향으로 p만큼, y축 방향으로 q만큼

평행이동한 것이다. 따라서

$a>0$일 때, 정의역은 $\{x|x\geq p\}$이고 치역은 $\{y|y\geq q\}$

$a<0$일 때, 정의역은 $\{x|x\leq p\}$이고 치역은 $\{y|y\geq q\}$

$y=-\sqrt{a(x-p)}+q$의 그래프

$y=-\sqrt{a(x-p)}+q$의 그래프는 $y=-\sqrt{ax}$의 그래프를 평행이동하여 그린다.

개념 Check

◆ 정답 및 풀이 68쪽

7 다음 함수의 그래프를 좌표평면 위에 나타내시오.

(1) $y=\sqrt{x+1}$　　(2) $y=\sqrt{x+1}+1$

8 다음 함수의 그래프를 좌표평면 위에 나타내시오.

(1) $y=\sqrt{-x}-2$　　(2) $y=-\sqrt{-(x-2)}-1$

대표 Q3 무리함수의 그래프

◆ 정답 및 풀이 68쪽

다음 함수의 그래프를 그리고, 정의역과 치역을 구하시오.

(1) $y=3-\sqrt{2x-4}$　　　　(2) $y=\sqrt{2-3x}-1$

날선 Guide (1) $y=-\sqrt{2x-4}+3=-\sqrt{2(x-2)}+3$이므로

$y=-\sqrt{2x}$의 그래프를 x축 방향으로 2만큼, y축 방향으로 3만큼 평행이동한다.

(2) $y=\sqrt{2-3x}-1=\sqrt{-3\left(x-\frac{2}{3}\right)}-1$이므로

$y=\sqrt{-3x}$의 그래프를 x축 방향으로 $\frac{2}{3}$만큼, y축 방향으로 -1만큼 평행이동한다.

참고 $y=\pm\sqrt{ax}$의 그래프는 다음을 기본으로 그린다.

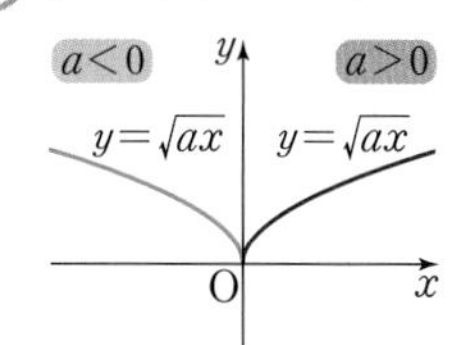

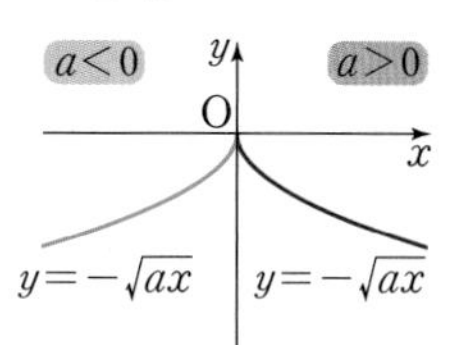

답 (1)

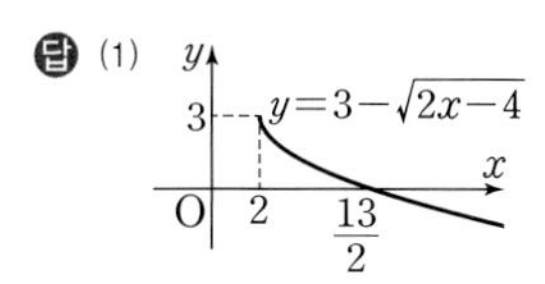

정의역 : $\{x\,|\,x\geq 2\}$

치역 : $\{y\,|\,y\leq 3\}$

(2) $y=\sqrt{2-3x}-1$

y, $\frac{2}{3}$, O, x, -1

정의역 : $\left\{x\,\middle|\,x\leq\frac{2}{3}\right\}$

치역 : $\{y\,|\,y\geq -1\}$

무리함수의 그래프 ➡ $y=\pm\sqrt{a(x-p)}+q$ 꼴로 고치고
$y=\pm\sqrt{ax}$의 평행이동을 생각한다.

3-1 다음 함수의 그래프를 그리고, 정의역과 치역을 구하시오.

(1) $y=\sqrt{3x-2}+2$　　　　(2) $y=1-2\sqrt{2-x}$

3-2 함수 $y=a\sqrt{x-b}-c$의 그래프가 그림과 같을 때, 상수 a, b, c의 값을 구하시오.

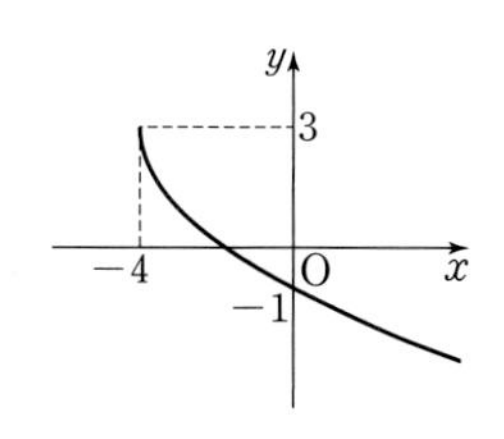

무리함수와 평행이동

◆ 정답 및 풀이 69쪽

다음 물음에 답하시오.

(1) 함수 $y=\sqrt{ax}$의 그래프를 x축 방향으로 b만큼, y축 방향으로 -2만큼 평행이동한 그래프의 식은 $y=2\sqrt{x-1}+c$이다. 상수 a, b, c의 값을 구하시오.

(2) 함수 $y=\sqrt{-2x+a}+b$의 정의역은 $\{x\,|\,x\leq-2\}$이고 최솟값은 1이다. 상수 a, b의 값을 구하시오.

날선 Guide (1) $y=\sqrt{ax}$의 그래프를 x축 방향으로 b만큼, y축 방향으로 -2만큼 평행이동한 그래프의 식은 $y=\sqrt{a(x-b)}-2$이다.

이 식과 $y=2\sqrt{x-1}+c$를 비교한다.

(2) $y=\sqrt{-2x+a}+b$의 그래프는 $y=\sqrt{-2x}$의 그래프를 평행이동한 것이므로 조건을 만족시키는 그래프는 그림과 같다.

따라서 이 그래프의 식을 먼저 구한 다음, $y=\sqrt{-2x+a}+b$와 비교하는 것이 편하다.

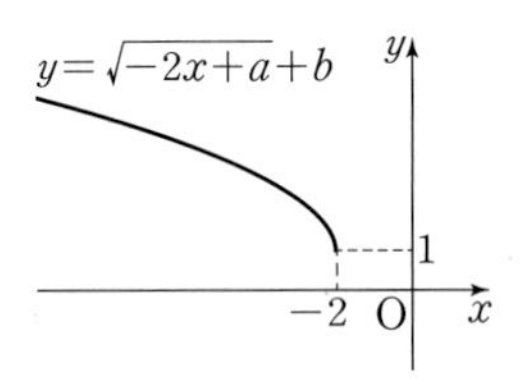

답 (1) $a=4$, $b=1$, $c=-2$ (2) $a=-4$, $b=1$

날선 Point $y=\sqrt{ax}$, $y=\sqrt{-ax}$, $y=-\sqrt{ax}$, $y=-\sqrt{-ax}$ $(a>0)$
중 어느 꼴을 평행이동한 그래프인지부터 확인한다.

4-1 함수 $y=\sqrt{3x}$의 그래프를 x축 방향으로 3만큼, y축 방향으로 -1만큼 평행이동한 그래프는 $y=-\sqrt{ax+b}+c$의 그래프와 x축에 대칭이다. 상수 a, b, c의 값을 구하시오.

4-2 함수 $y=-\sqrt{ax-8}-2$의 정의역은 $\{x\,|\,x\leq-4\}$이고 치역은 $\{y\,|\,y\leq b\}$이다. 상수 a, b의 값을 구하시오.

up **4-3** 함수 $y=\sqrt{x+1}$, $y=\sqrt{x-3}$의 그래프와 직선 $y=1$ 및 x축으로 둘러싸인 부분의 넓이를 구하시오.

대표 Q5 역함수

◆ 정답 및 풀이 70쪽

다음 물음에 답하시오.

(1) 함수 $y=\sqrt{-x+1}+2$의 역함수를 구하시오.

(2) 함수 $y=-x^2+6x-8\ (x\le 3)$의 역함수를 구하시오.

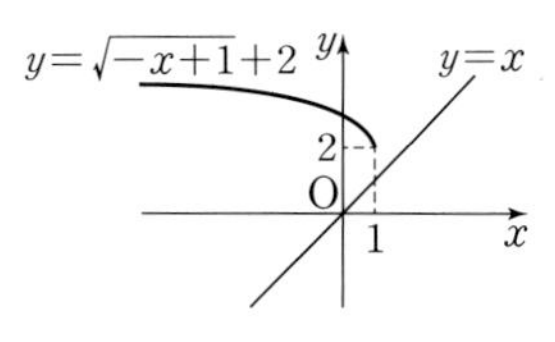

날선 Guide (1) $x=$(y에 대한 식)

꼴로 고친 다음 x와 y를 서로 바꾸면 된다.

이때 나온 식은 이차식이므로 정의역을 반드시 구해야 한다.

이때 역함수의 정의역은 원래 함수의 치역이다.

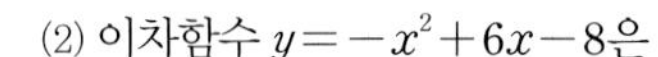

(2) 이차함수 $y=-x^2+6x-8$은

$$y=-(x-3)^2+1$$

이므로 $\{x|x\le 3\}$에서 $\{y|y\le 1\}$로 정의된 일대일대응이고 역함수를 생각할 수 있다.

이와 같이 이차함수에 적당히 정의역이 주어지면 역함수를 구할 수 있다. 이때 함수의 공역은 치역이라 생각한다.

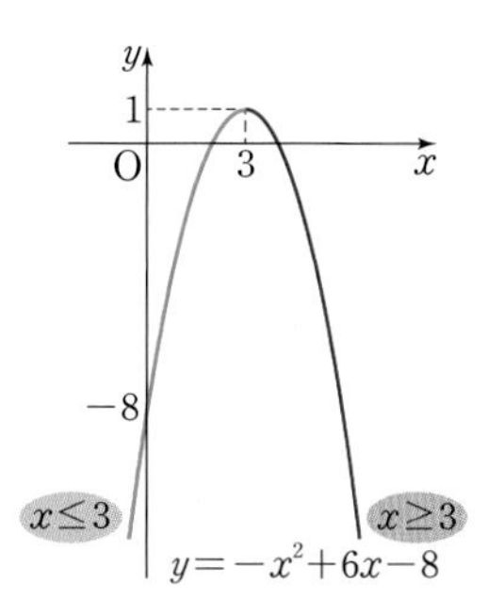

답 (1) $y=-x^2+4x-3(x\ge 2)$ (2) $y=-\sqrt{-x+1}+3$

날선 Point

- 무리함수의 역함수 ➡ 이차함수(역함수의 정의역을 구한다.)
- 이차함수의 역함수 ➡ 무리함수

5-1 다음 함수의 역함수와 역함수의 정의역을 구하시오.

(1) $y=\sqrt{2x+6}-3$ (2) $y=-\sqrt{x-1}-1$

5-2 다음 함수의 역함수를 구하시오.

(1) $y=\frac{1}{2}x^2-1\ (x\le 0)$ (2) $y=-2x^2-4x+1\ (x\ge -1)$

대표 Q6 무리함수의 그래프와 직선

◆ 정답 및 풀이 70쪽

함수 $f(x)=\sqrt{x-1}$에 대하여 다음 물음에 답하시오.

(1) $y=f(x)$의 그래프와 직선 $y=mx-1$이 접할 때, 상수 m의 값을 구하시오.

(2) $y=f(x)$의 그래프와 직선 $y=\frac{1}{2}x+k$가 서로 다른 두 점에서 만날 때, 상수 k값의 범위를 구하시오.

날선 Guide (1) 곡선 $y=f(x)$와 직선 $y=mx-1$의 교점의 x좌표는 방정식 $\sqrt{x-1}=mx-1$의 해이다.
따라서 제곱하여 정리한 다음 $D=0$임을 이용하면 상수 m의 값을 구할 수 있다.
이때 m의 값이 두 개 나오는데, 그림과 같이 $m<0$인 직선은 $y=-\sqrt{x-1}$의 그래프(점선)와 접한다.

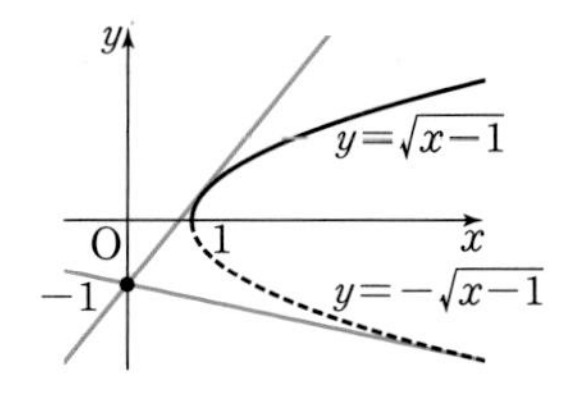

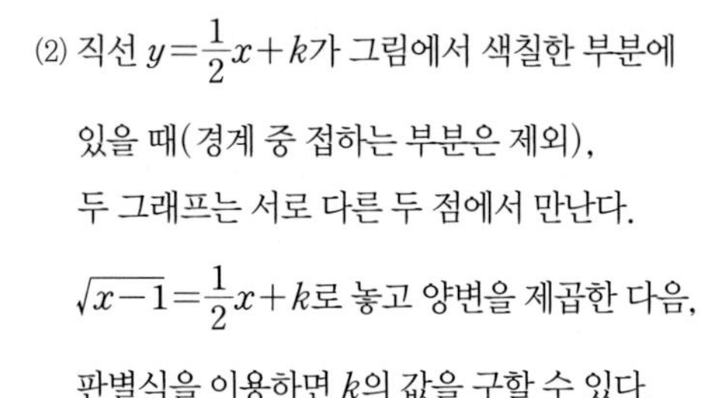
(2) 직선 $y=\frac{1}{2}x+k$가 그림에서 색칠한 부분에 있을 때(경계 중 접하는 부분은 제외), 두 그래프는 서로 다른 두 점에서 만난다.
$\sqrt{x-1}=\frac{1}{2}x+k$로 놓고 양변을 제곱한 다음, 판별식을 이용하면 k의 값을 구할 수 있다.

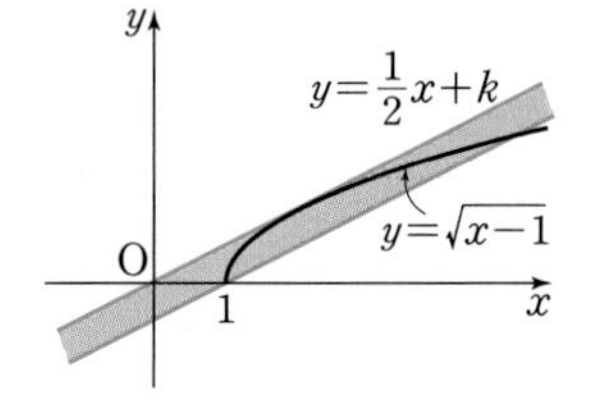

답 (1) $\frac{1+\sqrt{2}}{2}$ (2) $-\frac{1}{2}\le k<0$

무리함수 $y=f(x)$의 그래프와 직선 $y=mx+n$의 위치 관계
➡ $f(x)=mx+n$을 정리하고, 해를 구하거나 판별식을 이용한다.

6-1 무리함수 $y=\sqrt{x-k}$의 그래프와 직선 $y=x+1$이 만날 때, 상수 k값의 범위를 구하시오.

6-2 집합 $A=\{(x, y) \mid y=\sqrt{4x-8}\}$, $B=\{(x, y) \mid y=x+k\}$에 대하여 $n(A\cap B)=2$일 때, 상수 k값의 범위를 구하시오.

역함수와 그래프의 교점

◆ 정답 및 풀이 71쪽

다음 물음에 답하시오.

(1) 함수 $y=\sqrt{x-1}+1$, $x=\sqrt{y-1}+1$의 그래프가 만나는 점의 좌표를 모두 구하시오.

(2) 함수 $f(x)=\sqrt{3x-a}+2$이다. $y=f(x)$와 $y=f^{-1}(x)$의 그래프가 두 점에서 만나고 두 교점 사이의 거리가 $\sqrt{2}$일 때, 상수 a의 값을 구하시오.

날선 Guide (1) 두 함수는 x와 y가 바뀐 꼴이므로 역함수 관계에 있다. 곧, 두 함수의 그래프는 직선 $y=x$에 대칭이고 그림과 같다.
따라서 두 그래프의 교점은 $y=\sqrt{x-1}+1$의 그래프와 직선 $y=x$의 교점과 같음을 이용한다.

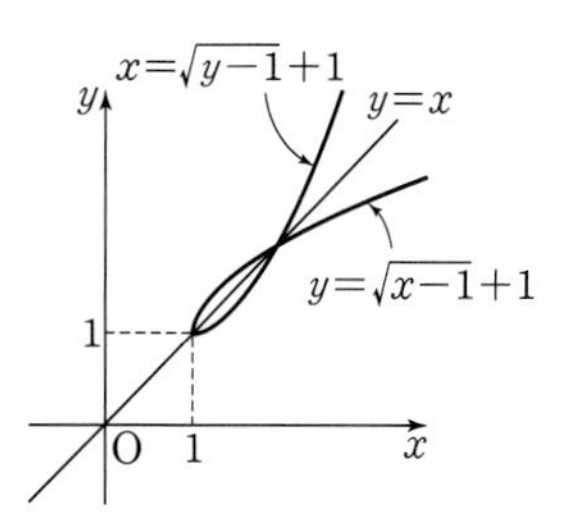

(2) 그림과 같이 $y=f(x)$와 $y=f^{-1}(x)$의 그래프가 두 점에서 만나면 $y=f(x)$의 그래프와 직선 $y=x$는 두 점에서 만난다. 따라서

$$f(x)=x,\ 곧\ \sqrt{3x-a}+2=x \quad \cdots ㉠$$

의 두 근을 α, β라 하면 교점이 (α, α), (β, β)이다.
㉠의 양변을 제곱하여 정리하면 이차방정식이므로 근과 계수의 관계를 이용한다.

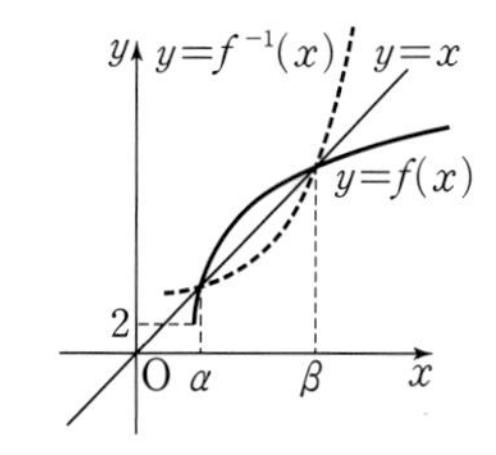

답 (1) $(1, 1)$, $(2, 2)$ (2) 8

- $y=f(x)$, $x=f(y)$ 꼴의 문제 ➡ 역함수를 생각한다.
- $y=f(x)$와 $y=f^{-1}(x)$의 교점 ➡ 곡선 $y=f(x)$와 직선 $y=x$의 교점을 생각한다.

7-1 함수 $y=\sqrt{\frac{4}{5}(x+2)}+1$, $x=\sqrt{\frac{4}{5}(y+2)}+1$의 그래프가 만나는 점의 좌표를 구하시오.

up 7-2 함수 $f(x)=\sqrt{x-1}+k$에 대하여 $y=f(x)$와 $y=f^{-1}(x)$의 그래프가 두 점에서 만날 때, 상수 k의 최댓값을 구하시오.

8 무리함수

01 $\dfrac{1}{\sqrt{x+1}+\sqrt{x}}+\dfrac{1}{\sqrt{x+1}-\sqrt{x}}$을 간단히 하시오.

02 함수 $y=\dfrac{a}{x+b}+c$의 그래프가 그림과 같을 때, 함수 $y=\sqrt{ax+b}+c$의 그래프가 지나는 사분면을 구하시오. (단, a, b, c는 상수이다.)

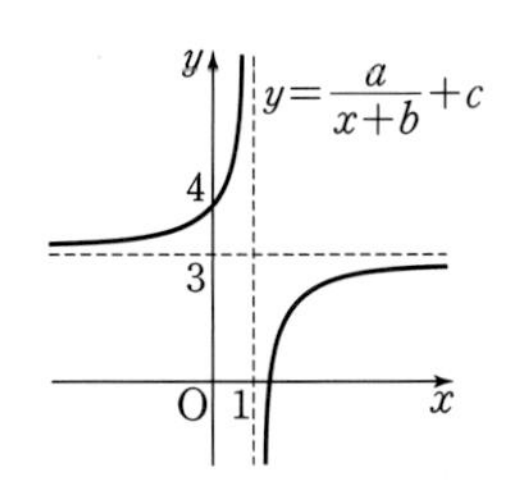

03 함수 $y=\sqrt{2x}$의 그래프를 x축 방향으로 1만큼, y축 방향으로 3만큼 평행이동한 그래프가 점 $(9, a)$를 지날 때, a의 값을 구하시오.

04 함수 $f(x)=\sqrt{ax+b}+c$가 $x=-2$에서 최솟값 2를 갖고 $f(1)=5$이다. $f(10)$의 값을 구하시오. (단, a, b, c는 상수이다.)

05 무리함수 $y=\sqrt{ax+b}$의 역함수의 그래프가 두 점 $(2, 0)$, $(5, 7)$을 지날 때, $a+b$의 값을 구하시오.

06 무리함수 $y=-\sqrt{3x-1}+2$의 역함수가 $y=ax^2+bx+c\ (x\le d)$일 때, $3(a+b+c+d)$의 값을 구하시오.

07 그림과 같이 함수 $y=\sqrt{x}$의 그래프 위에 점 $\mathrm{P}(a,\ b)$, $\mathrm{Q}(c,\ d)$가 있다. $0<a<c$이고 $\dfrac{b+d}{2}=4$일 때, 직선 PQ의 기울기를 구하시오.

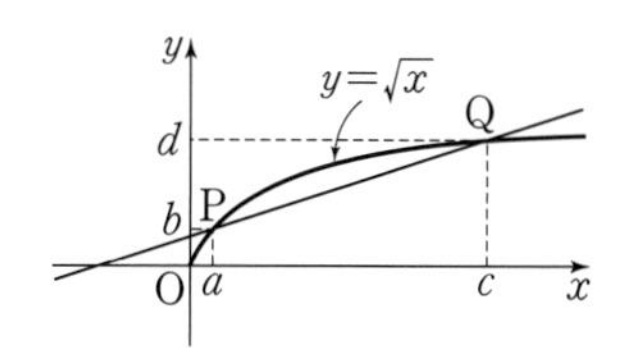

교육청 기출

08 임의의 양수 a, b에 대하여 $\dfrac{1}{a+\sqrt{ab}}+\dfrac{1}{b+\sqrt{ab}}$을 간단히 하면?

① $\sqrt{a}-\sqrt{b}$ ② $\sqrt{a}+\sqrt{b}$ ③ $\sqrt{ab}$ ④ $\dfrac{1}{\sqrt{ab}}$ ⑤ $\dfrac{1}{\sqrt{a}+\sqrt{b}}$

09 다음 무리함수의 그래프를 그리시오.

(1) $y=\sqrt{|x|+1}$ (2) $y=\sqrt{|x-1|}$

10 1보다 큰 실수에서 정의된 함수 $f(x)=\dfrac{x+1}{x-1}$, $g(x)=\sqrt{2x-1}$에 대하여 $(f\circ(g\circ f)^{-1}\circ f)(3)$의 값을 구하시오.

11 함수 $y=\sqrt{a(6-x)}\ (a>0)$의 그래프와 함수 $y=\sqrt{x}$의 그래프가 만나는 점을 A라 하자. 원점 O와 점 $\mathrm{B}(6\ ,\ 0)$에 대하여 삼각형 AOB의 넓이가 6일 때, 상수 a의 값을 구하시오.

교육청 기출

12 함수 $y=2\sqrt{x}$의 그래프 위의 점 A를 지나고 x축, y축에 각각 평행한 직선이 함수 $y=\sqrt{x}$의 그래프와 만나는 점을 각각 B, C라 하자. 삼각형 ACB가 직각이등변삼각형일 때, 삼각형 ACB의 넓이는? (단, 점 A는 제1사분면에 있다.)

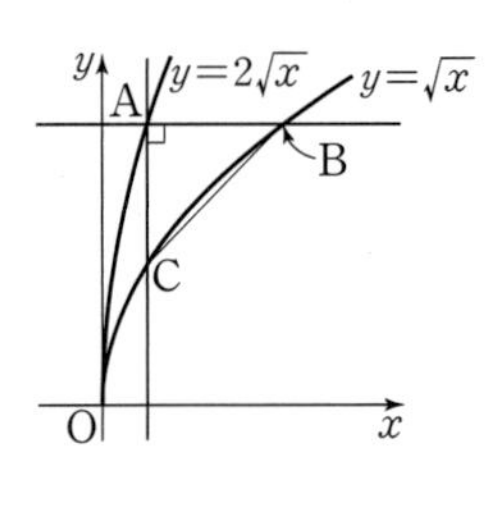

① $\frac{1}{18}$ ② $\frac{1}{15}$ ③ $\frac{1}{12}$ ④ $\frac{1}{9}$ ⑤ $\frac{1}{6}$

13 함수 $f(x)=\begin{cases} x^2 & (x\ge 0) \\ \sqrt{-x} & (x<0) \end{cases}$의 그래프와 직선 $y=1$로 둘러싸인 부분의 넓이를 구하시오.

14 그림과 같이 함수 $y=\sqrt{ax}$의 그래프와 직선 $y=x$가 만나는 한 점의 좌표가 $(2, 2)$이다. 함수 $y=\sqrt{ax+b}$의 그래프가 직선 $y=x$에 접할 때, 상수 a, b의 값을 구하시오.

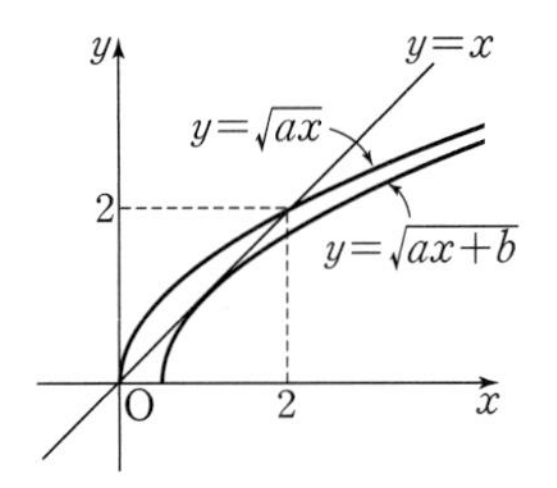

교육청 기출

15 좌표평면 위의 두 곡선 $y=-\sqrt{kx+2k}+4$, $y=\sqrt{-kx+2k}-4$에 대하여 **보기**에서 옳은 것만을 있는 대로 고른 것은? (단, k는 0이 아닌 실수이다.)

보기

ㄱ. 두 곡선은 서로 원점에 대칭이다.
ㄴ. $k<0$이면 두 곡선은 한 점에서 만난다.
ㄷ. 두 곡선이 서로 다른 두 점에서 만나게 하는 k의 최댓값은 16이다.

① ㄱ ② ㄴ ③ ㄱ, ㄴ ④ ㄱ, ㄷ ⑤ ㄱ, ㄴ, ㄷ

정답 개수: /15 오답 번호 Check:

중학교에서 어떤 실험이나 관찰을 통해 얻어지는 결과를 사건이라 하고, 사건이 일어날 수 있는 가짓수를 경우의 수라고 배웠다.

이 단원에서는 합의 법칙, 곱의 법칙을 이용하여 경우의 수를 구해 보자.

경우의 수

9-1 합의 법칙

개념

1 사건 A, B가 동시에 일어나지 않을 때, A, B가 일어나는 경우의 수가 각각 m, n이면 A 또는 B가 일어나는 경우의 수는 $m+n$이다. 이것을 합의 법칙이라 한다.

2 세 개 이상의 사건이 동시에 일어나지 않는 경우도 합의 법칙을 쓸 수 있다.

사건과 경우의 수

'주사위를 한 번 던질 때, 짝수의 눈이 나온다.',

'주사위를 두 번 던질 때, 나오는 눈의 수의 곱이 짝수이다.'

이와 같이 동일한 조건에서 반복할 수 있는 실험이나 관찰에 의하여 일어나는 결과를 사건이라 하고, 어떤 사건이 일어나는 가짓수를 경우의 수라 한다.

예를 들어 주사위를 한 번 던질 때, 짝수의 눈이 나오는 사건은 2, 4, 6이 나오는 경우이므로 이 사건이 일어나는 경우의 수는 3이다.

합의 법칙

한 개의 주사위를 두 번 던질 때, 나오는 눈의 수의 합이 3인 사건을 A, 눈의 수의 합이 5인 사건을 B라 하면 그림과 같다. 따라서 A 또는 B가 일어나는 경우의 수는 $2+4=6$이다.

합이 3　　합이 5

이와 같이 사건 A, B가 **동시에 일어나지 않을 때,**
A, B가 일어나는 경우의 수가 각각 m, n이면
A **또는** B가 일어나는 경우의 수는 $m+n$이다.
이를 합의 법칙이라 한다.

두 사건이 동시에 일어나는 경우

주사위를 한 번 던질 때, 홀수의 눈이 나오는 사건을 C, 소수의 눈이 나오는 사건을 D라 하자.

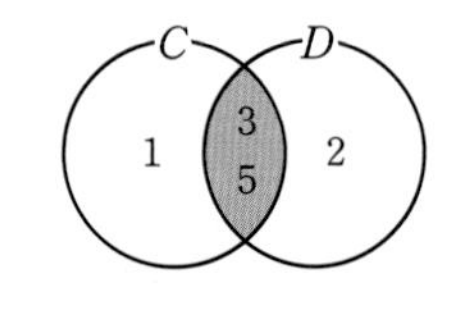

C와 D가 동시에 일어나는 경우가 있으므로 C 또는 D가 나오는 경우의 수를 구할 때에는 $3+3-2=4$와 같이 동시에 일어나는 경우의 수를 뺀다.

'또는', '이거나'로 연결된 사건 ➡ 합의 법칙을 생각한다.

개념 Check

◆ 정답 및 풀이 **75**쪽

1 1부터 30까지 자연수가 하나씩 적힌 카드 30장에서 1장을 뽑을 때, 다음을 구하시오.

(1) 5의 배수 또는 7의 배수가 나오는 경우의 수

(2) 2의 배수 또는 3의 배수가 나오는 경우의 수

9-2 곱의 법칙

1 사건 A가 일어나는 경우의 수가 m이고 각각에 대하여 사건 B가 일어나는 경우의 수가 n이면 A, B가 동시에 또는 잇달아 일어나는 경우의 수는 $m\times n$이다. 이것을 곱의 법칙이라 한다.

2 세 개 이상의 사건이 동시에 또는 잇달아 일어나는 경우도 곱의 법칙을 쓸 수 있다.

곱의 법칙

빨간색 주사위와 파란색 주사위를 동시에 던질 때, 빨간색 주사위에서는 홀수, 파란색 주사위에서는 3의 배수의 눈이 나오는 경우는 그림과 같다.

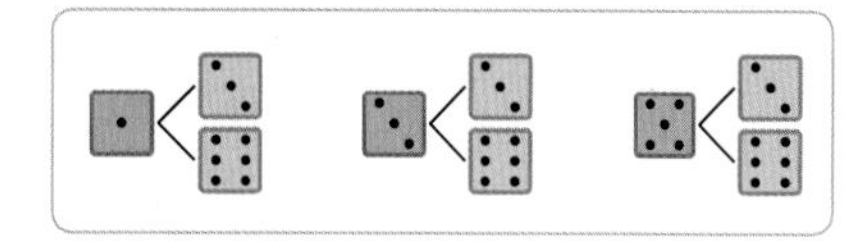

곧, 빨간색 주사위를 던질 때 홀수의 눈이 나오는 사건을 A,
파란색 주사위를 던질 때 3의 배수의 눈이 나오는 사건을 B라 하면
A와 B가 동시에 일어나는 경우의 수는 $3\times2=6$이다.
이와 같이 사건 A가 일어나는 경우의 수가 m이고, **각각에 대하여** 사건 B가 일어나는 경우의 수가 n이면 A, B가 **동시에** 일어나는 경우의 수는 $m\times n$이다.
이를 곱의 법칙이라 한다.

잇달아 일어나는 경우

주사위를 두 번 던질 때, 첫 번째에는 홀수의 눈이 나오고 두 번째에는 3의 배수의 눈이 나오는 경우의 수도 $3\times2=6$이다.
잇달아 일어나는 경우의 수도 곱의 법칙을 생각한다.

'동시에', '잇달아' 일어나는 경우의 수 ➡ 곱의 법칙을 생각한다.

수형도

빨간색 주사위의 눈이 홀수인 경우와 파란색 주사위의 눈이 3의 배수인 경우를 그림과 같이 나타낸 것을 수형도라 한다.

$1<\begin{matrix}3\\6\end{matrix}\quad 3<\begin{matrix}3\\6\end{matrix}\quad 5<\begin{matrix}3\\6\end{matrix}$

개념 Check

◆ 정답 및 풀이 75쪽

2 다음을 만족시키는 두 자리 자연수의 개수를 구하시오.

(1) 십의 자리 숫자가 홀수, 일의 자리 숫자가 소수

(2) 십의 자리 숫자와 일의 자리 숫자가 0이 아닌 짝수

3 상의 3벌, 하의 4벌, 신발 3켤레가 있을 때, 다음을 구하시오.

(1) 상의와 하의를 짝 지어 입는 방법의 수

(2) 상의, 하의, 신발을 짝 지어 입는 방법의 수

합의 법칙

◆ 정답 및 풀이 75쪽

주사위 두 개를 동시에 던질 때, 다음 물음에 답하시오.

(1) 두 눈의 수의 합이 4의 배수인 경우의 수를 구하시오.

(2) 두 눈의 수의 차가 4 이상인 경우의 수를 구하시오.

날선 Guide 주사위 A, B를 동시에 던질 때, 나오는 눈의 수를 순서쌍으로 나타내면 표와 같다.

A \ B	1	2	3	4	5	6
1	(1, 1)	(1, 2)	(1, 3)	(1, 4)	(1, 5)	(1, 6)
2	(2, 1)	(2, 2)	(2, 3)	(2, 4)	(2, 5)	(2, 6)
3	(3, 1)	(3, 2)	(3, 3)	(3, 4)	(3, 5)	(3, 6)
4	(4, 1)	(4, 2)	(4, 3)	(4, 4)	(4, 5)	(4, 6)
5	(5, 1)	(5, 2)	(5, 3)	(5, 4)	(5, 5)	(5, 6)
6	(6, 1)	(6, 2)	(6, 3)	(6, 4)	(6, 5)	(6, 6)

(1) 합이 4의 배수이면 합이 4 또는 8 또는 12이다.

각각은 동시에 일어나지 않으므로 4인 경우, 8인 경우, 12인 경우의 수를 더한다.

(2) 차가 4 이상이면 차가 4 또는 5이다.

역시 각각은 동시에 일어나지 않으므로 차가 4인 경우와 5인 경우의 수를 더한다.

참고 주사위 2개를 동시에 던지는 경우와 주사위 한 개를 연달아 두 번 던지는 경우는 같다.

답 (1) 9 (2) 6

사건 A, B가 동시에 일어나지 않고, A, B가 일어나는 경우의 수가 각각 m, n일 때

➡ A 또는 B인 경우의 수는 $m+n$

1-1 주사위 한 개를 연달아 두 번 던질 때, 다음 물음에 답하시오.

(1) 두 눈의 수의 합이 6의 배수인 경우의 수를 구하시오.

(2) 두 눈의 수의 차가 2 이하인 경우의 수를 구하시오.

1-2 자연수 x, y, z에 대하여 다음 방정식을 만족시키는 순서쌍의 개수를 구하시오.

(1) $x+2y=10$

(2) $x+2y+3z=12$

곱의 법칙

◆ 정답 및 풀이 76쪽

지점 A, B, C 사이에 그림과 같은 길이 있을 때, 다음 물음에 답하시오.
(단, 같은 지점을 두 번 이상 지나지 않는다.)

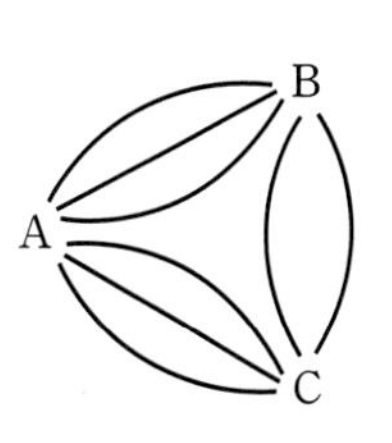

(1) A에서 B를 거쳐 C로 가는 경우의 수를 구하시오.

(2) A에서 B, C를 한 번씩 거쳐 다시 A로 돌아오는 경우의 수를 구하시오.

날선 Guide (1) A와 B 사이의 길을 a, b, c라 하고 B와 C 사이의 길을 x, y라 하면 A에서 B를 거쳐 C로 가는 경우는 다음과 같다.

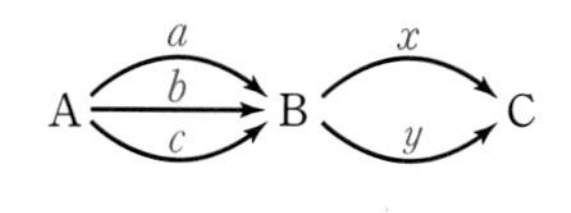

$a\langle^x_y \qquad b\langle^x_y \qquad c\langle^x_y$

곧, a, b, c 중 하나를 선택한 경우의 각각에 대하여 x, y 중 하나를 선택할 수 있으므로 경우의 수는 곱의 법칙을 이용하여 구할 수 있다.

(2) B, C를 한 번씩만 거치므로 다음과 같이 나눌 수 있다.

A → B → C → A ⋯ ㉠

A → C → B → A ⋯ ㉡

두 경우는 동시에 일어나지 않으므로 각각의 경우의 수를 구한 다음 더하면 된다.
이때 ㉠ 또는 ㉡의 경우의 수는 (1)과 같이 곱의 법칙으로 구한다.

답 (1) 6 (2) 36

- '동시에' 또는 '잇달아' 일어나는 사건의 경우의 수 ➡ 곱의 법칙을 생각한다.
- 동시에 일어나지 않는 경우로 나누어 구한다.

2-1 지점 A에서 B를 오가는 버스 노선이 3개, 지하철 노선이 2개 있다. 다음 물음에 답하시오.

(1) 버스나 지하철을 이용하여 A에서 B로 가는 경우의 수를 구하시오.

(2) A에서 B로 버스를 타고 갔다가 다시 A로 지하철을 타고 돌아오는 경우의 수를 구하시오.

(3) 버스나 지하철 중 한 가지만 이용하여 A에서 B로 갔다가 다시 A로 돌아오는 경우의 수를 구하시오.

2-2 다음 전개식에서 항의 개수를 구하시오.

(1) $(x+y)(a+b+c+d)$

(2) $(a+b)(c+d+e+f)(x+y+z)$

Q3 약수의 개수 문제

◆ 정답 및 풀이 77쪽

다음 물음에 답하시오.

(1) 72의 약수의 개수를 구하시오.

(2) 72의 약수 중 2의 배수의 개수를 구하시오.

(3) 72의 약수 중 9와 서로소인 약수의 개수를 구하시오.

날선 Guide (1) 72를 소인수분해하면 $72=2^3\times3^2$이므로 약수는 다음 표와 같이 정리할 수 있다.

3^2의 약수 \ 2^3의 약수	1	2	2^2	2^3
1	1	2	2^2	2^3
3	3	2×3	$2^2\times3$	$2^3\times3$
3^2	3^2	2×3^2	$2^2\times3^2$	$2^3\times3^2$

따라서 약수의 개수는 4×3이다.

이때 4와 3은 2^3의 지수 3에 1을, 3^2의 지수 2에 1을 더한 값이다.

참고 $2^3\times3^2$의 약수의 개수는 $(1+2+2^2+2^3)\times(1+3+3^2)$의 전개식에서 항의 개수 4×3을 구하는 것과 같다.
또 $2^3\times3^2\times5$의 약수의 개수는 $(1+2+2^2+2^3)\times(1+3+3^2)\times(1+5)$의 전개식에서 항의 개수 $4\times3\times2$를 구하는 것과 같다.

(2) 2의 배수는 다음 꼴 중 하나이다.

$$2\times(\quad),\ 2^2\times(\quad),\ 2^3\times(\quad)$$

(3) $9=3^2$이므로 9와 서로소이면 3의 배수가 아닌 수이다.

답 (1) 12 (2) 9 (3) 4

소인수분해한 꼴이 $x^a y^b z^c$일 때
➡ 약수의 개수는 $(a+1)(b+1)(c+1)$
(단, x, y, z는 서로 다른 소수이고 a, b, c는 자연수이다.)

3-1 다음 물음에 답하시오.

(1) 270의 약수의 개수를 구하시오.

(2) 270의 약수 중 5의 배수의 개수를 구하시오.

(3) 270의 약수 중 10과 서로소인 약수의 개수를 구하시오.

대표 Q4 돈을 지불하는 문제

◆ 정답 및 풀이 77쪽

100원짜리 동전 1개, 50원짜리 동전 2개, 10원짜리 동전 4개가 있다. 이 중 일부 또는 전부를 사용하여 지불하려고 할 때, 다음 물음에 답하시오. (단, 0원을 지불하는 것은 생각하지 않는다.)

(1) 지불하는 방법의 수를 구하시오.

(2) 지불하는 금액의 수를 구하시오.

날선 Guide (1) 100원짜리 동전을 0개 또는 1개 지불할 수 있다.
그리고 100원짜리 동전을 0개 지불할 때, 50원짜리 동전과 10원짜리 동전을 지불하는 경우를 생각하면 그림과 같다.
따라서 곱의 법칙을 이용할 수 있다.

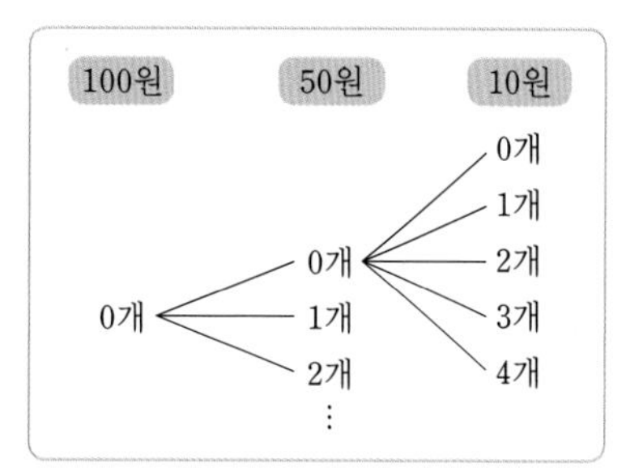

(2) 50원짜리 동전 2개를 지불하는 것과 100원짜리 동전 1개를 지불하는 것은 방법은 다르지만 금액은 같다.
따라서 곱의 법칙을 바로 이용할 수 없으므로 다음 두 가지 방법을 생각할 수 있다.

방법 1 100원짜리 동전 1개와 50원짜리 동전 2개를 50원짜리 동전 4개라 생각하고 지불할 수 있는 금액을 생각한다.

방법 2 지불할 수 있는 최소 금액은 10원, 최대 금액은 240원이다. 그리고 10원과 240원 사이에 가능하지 않은 금액을 찾는다.

답 (1) 29 (2) 24

돈을 지불하는 문제

- 지불하는 방법의 수 ➡ 곱의 법칙을 이용한다.
- 지불하는 금액의 수 ➡ 금액이 중복되면 큰 단위의 동전을 작은 단위의 동전으로 바꾼다고 생각한다.

4-1 500원짜리 동전 1개, 100원짜리 동전 6개, 10원짜리 동전 5개가 있다. 이 중 일부 또는 전부를 사용하여 지불하려고 할 때, 다음 물음에 답하시오. (단, 0원을 지불하는 것은 생각하지 않는다.)

(1) 지불하는 방법의 수를 구하시오.

(2) 지불하는 금액의 수를 구하시오.

대표 Q5 **색칠하는 문제** ◆ 정답 및 풀이 78쪽

그림과 같이 분할된 영역을 5개의 색으로 칠하려고 한다. 칠하는 방법의 수를 구하시오.
(단, 같은 색은 여러 번 쓸 수 있지만, 이웃한 부분은 다른 색으로 칠한다.)

(1)
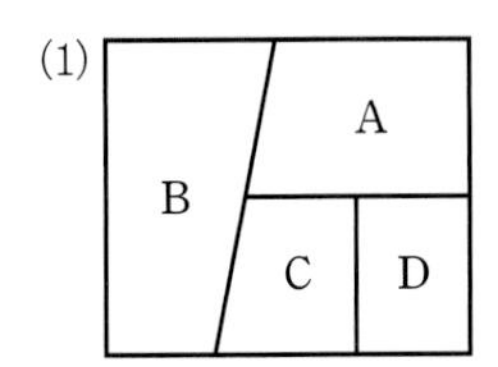

(2)
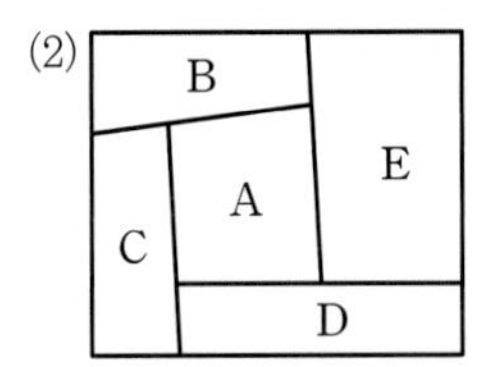

날선 Guide 5개의 색을 a, b, c, d, e라 하자.

(1) A에 a를 칠하는 경우
B에는 a가 아닌 네 가지 색,
C에는 a와 B에 칠한 색이 아닌 색,
⋮
이와 같이 하면 곱의 법칙을 이용하여 구할 수 있다.

(2) A에 a를 칠하는 경우
나머지 네 영역에는 b, c, d, e를 나누어 칠해야 한다.
B는 C, E와는 이웃하지만, D와는 이웃하지 않으므로
B와 D에 같은 색을 칠하는 경우와 다른 색을 칠하는 경우로 나누어 생각한다.

답 (1) 180 (2) 420

색칠하는 문제
❶ 이웃하는 부분이 가장 많은 영역부터 칠할 수 있는 색을 정한다.
❷ 곱의 법칙을 생각한다.

5-1 그림과 같이 분할된 다섯 영역을 5개의 색으로 칠하려고 한다. 칠하는 방법의 수를 구하시오. (단, 같은 색은 여러 번 쓸 수 있지만, 이웃한 부분은 다른 색으로 칠한다.)

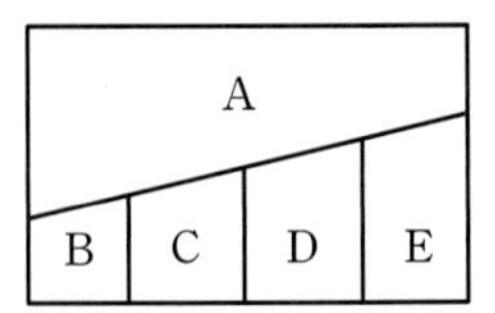

5-2 그림과 같이 네 영역으로 분할된 직사각형을 5개의 색으로 칠하려고 한다. 같은 색은 여러 번 칠해도 좋으나 이웃한 부분은 다른 색으로 칠할 때, 칠하는 방법의 수를 구하시오.

A	D
B	C

수형도를 이용하는 문제

◆ 정답 및 풀이 79쪽

다음 물음에 답하시오.

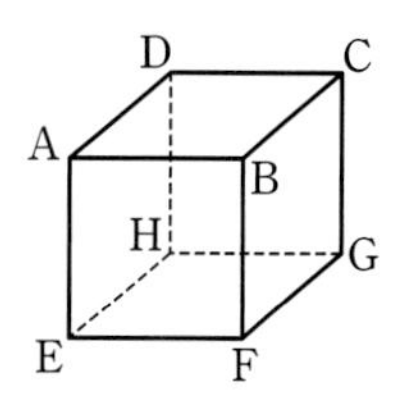

(1) 그림과 같은 정육면체에서 꼭짓점 A를 출발하여 꼭짓점 B까지 모서리를 따라가는 경우의 수를 구하시오.
(단, 한 번 지나간 꼭짓점은 다시 지나지 않는다.)

(2) 학생 A, B, C, D가 각각 작성한 답안지를 네 명이서 한 개씩 채점하려고 한다. 자기가 작성한 답안지는 채점하지 않는다고 할 때, 채점하는 경우의 수를 구하시오.

(1) A에서 모서리 하나로 연결 가능한 꼭짓점은 B, D, E이다.
B이면 경로가 끝이고 D와 E는 모서리 AB에 대칭이므로 둘 중 한 경우만 구하면 된다.
D에서 모서리 하나로 연결 가능한 꼭짓점은 C, H이다.
그리고 C에서도 모서리 하나로 연결 가능한 꼭짓점을 찾아 쓴다.

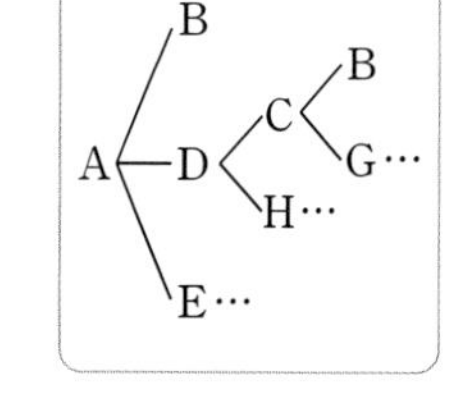

(2) A, B, C, D의 답안지를 각각 a, b, c, d라 하자.
자기가 작성한 답안지는 채점하지 않으므로 a는 B, C, D가 채점해야 한다.
a를 B가 채점하면 b는 A, C, D가 채점할 수 있다.
각각의 경우 c, d를 누가 채점할 수 있는지 그림과 같이 조사한다.

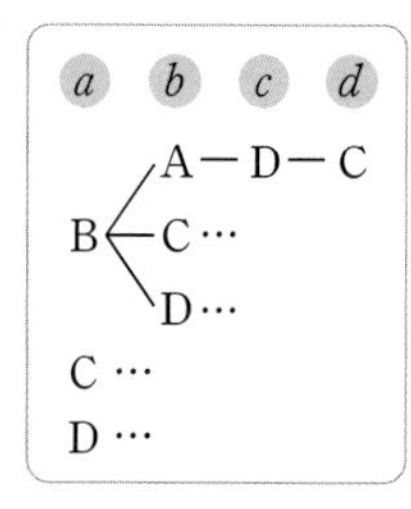

답 (1) 15 (2) 9

날선 Point 직접 세는 경우의 수 ➡ 수형도를 그린다.

6-1 그림과 같은 정육면체에서 꼭짓점 A를 출발하여 꼭짓점 G까지 모서리를 따라갈 때, 다음 물음에 답하시오.
(단, 한 번 지나간 꼭짓점은 다시 지나지 않는다.)

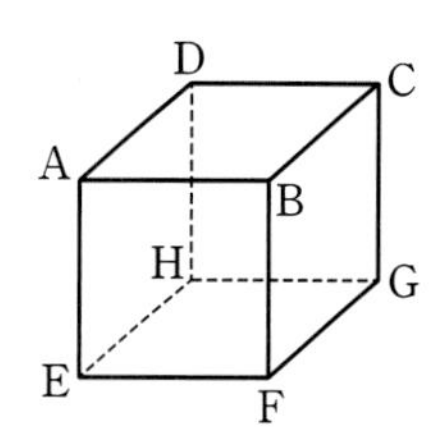

(1) 최단 거리로 가는 경우의 수를 구하시오.

(2) 꼭짓점 H를 반드시 지나는 경우의 수를 구하시오.

6-2 1, 2, 3, 4, 5가 하나씩 적힌 카드 5장을 일렬로 나열하여 다섯 자리 자연수 $a_1a_2a_3a_4a_5$를 만들 때, $a_1 \neq 1$, $a_2 \neq 2$, $a_3 \neq 3$, $a_4 \neq 4$, $a_5 \neq 5$를 만족시키는 자연수의 개수를 구하시오.

01 애완동물을 좋아하는 현서는 개 4마리와 고양이 2마리를 기르고 있다. 어느 날 현서가 여행을 가려고 한다. 같이 데려갈 동물을 고르려고 할 때, 다음 물음에 답하시오.

(1) 개 또는 고양이 중에서 한 마리를 고르는 경우의 수를 구하시오.

(2) 개와 고양이를 각각 한 마리씩 고르는 경우의 수를 구하시오.

02 방정식 $3x+5y=60$을 만족시키는 음이 아닌 정수 x, y의 순서쌍 (x, y)의 개수를 구하시오.

03 주사위 A, B를 동시에 던질 때, 나오는 눈의 수의 합이 5의 배수 또는 6의 배수인 경우의 수를 구하시오.

04 다항식 $(a+b+c)(p+q+r)-(a+b)(s+t)$를 전개하였을 때, 항의 개수는?

① 4　　② 5　　③ 9　　④ 13　　⑤ 36

05 집합 $A=\{0, 1, 2, 3\}$, $B=\{0, 1, 2\}$에 대하여 $a \in A$, $b \in B$일 때, 이차방정식 $x^2-ax+b=0$의 해가 실수인 순서쌍 (a, b)의 개수를 구하시오.

06 360과 540의 공약수의 개수를 구하시오.

07 12321, 77277과 같이 거꾸로 써도 원래의 수와 같은 수를 대칭수라 한다. 다섯 자리 자연수 중 대칭수의 개수를 구하시오.

08 5000원짜리 지폐 1장, 1000원짜리 지폐 8장, 500원짜리 동전 5개가 있다. 이 중 일부를 사용하여 간식비 6500원을 지불하는 방법의 수를 구하시오.

09 그림과 같이 집과 학교 사이에 두 지점 A, B와 이들 네 지점을 서로 연결하는 도로가 있다. 집에서 학교로 가는 경우의 수를 구하시오.
(단, 같은 지점을 두 번 이상 지나지 않는다.)

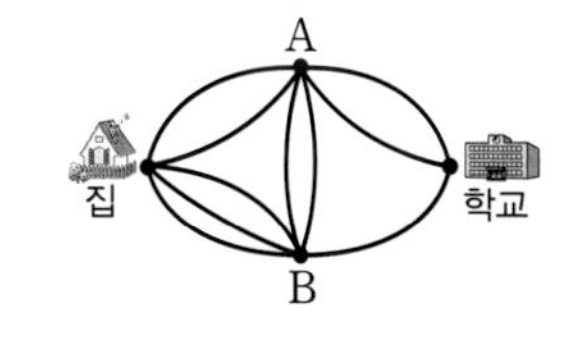

10 240의 약수 중 짝수의 개수를 p, 3의 배수의 개수를 q라 할 때, $p+q$의 값은?

① 7 ② 18 ③ 26 ④ 32 ⑤ 40

11 1000원짜리 지폐 2장, 500원짜리 동전 3개, 100원짜리 동전 5개가 있다. 이 중 일부 또는 전부를 사용하여 지불하려고 할 때, 다음을 구하시오.
(단, 0원을 지불하는 것은 생각하지 않는다.)

(1) 지불하는 방법의 수 (2) 지불하는 금액의 수

12 두 인형 A, B에게 색이 정해지지 않은 셔츠와 바지를 모두 입힌 후, 입힌 옷의 색을 정하는 컴퓨터 게임이 있다. 서로 다른 모양의 셔츠와 바지가 각각 3개씩 있고, 각 옷의 색은 빨강과 초록 중 하나를 정한다. 한 인형에게 입힌 셔츠와 바지는 다른 인형에게 입히지 않는다. A 인형의 셔츠와 바지의 색은 서로 다르게 정하고, B 인형의 셔츠와 바지의 색도 서로 다르게 정한다. 이 게임에서 두 인형 A, B에게 셔츠와 바지를 입히고 색을 정할 때, 그 결과로 나타날 수 있는 경우의 수는?

① 252 ② 216 ③ 180 ④ 144 ⑤ 108

13 그림과 같이 분할된 다섯 영역을 5개의 색으로 칠하려고 한다. 같은 색을 여러 번 사용하여 칠할 수 있지만 이웃하는 영역끼리는 다른 색으로 칠할 때, 칠하는 방법의 수를 구하시오.

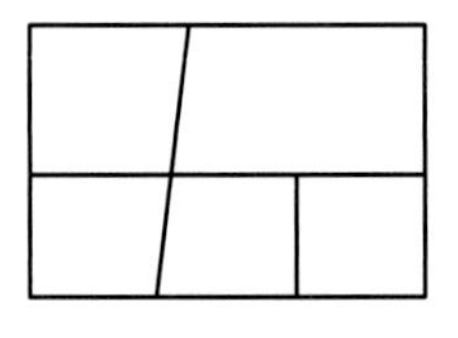

14 네 명의 학생 A, B, C, D에게 같은 종류의 초콜릿 8개를 다음 규칙에 따라 남김없이 나누어 주는 경우의 수는?

> (가) 각 학생은 적어도 1개의 초콜릿을 받는다.
> (나) 학생 A는 학생 B보다 더 많은 초콜릿을 받는다.

① 11 ② 13 ③ 15 ④ 17 ⑤ 19

우리는 일상에서 많은 순간 선택을 하게 된다. '어떤 옷을 입을까?', '무엇을 타고 갈까?'와 같이 단순한 경우 경험을 바탕으로 선택할 때도 있지만, 승부차기를 해야 할 축구선수를 뽑고 그 순서를 정하는 것처럼 일어날 수 있는 모든 경우의 수를 생각해 보고 가장 좋은 방법을 찾아야 할 때도 있다.

이 단원에서는 다양한 상황을 통해 서로 다른 것의 순서를 생각하여 배열하는 순열과 순서를 고려하지 않는 경우의 수인 조합에 대하여 배워 보자.

순열과 조합

10-1 순열

개념

서로 다른 n개에서 $r\,(r \le n)$개를 뽑아 일렬로 나열하는 것을 n개에서 r개를 뽑는 **순열**이라 하고, 이 순열의 수를 $_n\mathrm{P}_r$로 나타낸다.

$$_n\mathrm{P}_r = \underbrace{n(n-1)(n-2) \times \cdots \times (n-r+1)}_{r\text{개}}$$

순열

1, 2, 3, 4가 하나씩 적힌 카드에서 3장을 뽑아 세 자리 자연수를 만들면

백의 자리에는 1, 2, 3, 4의 4개

십의 자리에는 백의 자리 숫자를 뺀 3개

일의 자리에는 백의 자리, 십의 자리 숫자를 뺀 2개

가 가능하다. 따라서 세 자리 자연수의 개수는 곱의 법칙에서

$4 \times 3 \times 2$

이다. 이와 같이 서로 다른 4개에서 3개를 뽑아 일렬로 나열하는 것을 순열이라 한다. 그리고 4개에서 3개를 뽑아 일렬로 나열한 순열의 수를 $_4\mathrm{P}_3$으로 쓴다.

순열의 수 (1)

일반적으로 서로 다른 n개에서 $r\,(r \le n)$개를 뽑아 일렬로 나열하는 것을 n개에서 r개를 뽑는 순열이라 하고, 순열의 수를 $_n\mathrm{P}_r$로 나타낸다.

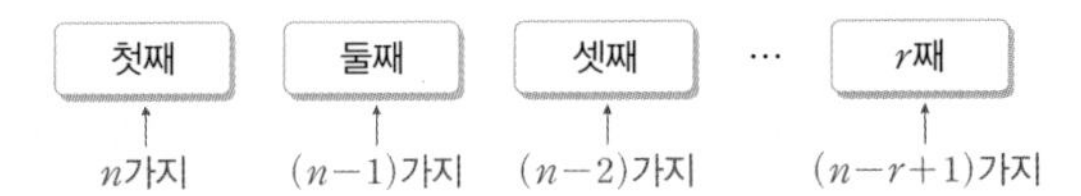

위와 같이 생각하면

$$_n\mathrm{P}_r = \underbrace{n(n-1)(n-2) \times \cdots \times (n-r+1)}_{r\text{개}}$$

개념 Check

◆ 정답 및 풀이 83쪽

1 다음을 기호 $_n\mathrm{P}_r$로 나타내시오.

(1) 1부터 9까지의 자연수가 하나씩 적힌 카드 9장에서 4장을 뽑아 만들 수 있는 네 자리 자연수의 개수

(2) 학생 6명 중 반장, 부반장을 한 명씩 뽑는 경우의 수

2 다음 값을 구하시오.

(1) $_5\mathrm{P}_2$ (2) $_6\mathrm{P}_4$

10-2 순열의 계산

1 n이 자연수일 때, 서로 다른 n개에서 n개를 모두 뽑는 순열의 수는

$${}_n\mathrm{P}_n=n(n-1)(n-2)\times\cdots\times2\times1$$

이때 $n(n-1)(n-2)\times\cdots\times2\times1$을 n의 계승이라 하고, $n!$로 나타낸다.

2 순열의 수

$${}_n\mathrm{P}_r=\frac{n!}{(n-r)!},\ {}_n\mathrm{P}_n=n!,\ {}_n\mathrm{P}_0=1,\ 0!=1$$

계승 ● n이 자연수일 때, n 이하의 모든 자연수의 곱 $n(n-1)(n-2)\times\cdots\times2\times1$을 n의 계승 또는 n 팩토리얼(factorial)이라 하고, $n!$로 나타낸다.

따라서 서로 다른 n개에서 n개를 모두 뽑는 순열의 수 ${}_n\mathrm{P}_n$은 $n!$과 같다.

$$\mathbf{{}_n\mathrm{P}_n=n!=n(n-1)(n-2)\times\cdots\times2\times1}$$

순열의 수 (2) ● 예를 들어 ${}_6\mathrm{P}_2$를 계승을 이용하여 나타내면

$${}_6\mathrm{P}_2=6\times5=\frac{6\times5\times4\times3\times2\times1}{4\times3\times2\times1}=\frac{6!}{4!}=\frac{6!}{(6-2)!}$$

일반적으로 $0<r<n$일 때

$$\begin{aligned}{}_n\mathrm{P}_r&=n(n-1)(n-2)\times\cdots\times(n-r+1)\\&=\frac{n(n-1)\times\cdots\times(n-r+1)(n-r)\times\cdots\times2\times1}{(n-r)\times\cdots\times2\times1}\end{aligned}$$

$$\therefore\ {}_n\mathrm{P}_r=\frac{n!}{(n-r)!}\qquad\cdots\ ㉠$$

특히, ${}_n\mathrm{P}_0=1$, $0!=1$로 약속하면 ㉠은 $r=0$ 또는 $r=n$일 때에도 성립한다.

따라서 ${}_6\mathrm{P}_4$는 다음 두 가지 방법으로 계산할 수 있다.

$${}_6\mathrm{P}_4=6\times5\times4\times3=360,\ {}_6\mathrm{P}_4=\frac{6!}{(6-4)!}=\frac{6!}{2!}=360$$

개념 Check

◆ 정답 및 풀이 83쪽

3 다음 값을 구하시오.

(1) ${}_4\mathrm{P}_0$

(2) ${}_5\mathrm{P}_5$

4 1, 2, 3, 4, 5가 하나씩 적힌 카드 5장이 있다. 다음 물음에 답하시오.

(1) 카드 2장을 뽑아 만들 수 있는 두 자리 자연수의 개수를 구하시오.

(2) 카드 5장을 뽑아 만들 수 있는 다섯 자리 자연수의 개수를 구하시오.

조건이 있는 자연수

◆ 정답 및 풀이 83쪽

0, 1, 2, 3, 4가 하나씩 적힌 카드 5장에서 3장을 뽑아 세 자리 자연수를 만들 때, 다음 물음에 답하시오.

(1) 만들 수 있는 자연수의 개수를 구하시오.

(2) 만들 수 있는 짝수의 개수를 구하시오.

(3) 만들 수 있는 3의 배수의 개수를 구하시오.

날선 Guide (1) 세 자리 자연수이므로 백의 자리에는 0이 올 수 없다.

곧, 백의 자리에는 1, 2, 3, 4의 4개의 숫자가 올 수 있다.

그리고 나머지 두 자리를 정하는 방법은

백의 자리 숫자를 뺀 4개에서 2개를 뽑는 순열과 같다.

참고 오른쪽과 같이 생각하고 곱의 법칙을 이용할 수도 있다.

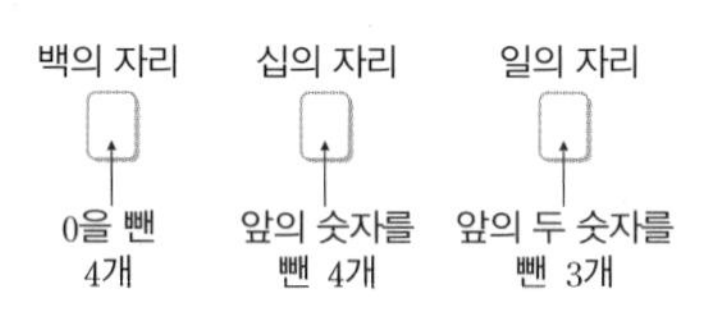

(2) 짝수는 일의 자리 숫자가 0, 2, 4이다.

일의 자리 숫자가 0이면 백의 자리에는 0을 뺀 나머지 4개의 숫자가 올 수 있다.

그러나 일의 자리 숫자가 0이 아니면 백의 자리에는 일의 자리 숫자와 0을 뺀 나머지 3개의 숫자가 올 수 있다.

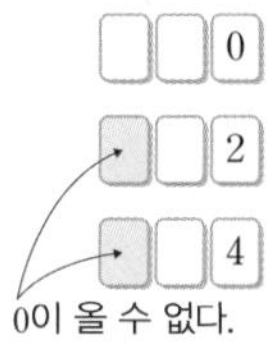

(3) 3의 배수는 각 자리 숫자의 합이 3의 배수이다.

0, 1, 2, 3, 4에서 3개의 숫자를 뽑을 때, 각 자리 숫자의 합이 3의 배수인 경우는

$$(0, 1, 2), (0, 2, 4), (1, 2, 3), (2, 3, 4)$$

따라서 각 경우의 숫자들로 만들 수 있는 세 자리 자연수를 생각한다.

답 (1) 48 (2) 30 (3) 20

날선 Point 자연수의 나열 ➡ 조건에 맞게 경우를 나누고, 순열을 생각한다.

1-1 0, 1, 2, 3, 4에서 서로 다른 4개를 뽑아 네 자리 자연수를 만들 때, 다음 물음에 답하시오.

(1) 만들 수 있는 자연수의 개수를 구하시오.

(2) 만들 수 있는 짝수의 개수를 구하시오.

(3) 만들 수 있는 4의 배수의 개수를 구하시오.

대표 **Q2** **이웃하거나 이웃하지 않는 순열**

◆ 정답 및 풀이 | **84**쪽

자음 ㄱ, ㄴ, ㄷ, ㄹ이 하나씩 적힌 카드 4장과 모음 ㅏ, ㅓ, ㅜ가 하나씩 적힌 카드 3장이 있다. 7장을 일렬로 나열할 때, 다음 물음에 답하시오.

(1) 모음끼리 이웃하는 경우의 수를 구하시오.

(2) 모음끼리 이웃하지 않는 경우의 수를 구하시오.

날선 Guide (1) 모음끼리 이웃하므로 모음 카드 3장을 한 묶음으로 보고 자음 카드 4장과 합하여 5장을 나열하는 경우를 생각한다. 이때 묶음 안에서 모음 카드 3장을 나열하는 경우의 수도 생각해야 한다는 것에 주의한다.

(2) 자음 카드 4장이 나열되어 있을 때, ㅏ를 놓을 수 있는 자리는 ◯로 표시한 5곳 중 한 곳이다. 이 중 한 곳에 ㅏ를 놓으면 ㅓ는 남은 4곳 중 한 곳에, ㅜ는 남은 3곳 중 한 곳에 놓으면 된다.

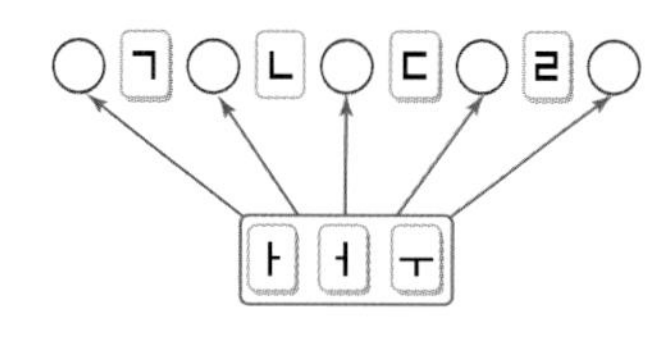

답 (1) 720 (2) 1440

- 이웃하는 경우의 수 ➡ 이웃하는 것을 한 묶음으로 생각한다.
- 이웃하지 않는 경우의 수 ➡ 이웃해도 되는 것을 먼저 나열하고, 그 사이사이와 양 끝에 이웃하지 않는 것을 채운다.

2-1 1부터 6까지 자연수가 하나씩 적힌 카드 6장을 일렬로 나열할 때, 다음 물음에 답하시오.

(1) 2의 배수끼리 이웃하는 경우의 수를 구하시오.

(2) 3의 배수끼리는 이웃하지 않는 경우의 수를 구하시오.

up **2-2** 세 쌍의 부부가 그림과 같이 의자 6개가 일렬로 나열된 영화관 좌석에 앉아 영화를 보려고 한다. 다음 물음에 답하시오.

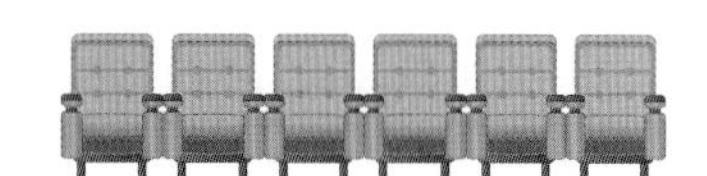

(1) 부부끼리 이웃하여 앉는 경우의 수를 구하시오.

(2) 부부끼리 이웃하여 앉고, 남녀가 번갈아 앉는 경우의 수를 구하시오.

'적어도'를 포함한 순열

◆ 정답 및 풀이 85쪽

A, B, C, D, E가 하나씩 적힌 카드 5장과 a, b, c가 하나씩 적힌 카드 3장이 있다. 8장을 일렬로 나열할 때, 다음 물음에 답하시오.

(1) 짝수 번째 자리에 대문자가 있는 경우의 수를 구하시오.

(2) A와 B 사이에 소문자만 2개 있는 경우의 수를 구하시오.

(3) 적어도 한쪽 끝이 소문자인 경우의 수를 구하시오.

날선 Guide (1) 먼저 짝수 번째 자리에 A, B, C, D, E 중 4장을 뽑아 나열한다.
그리고 홀수 번째 자리에 남은 4장을 나열한다.

□○□○□○□○

A B C D E

(2) A와 B 사이에 소문자만 2개인 경우는 다음과 같다.

AabB AbcB AcaB AbaB AcbB AacB … ㉠

곧, a, b, c 중 2장을 뽑아 나열하는 경우이다.
이때 A와 B가 바뀌는 경우도 생각한다.
그리고 ㉠을 한 묶음으로 보고, 나머지 4장과 합하여 5장을 나열하는 경우를 생각한다.

(3) 적어도 한쪽 끝이 소문자인 경우는 양 끝이 (소문자, 소문자), (소문자, 대문자), (대문자, 소문자)인 경우이다.
각 경우를 모두 조사해도 되지만 전체 경우에서 (대문자, 대문자)인 경우를 빼도 된다.

Ⓢ○○○○○○Ⓢ
Ⓢ○○○○○○Ⓓ
Ⓓ○○○○○○Ⓢ
Ⓓ○○○○○○Ⓓ

(Ⓢ = 소, Ⓓ = 대; 위 세 줄: 적어도 한쪽 끝이 소문자)

답 (1) 2880 (2) 1440 (3) 25920

날선 Point '적어도'를 포함한 경우의 수 ➡ 여집합을 생각한다.

3-1 1, 2, 3, 4, 5가 하나씩 적힌 카드 5장을 뽑아 다섯 자리 자연수를 만들 때, 다음 물음에 답하시오.

(1) 1과 2 사이에 숫자가 한 개 있는 자연수의 개수를 구하시오.

(2) 만의 자리 숫자와 일의 자리 숫자 중 적어도 하나는 짝수인 자연수의 개수를 구하시오.

3-2 남학생 3명과 여학생 4명이 기념 사진을 찍기 위해 일렬로 설 때, 여학생 4명 중 적어도 2명이 이웃하는 경우의 수를 구하시오.

사전식 배열

◆ 정답 및 풀이 85쪽

1, 2, 3, 4, 5가 하나씩 적힌 카드 5장을 일렬로 나열하여 다섯 자리 자연수를 만들 때, 다음 물음에 답하시오.

(1) 42000보다 큰 수의 개수를 구하시오.

(2) 크기가 작은 수부터 배열할 때 86번째 오는 수를 구하시오.

날선 Guide (1) 42000보다 큰 수는

42○○○, 43○○○, 45○○○, 5○○○○

꼴이므로 각각 가능한 자연수의 개수를 구한다.

(2) 1○○○○ 꼴은 $4!=24$
2○○○○ 꼴은 $4!=24$ — 48개
3○○○○ 꼴은 $4!=24$ — 72개
4○○○○ 꼴은 $4!=24$ — 96개

이므로 86번째 수는 4○○○○ 꼴이다.

같은 방법으로 천의 자리의 숫자를 생각하면

41○○○ 꼴은 $3!=6$

⋮

이와 같은 방법으로 86번째 오는 수를 찾는다.

답 (1) 42 (2) 43152

경우의 수를 구할 때 ➡ 작은 수부터 또는 사전식으로 나열한다.

4-1 a, b, c, d, e가 하나씩 적힌 카드 5장을 일렬로 나열하여 만든 문자열을 사전식으로 배열할 때, 다음 물음에 답하시오.

(1) cdabe보다 앞에 오는 문자열의 개수를 구하시오.

(2) 40번째 오는 문자열을 구하시오.

4-2 E, L, O, V를 한 번씩 사용하여 만든 문자열을 사전식으로 ELOV부터 VOLE까지 배열할 때, LOVE는 몇 번째 오는 문자열인지 구하시오.

10-3 조합

서로 다른 n개에서 순서를 생각하지 않고 r $(r \le n)$개를 뽑는 것을 n개에서 r개를 뽑는 **조합**이라 하고, 이 조합의 수를 $_n\mathrm{C}_r$로 쓴다.

$$_n\mathrm{C}_r = \frac{_n\mathrm{P}_r}{r!}$$

조합 • 1, 2, 3, 4가 하나씩 적힌 카드 4장에서 순서를 생각하지 않고 3장을 뽑으면

$$\{1, 2, 3\}, \{1, 2, 4\}, \{1, 3, 4\}, \{2, 3, 4\} \quad \cdots ㉠$$

이다. 이것을 서로 다른 4개에서 3개를 뽑는 조합이라 한다.

그리고 4개에서 3개를 뽑는 조합의 수를 $_4\mathrm{C}_3$으로 쓴다.

㉠의 각 경우에서 순서를 생각하여 세 자리 자연수를 만들면

$\{1, 2, 3\}$ ➡ 123, 132, 213, 231, 312, 321

$\{1, 2, 4\}$ ➡ 124, 142, 214, 241, 412, 421

$\{1, 3, 4\}$ ➡ 134, 143, 314, 341, 413, 431

$\{2, 3, 4\}$ ➡ 234, 243, 324, 342, 423, 432

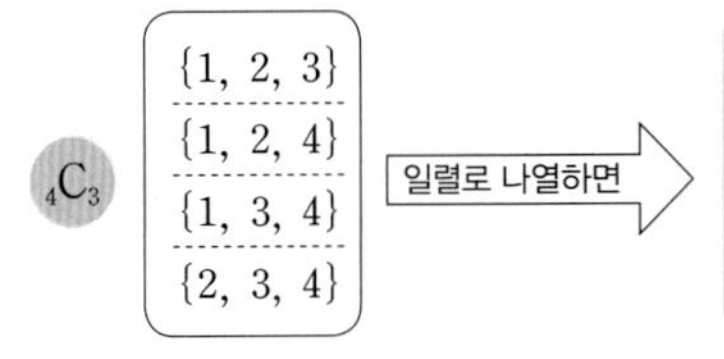

123, 132, 213, 231, 312, 321
124, 142, 214, 241, 412, 421
134, 143, 314, 341, 413, 431
234, 243, 324, 342, 423, 432

각각 3!가지

여기에서 세 자리 자연수의 개수는 4장에서 3장을 뽑는 순열의 수이므로

$$_4\mathrm{C}_3 \times 3! = {_4\mathrm{P}_3}, \text{ 곧 } _4\mathrm{C}_3 = \frac{_4\mathrm{P}_3}{3!}$$

가 성립한다.

조합의 수 • 서로 다른 n개에서 순서를 생각하지 않고 r개를 뽑는 것을 n개에서 r개를 뽑는 조합이라 하고, 조합의 수를 $_n\mathrm{C}_r$로 나타낸다.

각 조합에 대하여 r개를 나열하는 순열이 있고, 이 순열의 수가 $r!$이므로

$$_n\mathrm{C}_r \times r! = {_n\mathrm{P}_r}, \text{ 곧 } _n\mathrm{C}_r = \frac{_n\mathrm{P}_r}{r!}$$

개념 Check

◆ 정답 및 풀이 86쪽

5 다음을 기호 $_n\mathrm{C}_r$로 나타내시오.

(1) 6명 중 봉사 활동을 할 4명을 뽑는 경우의 수

(2) 10팀 중 시범 경기를 할 2팀을 뽑는 경우의 수

10-4 조합의 계산

1 ${}_{n}C_{r}=\dfrac{{}_{n}P_{r}}{r!}=\dfrac{n!}{r!(n-r)!}$

2 ${}_{n}C_{r}={}_{n}C_{n-r}$

3 ${}_{n}C_{n}=1,\ {}_{n}C_{0}=1$

조합의 계산

${}_{n}P_{r}=\dfrac{n!}{(n-r)!}$이므로 ${}_{n}C_{r}=\dfrac{{}_{n}P_{r}}{r!}=\dfrac{n!}{r!(n-r)!}$ ⋯ ㉠

따라서 ${}_{6}C_{4}$는 다음 두 가지 방법으로 계산할 수 있다.

$${}_{6}C_{4}=\frac{{}_{6}P_{4}}{4!}=\frac{6\times5\times4\times3}{4\times3\times2\times1}=15$$

$${}_{6}C_{4}=\frac{6!}{4!\times2!}=\frac{6\times5\times4\times3\times2\times1}{4\times3\times2\times1\times2\times1}=15$$

${}_{n}C_{r}={}_{n}C_{n-r}$

${}_{n}P_{n-r}=\dfrac{n!}{\{n-(n-r)\}!}=\dfrac{n!}{r!}$이므로 ${}_{n}C_{n-r}=\dfrac{{}_{n}P_{n-r}}{(n-r)!}=\dfrac{n!}{r!(n-r)!}$

㉠과 비교하면 ${}_{n}C_{r}={}_{n}C_{n-r}$

따라서 ${}_{6}C_{4}={}_{6}C_{2}=\dfrac{{}_{6}P_{2}}{2!}=\dfrac{6\times5}{2\times1}=15$이다.

참고 6명 중 임원 4명을 뽑는 것과 임원을 하지 않는 2명을 뽑는 것은 같다.
따라서 ${}_{6}C_{4}={}_{6}C_{2}$이다.
이와 같이 n명 중 r명을 뽑는 경우의 수와 남아 있는 $(n-r)$명을 뽑는 경우의 수가 같으므로 ${}_{n}C_{r}={}_{n}C_{n-r}$라 해도 된다.

임원을 하지 않는 2명

${}_{n}C_{n}=1$, ${}_{n}C_{0}=1$

${}_{n}C_{r}=\dfrac{{}_{n}P_{r}}{r!}$에서 ${}_{n}P_{n}=n!$, ${}_{n}P_{0}=1$, $0!=1$이므로 ${}_{n}C_{n}=1$, ${}_{n}C_{0}=1$이다.

개념 Check

정답 및 풀이 86쪽

6 다음 값을 구하시오.

(1) ${}_{4}C_{0}$ (2) ${}_{5}C_{2}$ (3) ${}_{5}C_{4}$ (4) ${}_{4}C_{4}$

7 탁구 동아리 회원 10명 중 경기를 할 2명을 뽑는 경우의 수를 구하시오.

8 학생 8명 중 임원 3명을 뽑는 경우의 수를 구하시오.

대표 Q5 ${}_n\mathrm{C}_r$의 계산

◆ 정답 및 풀이 86쪽

다음 물음에 답하시오.

(1) ${}_n\mathrm{C}_2={}_n\mathrm{C}_4$일 때, n의 값을 구하시오.

(2) ${}_{10}\mathrm{C}_n={}_{10}\mathrm{C}_{2n-2}$일 때, n의 값을 모두 구하시오.

(3) $1\le r<n$일 때, ${}_n\mathrm{C}_r={}_{n-1}\mathrm{C}_{r-1}+{}_{n-1}\mathrm{C}_r$가 성립함을 보이시오.

날선 Guide (1) $\dfrac{{}_n\mathrm{P}_2}{2!}=\dfrac{{}_n\mathrm{P}_4}{4!}$에서 ${}_n\mathrm{P}_2=n(n-1)$, ${}_n\mathrm{P}_4=n(n-1)(n-2)(n-3)$을 대입하고 방정식을 푼다.

참고 ${}_n\mathrm{C}_2={}_n\mathrm{C}_{n-2}$, 곧 ${}_n\mathrm{C}_{n-2}={}_n\mathrm{C}_4$에서 $n\ (n\ge4)$의 값을 구할 수도 있다.

(2) ${}_{10}\mathrm{C}_n={}_{10}\mathrm{C}_{2n-2}$에서 $n=2n-2$일 때와
${}_{10}\mathrm{C}_n={}_{10}\mathrm{C}_{10-n}$, 곧 ${}_{10}\mathrm{C}_{10-n}={}_{10}\mathrm{C}_{2n-2}$에서 $10-n=2n-2$일 때로 나누어 생각한다.

(3) ${}_n\mathrm{C}_r=\dfrac{{}_n\mathrm{P}_r}{r!}=\dfrac{n!}{r!(n-r)!}$을 이용하여 우변을 정리한 후, 좌변과 비교한다.

참고 A를 포함한 10명 중에서 4명을 뽑는 경우는
A와 9명 중 나머지 3명를 뽑는 경우와
A를 빼고 9명 중 4명을 뽑는 경우로 나눌 수 있다.
따라서 ${}_{10}\mathrm{C}_4={}_9\mathrm{C}_3+{}_9\mathrm{C}_4$이다.
이와 같이 n개에서 순서를 생각하지 않고 r개를 뽑는 경우에 특정한 한 개를 뽑는 경우와 뽑지 않는 경우로 나누어 생각하면 다음이 성립한다.

$${}_n\mathrm{C}_r={}_{n-1}\mathrm{C}_{r-1}+{}_{n-1}\mathrm{C}_r$$

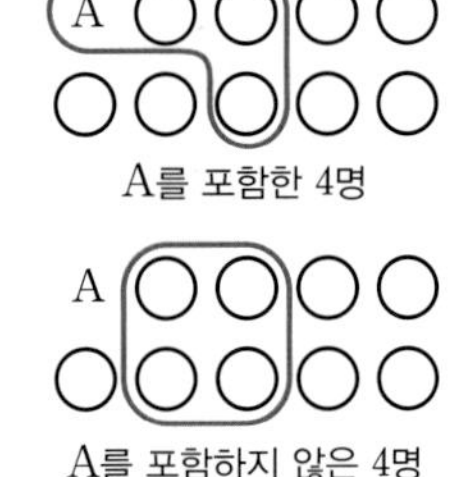

답 (1) 6 (2) 2, 4 (3) 풀이 참조

날선 Point ${}_n\mathrm{C}_r=\dfrac{{}_n\mathrm{P}_r}{r!}=\dfrac{n!}{r!(n-r)!}$, ${}_n\mathrm{C}_r={}_n\mathrm{C}_{n-r}$ (단, $0\le r\le n$)

5-1 다음 등식을 만족시키는 n의 값을 구하시오.

(1) ${}_n\mathrm{C}_3=56$ (2) ${}_n\mathrm{C}_4={}_n\mathrm{C}_5$ (3) ${}_{n+2}\mathrm{C}_n=21$

5-2 다음 등식을 만족시키는 n의 값을 구하시오.

(1) $2\times{}_n\mathrm{C}_3=3\times{}_n\mathrm{P}_2$ (2) ${}_n\mathrm{C}_{n-1}+{}_n\mathrm{C}_{n-2}=28$

대표 Q6 뽑는 문제

◆ 정답 및 풀이 87쪽

1부터 10까지의 자연수가 하나씩 적힌 공 10개가 들어 있는 상자에서 공 4개를 동시에 꺼낼 때, 다음 물음에 답하시오.

(1) 공 4개를 꺼내는 경우의 수를 구하시오.

(2) 짝수가 적힌 공 2개, 홀수가 적힌 공 2개를 꺼내는 경우의 수를 구하시오.

(3) 적어도 하나는 홀수가 적힌 공을 꺼내는 경우의 수를 구하시오.

(4) 꺼낸 공 중 가장 작은 숫자가 2인 경우의 수를 구하시오.

날선 Guide (1) 순서를 생각하지 않으므로 10개에서 4개를 뽑는 조합이다.

(2) 짝수가 적힌 공 5개에서 2개를 꺼내는 경우의 수와
홀수가 적힌 공 5개에서 2개를 꺼내는 경우의 수를 각각 구한다.
그리고 곱의 법칙을 생각한다.

(3) 홀수가 적힌 공을 1개, 2개, 3개, 4개 꺼내는 경우를 모두 구하는 것보다
전체 경우의 수에서 짝수만 적힌 공을 꺼내는 경우의 수를 빼는 것이 더 편하다.

참고 '적어도 사건 A'인 경우의 수를 구할 때에는
전체 경우의 수에서 A가 아닌 경우의 수를 빼면 간단한 경우가 많다.

(4) 가장 작은 숫자가 2이면 1은 없고 2는 있는 경우이다.

답 (1) 210 (2) 100 (3) 205 (4) 56

동시에 뽑는 경우, 순서를 생각하지 않는 경우 ➡ 조합을 생각한다.

6-1 남자 6명, 여자 3명 중 3명의 위원을 선출할 때, 다음 물음에 답하시오.

(1) 남녀 구별 없이 3명을 뽑는 경우의 수를 구하시오.

(2) 남자 2명, 여자 1명을 뽑는 경우의 수를 구하시오.

(3) 적어도 여자를 1명 뽑는 경우의 수를 구하시오.

(4) 남자 1명, 여자 1명을 반드시 포함하는 경우의 수를 구하시오.

뽑고 나열하는 문제

◆ 정답 및 풀이 87쪽

A를 포함한 1학년 4명과 B를 포함한 2학년 6명으로 구성된 동아리에서 5명을 뽑을 때, 다음 물음에 답하시오.

(1) 5명을 일렬로 세우는 경우의 수를 구하시오.

(2) A와 B는 반드시 뽑아 5명을 일렬로 세우는 경우의 수를 구하시오.

(3) 1학년 2명과 2학년 3명을 뽑아 일렬로 세우는 경우의 수를 구하시오.

(4) 1학년 2명과 2학년 3명을 뽑고 2학년이 양 끝에 오도록 일렬로 세우는 경우의 수를 구하시오.

날선 Guide (1) 10명에서 5명을 뽑는 경우의 수는 ${}_{10}C_5$이고
5명을 나열하는 경우의 수는 $5!$이므로 ${}_{10}C_5 \times 5!$을 계산한다.

참고 뽑은 순서대로 세운다고 생각하면 되므로 ${}_{10}P_5$를 생각해도 된다.

(2) A와 B를 반드시 뽑아야 하므로 A와 B를 제외한 8명에서 3명을 뽑는 경우를 생각한다.
A와 B의 위치를 모르므로 5명을 다 뽑고 일렬로 세우는 경우의 수를 구한다.

(3) 1학년 4명 중 2명을 뽑고, 2학년 6명 중 3명을 뽑은 다음,
5명을 일렬로 세우는 경우를 생각한다.

(4) 1학년 2명과 2학년 3명을 뽑는 경우의 수,
뽑은 2학년 3명 중 2명이 양 끝에 세우는 경우의 수,
나머지 3명을 일렬로 세우는 경우의 수
로 나누어 생각한다.

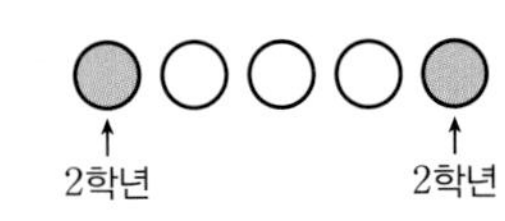

답 (1) 30240 (2) 6720 (3) 14400 (4) 4320

뽑는 조건이 있고 나열하는 문제
➡ 뽑는 경우의 수와 나열하는 경우의 수를 따로 생각한다.

7-1 A를 포함한 경찰관 5명과 B를 포함한 소방관 4명에서 4명을 뽑을 때, 다음 물음에 답하시오.

(1) 4명을 일렬로 세우는 경우의 수를 구하시오.

(2) A와 B는 반드시 뽑아 4명을 일렬로 세우는 경우의 수를 구하시오.

(3) 경찰관 2명과 소방관 2명을 뽑아 일렬로 세우는 경우의 수를 구하시오.

(4) 경찰관 3명과 소방관 1명을 뽑고 경찰관 2명이 양 끝에 오도록 일렬로 세우는 경우의 수를 구하시오.

대표 Q8

선분, 직선, 삼각형의 개수

◆ 정답 및 풀이 88쪽

그림과 같이 좌표평면 위에 점 12개가 있을 때, 다음을 구하시오.

(1) 두 점을 연결하여 만들 수 있는 서로 다른 선분의 개수

(2) 두 점을 연결하여 만들 수 있는 서로 다른 직선의 개수

(3) 세 점을 꼭짓점으로 하는 삼각형의 개수

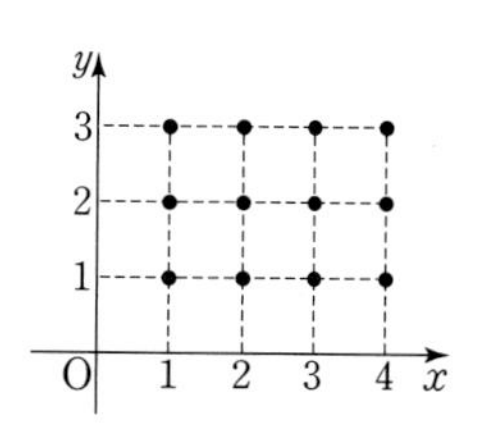

날선 Guide (1) 두 점을 택하면 선분이 하나 정해진다.

(2) 두 점을 택하면 직선이 하나 정해진다.

그런데 한 직선 위에 있는 빨간색 점 4개에서 2개를 뽑아 만든 직선은 모두 같은 직선이므로 하나로 세어야 한다.

이와 같이 한 직선 위에 있는 2개 이상의 점을 연결하여 만들 수 있는 직선은 한 개이므로 한 직선 위에 세 점 이상이 있는 경우를 모두 찾아 하나로 세어야 한다.

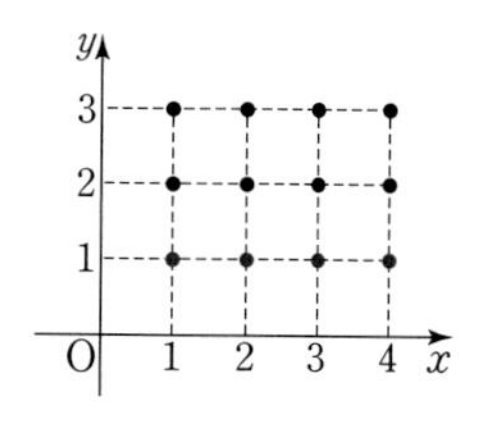

(3) 한 직선 위에 있지 않은 세 점을 택하면 삼각형이 하나 정해진다.

그런데 한 직선 위에 있는 세 점을 택하는 경우는 삼각형이 되지 않으므로 이런 경우를 빼야 한다.

답 (1) 66 (2) 35 (3) 200

날선 Point

- 선분, 직선 ➡ 두 점을 택한다.
- 삼각형 ➡ 세 점을 택한다. (단, 한 직선 위에 세 점이 있는 경우 주의한다.)

8-1 그림과 같이 반원 위에 점 7개가 있을 때, 다음을 구하시오.

(1) 두 점을 연결하여 만들 수 있는 서로 다른 선분의 개수

(2) 두 점을 연결하여 만들 수 있는 서로 다른 직선의 개수

(3) 세 점을 꼭짓점으로 하는 삼각형의 개수

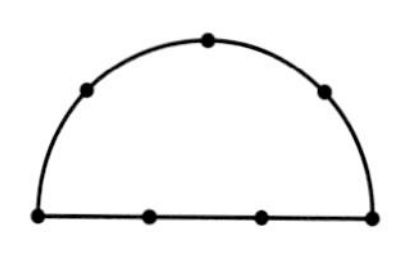

8-2 그림과 같이 삼각형의 변 위에 점 9개가 있다. 다음을 구하시오.

(1) 두 점을 연결하여 만들 수 있는 서로 다른 직선의 개수

(2) 세 점을 꼭짓점으로 하는 삼각형의 개수

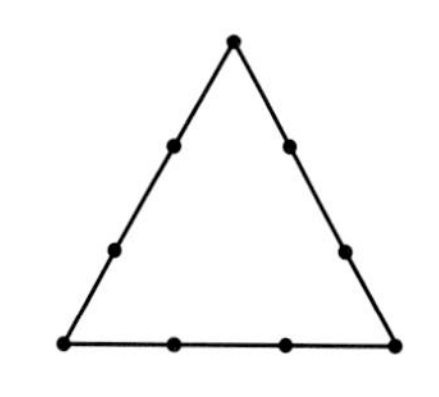

조를 나누는 문제

◆ 정답 및 풀이 89쪽

서로 다른 사탕 9개를 세 묶음으로 나눌 때, 다음 물음에 답하시오.

(1) 2개, 2개, 5개 세 묶음으로 나누는 경우의 수를 구하시오.

(2) 2개, 2개, 5개 세 묶음으로 나눈 다음, 세 명에게 나누어 주는 경우의 수를 구하시오.

날선 Guide A, B, C, D를 (1개, 3개)의 두 묶음과 (2개, 2개)의 두 묶음으로 나누는 경우를 조사하면

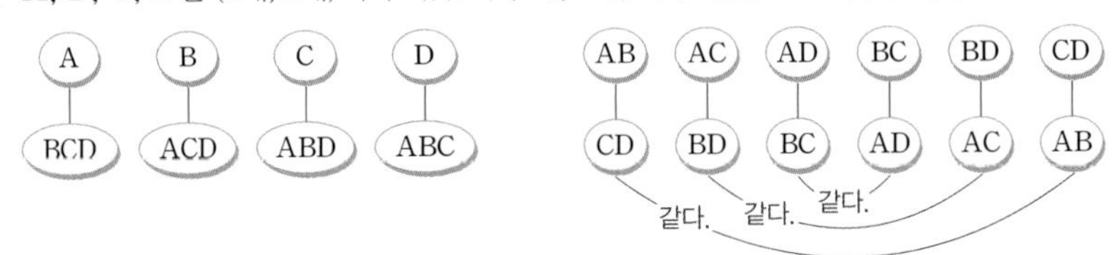

(i) (1개, 3개)의 두 묶음으로 나누는 경우

4개에서 1개를 뽑고, 나머지 3개에서 3개를 뽑는 경우이므로

$${}_4C_1\times{}_3C_3=4\times1=4$$

(ii) (2개, 2개)의 두 묶음으로 나누는 경우

4개에서 2개를 뽑고, 나머지 2개에서 2개를 뽑는 경우이므로

$${}_4C_2\times{}_2C_2=6\times1=6$$

그런데 이와 같이 나누면 위 그림과 같이 개수가 같아 위, 아래 묶음이 서로 구분되지 않기 때문에 $2!=2$개씩 중복된다. 따라서 경우의 수는

$${}_4C_2\times{}_2C_2\times\frac{1}{2!}=6\times1\times\frac{1}{2}=3$$

일반적으로 묶음을 생각할 때, 개수가 같은 묶음이 2개이면 $2!$, 개수가 같은 묶음이 3개이면 $3!$, …로 나누면 된다.

답 (1) 378 (2) 2268

- 개수가 같은 묶음이 r개이면 ➡ $r!$로 나눈다.
- n묶음으로 나누어 n명에게 나누어 주는 경우의 수 ➡ $n!$을 곱한다.

9-1 학생 6명을 몇 개의 조로 나눌 때, 다음 물음에 답하시오.

(1) 4명, 2명 두 개의 조로 나누는 경우의 수와 두 개의 조가 A, B 실험을 하나씩 나누어 하는 경우의 수를 구하시오.

(2) 2명, 2명, 2명 세 개의 조로 나누는 경우의 수와 세 개의 조가 A, B, C 실험을 하나씩 나누어 하는 경우의 수를 구하시오.

대표 Q10 순열, 조합 구분하기

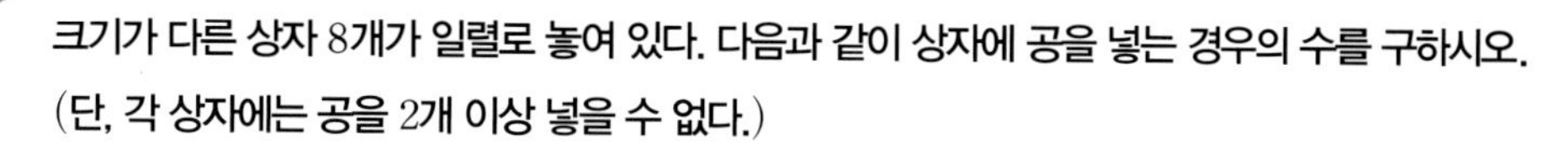

◆ 정답 및 풀이 89쪽

크기가 다른 상자 8개가 일렬로 놓여 있다. 다음과 같이 상자에 공을 넣는 경우의 수를 구하시오. (단, 각 상자에는 공을 2개 이상 넣을 수 없다.)

(1) 서로 다른 공 5개를 상자에 넣는 경우

(2) 똑같은 공 5개를 상자에 넣는 경우

(3) 크기가 서로 다른 공 5개를 넣는데, 큰 공은 작은 공보다 더 큰 상자에 넣는 경우

날선 Guide (1) 상자 5개를 뽑고 나면 서로 다른 공을 넣어야 하므로 8개에서 5개를 뽑아 나열하는 순열이다.

(2) 상자 5개를 뽑고 나면 공이 같으므로 어떤 공을 어떤 상자에 넣어도 상관없다.
따라서 8개에서 순서를 생각하지 않고 5개를 뽑는 조합이다.

(3) 상자 5개를 뽑은 다음 공을 크기순으로 넣으면 된다.
곧, 순서가 정해져 있으므로 순서를 생각하지 않아도 된다.

답 (1) 6720 (2) 56 (3) 56

날선 Point
- '서로 다른'이 있으면 ➡ 순열을 생각한다.
- 구분되지 않으면 ➡ 조합을 생각한다.
- 순서가 정해져 있으면 ➡ 순서를 생각하지 않아도 되므로 조합을 생각한다.

10-1 7명에게 연필 3자루를 나누어 주려고 한다. 연필이 다음과 같을 때의 경우의 수를 구하시오. (단, 한 사람이 2자루 이상 받을 수 없다.)

(1) 서로 다른 연필 (2) 서로 같은 연필

up 10-2 집합 $X=\{1, 2, 3, 4\}$에서 집합 $Y=\{1, 2, 3, 4, 5, 6\}$으로의 함수 f 중

$$x_1 < x_2 \text{이면 } f(x_1) < f(x_2)$$

를 만족시키는 함수 f의 개수를 구하시오.

01 다음 등식을 만족시키는 자연수 n의 값을 구하시오.

(1) ${}_{n}\mathrm{P}_{2}+{}_{n}\mathrm{P}_{1}=64$ (2) ${}_{n}\mathrm{P}_{4}=20{}_{n}\mathrm{P}_{2}$

02 다음 등식을 성립함을 보이시오. (단, $1<r\leq n$)

$${}_{n}\mathrm{P}_{r}=n\times{}_{n-1}\mathrm{P}_{r-1}$$

03 1, 2, 3, 4, 5, 6을 한 번씩만 사용하여 만들 수 있는 여섯 자리 자연수 중 십만의 자리 숫자와 일의 자리 숫자가 모두 3의 배수인 자연수의 개수를 구하시오.

04 1, 2, 3, 4, 5가 하나씩 적힌 카드 5장을 일렬로 나열하여 만든 다섯 자리 자연수 중 1이 2보다 앞에 오는 자연수의 개수를 구하시오.

05 학생 A, B, C, D를 일렬로 세울 때, 다음 물음에 답하시오.

(1) 4명을 일렬로 세우는 경우의 수를 구하시오.

(2) A를 맨 앞에, D를 맨 뒤에 세우는 경우의 수를 구하시오.

(3) B와 C를 이웃하게 세우는 경우의 수를 구하시오.

06 그림과 같이 한 줄에 3개씩 모두 6개의 좌석이 있는 케이블카가 있다. 두 학생 A, B를 포함한 5명의 학생이 이 케이블카에 탑승하여 A, B는 같은 줄의 좌석에 앉고 나머지 세 명은 맞은편 줄의 좌석에 앉는 경우의 수를 구하시오.

07 다음 등식을 만족시키는 n의 값을 모두 구하시오.

(1) ${}_{20}\mathrm{C}_{n^2}={}_{20}\mathrm{C}_{5n-4}$

(2) ${}_{n+3}\mathrm{C}_2={}_{n+1}\mathrm{C}_2+{}_{n}\mathrm{C}_2$

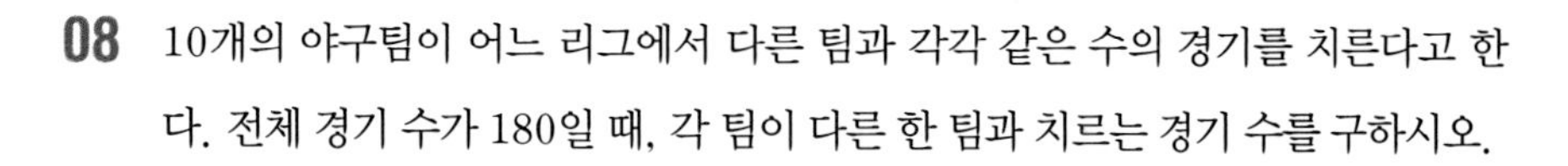

08 10개의 야구팀이 어느 리그에서 다른 팀과 각각 같은 수의 경기를 치른다고 한다. 전체 경기 수가 180일 때, 각 팀이 다른 한 팀과 치르는 경기 수를 구하시오.

09 A, B를 포함한 학생 10명에서 4명을 뽑을 때, A와 B 중 적어도 한 명을 포함하는 경우의 수를 구하시오.

10 9개의 숫자 0, 0, 0, 1, 1, 1, 1, 1, 1을 0끼리는 어느 것도 이웃하지 않도록 일렬로 나열하여 만들 수 있는 아홉 자리의 자연수의 개수를 구하시오.

11 십이각형의 대각선의 개수를 구하시오.

12 그림과 같이 크기가 같은 정사각형 12개로 이루어진 도형이 있다. 이 도형의 선들로 사각형을 만들 때, 다음 물음에 답하시오.

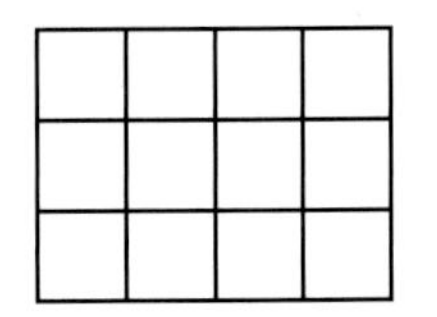

(1) 직사각형의 개수를 구하시오.

(2) 정사각형의 개수를 구하시오.

13 1, 2, 3, 4, 5, 6에서 서로 다른 3개를 뽑아 세 자리 자연수를 만들 때, 십의 자리 숫자가 6인 자연수의 합을 구하시오.

14 문자 A, B, C, D, E, F를 일렬로 나열할 때, A와 B는 이웃하게 E와 F는 이웃하지 않게 나열하는 경우의 수를 구하시오.

15 문자 s, t, r, o, n, g를 일렬로 나열할 때, 다음 물음에 답하시오.

(1) 한쪽 끝에 모음이 오는 경우의 수를 구하시오.

(2) s와 t 사이에 문자가 2개 있는 경우의 수를 구하시오.

16 문자 a, n, g, e, l을 나열할 때, a, n, g 중 적어도 2개가 이웃하도록 나열하는 경우의 수를 구하시오.

17 1, 2, 3, 4, 5를 한 번씩만 사용하여 다섯 자리 자연수를 만들어 크기가 작은 수부터 순서대로

12345, 12354, 12435, ⋯

와 같이 나열하였다. 31254는 몇 번째 수인지 구하시오.

교육청 기출

18 서로 다른 네 가지 색이 있다. 이 중 네 가지 이하의 색을 이용하여 인접한 행정 구역을 구별할 수 있도록 모두 칠하고자 한다. 다섯 개의 구역을 서로 다른 색으로 칠할 수 있는 모든 경우의 수를 구하시오.
(단, 한 행정 구역에는 한 가지 색만 칠한다.)

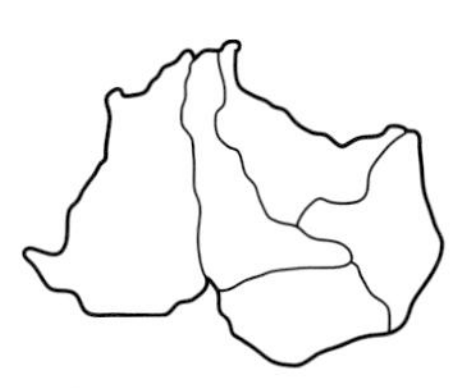

교육청 기출

19 그림과 같이 9개의 칸으로 나누어진 정사각형의 각 칸에 1부터 9까지의 자연수가 적혀 있다. 이 9개의 숫자 중 다음 조건을 모두 만족시키도록 2개의 숫자를 선택하려고 한다.

1	2	3
4	5	6
7	8	9

(가) 선택한 2개의 숫자는 서로 다른 가로줄에 있다.
(나) 선택한 2개의 숫자는 서로 다른 세로줄에 있다.

예를 들어, 숫자 1과 5를 선택하는 것은 조건을 만족시키지만, 숫자 3과 9를 선택하는 것은 조건을 만족시키지 않는다. 조건을 모두 만족시키도록 2개의 숫자를 선택하는 경우의 수를 구하시오.

20 어느 지역 과학 경진 대회에 6개 고등학교 학생이 각각 2명씩 12명이 참가하였다. 이 중 4명을 뽑을 때, 다음 물음에 답하시오.

(1) 같은 학교의 학생이 없는 경우의 수를 구하시오.

(2) 뽑은 4명에게 대상, 최우수상, 우수상, 장려상을 주는 경우의 수를 구하시오.
(단, 같은 학교 학생이 대상과 최우수상을 동시에 받을 수 없다.)

21 모두 운전이 가능한 가족 10명이 있을 때, 다음 물음에 답하시오.

(1) 가족 10명을 최대 4명으로 구성된 세 모임으로 나누는 경우의 수를 구하시오.

(2) (1)의 세 모임이 각각 다른 승용차 3대에 나누어 타는 경우의 수를 구하시오.

22 1부터 9까지의 자연수를 일렬로 나열할 때, 맨 앞에 있는 수부터 차례로 a_1, a_2, a_3, $\cdots$, a_9라 하자. 다음 조건을 모두 만족시키도록 나열하는 경우의 수를 구하시오.

(가) $a_1 < a_2 < a_3 < a_4 < a_5$ (나) $a_5 > a_6 > a_7 > a_8 > a_9$

23 그림은 평행사변형의 각 변을 4등분하여 얻은 도형이다. 이 도형의 선들로 만들 수 있는 평행사변형 중 색칠한 부분을 포함하는 평행사변형의 개수는?

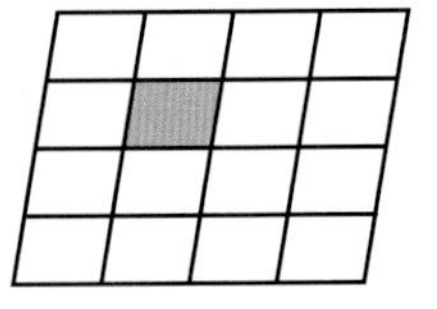

① 24 ② 30 ③ 36 ④ 42 ⑤ 48

수능 기출

24 서로 다른 공 4개를 남김없이 서로 다른 상자 4개에 나누어 넣을 때, 상자 속 공의 개수가 1인 상자가 존재하는 경우의 수는?
(단, 공을 하나도 넣지 않은 상자가 있을 수 있다.)

① 204 ② 208 ③ 212 ④ 216 ⑤ 220

정답 개수: /24 오답 번호 Check:

내일의 꿈을 만들어 가는
교육문화 1등 기업

동아출판

대한민국 교육브랜드 대상
20회 수상

한국출판문화상
1회 수상

학부모가 뽑은 교육브랜드 대상
46회 수상

올해의 브랜드 대상
5회 수상

날선개념 고등 수학(하)

전통과 신뢰

동아출판은 1945년 설립 이래 70여 년간 교육 도서를 발간해 온 교육문화 1등 기업으로, 교육 그 이상의 가치 실현을 위해 오늘도 노력합니다.

나눔과 배려

동아출판은 다양한 사회공헌 활동을 통하여 내일의 꿈을 만들어 갑니다.

- 동아출판 장학생 선정 지원
- 사회단체 도서·참고서 기부
- 지역 아동센터 후원
- 지역사회 나눔 봉사 활동

고객과 함께

동아출판은 고객이 만족하는 제품과 서비스를 만들기 위하여 항상 고객의 입장에서 생각하고 행동합니다.

- 정답 및 풀이는 동아출판 홈페이지 내 학습자료실에서 내려받을 수 있습니다.
- 교재에서 발견된 오류는 동아출판 홈페이지 내 정오표에서 확인 가능하며, 잘못 만들어진 책은 구입처에서 교환해 드립니다.
- 학습 상담, 제안 사항, 오류 신고 등 어떠한 이야기라도 들려주세요.

Telephone 1644-0600
Internet www.bookdonga.com
Address 서울시 영등포구 은행로 30 (우 07242)

날선개념

학습 Note

고등 **수학(하)**

동아출판

This planner belongs to

Name 이름 ______________________

School & Grade 학교, 학년 ______________________

Birthday 생년월일 ______________________

Mobile 전화번호 ______________________

Address 주소 ______________________

E-mail ______________________

SNS ______________________

List of University

날선개념
학습 Note

고등 수학(하)

날선개념 학습 Note

날선개념 학습 Note는 다음 세 부분으로 구성되어 있습니다.

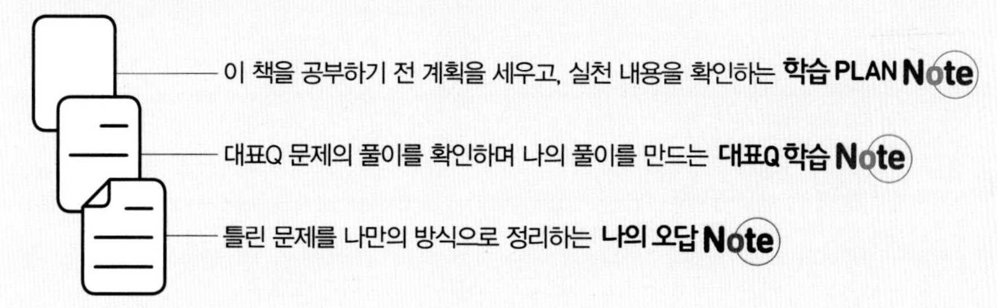

날선개념 학습 Note 한 권이면

학습 계획부터 대표Q 문제와 나의 풀이, 오답노트까지

수학 공부에 필요한 모든 내용을 담을 수 있습니다.

“

공부를 시작하는 순간부터 시험 직전까지

날선개념 학습 Note와 함께하세요.

”

이 책을 시작하는 나에게

공부 계획/목표

- ☑
- ☑
- ☑
- ☑

My Wish List

- ☑
- ☑
- ☑
- ☑

학습 PLAN Note 사용 설명서 How to use the note

이 책을 공부하는 나의 꿈과 계획, 구체적인 실천 결과를 기록하고 시험 전에 살펴보세요.
부족한 점이 무엇인지, 기억할 것이 무엇인지 확인할 수 있을 거예요.

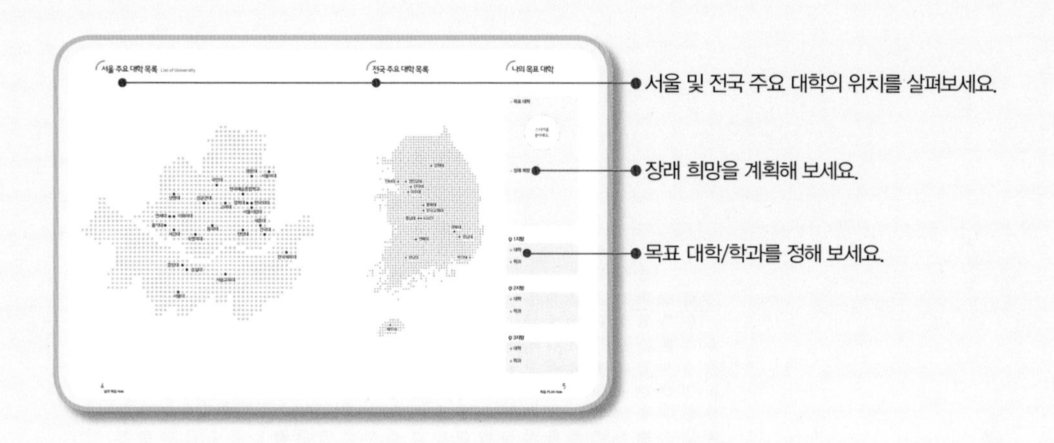

- 서울 및 전국 주요 대학의 위치를 살펴보세요.
- 장래 희망을 계획해 보세요.
- 목표 대학/학과를 정해 보세요.

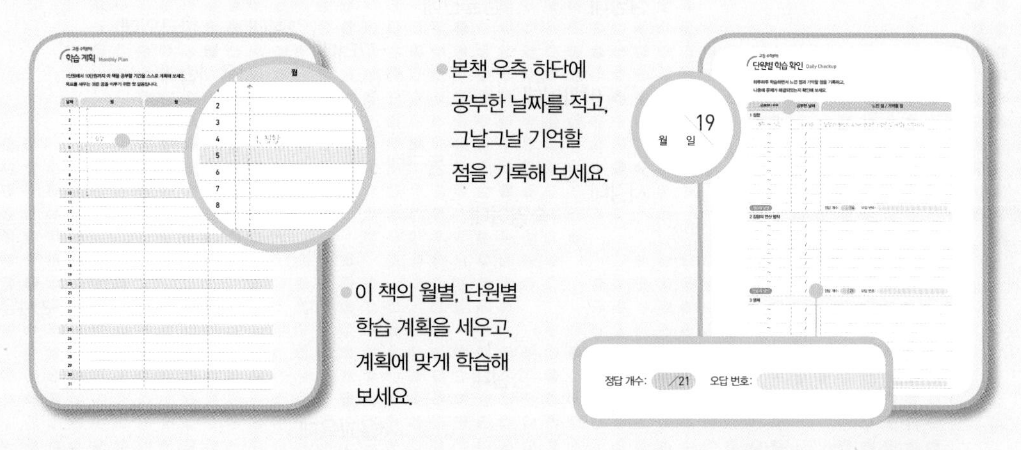

- 본책 우측 하단에 공부한 날짜를 적고, 그날그날 기억할 점을 기록해 보세요.
- 이 책의 월별, 단원별 학습 계획을 세우고, 계획에 맞게 학습해 보세요.
- 본책 '연습과 실전'에서 정답 개수와 오답 번호를 Check하고, 틀린 문제는 나의 오답 Note를 활용해 정리해 보세요.

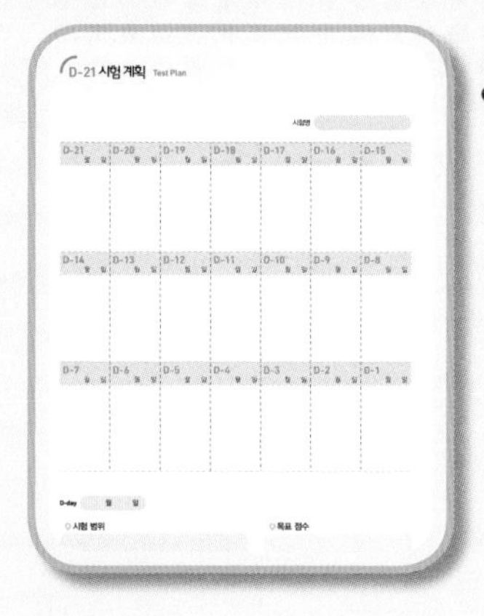

- 시험 D-21의 계획을 세우고 목표대로 학습하면 반드시 좋은 결과가 있을 거예요.

학습 PLAN Note 한글파일은 동아출판 홈페이지 (http://www.bookdonga.com)에서 다운로드 받을 수 있습니다.

학습자료

서울 주요 대학 목록 List of University

전국 주요 대학 목록

나의 목표 대학

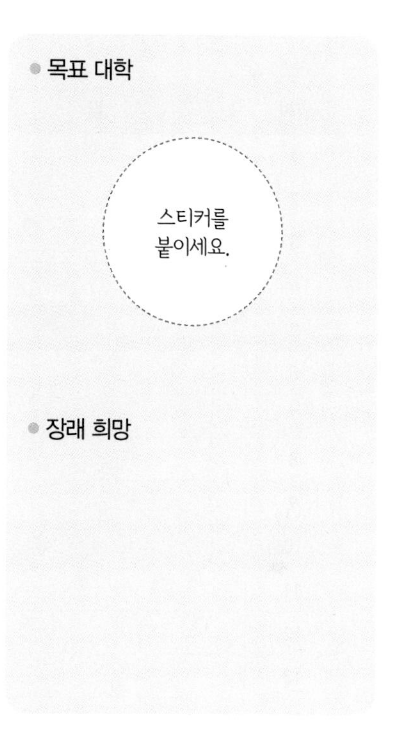

1지망

- 대학
- 학과

2지망

- 대학
- 학과

3지망

- 대학
- 학과

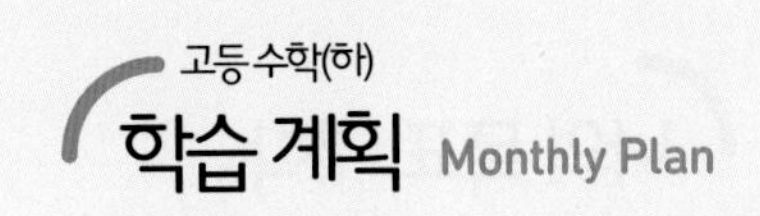

고등 수학(하)

학습 계획 Monthly Plan

1단원에서 10단원까지 이 책을 공부할 기간을 스스로 계획해 보세요.
목표를 세우는 것은 꿈을 이루기 위한 첫 걸음입니다.

날짜	월	월	월
1			
2			
3			
4	1. 집합		
5			
6			
7			
8			
9			
10			
11			
12			
13			
14			
15			
16			
17			
18			
19			
20			
21			
22			
23			
24			
25			
26			
27			
28			
29			
30			
31			

고등 수학(하)

단원별 학습 확인 Daily Checkup

하루하루 학습하면서 느낀 점과 기억할 점을 기록하고, 나중에 문제가 해결되었는지 확인해 보세요.

공부한 내용	공부한 날짜	느낀 점 / 기억할 점
1 집합		
8쪽 ~ 11쪽	3 / 10	집합의 원소가 k개이면 부분집합은 2^k개임을 기억하자!
~	/	
~	/	
~	/	
~	/	
~	/	
~	/	
~	/	
~	/	
연습과 실전	/	정답 개수: /16 오답 번호:
2 집합의 연산 법칙		
~	/	
~	/	
~	/	
~	/	
~	/	
~	/	
~	/	
연습과 실전	/	정답 개수: /21 오답 번호:
3 명제		
~	/	
~	/	
~	/	
~	/	
~	/	
~	/	
~	/	
~	/	
연습과 실전	/	정답 개수: /19 오답 번호:

공부한 내용	공부한 날짜	느낀 점 / 기억할 점
4 귀류법과 절대부등식		
~	/	
~	/	
~	/	
~	/	
~	/	
~	/	
~	/	
~	/	
연습과 실전	/	정답 개수: /12 오답 번호:
5 함수		
~	/	
~	/	
~	/	
~	/	
~	/	
~	/	
~	/	
연습과 실전	/	정답 개수: /18 오답 번호:
6 합성함수와 역함수		
~	/	
~	/	
~	/	
~	/	
~	/	
~	/	
~	/	
~	/	
~	/	
~	/	
~	/	
연습과 실전	/	정답 개수: /20 오답 번호:

공부한 내용	공부한 날짜	느낀 점 / 기억할 점
7 유리함수		
~	/	
~	/	
~	/	
~	/	
~	/	
~	/	
~	/	
~	/	
연습과 실전	/	정답 개수: /16 오답 번호:
8 무리함수		
~	/	
~	/	
~	/	
~	/	
~	/	
~	/	
연습과 실전	/	정답 개수: /15 오답 번호:
9 경우의 수		
~	/	
~	/	
~	/	
~	/	
연습과 실전	/	정답 개수: /14 오답 번호:
10 순열과 조합		
~	/	
~	/	
~	/	
~	/	
~	/	
~	/	
연습과 실전	/	정답 개수: /24 오답 번호:

D-21 시험 계획 Test Plan

시험명

D-21 월 일	D-20 월 일	D-19 월 일	D-18 월 일	D-17 월 일	D-16 월 일	D-15 월 일
D-14 월 일	D-13 월 일	D-12 월 일	D-11 월 일	D-10 월 일	D-9 월 일	D-8 월 일
D-7 월 일	D-6 월 일	D-5 월 일	D-4 월 일	D-3 월 일	D-2 월 일	D-1 월 일

D-day 월 일

시험 범위

목표 점수

대표Q 학습 Note 사용 설명서 How to use the note

대표Q 문제의 (날선 Guide)에는 문제의 출제 의도와 해결 원리, 떠올려야 할 핵심 개념과 Keyword가 수록되어 있습니다. (날선 Guide)를 모티브로 하여 대표Q 문제를 해결할 수 있도록 노력해 보세요.

“배운 개념이 어떻게 활용되는지 스스로 생각하고 학습할 수 있는 힘이 길러집니다.”

단순히 유형별로 분류된 문제의 풀이 방법을 외우는 것으로는 개념을 온전히 내 것으로 만들 수 없어요.
만약 (날선 Guide)만으로 대표Q 문제가 해결되지 않으면 **대표Q 학습 Note**를 활용해 보세요.
대표Q 학습 Note에는 본책의 대표Q 문제의 (날선 Guide)에 따른 자세한 해설이 수록되어 있습니다.
아래 방법을 참고하여 **대표Q 학습 Note**를 활용해 보세요.

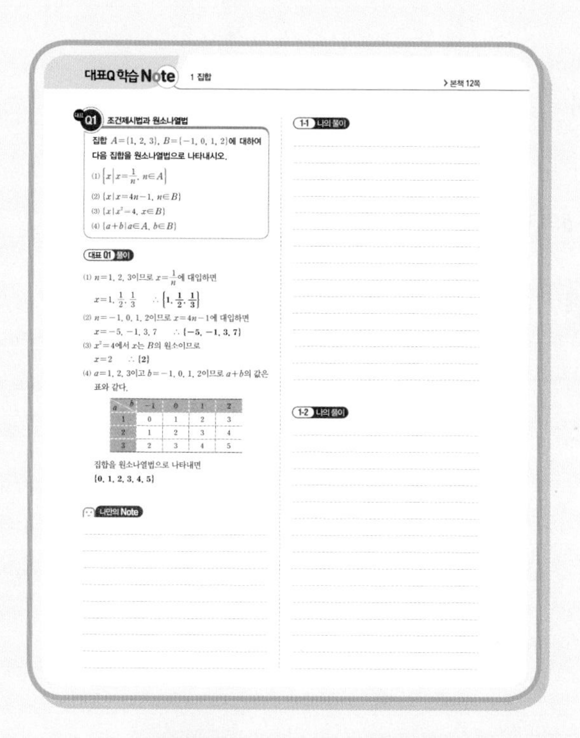

대표Q 학습 Note 1 집합 > 본책 12쪽

대표 Q1 조건제시법과 원소나열법

집합 $A=\{1, 2, 3\}$, $B=\{-1, 0, 1, 2\}$에 대하여 다음 집합을 원소나열법으로 나타내시오.

(1) $\left\{x \middle| x=\frac{1}{n}, n\in A\right\}$

(2) $\{x|x=4n-1, n\in B\}$

(3) $\{x|x^2=4, x\in B\}$

(4) $\{a+b|a\in A, b\in B\}$

대표 01 풀이

(1) $n=1, 2, 3$이므로 $x=\frac{1}{n}$에 대입하면
$x=1, \frac{1}{2}, \frac{1}{3}$ $\therefore \left\{1, \frac{1}{2}, \frac{1}{3}\right\}$

(2) $n=-1, 0, 1, 2$이므로 $x=4n-1$에 대입하면
$x=-5, -1, 3, 7$ $\therefore \{-5, -1, 3, 7\}$

(3) $x^2=4$에서 x는 B의 원소이므로
$x=2$ $\therefore \{2\}$

(4) $a=1, 2, 3$이고 $b=-1, 0, 1, 2$이므로 $a+b$의 값은 표와 같다.

a \ b	-1	0	1	2
1	0	1	2	3
2	1	2	3	4
3	2	3	4	5

집합을 원소나열법으로 나타내면
$\{0, 1, 2, 3, 4, 5\}$

나만의 Note

1-1 나의 풀이

1-2 나의 풀이

Step1

대표Q 문제를 해결하고 유제를 풀 때 **대표Q 학습** Note의 자세한 풀이를 참고해 보세요. **대표Q 문제**를 해결한 개념과 원리를 이용하면 유제를 어렵지 않게 해결 할 수 있을 거예요.

Step2

대표Q 문제를 해결할 때의 핵심 공식과 기억할 것, 주의할 점, 선생님 강의 내용, 나의 풀이 등을 **나만의** Note에 필기해 두세요. 따로 노트를 준비할 필요 없이 **대표Q 학습** Note 한 권으로 충분합니다.

Step3

대표Q 학습 Note에는 대표Q 문제 & 풀이, 나만의 Note, 나의 풀이까지 알아야 할 모든 내용이 담겨 있습니다. **대표Q 학습** Note가 나만의 수학 노하우가 담긴 훌륭한 친구가 될 거예요. 평소 수학을 공부할 때, 시험 기간에 빠르게 내용을 훑어보고 싶을 때, 모의고사 보기 직전 등 다양하게 활용해 보세요.

대표 Q1 조건제시법과 원소나열법

집합 $A=\{1, 2, 3\}$, $B=\{-1, 0, 1, 2\}$에 대하여 다음 집합을 원소나열법으로 나타내시오.

(1) $\left\{x \middle| x=\frac{1}{n}, n\in A\right\}$

(2) $\{x \mid x=4n-1, n\in B\}$

(3) $\{x \mid x^2=4, x\in B\}$

(4) $\{a+b \mid a\in A, b\in B\}$

대표 Q1 풀이

(1) $n=1, 2, 3$이므로 $x=\frac{1}{n}$에 대입하면

$x=1, \frac{1}{2}, \frac{1}{3}$ $\quad\therefore \left\{\mathbf{1}, \frac{\mathbf{1}}{\mathbf{2}}, \frac{\mathbf{1}}{\mathbf{3}}\right\}$

(2) $n=-1, 0, 1, 2$이므로 $x=4n-1$에 대입하면

$x=-5, -1, 3, 7$ $\quad\therefore \{\mathbf{-5, -1, 3, 7}\}$

(3) $x^2=4$에서 x는 B의 원소이므로

$x=2$ $\quad\therefore \{\mathbf{2}\}$

(4) $a=1, 2, 3$이고 $b=-1, 0, 1, 2$이므로 $a+b$의 값은 표와 같다.

a \ b	-1	0	1	2
1	0	1	2	3
2	1	2	3	4
3	2	3	4	5

집합을 원소나열법으로 나타내면

$\{\mathbf{0, 1, 2, 3, 4, 5}\}$

나만의 Note

1-1 나의 풀이

1-2 나의 풀이

대표 Q2 집합과 원소, 부분집합

집합 $A=\{1,\ 2,\ \{1,\ 2\}\}$에 대하여 보기에서 옳은 것의 개수는?

보기

ㄱ. $1\in A$

ㄴ. $\{2\}\in A$

ㄷ. $\{1, 2\}\in A$

ㄹ. $\varnothing\subset A$

ㅁ. $\{1\}\subset A$

ㅂ. $\{1, 2\}\not\subset A$

ㅅ. A의 부분집합 중 원소가 1개인 것은 $\{1\}$, $\{2\}$ 뿐이다.

① 3 ② 4 ③ 5 ④ 6 ⑤ 7

대표 Q2 풀이

A의 원소는 1, 2, $\{1, 2\}$이다.

ㄱ, ㅁ. 1은 A의 원소이므로 $1\in A$, $\{1\}\subset A$

ㄴ. 2는 A의 원소이므로 $2\in A$ $\therefore \{2\}\subset A$

ㄷ. $\{1, 2\}$는 A의 원소이므로 $\{1, 2\}\in A$

ㄹ. 공집합은 모든 집합의 부분집합이므로 $\varnothing\subset A$

ㅂ. 1, 2가 A의 원소이므로 $\{1, 2\}\subset A$

ㅅ. $\{\{1, 2\}\}$도 원소가 1개인 A의 부분집합이다.

따라서 옳은 것은 ㄱ, ㄷ, ㄹ, ㅁ의 4개이므로 ②이다.

나만의 Note

2-1 나의 풀이

대표 Q3 부분집합의 성질

다음 물음에 답하시오.

(1) 집합 $A=\{x|x^3+ax^2-x-a=0\}$, $B=\{2, b, c\}$에 대하여 $A\subset B$이고 $B\subset A$일 때, 실수 a, b, c의 값을 구하시오. (단, $b<c$)

(2) 집합 $A=\{x|-2\le x\le 4a\}$, $B=\{x|b\le x+a\le 5\}$, $C=\{x||x-a|\le c\}$에 대하여 $A\subset B$, $B\subset C$, $C\subset A$일 때, 실수 a, b, c의 값을 구하시오.

대표 Q3 풀이

(1) 2가 방정식의 해이므로

$2^3+a\times 2^2-2-a=0$, $3a=-6$ $\quad\therefore$ $\boldsymbol{a=-2}$

곧, $x^3-2x^2-x+2=0$이므로

$(x-2)(x+1)(x-1)=0$

$\therefore$ $x=2$ 또는 $x=-1$ 또는 $x=1$

$b<c$이므로 $\boldsymbol{b=-1}$, $\boldsymbol{c=1}$

(2) $A\subset B$, $B\subset C$, $C\subset A$이므로 $A=B=C$이다.

$A=\{x|-2\le x\le 4a\}$이고

$b\le x+a\le 5$에서 $b-a\le x\le 5-a$

$A=B$이므로

$b-a=-2$, $4a=5-a$ $\quad\therefore$ $\boldsymbol{a=1}$, $\boldsymbol{b=-1}$

$\therefore$ $A=B=\{x|-2\le x\le 4\}$

$|x-a|\le c$에서 $a=1$이므로

$-c\le x-1\le c$, $1-c\le x\le 1+c$

$A=C$이므로 $-2=1-c$ $\quad\therefore$ $\boldsymbol{c=3}$

나만의 Note

3-1 나의 풀이

3-2 나의 풀이

대표 Q4 부분집합의 개수

집합 $A=\{0, 2, 4, 6, 8\}$에 대하여 다음 물음에 답하시오.

(1) A의 부분집합의 개수를 구하시오.

(2) 0과 2가 원소가 아닌 A의 부분집합의 개수를 구하시오.

(3) 0과 2가 원소인 A의 부분집합의 개수를 구하시오.

(4) 0과 2 중 적어도 하나가 원소인 A의 부분집합의 개수를 구하시오.

대표 Q4 풀이

(1) $n(A)=5$이므로 A의 부분집합의 개수는 $2^5=\mathbf{32}$

(2) A에서 0과 2를 제외한 집합 $\{4, 6, 8\}$의 부분집합과 같다.
따라서 부분집합의 개수는 $2^3=\mathbf{8}$

(3) A에서 0과 2를 제외한 집합 $\{4, 6, 8\}$의 부분집합에 0과 2를 넣은 집합과 같다.
따라서 부분집합의 개수는 $2^3=\mathbf{8}$

(4) $\{4, 6, 8\}$의 부분집합에 0만 넣는 경우, 2만 넣는 경우, 0과 2를 모두 넣는 경우가 있다.
따라서 부분집합의 개수는 $2^3\times 3=\mathbf{24}$

나만의 Note

4-1 나의 풀이

본책 19쪽

대표 Q5 두 집합의 연산

전체집합이 $U=\{x \mid x$는 10보다 작은 자연수$\}$일 때,

$A=\{x \mid x$는 소수$\}$, $B=\{x \mid x$는 홀수$\}$

이다. 다음 집합을 원소나열법으로 나타내시오.

(1) $(A \cup B)-(A \cap B)$ (2) A^C-B

(3) $(A \cup B)^C$ (4) $A^C \cup B^C$

대표 Q5 풀이

$U=\{1, 2, 3, \cdots, 9\}$이므로

$A=\{2, 3, 5, 7\}$,

$B=\{1, 3, 5, 7, 9\}$

U와 A, B를 벤다이어그램으로 나타내면 그림과 같다.

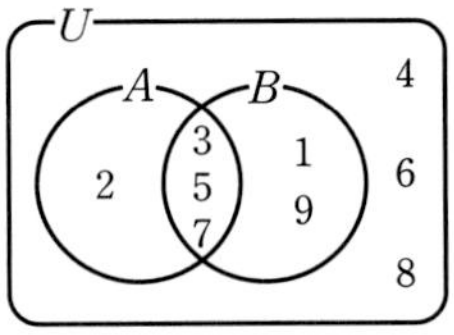

(1) $(A \cup B)-(A \cap B)=\mathbf{\{1, 2, 9\}}$

(2) $A^C-B=\mathbf{\{4, 6, 8\}}$

(3) $(A \cup B)^C=\mathbf{\{4, 6, 8\}}$

(4) $A^C \cup B^C=\mathbf{\{1, 2, 4, 6, 8, 9\}}$

나만의 Note

5-1 나의 풀이

5-2 나의 풀이

대표 Q6 세 집합의 연산

전체집합이 $U=\{x|x$는 12 이하의 자연수$\}$일 때,

$A=\{x|x$는 3의 배수$\}$

$B=\{x|5\le x\le 10\}$

$C=\{x|x$는 짝수$\}$

이다. 다음 집합을 원소나열법으로 나타내시오.

(1) $(A\cap B)\cap C^C$ (2) $A^C\cap(B\cup C)^C$

(3) $A-(B-C)$ (4) $(A-B)\cup(C-B)$

대표 Q6 풀이

$U=\{1, 2, 3, \cdots, 12\}$이므로

$A=\{3, 6, 9, 12\}$,

$B=\{5, 6, 7, 8, 9, 10\}$,

$C=\{2, 4, 6, 8, 10, 12\}$

U와 A, B, C를 벤다이어그램으로 나타내면 그림과 같다.

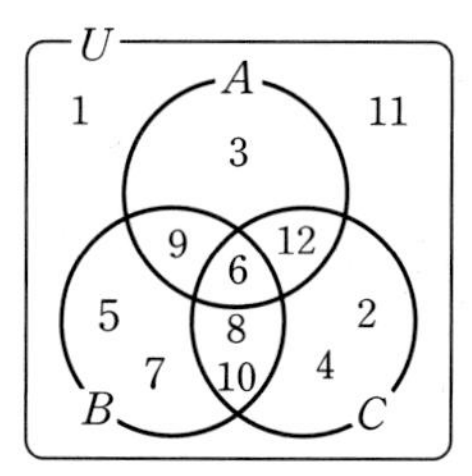

(1) $A\cap B=\{6, 9\}$, $C^C=\{1, 3, 5, 7, 9, 11\}$이므로
$(A\cap B)\cap C^C=\mathbf{\{9\}}$

(2) $A^C=\{1, 2, 4, 5, 7, 8, 10, 11\}$,
$B\cup C=\{2, 4, 5, 6, 7, 8, 9, 10, 12\}$에서
$(B\cup C)^C=\{1, 3, 11\}$
$\therefore A^C\cap(B\cup C)^C=\mathbf{\{1, 11\}}$

(3) $B-C=\{5, 7, 9\}$이므로
$A-(B-C)=\mathbf{\{3, 6, 12\}}$

(4) $A-B=\{3, 12\}$, $C-B=\{2, 4, 12\}$이므로
$(A-B)\cup(C-B)=\mathbf{\{2, 3, 4, 12\}}$

나만의 Note

6-1 나의 풀이

조건을 만족시키는 집합 구하기

다음 물음에 답하시오.

(1) 집합 $A=\{4,\ a,\ a^2+1\}$, $B=\{2,\ 3,\ a^2-5\}$에 대하여 $A\cap B=\{3,\ 4\}$일 때, 실수 a의 값과 $A\cup B$를 구하시오.

(2) 집합 $A=\{1,\ 3,\ a,\ 2a-1\}$, $B=\{3,\ a-2,\ a+2\}$에 대하여 $A-B=\{1,\ 4,\ 7\}$일 때, 실수 a의 값을 구하시오.

(3) 전체집합이 $U=\{a,\ b,\ c,\ d,\ e,\ f,\ g,\ h\}$이고 집합 A, B에 대하여 $A\cap B=\{b\}$, $B-A=\{c,\ g\}$, $(A\cup B)^C=\{a,\ f\}$일 때, A를 구하시오.

대표 Q7 풀이

(1) $A\cap B=\{3,\ 4\}$이므로 4는 B의 원소이다. 곧,
$a^2-5=4$, $a^2=9$ $\quad\therefore a=\pm3$

(i) $a=-3$일 때, $A=\{-3,\ 4,\ 10\}$, $B=\{2,\ 3,\ 4\}$이므로 $A\cap B=\{4\}$
따라서 조건을 만족시키지 않는다.

(ii) $a=3$일 때, $A=\{3,\ 4,\ 10\}$, $B=\{2,\ 3,\ 4\}$이므로 $A\cap B=\{3,\ 4\}$
따라서 조건을 만족시킨다.

(i), (ii)에서 $\boldsymbol{a=3}$, $\boldsymbol{A\cup B=\{2,\ 3,\ 4,\ 10\}}$

(2) $A-B=\{1,\ 4,\ 7\}$에서 1, 4, 7은 A의 원소이므로 a는 4 또는 7이다.

(i) $a=4$일 때, $A=\{1,\ 3,\ 4,\ 7\}$, $B=\{2,\ 3,\ 6\}$이므로 $A-B=\{1,\ 4,\ 7\}$
따라서 조건을 만족시킨다.

(ii) $a=7$일 때, $A=\{1,\ 3,\ 7,\ 13\}$, $B=\{3,\ 5,\ 9\}$이므로 $A-B=\{1,\ 7,\ 13\}$
따라서 조건을 만족시키지 않는다.

(i), (ii)에서 $\boldsymbol{a=4}$

(3) 주어진 조건을 벤다이어그램으로 나타내면 그림과 같다.

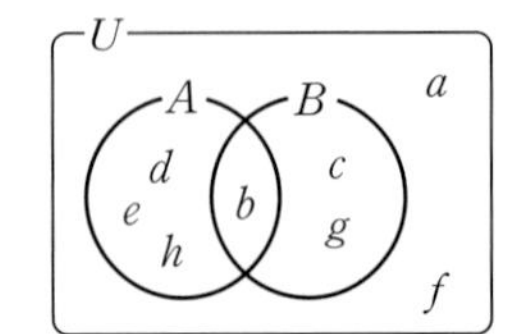

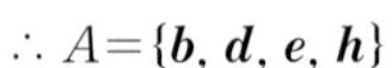

$\therefore A=\{\boldsymbol{b,\ d,\ e,\ h}\}$

7-1 나의 풀이

7-2 나의 풀이

본책 22쪽

대표 Q8 부분집합과 연산

전제집합이 U일 때, 집합 A, B에 대하여 다음 중 옳지 않은 것은?

① $A\subset B$이면 $B^C\subset A^C$

② $A\subset B$이면 $A^C\cup B=U$

③ $A\cap B=A$이면 $A\subset B$

④ $A\cup B=A$이면 $A\cap B^C=\varnothing$

⑤ $A\cup B=U$이면 $A^C\subset B$

대표 Q8 풀이

① 주어진 조건을 벤다이어그램으로 나타내면

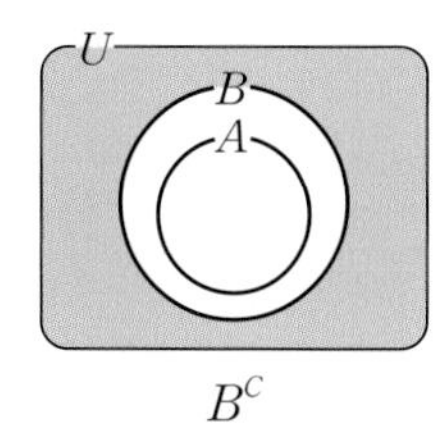

B^C

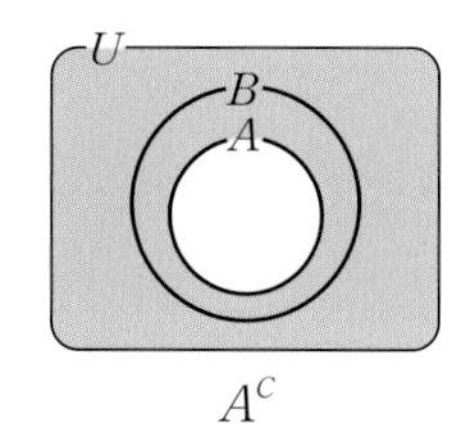

A^C

$\therefore B^C\subset A^C$

② 주어진 조건을 벤다이어그램으로 나타내면

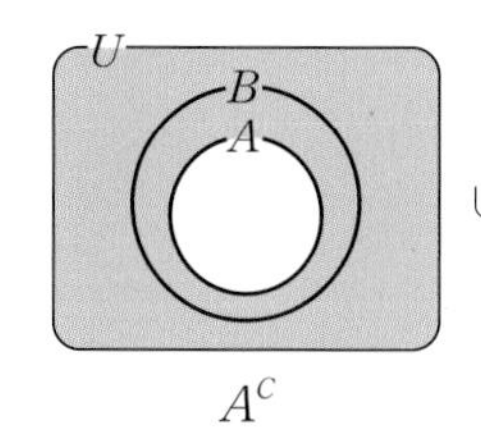

A^C

$\cup$

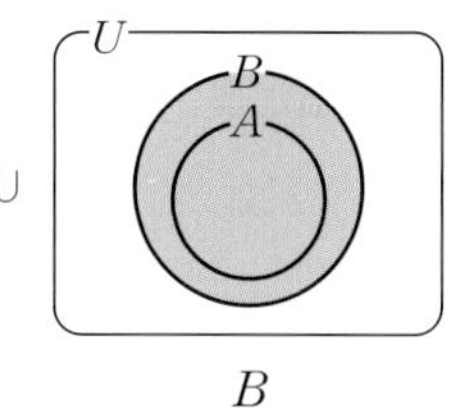

B

$\therefore A^C\cup B=U$

③ $A\cap B=A$를 벤다이어그램으로 나타내면 그림과 같으므로 $A\subset B$

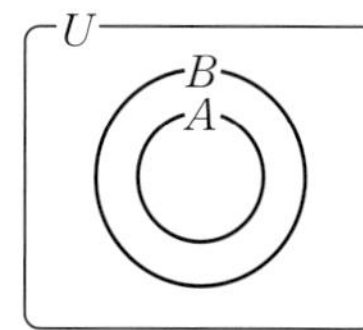

④ $A\cup B=A$를 벤다이어그램으로 나타내면 그림과 같고 $A\cap B^C$은 그림에서 색칠한 부분이다.

$\therefore A\cap B^C\neq\varnothing$

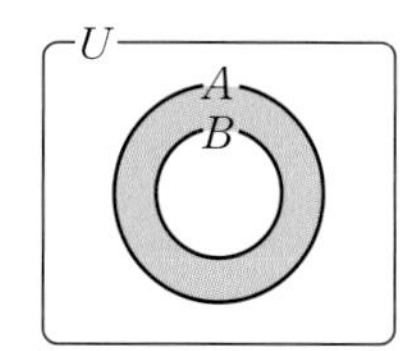

⑤ $A\cup B=U$에서 $x\notin A$이면 $x\in B$

곧, $x\in A^C$이면 $x\in B$이므로 $A^C\subset B$

따라서 옳지 않은 것은 ④이다.

8-1 나의 풀이

8-2 나의 풀이

> 본책 23쪽

날선 Q9 연산과 부분집합의 개수

전체집합이 $U=\{1, 2, 3, \cdots, 8\}$이고 $A=\{1, 2, 3, 4, 5\}$, $B=\{4, 5, 6, 7\}$일 때, 다음 물음에 답하시오.

(1) $(A\cap B)\cup C=C$, $(A\cup B)\cap C=C$를 만족시키는 집합 C의 개수를 구하시오.

(2) $A\cap C=B\cap C$를 만족시키는 집합 C의 개수를 구하시오.

날선 Q9 풀이

(1) $(A\cap B)\cup C=C$에서 $(A\cap B)\subset C$
$(A\cup B)\cap C=C$에서 $C\subset(A\cup B)$
$\therefore (A\cap B)\subset C\subset(A\cup B)$
$A\cap B=\{4, 5\}$, $A\cup B=\{1, 2, 3, 4, 5, 6, 7\}$이므로 C는 $A\cup B$의 부분집합 중 4와 5를 모두 원소로 갖는 집합이다.
따라서 C의 개수는 $\{1, 2, 3, 6, 7\}$의 부분집합의 개수와 같으므로 $2^5=\mathbf{32}$

(2) $1\in C$이면 $1\in(A\cap C)$이지만 $1\notin(B\cap C)$이므로 $A\cap C\neq B\cap C$이다.
따라서 1은 C의 원소가 아니다.
같은 이유로 $A-B$의 원소 2, 3도 C의 원소가 아니다.
또 $6\in C$이면 $6\in(B\cap C)$이지만 $6\notin(A\cap C)$이므로 $A\cap C\neq B\cap C$이다.
따라서 6은 C의 원소가 아니다.
같은 이유로 $B-A$의 원소 7도 C의 원소가 아니다.
C는 $A\cap B$의 원소 4, 5와 $(A\cup B)^C$의 원소 8은 포함해도 된다.
따라서 C의 개수는 $\{4, 5, 8\}$의 부분집합의 개수와 같으므로 $2^3=\mathbf{8}$

나만의 Note

9-1 나의 풀이

9-2 나의 풀이

> 본책 31쪽

대표 Q1 연산 법칙 (1)

전체집합이 U이고 집합 A, B에 대하여

$$(A-B)^C\cap(A\cup B)=A\cap B$$

일 때, 다음 중 옳은 것을 모두 고르면?

① $A\subset B$ ② $A\cup B=B$
③ $A^C\subset B^C$ ④ $A-B=\varnothing$
⑤ $A^C\cap B=\varnothing$

대표 Q1 풀이

$(A-B)^C\cap(A\cup B)=(A\cap B^C)^C\cap(A\cup B)$
$=(A^C\cup B)\cap(A\cup B)$
$=(A^C\cap A)\cup B=\varnothing\cup B=B$

따라서 $B=A\cap B$이므로 $B\subset A$

② $A\cup B=A$ ③ $B\subset A$이므로 $A^C\subset B^C$
④ $A-B\neq\varnothing$ ⑤ $A^C\cap B=B-A=\varnothing$

따라서 옳은 것은 ③, ⑤이다.

나만의 Note

1-1 나의 풀이

▶ 본책 32쪽

대표 Q2 연산 법칙 (2)

전체집합이 U일 때, 집합 A, B, C에 대하여 다음이 성립함을 보이시오.

(1) $(A\cap B)\cup(A\cup B^C)^C=B$

(2) $\{A\cap(A^C\cup B)\}\cup\{B^C\cap(A\cup B)\}=A$

(3) $(A-B)\cup(A-C)=A-(B\cap C)$

대표 Q2 풀이

(1) $(A\cap B)\cup(A\cup B^C)^C=(A\cap B)\cup\{A^C\cap(B^C)^C\}$
$=(A\cap B)\cup(A^C\cap B)$
$=(A\cup A^C)\cap B$
$=U\cap B$
$=B$

(2) $\{A\cap(A^C\cup B)\}\cup\{B^C\cap(A\cup B)\}$
$=\{(\underbrace{A\cap A^C}_{\varnothing})\cup(A\cap B)\}$
$\cup\{(B^C\cap A)\cup(\underbrace{B^C\cap B}_{\varnothing})\}$
$=(A\cap B)\cup(\underbrace{B^C\cap A}_{A\cap B^C})$
$=A\cap(\underbrace{B\cup B^C}_{U})=A$

(3) $(A-B)\cup(A-C)=(A\cap B^C)\cup(A\cap C^C)$
$=A\cap(B^C\cup C^C)$
$=A\cap(B\cap C)^C$
$=A-(B\cap C)$

나만의 Note

2-1 나의 풀이

› 본책 33쪽

$(A-B) \cup (B-A)$

전체집합이 U이고 집합 A, B에 대하여

$$A \triangle B=(A-B) \cup (B-A)$$

라 할 때, 다음 물음에 답하시오.

(1) $(A \triangle U)-(A \triangle \varnothing)$을 간단히 하시오.

(2) $(A \triangle B) \cap C$와 $(A \triangle B) \triangle C$를 벤다이어그램으로 나타내시오.

대표 Q3 풀이

(1) $A \triangle U=(A-U) \cup (U-A)=\varnothing \cup A^C=A^C$

$A \triangle \varnothing=(A-\varnothing) \cup (\varnothing-A)=A \cup \varnothing=A$

$\therefore (A \triangle U)-(A \triangle \varnothing)=A^C-A=\boldsymbol{A^C}$

(2) $(A \triangle B) \cap C$는 $A \triangle B$와 C의 공통부분이다.

$(A \triangle B) \triangle C$는 $A \triangle B$와 C의 합집합에서 $(A \triangle B) \cap C$ 부분을 뺀다.

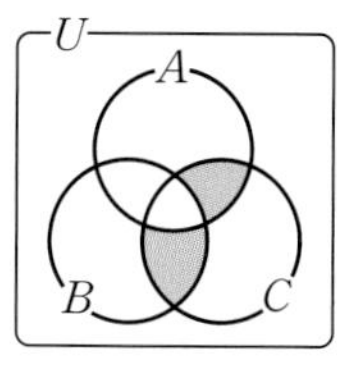

$(A \triangle B) \cap C$

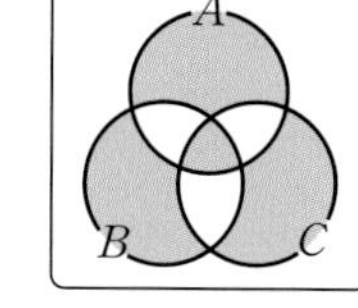

$(A \triangle B) \triangle C$

나만의 Note

3-1 나의 풀이

> 본책 35쪽

대표 Q4 두 집합에서 원소의 개수

전체집합 U의 원소가 40개일 때, 집합 A, B에 대하여 다음 물음에 답하시오.

(1) $n(A\cap B)=6$, $n(A^C\cap B)=14$, $n(A^C\cap B^C)=9$일 때, $n(A)$와 $n(A^C\cup B^C)$를 구하시오.

(2) $n(A)=30$, $n(B)=20$일 때, $n(A\cap B)$의 최댓값과 최솟값을 구하시오.

대표 Q4 풀이

(1) $n(A^C\cap B)=n(B-A)=14$

$n(A^C\cap B^C)=n((A\cup B)^C)=9$

각 집합의 원소의 개수를 벤다이어그램에 나타내면 그림과 같다.

U(40), A, B, (6), (14), (9)

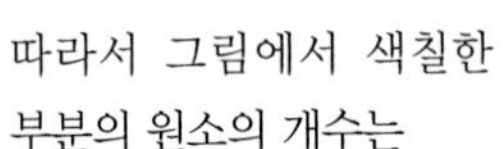

따라서 그림에서 색칠한 부분의 원소의 개수는

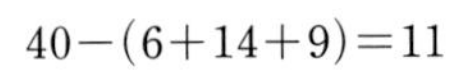

$40-(6+14+9)=11$

$\therefore$ $\boldsymbol{n(A)=}11+6=\mathbf{17}$

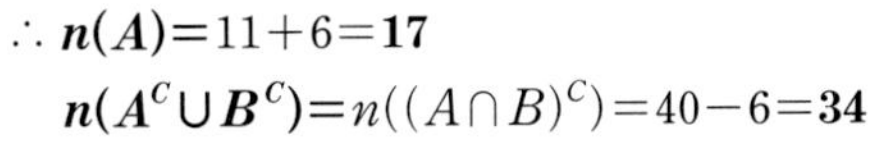

$\boldsymbol{n(A^C\cup B^C)=}n((A\cap B)^C)=40-6=\mathbf{34}$

(2) $n(A)>n(B)$이므로

$B\subset A$일 때 $n(A\cap B)$가 최대이고

최댓값은 $n(B)=\mathbf{20}$이다.

또 $n(A\cup B)=n(A)+n(B)-n(A\cap B)$ $\cdots$ ㉠

이므로 $n(A\cup B)$가 최대이면 $n(A\cap B)$가 최소이다.

$(A\cup B)\subset U$이므로

$n(A\cup B)$의 최댓값은 $n(U)=40$

이때 ㉠에서

$40=30+20-n(A\cap B)$ $\therefore$ $n(A\cap B)=10$

따라서 $A\cup B=U$일 때 $n(A\cap B)$의 **최솟값은 10**이다.

나만의 Note

4-1 나의 풀이

4-2 나의 풀이

집합의 원소의 개수의 활용

재성이네 반 학생 30명 중 방과 후 수업으로 농구반을 신청한 학생은 17명, 오케스트라 합주반을 신청한 학생은 10명이다. 그리고 5명은 두 반 중 어느 반도 신청하지 않았다. 다음 물음에 답하시오.

(1) 농구반과 오케스트라 합주반을 모두 신청한 학생 수를 구하시오.

(2) 농구반만 신청한 학생 수를 구하시오.

대표 Q5 풀이

재성이네 반 학생 전체의 집합을 U, 농구반을 신청한 학생의 집합을 A, 오케스트라 합주반을 신청한 학생의 집합을 B라 하면

$n(U)=30$, $n(A)=17$, $n(B)=10$,

$n(A^C\cap B^C)=5$

(1) $n(A^C\cap B^C)=n((A\cup B)^C)=n(U)-n(A\cup B)$

이므로

$5=30-n(A\cup B)$ $\quad\therefore n(A\cup B)=25$

$n(A\cup B)=n(A)+n(B)-n(A\cap B)$이므로

$25=17+10-n(A\cap B)$

$\therefore n(A\cap B)=2$

따라서 농구반과 오케스트라 합주반을 모두 신청한 학생은 **2**명이다.

(2) $n(A-B)=n(A)-n(A\cap B)=17-2=15$

따라서 농구반만 신청한 학생은 **15**명이다.

나만의 Note

5-1 나의 풀이

5-2 나의 풀이

세 집합에서 원소의 개수

전체집합이 U일 때, 집합 A, B, C에 대하여 다음 물음에 답하시오.

(1) $n(A-B)=8$, $n(B-C)=10$, $n(C-A)=12$, $n(A\cup B\cup C)=40$일 때, $n(A\cap B\cap C)$를 구하시오.

(2) $A\cap B=\varnothing$, $n(A\cup B)=16$, $n(A\cap C)=3$, $n(A\cap C^{C})=n(C\cap B^{C})=6$일 때, $n(A\cup B\cup C)$를 구하시오.

대표 Q6 풀이

(1) $(A-B)\cup(B-C)\cup(C-A)$는 그림과 같고, $A-B$, $B-C$, $C-A$의 공통부분은 없다.

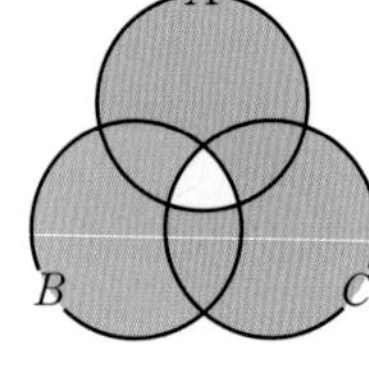

$n(A\cup B\cup C)$

$=n(A-B)+n(B-C)+n(C-A)+n(A\cap B\cap C)$

$40=8+10+12+n(A\cap B\cap C)$

$\therefore n(A\cap B\cap C)=\mathbf{10}$

(2) $A\cap B=\varnothing$이므로 U와 A, B, C를 벤다이어그램으로 나타내면 그림과 같다.

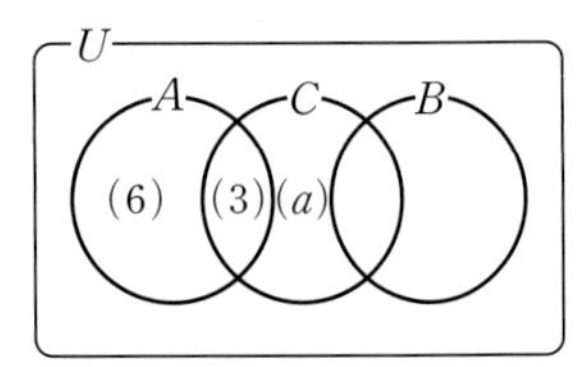

$n(A\cap C)=3$, $n(A\cap C^{C})=n(A-C)=6$이므로

$a=n(C\cap B^{C})-3=6-3=3$

$\therefore n(A\cup B\cup C)=n(A\cup B)+a$

$=16+3=\mathbf{19}$

나만의 Note

6-1 나의 풀이

6-2 나의 풀이

› 본책 38쪽

대표 Q7 약수, 배수와 집합

전체집합이 $U=\{x|x$는 100보다 작은 자연수$\}$이고 자연수 k에 대하여 집합 $A_k=\{x|x$는 k의 배수$\}$라 할 때, 다음 물음에 답하시오.

(1) $A_3\cap A_4=A_k$일 때, k의 값을 구하시오.

(2) $A_3\cup A_4$의 원소의 개수를 구하시오.

(3) $(A_2\cup A_3)\cap A_4$의 원소의 개수를 구하시오.

대표 Q7 풀이

(1) A_3은 3의 배수의 집합이고, A_4는 4의 배수의 집합이므로 $A_3\cap A_4$는 3의 배수이면서 4의 배수인 수의 집합이다. 곧, 12의 배수의 집합이다.

$\therefore A_3\cap A_4=A_{12}$ $\quad\therefore k=\mathbf{12}$

(2) $A_3\cup A_4$는 3의 배수이거나 4의 배수인 수의 집합이다.

100보다 작은 3의 배수는

$3\times1,\ 3\times2,\ \cdots,\ 3\times33$이므로 $n(A_3)=33$

100보다 작은 4의 배수는

$4\times1,\ 4\times2,\ \cdots,\ 4\times24$이므로 $n(A_4)=24$

100보다 작은 12의 배수는

$12\times1,\ 12\times2,\ \cdots,\ 12\times8$이므로 $n(A_{12})=8$

$\therefore n(A_3\cup A_4)=n(A_3)+n(A_4)-n(A_3\cap A_4)$

$=33+24-8=\mathbf{49}$

(3) $(A_2\cup A_3)\cap A_4=(A_2\cap A_4)\cup(A_3\cap A_4)$ $\quad\cdots$ ㉠

$A_2\cap A_4$는 2의 배수이면서 4의 배수인 수의 집합이므로 4의 배수의 집합이다.

$\therefore A_2\cap A_4=A_4$

$A_3\cap A_4$는 12의 배수의 집합이므로

$A_3\cap A_4=A_{12}$

12의 배수는 모두 4의 배수이므로 $A_{12}\subset A_4$

따라서 ㉠은 $A_4\cup A_{12}=A_4$이고, 원소의 개수는

$n(A_4)=\mathbf{24}$

나만의 Note

7-1 나의 풀이

날선 Q8 원소의 합

집합 A의 원소는 5개이고, 집합 $B=\{2x+k \mid x \in A\}$일 때, 다음 조건을 모두 만족시킨다.

(가) A의 모든 원소의 합은 25이다.
(나) $A \cup B$의 모든 원소의 합은 81이다.
(다) $A \cap B$의 모든 원소의 합은 14이다.

k의 값을 구하시오.

날선 Q8 풀이

$A=\{a, b, c, d, e\}$라 하면
$B=\{2a+k, 2b+k, 2c+k, 2d+k, 2e+k\}$
집합 X의 모든 원소의 합을 $S(X)$라 하면
$S(A)=25$, $S(A \cup B)=81$, $S(A \cap B)=14$이고
$S(B)=2S(A)+5k$
$S(A \cup B)=S(A)+S(B)-S(A \cap B)$이므로
$81=25+2 \times 25+5k-14 \qquad \therefore k=\mathbf{4}$

나만의 Note

8-1 나의 풀이

8-2 나의 풀이

대표 Q1 '그리고'와 '또는'을 포함한 조건

전체집합이 $U=\{x \mid x$는 10보다 작은 자연수$\}$일 때, 조건

p : x는 소수이다. q : x는 홀수이다.

에 대하여 다음 조건의 진리집합을 구하시오.

(1) $\sim(\sim p)$ (2) p 그리고 $\sim q$

(3) $\sim(p$ 또는 $q)$

대표 Q1 풀이

전체집합 $U=\{1, 2, 3, \cdots, 9\}$이고 조건 p, q의 진리집합을 P, Q라 하면

$P=\{2, 3, 5, 7\}$, $Q=\{1, 3, 5, 7, 9\}$

(1) 조건 '$\sim(\sim p)=p$'의 진리집합은 P이므로

$P=\mathbf{\{2, 3, 5, 7\}}$

(2) 조건 'p 그리고 $\sim q$'의 진리집합은 $P\cap Q^C$이므로

$P\cap Q^C=\mathbf{\{2\}}$

(3) 조건 '$\sim(p$ 또는 $q)$'의 진리집합은 $(P\cup Q)^C$이므로

$P\cup Q=\{1, 2, 3, 5, 7, 9\}$

$\therefore (P\cup Q)^C=\mathbf{\{4, 6, 8\}}$

나만의 Note

1-1 나의 풀이

본책 51쪽

대표 Q2 명제 $p \longrightarrow q$의 참, 거짓

전체집합이 실수 전체의 집합일 때, 다음 물음에 답하시오.

(1) $p: -a+1<x<2$, $q: (x+2)(x-2a)<0$이고 $p \longrightarrow q$가 참일 때, 양수 a값의 범위를 구하시오.

(2) $p: x^2-4x+3\neq 0$, $q: x>a$이고 $\sim p \longrightarrow q$가 거짓일 때, a값의 범위를 구하시오.

대표 Q2 풀이

(1) 조건 p, q의 진리집합을 P, Q라 하자.

$P=\{x \mid -a+1<x<2\}$

또 $a>0$이므로

$Q=\{x \mid -2<x<2a\}$

$p \longrightarrow q$가 참이면

$P\subset Q$이므로 그림에서

$-a+1\geq -2$이고 $2\leq 2a$

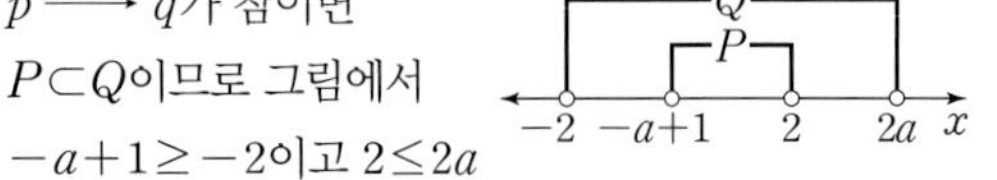

$\therefore$ **$1\leq a\leq 3$**

(2) 조건 p, q의 진리집합을 P, Q라 하면

$P=\{x \mid x^2-4x+3\neq 0\}$,

$Q=\{x \mid x>a\}$

$\sim p: x^2-4x+3=0$이므로 $P^C=\{1, 3\}$

$\sim p \longrightarrow q$가 거짓이면 $P^C\not\subset Q$이므로 **$a\geq 1$**

나만의 Note

2-1 나의 풀이

2-2 나의 풀이

대표 Q3 조건과 진리집합

전체집합을 U, 조건 p, q, r의 진리집합을 P, Q, R라 하자.

$P\cup Q=P$, $Q^C\cap R=R$

일 때, 다음 중 참인 명제를 모두 고르면? (단, $U\neq\varnothing$)

① $p \longrightarrow q$
② $r \longrightarrow \sim p$
③ (p 그리고 q) $\longrightarrow \sim r$
④ (p 그리고 r) $\longrightarrow \sim q$
⑤ (q 또는 r) $\longrightarrow p$

대표 Q3 풀이

$P\cup Q=P$에서 $Q\subset P$이고 $Q^C\cap R=R$에서 $R\subset Q^C$이므로 집합 P, Q, R의 포함 관계를 벤다이어그램으로 나타내면 그림과 같다.

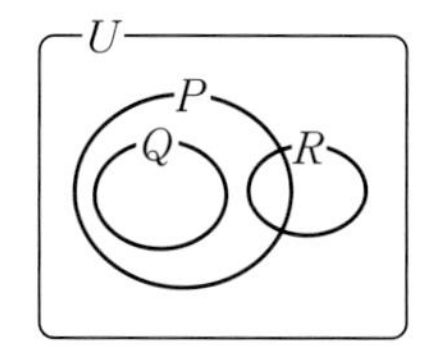

① $P\not\subset Q$이므로 $p \longrightarrow q$는 거짓이다.
② $R\not\subset P^C$이므로 $r \longrightarrow \sim p$는 거짓이다.
③ $(P\cap Q)\subset R^C$이므로 (p 그리고 q) $\longrightarrow \sim r$는 참이다.
④ $(P\cap R)\subset Q^C$이므로 (p 그리고 r) $\longrightarrow \sim q$는 참이다.
⑤ $(Q\cup R)\not\subset P$이므로 (q 또는 r) $\longrightarrow p$는 거짓이다.

따라서 참인 것은 ③, ④이다.

나만의 Note

3-1 나의 풀이

3-2 나의 풀이

▶ 본책 53쪽

대표 Q4 '모든'과 '어떤'을 포함한 명제

전체집합이 $U=\{0, 1, 2, 3, 4\}$일 때, 다음 명제의 참, 거짓을 판별하시오. 또 부정을 말하고 부정의 참, 거짓을 판별하시오.

(1) 어떤 x에 대하여 $x^2-4x-5=0$이다.

(2) 모든 x, y에 대하여 $xy-4x-4y+16\geq 0$이다.

대표 Q4 풀이

(1) $x^2-4x-5=0$을 풀면 $x=-1$ 또는 $x=5$
곧, $x^2-4x-5=0$을 만족시키는 x가 U에 없으므로 주어진 **명제**는 **거짓**이다.
주어진 명제의 **부정**은
모든 x에 대하여 $x^2-4x-5\neq 0$이다.
또 U의 모든 원소에 대하여 $x^2-4x-5\neq 0$이므로 주어진 명제의 부정은 **참**이다.

(2) $xy-4x-4y+16\geq 0$에서 $(x-4)(y-4)\geq 0$
U의 모든 원소에 대하여 $x-4\leq 0$, $y-4\leq 0$이므로
$(x-4)(y-4)\geq 0$
따라서 주어진 **명제**는 **참**이다.
주어진 명제의 **부정**은 **어떤 x, y에 대하여 $xy-4x-4y+16<0$이다.**
$(x-4)(y-4)<0$에서 x, y가 U의 원소이면
$x-4\leq 0$, $y-4\leq 0$이므로 **거짓**이다.

나만의 Note

4-1 나의 풀이

4-2 나의 풀이

› 본책 55쪽

Q5 역과 대우

다음 명제의 참, 거짓을 판별하시오. 또 역과 대우를 말하고, 역과 대우의 참, 거짓을 판별하시오.

(1) x, y가 실수일 때, $xy=0$이면 $x^2+y^2=0$이다.

(2) x, y가 짝수이면 $x+y$는 짝수이다.

(3) $A\subset B$ 또는 $A\subset C$이면 $A\subset(B\cup C)$이다.

대표 Q5 풀이

(1) $x=1$, $y=0$이면 $xy=0$이지만 $x^2+y^2=1$이므로 주어진 **명제는 거짓**이다.

역 : **x, y가 실수일 때, $x^2+y^2=0$이면 $xy=0$이다.**
$x^2+y^2=0$이면 $x=0$, $y=0$이므로 $xy=0$이다.
따라서 **참**이다.

대우 : **x, y가 실수일 때, $x^2+y^2\neq0$이면 $xy\neq0$이다.**
명제가 거짓이므로 **거짓**이다.

(2) x, y가 짝수이면 $x+y$는 짝수이므로 주어진 **명제는 참**이다.

역 : **$x+y$가 짝수이면 x, y는 짝수이다.**
$x=1$, $y=3$이면 $x+y$는 짝수이지만
x, y는 짝수가 아니다. 따라서 **거짓**이다.

대우 : **$x+y$가 짝수가 아니면 x 또는 y가 짝수가 아니다.** 명제가 참이므로 **참**이다.

(3) $A\subset B$이면 $A\subset(B\cup C)$이고 $A\subset C$이면 $A\subset(B\cup C)$이다.
따라서 $A\subset B$ 또는 $A\subset C$이면 $A\subset(B\cup C)$이므로 주어진 **명제는 참**이다.

역 : **$A\subset(B\cup C)$이면 $A\subset B$ 또는 $A\subset C$이다.**
A, B, C가 그림과 같은 경우 $A\subset(B\cup C)$이지만 $A\subset B$도 아니고 $A\subset C$도 아니다.

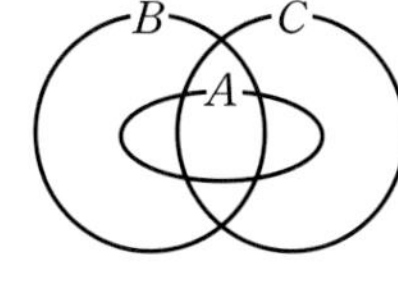

따라서 **거짓**이다.

대우 : **$A\not\subset(B\cup C)$이면 $A\not\subset B$이고 $A\not\subset C$이다.**
명제가 참이므로 **참**이다.

나만의 Note

5-1 나의 풀이

5-2 나의 풀이

> 본책 56쪽

대표 Q6 삼단논법과 대우

조건 p, q, r에 대하여 명제 $p \longrightarrow q$와 $r \longrightarrow \sim q$가 모두 참이다. 다음 명제 중 참이 아닌 것은?

① $\sim q \longrightarrow \sim p$ ② $q \longrightarrow \sim r$
③ $p \longrightarrow \sim r$ ④ $r \longrightarrow \sim p$
⑤ $\sim r \longrightarrow \sim p$

대표 Q6 풀이

명제 $p \longrightarrow q$, $r \longrightarrow \sim q$가 모두 참이므로
대우를 생각하면
$\sim q \longrightarrow \sim p$, $q \longrightarrow \sim r$가 모두 참
또 $p \longrightarrow q$, $q \longrightarrow \sim r$가 모두 참이므로
$p \longrightarrow \sim r$가 참
대우를 생각하면 $r \longrightarrow \sim p$가 참
⑤ $r \longrightarrow \sim p$가 참이므로 $R \subset P^C$
이때 $R^C \not\subset P^C$일 수 있으므로 $\sim r \longrightarrow \sim p$는 거짓이다.
따라서 참이 아닌 것은 ⑤이다.

나만의 Note

6-1 나의 풀이

6-2 나의 풀이

> 본책 59쪽

대표 Q7 충분조건, 필요조건

다음에서 p는 q이기 위한 무슨 조건인지 말하시오.

(1) p : $x=y$

q : $xz=yz$

(2) p : $xy<0$

q : x와 y는 부호가 다르다.

(단, x, y는 실수이다.)

(3) p : $x+y$, xy가 유리수이다.

q : x, y가 유리수이다.

대표 Q7 풀이

(1) $x=y$이면 $xz=yz$이므로 $p \Longrightarrow q$

$z=0$이면 $xz=yz=0$이지만 $x\neq y$일 수도 있으므로

$p \not\Longleftarrow q$이다.

따라서 p는 q이기 위한 **충분조건**이다.

(2) $xy<0$에서 $x>0$, $y<0$ 또는 $x<0$, $y>0$

따라서 $p \Longrightarrow q$, $p \Longleftarrow q$이므로 p는 q이기 위한

필요충분조건이다.

(3) $x=1+\sqrt{2}$, $y=1-\sqrt{2}$이면 $x+y=2$(유리수),

$xy=-1$(유리수)이지만 x, y는 유리수가 아니므로

$p \not\Longrightarrow q$

x, y가 유리수이면 $x+y$, xy가 유리수이므로

$p \Longleftarrow q$

따라서 p는 q이기 위한 **필요조건**이다.

나만의 Note

7-1 나의 풀이

7-2 나의 풀이

> 본책 60쪽

충분조건, 필요조건과 진리집합

다음 물음에 답하시오.

(1) 조건 p, q의 진리집합을 P, Q라 하자.
$P\cap Q^C=\varnothing$일 때, p는 q이기 위한 무슨 조건인지 말하시오.

(2) 조건 p, q는

p : $x^2-2x-8>0$

q : $x^2-3ax+2a^2<0$ $(a\neq0)$

이다. p가 q이기 위한 필요조건일 때, 상수 a값의 범위를 구하시오.

대표 Q8 풀이

조건 p, q의 진리집합을 P, Q라 하면

(1) $P\cap Q^C=\varnothing$에서 $P-Q=\varnothing$이므로 $P\subset Q$
곧, $p\Longrightarrow q$이므로 p는 q이기 위한 **충분조건**이다.

(2) $x^2-2x-8>0$, $(x+2)(x-4)>0$에서
$x<-2$ 또는 $x>4$
$P=\{x\,|\,x<-2$ 또는 $x>4\}$
$x^2-3ax+2a^2<0$, $(x-a)(x-2a)<0$이므로

(i) $a>0$일 때,
$Q=\{x\,|\,a<x<2a\}$
$Q\subset P$이려면 $a\geq4$

(ii) $a<0$일 때,
$Q=\{x\,|\,2a<x<a\}$
$Q\subset P$이려면 $a\leq-2$

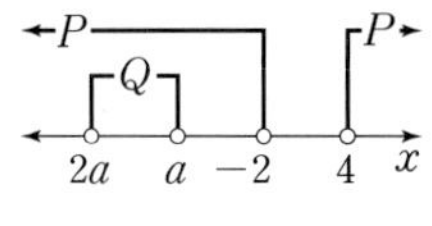

(i), (ii)에서 $\boldsymbol{a\leq-2}$ **또는** $\boldsymbol{a\geq4}$

나만의 Note

8-1 나의 풀이

8-2 나의 풀이

대표 Q1 대우를 이용한 증명

다음은 명제 'a, b, c가 자연수일 때, $a^2+b^2=c^2$이면 a, b, c 중 적어도 하나는 3의 배수이다.'가 참임을 증명하는 과정이다. (가), (나), (다)에 알맞은 수를 써넣으시오.

증명

대우 'a, b, c가 모두 3의 배수가 아니면 $a^2+b^2\neq c^2$이다.'가 참임을 증명하면 된다.

a, b, c가 모두 3의 배수가 아니면 $3k+1$ 또는 $3k+2$ (k는 0 또는 자연수) 꼴이다.

이때

$$(3k+1)^2=\boxed{(가)}(3k^2+2k)+1,$$
$$(3k+2)^2=\boxed{(가)}(3k^2+4k+1)+1$$

이므로 a^2, b^2, c^2은 모두 3으로 나눈 나머지가 $\boxed{(나)}$이다.

이때 a^2+b^2은 3으로 나눈 나머지가 $\boxed{(다)}$이고, c^2은 3으로 나눈 나머지가 $\boxed{(나)}$이므로 $a^2+b^2\neq c^2$이다.

따라서 대우가 참이므로 주어진 명제도 참이다.

대표 Q1 풀이

a, b, c가 모두 3의 배수가 아니면 $3k+1$ 또는 $3k+2$ (k는 0 또는 자연수) 꼴이다.

$(3k+1)^2=9k^2+6k+1=\boxed{3}(3k^2+2k)+1$

$(3k+2)^2=9k^2+12k+4=\boxed{3}(3k^2+4k+1)+1$

이므로 a^2, b^2, c^2은 모두 3으로 나눈 나머지가 $\boxed{1}$이다.

이때 a^2+b^2은 3으로 나눈 나머지가 $\boxed{2}$이고, c^2은 3으로 나눈 나머지가 $\boxed{1}$이므로 $a^2+b^2\neq c^2$이다.

따라서 대우가 참이므로 주어진 명제도 참이다.

나만의 Note

1-1 나의 풀이

본책 68쪽

대표 Q2 귀류법

다음은 귀류법을 이용하여 명제

'$\sqrt{2}$는 유리수가 아니다.'

를 증명하는 과정이다. (가), (나), (다)에 알맞은 용어나 식을 써넣으시오.

증명

$\sqrt{2}$가 [(가)]라 가정하면

$\sqrt{2}=\frac{b}{a}$ (a, b는 서로소인 자연수)

로 놓을 수 있다.

양변을 제곱하면 $2=\frac{b^2}{a^2}$ $\quad\therefore 2a^2=b^2$ $\cdots$ ㉠

b^2이 짝수이므로 b는 짝수이다.

b는 짝수이므로 $b=$ [(나)] (k는 자연수)로 놓고 ㉠에 대입하면

$2a^2=4k^2 \quad \therefore a^2=2k^2$

위와 마찬가지로 a^2이 짝수이므로 a도 짝수이다.

곧, a와 b는 모두 짝수이므로 a, b는 [(다)]라는 가정에 모순된다.

따라서 $\sqrt{2}$는 [(가)]가 아니다.

대표 Q2 풀이

$\sqrt{2}$가 **유리수**라 가정하면

$\sqrt{2}=\frac{b}{a}$ (a, b는 서로소인 자연수)

로 놓을 수 있다.

양변을 제곱하면

$2=\frac{b^2}{a^2}$

$\therefore 2a^2=b^2$ $\cdots$ ㉠

b^2이 짝수이므로 b는 짝수이다.

b는 짝수이므로 $b=$ $\mathbf{2k}$ (k는 자연수)로 놓고 ㉠에 대입하면

$2a^2=(2k)^2$

$\therefore a^2=2k^2$

위와 마찬가지로 a^2이 짝수이므로 a도 짝수이다.

곧, a와 b가 모두 짝수이므로 a, b는 **서로소**라는 가정에 모순된다.

따라서 $\sqrt{2}$는 **유리수**가 아니다.

2-1 나의 풀이

2-2 나의 풀이

대표 Q3 부등식의 증명

a, b, x, y가 실수일 때, 다음 부등식을 증명하시오.

(1) $a>b$, $x>y$일 때,

$$2(ax+by)>(a+b)(x+y)$$

(2) $a\geq 0$, $b\geq 0$일 때, $\sqrt{a+b}\leq\sqrt{a}+\sqrt{b}$

(3) $|a+b|\leq|a|+|b|$

대표 Q3 풀이

(1) $2(ax+by)-(a+b)(x+y)$

$=2(ax+by)-(ax+ay+bx+by)$

$=ax+by-ay-bx=a(x-y)-b(x-y)$

$=(a-b)(x-y)$

$a>b$, $x>y$이므로 $(a-b)(x-y)>0$

$2(ax+by)-(a+b)(x+y)>0$

$\therefore 2(ax+by)>(a+b)(x+y)$

(2) $(\sqrt{a+b})^2-(\sqrt{a}+\sqrt{b})^2$

$=(a+b)-(a+2\sqrt{ab}+b)$

$=-2\sqrt{ab}\leq 0$

$\therefore \sqrt{a+b}\leq\sqrt{a}+\sqrt{b}$

(단, 등호는 $a=0$ 또는 $b=0$일 때 성립한다.)

(3) $|a+b|^2-(|a|+|b|)^2$

$=(a+b)^2-(|a|^2+2|a||b|+|b|^2)$

$=(a^2+2ab+b^2)-(a^2+2|ab|+b^2)$

$=2(ab-|ab|)\leq 0$

$\therefore |a+b|\leq|a|+|b|$

(단, 등호는 $ab\geq 0$일 때 성립한다.)

나만의 Note

3-1 나의 풀이

3-2 나의 풀이

3-3 나의 풀이

> 본책 73쪽

대표 Q4 산술평균, 기하평균과 최솟값

다음 물음에 답하시오.

(1) x, y가 양수일 때, $\frac{y}{2x}+\frac{x}{2y}$의 최솟값을 구하시오.

(2) x, y가 양수일 때, $\left(x+\frac{4}{y}\right)\left(y+\frac{9}{x}\right)$의 최솟값을 구하시오.

(3) $x>1$일 때, $4x+\frac{1}{x-1}$의 최솟값을 구하시오.

대표 Q4 풀이

(1) $\frac{y}{2x}+\frac{x}{2y}\geq 2\sqrt{\frac{y}{2x}\times\frac{x}{2y}}=2\times\sqrt{\frac{1}{4}}=1$

등호가 성립하려면 $\frac{y}{2x}=\frac{x}{2y}$, $y^2=x^2$

$x>0$, $y>0$이므로 $x=y$

따라서 $\frac{y}{2x}+\frac{x}{2y}$의 최솟값은 **1**이다.

(2) $\left(x+\frac{4}{y}\right)\left(y+\frac{9}{x}\right)=xy+9+4+\frac{36}{xy}$

$\geq 13+2\sqrt{xy\times\frac{36}{xy}}$

$=13+2\times6=25$

등호가 성립하려면 $xy=\frac{36}{xy}$ $\quad\therefore xy=6$

따라서 $\left(x+\frac{4}{y}\right)\left(y+\frac{9}{x}\right)$의 최솟값은 **25**이다.

(3) $x>1$에서 $x-1>0$이므로

$4x+\frac{1}{x-1}=4(x-1)+\frac{1}{x-1}+4$

$\geq 2\sqrt{4(x-1)\times\frac{1}{x-1}}+4$

$=2\times2+4=8$

등호가 성립하려면 $4(x-1)=\frac{1}{x-1}$, $(x-1)^2=\frac{1}{4}$

$x>1$이므로 $x-1=\frac{1}{2}$ $\quad\therefore x=\frac{3}{2}$

따라서 $4x+\frac{1}{x-1}$의 최솟값은 **8**이다.

나만의 Note

4-1 나의 풀이

4-2 나의 풀이

대표 Q5 합 또는 곱이 주어진 최대, 최소

$x>0$, $y>0$일 때, 다음 물음에 답하시오.

(1) $xy=12$일 때, $x+3y$의 최솟값을 구하시오.

(2) $2x+3y=6$일 때, $\sqrt{2x}+\sqrt{3y}$의 최댓값을 구하시오.

(3) $x+2y=2$일 때, $\frac{2}{x}+\frac{3}{y}$의 최솟값을 구하시오.

대표 Q5 풀이

$x>0$, $y>0$이므로 산술평균과 기하평균의 관계를 이용한다.

(1) $x+3y \ge 2\sqrt{x\times 3y}=2\sqrt{3xy}$

$xy=12$를 대입하면

$x+3y \ge 12$

등호는 $x=3y$일 때 성립한다.

따라서 $x+3y$의 최솟값은 **12**이다.

(2) $2x+3y \ge 2\sqrt{2x\times 3y}=2\sqrt{6xy}$

$2x+3y=6$이므로

$2\sqrt{6xy} \le 6$ (단, 등호는 $2x=3y$일 때 성립한다.)

$\therefore (\sqrt{2x}+\sqrt{3y})^2=2x+2\sqrt{6xy}+3y$

$=6+2\sqrt{6xy}$

$\le 6+6=12$

$(\sqrt{2x}+\sqrt{3y})^2 \le 12$이므로

$0<\sqrt{2x}+\sqrt{3y} \le \sqrt{12}=2\sqrt{3}$

따라서 $\sqrt{2x}+\sqrt{3y}$의 최댓값은 $\mathbf{2\sqrt{3}}$이다.

(3) $\frac{2}{x}+\frac{3}{y} \ge 2\sqrt{\frac{2}{x}\times\frac{3}{y}}=2\sqrt{\frac{6}{xy}}$

$(x+2y)\left(\frac{2}{x}+\frac{3}{y}\right)=2+\frac{3x}{y}+\frac{4y}{x}+6$

$\ge 2\sqrt{\frac{3x}{y}\times\frac{4y}{x}}+8$

$=4\sqrt{3}+8$

$x+2y=2$를 대입하면

$2\left(\frac{2}{x}+\frac{3}{y}\right) \ge 4\sqrt{3}+8$

$\therefore \frac{2}{x}+\frac{3}{y} \ge 2\sqrt{3}+4$

등호가 성립하려면 $\frac{2}{x}=\frac{3}{y}$, $3x=2y$

따라서 $\frac{2}{x}+\frac{3}{y}$의 최솟값은 $\mathbf{2\sqrt{3}+4}$이다.

5-1 나의 풀이

5-2 나의 풀이

> 본책 75쪽

대표 Q6 코시-슈바르츠 부등식

다음 물음에 답하시오.

(1) a, b, x, y가 실수일 때, 다음 부등식을 증명하고 등호가 성립할 조건을 찾으시오.

$$(a^2+b^2)(x^2+y^2) \ge (ax+by)^2$$

(2) x, y가 실수이고 $x^2+y^2=40$일 때, $x+3y$의 최댓값과 최솟값을 구하시오.

대표 Q6 풀이

(1) **좌변에서 우변을 빼고 부호를 조사하면**

$$(a^2+b^2)(x^2+y^2)-(ax+by)^2$$
$$=(a^2x^2+a^2y^2+b^2x^2+b^2y^2)$$
$$-(a^2x^2+2abxy+b^2y^2)$$
$$=a^2y^2-2abxy+b^2x^2$$
$$=(ay-bx)^2$$

a, b, x, y는 실수이므로

$$(ay-bx)^2 \ge 0$$

따라서 다음이 성립한다.

$$(a^2+b^2)(x^2+y^2) \ge (ax+by)^2$$

등호는 $ay=bx$, 곧 $\frac{x}{a}=\frac{y}{b}$일 때 성립한다.

(2) x, y가 실수이므로 (1)에 의하여

$$(1^2+3^2)(x^2+y^2) \ge (x+3y)^2$$

$x^2+y^2=40$이므로

$$10 \times 40 \ge (x+3y)^2$$

$$\therefore -20 \le x+3y \le 20$$

$\left(\text{단, 등호는 } x=\frac{y}{3}\text{일 때 성립한다.}\right)$

따라서 $x+3y$의 **최댓값은 20**, **최솟값은 -20**이다.

나만의 Note

6-1 나의 풀이

6-2 나의 풀이

대표 Q1 여러 가지 함수

집합 $X=\{-1, 0, 1, 2\}$에서 집합 $Y=\{-2, -1, 0, 1, 2, 4\}$로의 대응이 보기와 같을 때, 물음에 답하시오.

보기

ㄱ. $x \longrightarrow x+2$　　ㄴ. $x \longrightarrow x^2$

ㄷ. $x \longrightarrow \begin{cases} x & (x \geq 0) \\ -x^2 & (x<0) \end{cases}$

ㄹ. $x \longrightarrow \begin{cases} x\text{의 배수} & (x>0) \\ 0 & (x \leq 0) \end{cases}$

(1) X에서 Y로의 함수인 것을 모두 찾으시오.

(2) X에서 Y로의 일대일함수인 것을 찾으시오.

대표 Q1 풀이

$X=\{-1, 0, 1, 2\}$, $Y=\{-2, -1, 0, 1, 2, 4\}$
이므로 X에서 Y로의 대응은 다음과 같다.

ㄱ.
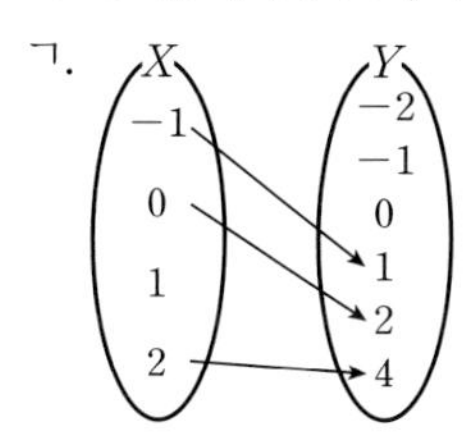

ㄴ.
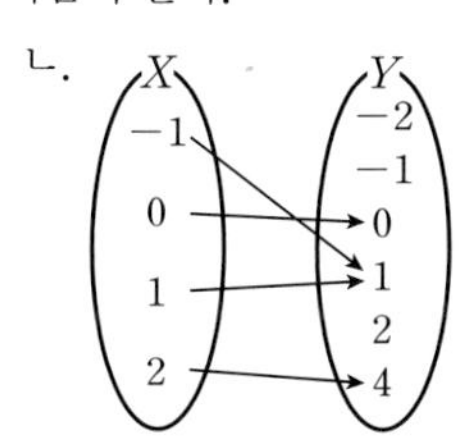

ㄷ.
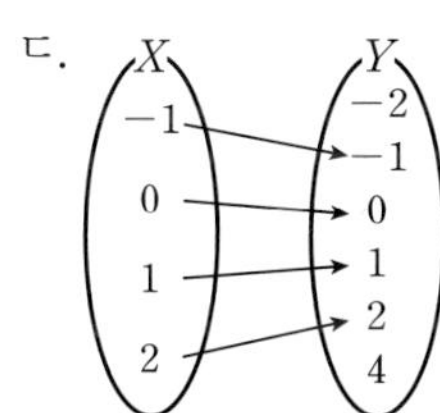

ㄹ.
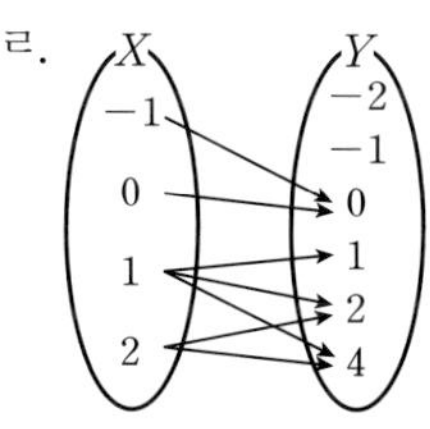

(1) ㄱ. 1에 대응하는 원소가 없다.
ㄹ. 1, 2에 대응하는 원소가 2개 이상이다.
따라서 X에서 Y로의 함수인 것은 ㄴ, ㄷ이다.

(2) 함수인 ㄴ, ㄷ 중에서 $x_1 \neq x_2$일 때 $f(x_1) \neq f(x_2)$인 것은 ㄷ이다.

나만의 Note

1-1 나의 풀이

본책 86쪽

대표 Q2 일대일함수나 일대일대응의 그래프

다음 물음에 답하시오.

(1) 집합 $X=\{x\mid -1\le x\le 5\}$에서 집합 $Y=\{y\mid 1\le y\le 4\}$로의 함수 $f(x)=ax+b$가 일대일대응일 때, 상수 a, b의 값을 모두 구하시오.

(2) 집합 $X=\{x\mid x\le k\}$에서 X로의 함수 $g(x)=-x^2+2x+2$가 일대일대응일 때, 실수 k의 값을 구하시오.

대표 Q2 풀이

(1) (i) $a>0$일 때

$f(x)$가 일대일대응이면 그림과 같다. 곧,

$f(-1)=1$, $f(5)=4$

이므로

$-a+b=1$, $5a+b=4$

두 식을 연립하여 풀면

$a=\frac{1}{2}$, $b=\frac{3}{2}$

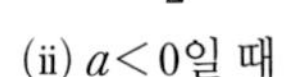

(ii) $a<0$일 때

$f(x)$가 일대일대응이면 그림과 같다. 곧,

$f(-1)=4$, $f(5)=1$

이므로

$-a+b=4$, $5a+b=1$

두 식을 연립하여 풀면

$a=-\frac{1}{2}$, $b=\frac{7}{2}$

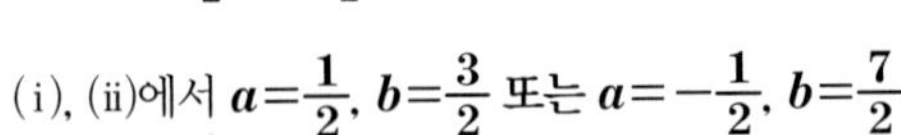

(i), (ii)에서 $\boldsymbol{a=\frac{1}{2}}$, $\boldsymbol{b=\frac{3}{2}}$ 또는 $\boldsymbol{a=-\frac{1}{2}}$, $\boldsymbol{b=\frac{7}{2}}$

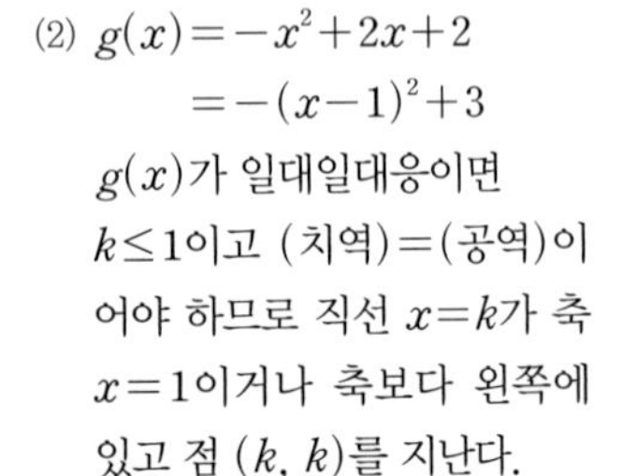

(2) $g(x)=-x^2+2x+2$
$=-(x-1)^2+3$

$g(x)$가 일대일대응이면 $k\le 1$이고 (치역)=(공역)이어야 하므로 직선 $x=k$가 축 $x=1$이거나 축보다 왼쪽에 있고 점 (k, k)를 지난다.

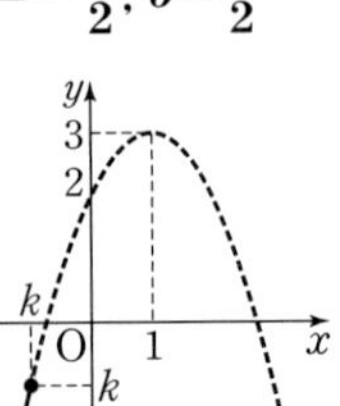

곧, $k=-k^2+2k+2$에서 $k^2-k-2=0$

$(k+1)(k-2)=0$ $\quad\therefore k=\mathbf{-1}$ $(\because k\le 1)$

2-1 나의 풀이

2-2 나의 풀이

대표 Q3 함숫값 구하기

다음 물음에 답하시오.

(1) 정의역이 $\left\{2, \sqrt{3}, \frac{1}{3}, \frac{1}{\sqrt{2}}\right\}$인 함수

$f(x)=\begin{cases} \frac{1}{x} & (x\text{가 유리수}) \\ x^2 & (x\text{가 무리수}) \end{cases}$의 치역을 구하시오.

(2) $f(x)$는 실수 전체의 집합에서 정의된 함수이다.

$f(x+y)=f(x)+f(y)$

이고 $f(2)=4$일 때, $f(5)$와 $f(-1)$의 값을 구하시오.

대표 Q3 풀이

(1) $2, \frac{1}{3}$은 유리수이므로

$f(2)=\frac{1}{2}, f\left(\frac{1}{3}\right)=\frac{1}{\frac{1}{3}}=3$

$\sqrt{3}, \frac{1}{\sqrt{2}}$은 무리수이므로

$f(\sqrt{3})=(\sqrt{3})^2=3, f\left(\frac{1}{\sqrt{2}}\right)=\left(\frac{1}{\sqrt{2}}\right)^2=\frac{1}{2}$

따라서 구하는 함수 $f(x)$의 치역은 $\left\{\mathbf{\frac{1}{2}, 3}\right\}$이다.

(2) $f(x+y)=f(x)+f(y)$에서

$f(2)=4$이므로 $x=1, y=1$을 대입하면

$f(2)=f(1)+f(1) \quad \therefore f(1)=2$

$x=1, y=2$를 대입하면

$f(3)=f(1)+f(2)=2+4=6$

$x=2, y=3$을 대입하면

$\boldsymbol{f(5)}=f(2)+f(3)=4+6\mathbf{=10}$

$x=-1, y=3$을 대입하면

$f(2)=f(-1)+f(3)$

$4=f(-1)+6 \quad \therefore \boldsymbol{f(-1)=-2}$

3-1 나의 풀이

3-2 나의 풀이

본책 88쪽

대표 Q4 함수의 개수

집합 $X=\{-1, 0, 1\}$, $Y=\{3, 4, 5, 6\}$이 있다. X에서 Y로의 함수 f에 대하여 다음 물음에 답하시오.

(1) 함수 f의 개수를 구하시오.

(2) 일대일함수 f의 개수를 구하시오.

(3) $f(x)=f(-x)$인 함수의 개수를 구하시오.

대표 Q4 풀이

(1) -1의 함숫값은 3, 4, 5, 6의 4개
각각의 경우 0의 함숫값은 3, 4, 5, 6의 4개
각각의 경우 1의 함숫값은 3, 4, 5, 6의 4개
따라서 함수 f의 개수는
$4\times4\times4=\mathbf{64}$

(2) -1의 함숫값은 3, 4, 5, 6의 4개
0의 함숫값은 -1의 함숫값을 뺀 3개
1의 함숫값은 -1과 0의 함숫값을 뺀 2개
따라서 일대일함수 f의 개수는
$4\times3\times2=\mathbf{24}$

(3) $f(1)=f(-1)$이므로 $f(1)$의 값이 정해지면
$f(-1)$의 값도 같은 값으로 정해진다.
$f(1)$의 값은 3, 4, 5, 6의 4개가 가능하고
각 경우 $f(0)$의 값은 4개가 가능하다.
따라서 구하는 함수의 개수는
$4\times4=\mathbf{16}$

나만의 Note

4-1 나의 풀이

4-2 나의 풀이

대표 Q1 합성함수

함수 $f: X \longrightarrow X$, $g: X \longrightarrow X$, $h: X \longrightarrow Y$가 그림과 같다.

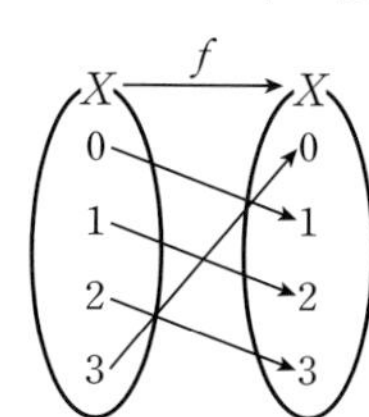

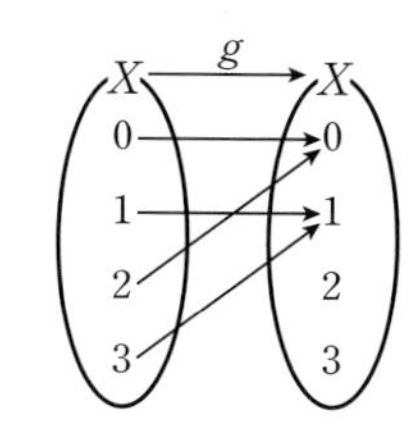

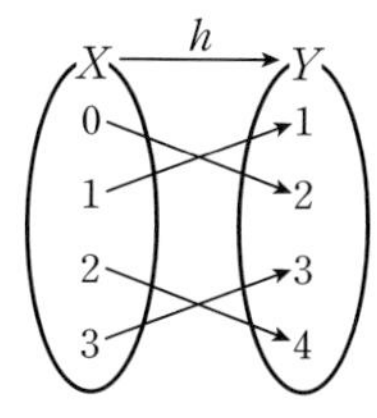

다음 함수를 위와 같이 벤다이어그램을 이용하여 그림으로 나타내시오.

(1) $g \circ f$ (2) $f \circ g$

(3) $h \circ (f \circ g)$ (4) $(h \circ g) \circ f$

대표 Q1 풀이

(1) $g \circ f$의 함숫값을 찾아 그림으로 나타내면

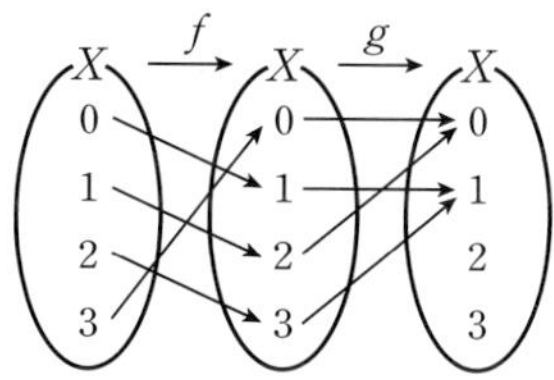

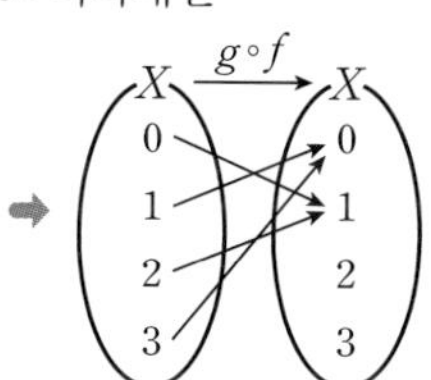

(2) $f \circ g$의 함숫값을 찾아 그림으로 나타내면

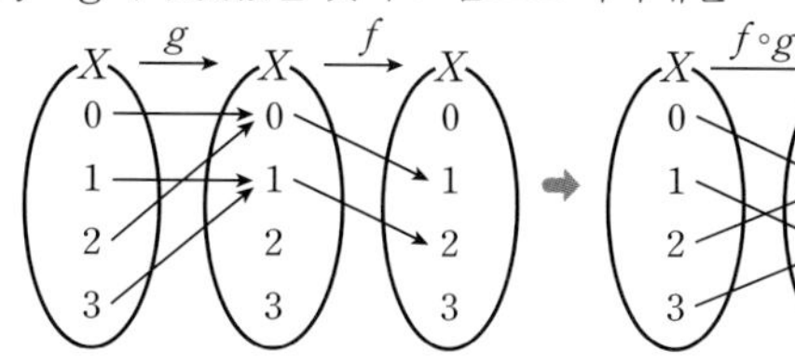

(3) (2)에서 구한 $f \circ g$를 이용하여 $h \circ (f \circ g)$를 그림으로 나타내면

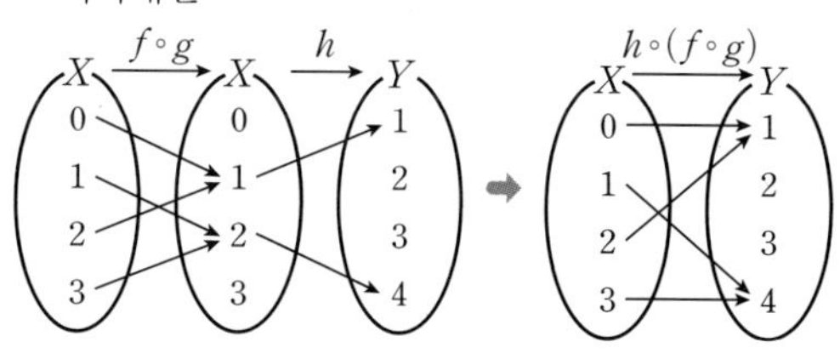

(4) 결합법칙이 성립하므로 $(h \circ g) \circ f = h \circ (g \circ f)$이고 (1)에서 구한 $g \circ f$를 이용하여 $h \circ (g \circ f)$를 그림으로 나타내면

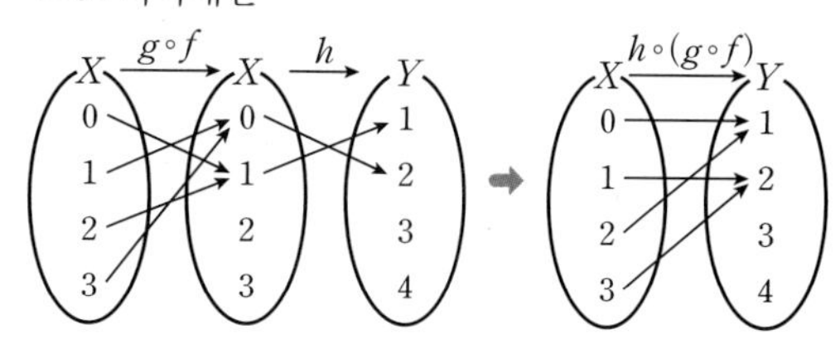

1-1 나의 풀이

본책 97쪽

대표 Q2 합성함수의 계산

함수 $f(x)=x-2$, $g(x)=ax+3$, $h(x)=x^2$에 대하여 다음 물음에 답하시오.

(1) $f\circ g=g\circ f$일 때, 상수 a의 값을 구하시오.

(2) $a=2$일 때, $(h\circ g\circ f)(x)$를 구하시오.

(3) $(f\circ f\circ f\circ f)(x)$를 구하시오.

대표 Q2 풀이

(1) $(f\circ g)(x)=f(g(x))=f(ax+3)$
$=(ax+3)-2=ax+1$
$(g\circ f)(x)=g(f(x))=g(x-2)$
$=a(x-2)+3=ax-2a+3$
$f\circ g=g\circ f$이므로 $ax+1=ax-2a+3$
x에 대한 항등식이므로
$1=-2a+3$ $\quad\therefore a=\mathbf{1}$

(2) $g(x)=2x+3$이므로
$(g\circ f)(x)=g(f(x))=g(x-2)$
$=2(x-2)+3=2x-1$
$\therefore \boldsymbol{(h\circ g\circ f)(x)}=(h\circ(g\circ f))(x)=h(2x-1)$
$=\mathbf{(2x-1)^2}$

(3) $(f\circ f)(x)=f(x-2)=(x-2)-2=x-4$
$(f\circ f\circ f)(x)=(f\circ(f\circ f))(x)=f(x-4)$
$=(x-4)-2=x-6$
$\therefore \boldsymbol{(f\circ f\circ f\circ f)(x)}$
$=(f\circ(f\circ f\circ f))(x)=f(x-6)$
$=(x-6)-2=\boldsymbol{x-8}$

나만의 Note

2-1 나의 풀이

2-2 나의 풀이

본책 98쪽

대표 Q3 그래프와 합성함수의 함숫값

$0 \le x \le 2$에서 함수 $y=f(x)$의 그래프가 그림과 같다.

$f^1=f$, $f^{n+1}=f \circ f^n$ (n은 자연수)

이라 할 때, 다음 물음에 답하시오.

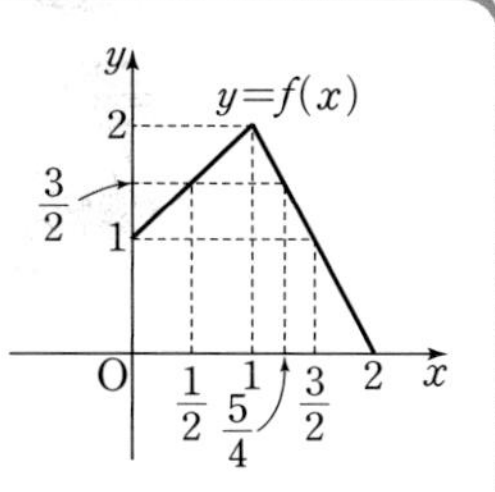

(1) $f^{49}\left(\frac{5}{4}\right)$, $f^{50}\left(\frac{5}{4}\right)$의 값을 구하시오.

(2) $f^2(a)=1$인 상수 a의 값을 모두 구하시오.

대표 Q3 풀이

(1) $f\left(\frac{5}{4}\right)=\frac{3}{2}$

$f^2\left(\frac{5}{4}\right)=f\left(f\left(\frac{5}{4}\right)\right)=f\left(\frac{3}{2}\right)=1$

$f^3\left(\frac{5}{4}\right)=f\left(f^2\left(\frac{5}{4}\right)\right)=f(1)=2$

$f^4\left(\frac{5}{4}\right)=f\left(f^3\left(\frac{5}{4}\right)\right)=f(2)=0$

$f^5\left(\frac{5}{4}\right)=f\left(f^4\left(\frac{5}{4}\right)\right)=f(0)=1$

$f^6\left(\frac{5}{4}\right)=f\left(f^5\left(\frac{5}{4}\right)\right)=f(1)=2$

$f^7\left(\frac{5}{4}\right)=f\left(f^6\left(\frac{5}{4}\right)\right)=f(2)=0$

$\vdots$

곧, f^2부터 1, 2, 0이 반복된다.

$49=3\times16+1$이므로

$\boldsymbol{f^{49}\left(\frac{5}{4}\right)}=f^{46}\left(\frac{5}{4}\right)=\cdots=f^4\left(\frac{5}{4}\right)=\mathbf{0}$

$\boldsymbol{f^{50}\left(\frac{5}{4}\right)}=f\left(f^{49}\left(\frac{5}{4}\right)\right)=f(0)=\mathbf{1}$

(2) $f^2(a)=1$에서

$f(f(a))=1$이다.

그림에서 $f(0)=1$ 또는 $f\left(\frac{3}{2}\right)=1$이므로

$f(a)=0$ 또는 $f(a)=\frac{3}{2}$

따라서 $f(a)=0$일 때 $a=\mathbf{2}$,

$f(a)=\frac{3}{2}$일 때 $a=\mathbf{\frac{1}{2}}$, $\mathbf{\frac{5}{4}}$

3-1 나의 풀이

3-2 나의 풀이

› 본책 99쪽

대표 Q4 합성함수와 치환

함수 $f(x)=x^2-2x$, $g(x)=x^2+2x+2$에 대하여 다음 물음에 답하시오.

(1) $-2\leq x\leq 2$일 때, 함수 $g(f(x))$의 최댓값과 최솟값을 구하시오.

(2) 방정식 $f(f(x))=f(x)$를 만족시키는 x의 값을 구하시오.

(3) 부등식 $f(g(x))\leq 0$을 만족시키는 x값의 범위를 구하시오.

대표 Q4 풀이

(1) $f(x)=t$로 놓으면

$t=x^2-2x=(x-1)^2-1$

따라서 그림에서

$-2\leq x\leq 2$일 때, $-1\leq t\leq 8$

$g(f(x))=g(t)=t^2+2t+2$

$=(t+1)^2+1$

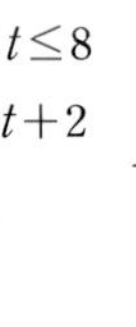

이고 $-1\leq t\leq 8$에서 $y=g(t)$의 그래프는 그림과 같으므로 $g(t)$의

최댓값은 $g(8)=82$,

최솟값은 $g(-1)=1$

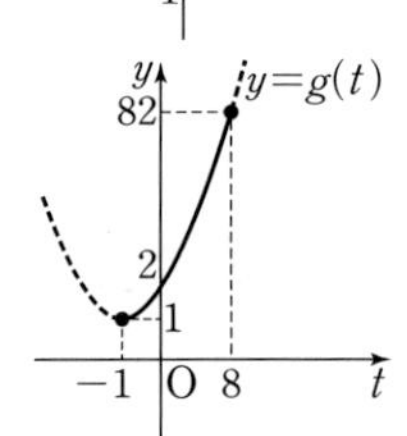

(2) $f(f(x))=f(x)$에서 $f(x)=t$로 놓으면

$f(t)=t$이므로 $t^2-2t=t$ $\quad\therefore t=0$ 또는 $t=3$

(i) $t=0$일 때, $x^2-2x=0$

$x(x-2)=0$ $\quad\therefore x=0$ 또는 $x=2$

(ii) $t=3$일 때, $x^2-2x=3$

$x^2-2x-3=0$, $(x+1)(x-3)=0$

$\therefore x=-1$ 또는 $x=3$

(i), (ii)에서 구하는 x의 값은 **-1, 0, 2, 3**이다.

(3) $f(g(x))\leq 0$에서 $g(x)=t$로 놓으면

$f(t)\leq 0$이므로 $t^2-2t\leq 0$ $\quad\therefore 0\leq t\leq 2$

$t=x^2+2x+2$이므로 $0\leq x^2+2x+2\leq 2$

(i) $0\leq x^2+2x+2$에서

$(x+1)^2+1\geq 0$이므로 모든 x에 대하여 성립한다.

(ii) $x^2+2x+2\leq 2$에서

$x^2+2x\leq 0$, $x(x+2)\leq 0$ $\quad\therefore -2\leq x\leq 0$

(i), (ii)에서 **$-2\leq x\leq 0$**

4-1 나의 풀이

4-2 나의 풀이

대표 Q5 범위를 나누는 합성함수의 그래프

$0\le x\le 2$에서 함수 $y=f(x)$와 $y=g(x)$의 그래프가 그림과 같을 때, 다음 물음에 답하시오.

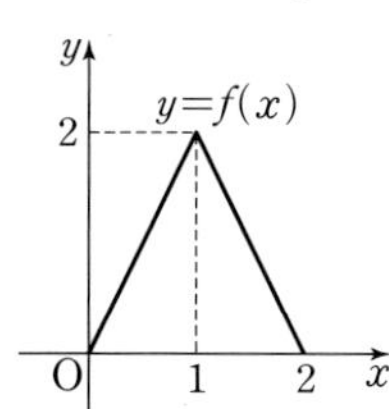

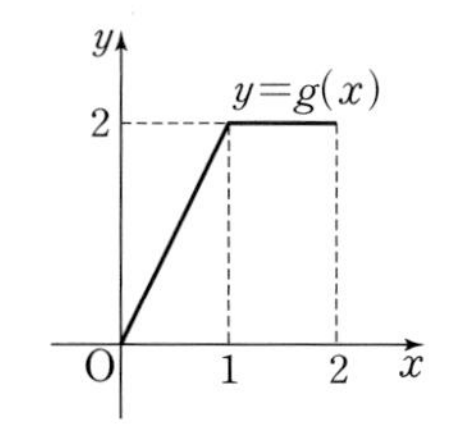

(1) $(f\circ g)\left(\frac{3}{4}\right)+(g\circ f)\left(\frac{3}{4}\right)$의 값을 구하시오.

(2) $y=(g\circ f)(x)$의 그래프를 그리시오.

대표 Q5 풀이

주어진 그림에서 두 함수 $f(x)$, $g(x)$의 식을 $0\le x<1$, $1\le x\le 2$로 나누어 구하면 다음과 같다.

$$f(x)=\begin{cases} 2x & (0\le x<1) \\ -2x+4 & (1\le x\le 2) \end{cases},\quad g(x)=\begin{cases} 2x & (0\le x<1) \\ 2 & (1\le x\le 2) \end{cases}$$

(1) $(f\circ g)\left(\frac{3}{4}\right)=f\left(g\left(\frac{3}{4}\right)\right)=f\left(\frac{3}{2}\right)=(-2)\times\frac{3}{2}+4=1$

$(g\circ f)\left(\frac{3}{4}\right)=g\left(f\left(\frac{3}{4}\right)\right)=g\left(\frac{3}{2}\right)=2$

$\therefore (f\circ g)\left(\frac{3}{4}\right)+(g\circ f)\left(\frac{3}{4}\right)=1+2=\mathbf{3}$

(2) $y=(g\circ f)(x)=g(f(x))$

$$=\begin{cases} 2f(x) & (0\le f(x)<1) \\ 2 & (1\le f(x)\le 2) \end{cases}$$

$$=\begin{cases} 2\times 2x & \left(0\le x<\frac{1}{2}\right) \\ 2(-2x+4) & \left(\frac{3}{2}<x\le 2\right) \\ 2 & \left(\frac{1}{2}\le x\le\frac{3}{2}\right) \end{cases}$$

$$=\begin{cases} 4x & \left(0\le x<\frac{1}{2}\right) \\ -4x+8 & \left(\frac{3}{2}<x\le 2\right) \\ 2 & \left(\frac{1}{2}\le x\le\frac{3}{2}\right) \end{cases}$$

따라서 $y=(g\circ f)(x)$의 그래프는 그림과 같다.

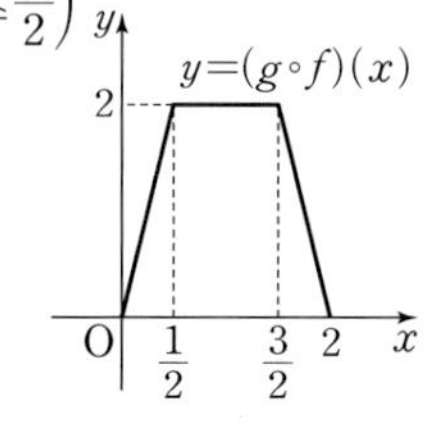

5-1 나의 풀이

본책 104쪽

대표 Q6 역함수의 식 구하기

함수 $f(x)=3x+2$, $g(x)=\frac{3}{2}x+1$에 대하여 다음 물음에 답하시오.

(1) $f^{-1}(x)$를 구하시오.

(2) $h \circ f=g$를 만족시키는 함수 $h(x)$를 구하시오.

(3) $f \circ h=g$를 만족시키는 함수 $h(x)$를 구하시오.

대표 Q6 풀이

(1) $y=3x+2$에서 $3x=y-2$ $\quad \therefore x=\frac{1}{3}y-\frac{2}{3}$

x와 y를 바꾸면 $y=\frac{1}{3}x-\frac{2}{3}$

$\therefore \boldsymbol{f^{-1}(x)=\frac{1}{3}x-\frac{2}{3}}$

(2) $h \circ f=g$에서 양변의 오른쪽에 f^{-1}를 합성하면

$(h \circ f) \circ f^{-1}=g \circ f^{-1}$

$h \circ (f \circ f^{-1})=g \circ f^{-1}$

$h=g \circ f^{-1}$

$\therefore \boldsymbol{h(x)}=g(f^{-1}(x))=g\left(\frac{1}{3}x-\frac{2}{3}\right)$

$=\frac{3}{2}\left(\frac{1}{3}x-\frac{2}{3}\right)+1=\boldsymbol{\frac{1}{2}x}$

(3) $f \circ h=g$에서 양변의 왼쪽에 f^{-1}를 합성하면

$f^{-1} \circ (f \circ h)=f^{-1} \circ g$

$(f^{-1} \circ f) \circ h=f^{-1} \circ g$

$h=f^{-1} \circ g$

$\therefore \boldsymbol{h(x)}=f^{-1}(g(x))=f^{-1}\left(\frac{3}{2}x+1\right)$

$=\frac{1}{3}\left(\frac{3}{2}x+1\right)-\frac{2}{3}=\boldsymbol{\frac{1}{2}x-\frac{1}{3}}$

나만의 Note

6-1 나의 풀이

본책 105쪽

역함수의 대응 찾기

$f(x)$, $g(x)$는 집합 $A=\{1, 2, 3, 4\}$에서 A로의 함수이다. $f(x)$, $(f\circ g)(x)$가 그림과 같을 때, 다음 함수를 벤다이어그램을 이용하여 그림으로 나타내시오.

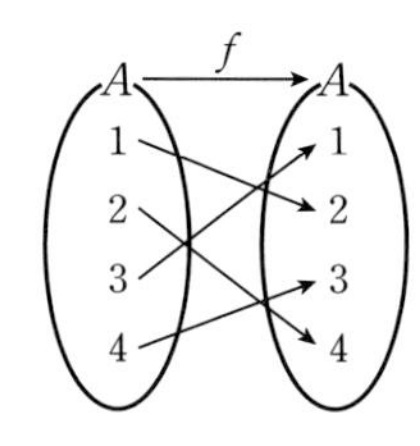
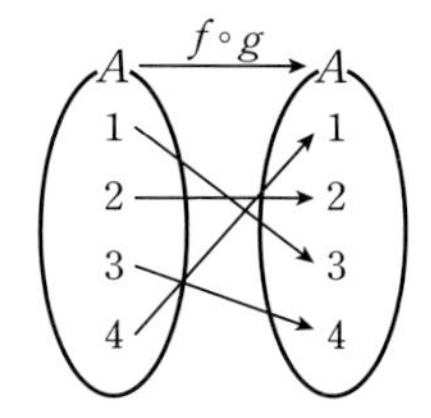

(1) $(g^{-1}\circ f^{-1})(x)$

(2) $g(x)$

대표 Q7 풀이

(1) $g^{-1}\circ f^{-1}=(f\circ g)^{-1}$이므로 $f\circ g$의 역대응을 그림으로 나타내면 다음과 같다.

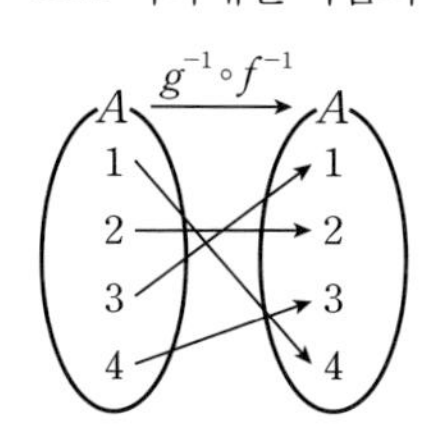

(2) f는 일대일대응이고

$f(1)=2$, $f(g(2))=2$이므로 $g(2)=1$

$f(2)=4$, $f(g(3))=4$이므로 $g(3)=2$

$f(3)=1$, $f(g(4))=1$이므로 $g(4)=3$

$f(4)=3$, $f(g(1))=3$이므로 $g(1)=4$

따라서 $g(x)$를 그림으로 나타내면 다음과 같다.

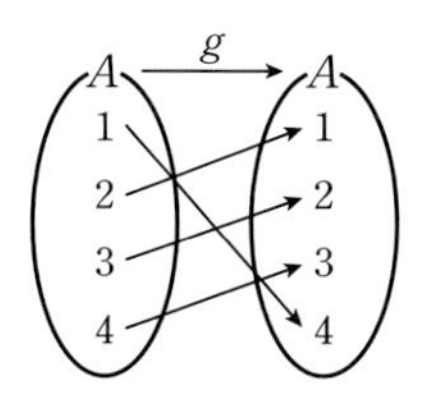

나만의 Note

7-1 나의 풀이

본책 106쪽

대표 Q8 역함수의 성질

다음 물음에 답하시오.

(1) 함수 $f(x)=x-2$, $g(x)=\frac{2}{3}x-1$에 대하여 $(f\circ(g\circ f)^{-1}\circ f)(2)$의 값을 구하시오.

(2) 함수 $f(x)$의 역함수를 $g(x)$라 할 때, 함수 $f(3x)$의 역함수를 $h(x)$라 하자. $g(3)=1$일 때, $h(3)$의 값을 구하시오.

대표 Q8 풀이

(1) $f\circ(g\circ f)^{-1}\circ f=f\circ f^{-1}\circ g^{-1}\circ f$

$=I\circ g^{-1}\circ f=g^{-1}\circ f$

$\therefore (f\circ(g\circ f)^{-1}\circ f)(2)=(g^{-1}\circ f)(2)$

$=g^{-1}(f(2))=g^{-1}(0)$

$g^{-1}(0)=a$라 하면 $g(a)=0$이므로

$\frac{2}{3}a-1=0 \qquad \therefore a=\frac{3}{2}$

따라서 $g^{-1}(0)=\frac{3}{2}$이므로

$(f\circ(g\circ f)^{-1}\circ f)(2)=\mathbf{\frac{3}{2}}$

(2) g가 f의 역함수이므로

$g(3)=1$에서 $f(1)=3 \qquad \cdots$ ㉠

$f(3x)$의 역함수가 $h(x)$이므로

$h(3)=a$라 하면 $f(3a)=3$

㉠에 의해 $3a=1 \qquad \therefore a=\frac{1}{3}$

$\therefore h(3)=\mathbf{\frac{1}{3}}$

나만의 Note

8-1 나의 풀이

8-2 나의 풀이

대표 Q9 역함수가 존재할 조건

실수에서 정의된 함수 $f(x)=\begin{cases} 2kx+k^2 & (x<1) \\ x^2+2 & (x\geq 1) \end{cases}$

의 역함수가 존재할 때, 다음 물음에 답하시오.

(1) 상수 k의 값을 구하시오.

(2) $f^{-1}(f^{-1}(6))$의 값을 구하시오.

대표 Q9 풀이

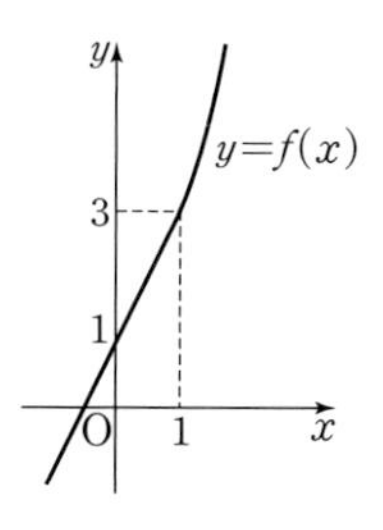

(1) $y=2kx+k^2$의 그래프는 기울기가 $2k$인 직선이다.

$y=x^2+2$의 그래프는 꼭짓점의 좌표가 $(0,\ 2)$이고 아래로 볼록한 포물선이다.

함수 $f(x)$의 역함수가 존재하면 일대일대응이므로 그림에서 직선 $y=2kx+k^2$의 기울기가 양수이다.

$2k>0 \qquad \therefore k>0$

또 $y=2kx+k^2$의 그래프가 점 $(1,\ 3)$을 지나므로

$3=2k+k^2$, $(k+3)(k-1)=0$

$k>0$이므로 $k=\mathbf{1}$

(2) $f(x)=\begin{cases} 2x+1 & (x<1) \\ x^2+2 & (x\geq 1) \end{cases}$이다.

$f^{-1}(6)=a$라 하면 $f(a)=6$이므로 $a\geq 1$이다.

$a^2+2=6$, $a^2=4$

$a\geq 1$이므로 $a=2$

$f^{-1}(f^{-1}(6))=f^{-1}(2)$에서

$f^{-1}(2)=b$라 하면 $f(b)=2$이므로 $b<1$이다.

$2b+1=2 \qquad \therefore b=\frac{1}{2}$

$\therefore f^{-1}(f^{-1}(6))=f^{-1}(2)=\mathbf{\frac{1}{2}}$

나만의 Note

9-1 나의 풀이

9-2 나의 풀이

› 본책 108쪽

대표 Q10 역함수와 그래프

다음 물음에 답하시오.

(1) 함수 $f(x)=ax+b$의 그래프는 점 (1, 4)를 지나고 $y=f^{-1}(x)$의 그래프는 점 (2, 0)을 지날 때, 상수 a, b의 값을 구하시오.

(2) 함수 $f(x)=\frac{1}{5}(x^2+4)$ $(x\geq 0)$의 역함수를 $g(x)$라 할 때, $y=f(x)$와 $y=g(x)$의 그래프가 만나는 두 점 사이의 거리를 구하시오.

대표 Q10 풀이

(1) 점 (1, 4)는 $y=ax+b$의 그래프 위의 점이므로
$f(1)=4$에서 $4=a+b$ … ㉠
또 점 (2, 0)이 $y=f^{-1}(x)$의 그래프 위의 점이므로
점 (0, 2)는 $y=f(x)$의 그래프 위의 점이다. 곧,
$f(0)=2$에서 $2=0+b$ $\therefore$ $\boldsymbol{b=2}$
㉠에 대입하면 $4=a+2$ $\therefore$ $\boldsymbol{a=2}$

(2) $y=f(x)$와 $y=g(x)$의 그래프의 교점은 $y=f(x)$의 그래프와 직선 $y=x$의 교점과 같다.

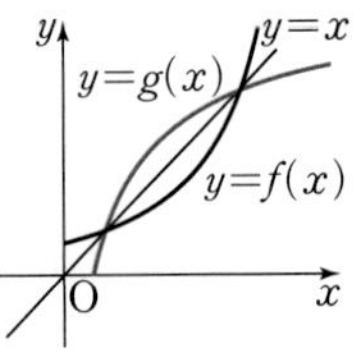

함수 $f(x)=\frac{1}{5}(x^2+4)$와
역함수 $g(x)$의 그래프의 교점의 x좌표는
$\frac{1}{5}(x^2+4)=x$에서 $x^2-5x+4=0$
$(x-1)(x-4)=0$ $\therefore$ $x=1$ 또는 $x=4$
따라서 두 교점의 좌표는 (1, 1), (4, 4)이므로 교점 사이의 거리는
$\sqrt{(4-1)^2+(4-1)^2}=\boldsymbol{3\sqrt{2}}$

나만의 Note

10-1 나의 풀이

10-2 나의 풀이

대표 Q1 유리식의 계산

다음을 계산하시오.

(1) $\dfrac{x+3}{x^2+x-2}\times\dfrac{3x^2+2x-8}{2x^2+x-1}\div\dfrac{3x^2+5x-12}{x^2-1}$

(2) $\dfrac{x^2+3x+3}{x+1}-\dfrac{x^2-2x+2}{x-1}$

대표 Q1 풀이

(1) $\dfrac{x+3}{x^2+x-2}\times\dfrac{3x^2+2x-8}{2x^2+x-1}\div\dfrac{3x^2+5x-12}{x^2-1}$

$=\dfrac{x+3}{(x+2)(x-1)}\times\dfrac{(x+2)(3x-4)}{(x+1)(2x-1)}\div\dfrac{(x+3)(3x-4)}{(x+1)(x-1)}$

$=\dfrac{x+3}{(x+2)(x-1)}\times\dfrac{(x+2)(3x-4)}{(x+1)(2x-1)}\times\dfrac{(x+1)(x-1)}{(x+3)(3x-4)}$

$=\mathbf{\dfrac{1}{2x-1}}$

(2) 분자의 차수가 분모의 차수보다 낮게 되도록 변형하여 계산한다.

$\dfrac{x^2+3x+3}{x+1}-\dfrac{x^2-2x+2}{x-1}$

$=\dfrac{(x+1)(x+2)+1}{x+1}-\dfrac{(x-1)^2+1}{x-1}$

$=\left(x+2+\dfrac{1}{x+1}\right)-\left(x-1+\dfrac{1}{x-1}\right)$

$=3+\dfrac{1}{x+1}-\dfrac{1}{x-1}=3+\dfrac{(x-1)-(x+1)}{(x+1)(x-1)}$

$=3-\dfrac{2}{(x+1)(x-1)}=\dfrac{3(x+1)(x-1)-2}{(x+1)(x-1)}$

$=\dfrac{3(x^2-1)-2}{(x+1)(x-1)}=\mathbf{\dfrac{3x^2-5}{(x+1)(x-1)}}$

나만의 Note

1-1 나의 풀이

대표 Q2 부분분수의 계산

다음 물음에 답하시오.

(1) $x \neq 1$인 실수 x에 대하여 다음 등식이 성립할 때, 상수 a, b, c의 값을 구하시오.

$$\frac{x-4}{x^3-1}=\frac{a}{x-1}+\frac{bx+c}{x^2+x+1}$$

(2) 다음 식을 간단히 하시오.

$$\frac{1}{a(a+2)}+\frac{1}{(a+2)(a+4)}+\frac{1}{(a+4)(a+6)}$$

대표 Q2 풀이

(1) 우변을 통분하여 계산하면

$$\frac{a}{x-1}+\frac{bx+c}{x^2+x+1}$$
$$=\frac{a(x^2+x+1)+(bx+c)(x-1)}{(x-1)(x^2+x+1)}$$
$$=\frac{ax^2+ax+a+bx^2+(-b+c)x-c}{x^3-1}$$
$$=\frac{(a+b)x^2+(a-b+c)x+a-c}{x^3-1}$$

좌변과 우변의 분모가 같으므로 분자가 같아야 한다.

곧, $x-4=(a+b)x^2+(a-b+c)x+a-c$

x에 대한 항등식이므로 양변의 동류항의 계수를 비교하면 $a+b=0$, $a-b+c=1$, $a-c=-4$

위의 식을 연립하여 풀면 $\boldsymbol{a=-1}$, $\boldsymbol{b=1}$, $\boldsymbol{c=3}$

(2) $$\frac{1}{a(a+2)}+\frac{1}{(a+2)(a+4)}+\frac{1}{(a+4)(a+6)}$$
$$=\frac{1}{(a+2)-a}\left(\frac{1}{a}-\frac{1}{a+2}\right)$$
$$+\frac{1}{(a+4)-(a+2)}\left(\frac{1}{a+2}-\frac{1}{a+4}\right)$$
$$+\frac{1}{(a+6)-(a+4)}\left(\frac{1}{a+4}-\frac{1}{a+6}\right)$$
$$=\frac{1}{2}\left\{\left(\frac{1}{a}-\frac{1}{a+2}\right)+\left(\frac{1}{a+2}-\frac{1}{a+4}\right)+\left(\frac{1}{a+4}-\frac{1}{a+6}\right)\right\}$$
$$=\frac{1}{2}\left(\frac{1}{a}-\frac{1}{a+6}\right)$$
$$=\frac{1}{2}\times\frac{a+6-a}{a(a+6)}=\boldsymbol{\frac{3}{a(a+6)}}$$

2-1 나의 풀이

2-2 나의 풀이

대표 Q3 번분수식의 계산

다음 식을 간단히 하시오.

(1) $1-\dfrac{1}{1-\dfrac{1}{1-x}}$　　(2) $\dfrac{2-\dfrac{2-x}{1+x}}{\dfrac{2-x}{1+x}-1}$

대표 Q3 풀이

(1) $1-\dfrac{1}{1-x}=\dfrac{1-x-1}{1-x}=\dfrac{-x}{1-x}$이므로

$$1-\dfrac{1}{1-\dfrac{1}{1-x}}=1-\dfrac{1}{\dfrac{-x}{1-x}}=1+\dfrac{1-x}{x}$$

$$=\dfrac{x+1-x}{x}=\mathbf{\dfrac{1}{x}}$$

(2) $$\dfrac{2-\dfrac{2-x}{1+x}}{\dfrac{2-x}{1+x}-1}=\dfrac{\dfrac{2(1+x)-(2-x)}{1+x}}{\dfrac{2-x-(1+x)}{1+x}}=\mathbf{\dfrac{3x}{1-2x}}$$

나만의 Note

3-1 나의 풀이

대표 Q4 비례식

0이 아닌 실수 x, y, z에 대하여 다음 물음에 답하시오.

(1) $2x=3y=z$일 때, $\dfrac{x+2y+3z}{x+y-z}$의 값을 구하시오.

(2) $x:y:z=2:3:4$일 때, $\dfrac{x^2+y^2+z^2}{xy+yz+zx}$의 값을 구하시오.

대표 Q4 풀이

(1) $2x=3y=z$의 각 변을 6으로 나누면 $\dfrac{x}{3}=\dfrac{y}{2}=\dfrac{z}{6}$

$\dfrac{x}{3}=\dfrac{y}{2}=\dfrac{z}{6}=k\,(k\neq0)$로 놓으면

$x=3k$, $y=2k$, $z=6k$

$$\therefore \frac{x+2y+3z}{x+y-z}=\frac{3k+2\times2k+3\times6k}{3k+2k-6k}=\frac{25k}{-k}=\mathbf{-25}$$

(2) $x=2k$, $y=3k$, $z=4k\,(k\neq0)$로 놓으면

$$\frac{x^2+y^2+z^2}{xy+yz+zx}=\frac{(2k)^2+(3k)^2+(4k)^2}{2k\times3k+3k\times4k+4k\times2k}=\frac{29k^2}{26k^2}=\mathbf{\frac{29}{26}}$$

나만의 Note

4-1 나의 풀이

4-2 나의 풀이

유리함수의 그래프

함수와 정의역이 다음과 같을 때, 함수의 치역을 구하시오.

(1) $y=\frac{2x+7}{x+3}$, $\{x|-4\leq x\leq 0,\ x\neq -3\}$

(2) $y=-\frac{x}{x-2}$, $\{x|x\leq 0$ 또는 $x\geq 4\}$

대표 Q5 풀이

(1) $y=\frac{2x+7}{x+3}=\frac{2(x+3)+1}{x+3}=\frac{1}{x+3}+2$

점근선은 직선 $x=-3$, $y=2$이다.

$x=-4$일 때 $y=1$,

$x=0$일 때 $y=\frac{7}{3}$

따라서 치역은

$\left\{y\middle|y\leq 1 \text{ 또는 } y\geq\frac{7}{3}\right\}$

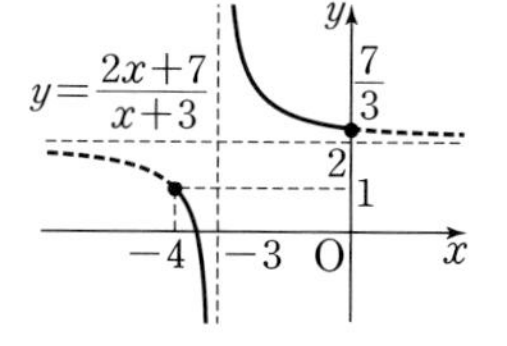

(2) $y=-\frac{x}{x-2}=-\frac{(x-2)+2}{x-2}=-\frac{2}{x-2}-1$

점근선은 직선 $x=2$, $y=-1$이다.

$x=0$일 때 $y=0$

$x=4$일 때 $y=-2$

따라서 치역은

$\{y|-2\leq y<-1$ 또는 $-1<y\leq 0\}$

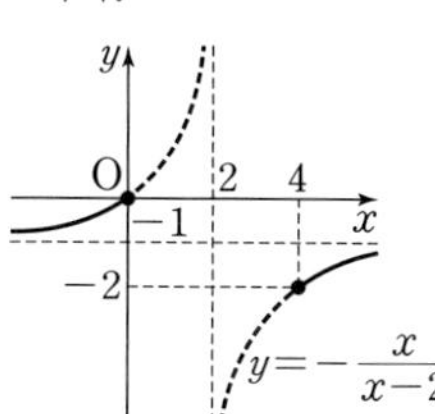

나만의 Note

5-1 나의 풀이

5-2 나의 풀이

본책 125쪽

대표 Q6 유리함수의 평행이동과 점근선

다음 물음에 답하시오.

(1) 함수 $y=\frac{2x-3}{x+1}$의 그래프는 $y=\frac{a}{x}$의 그래프를 x축 방향으로 b만큼, y축 방향으로 c만큼 평행이동한 것이다. 상수 a, b, c의 값을 구하시오.

(2) 함수 $y=\frac{bx+c}{ax+6}$의 그래프는 점근선이 직선 $x=3$, $y=-2$이고 점 $(6, 0)$을 지날 때, 상수 a, b, c의 값을 구하시오.

대표 Q6 풀이

(1) $y=\frac{2x-3}{x+1}=\frac{2(x+1)-5}{x+1}$

$=-\frac{5}{x+1}+2$

따라서 $y=\frac{2x-3}{x+1}$의 그래프는 $y=-\frac{5}{x}$의 그래프를 x축 방향으로 -1만큼, y축 방향으로 2만큼 평행이동한 것이다.

$\therefore$ $\boldsymbol{a=-5,\ b=-1,\ c=2}$

(2) 점근선이 직선 $x=3$, $y=-2$이므로 함수의 식을

$y=\frac{k}{x-3}-2\ (k\neq0)$ $\cdots$ ㉠

로 놓을 수 있다.

점 $(6, 0)$을 지나므로 ㉠에서

$0=\frac{k}{6-3}-2$

$\therefore k=6$

$k=6$을 ㉠에 대입하면

$y=\frac{6}{x-3}-2=\frac{6-2(x-3)}{x-3}$

$=\frac{-2x+12}{x-3}$ $\cdots$ ㉡

㉡은 $y=\frac{bx+c}{ax+6}$와 같은 식이므로 ㉡의 분모, 분자에 -2를 곱하면

$y=\frac{4x-24}{-2x+6}$

$\therefore$ $\boldsymbol{a=-2,\ b=4,\ c=-24}$

6-1 나의 풀이

6-2 나의 풀이

대표 Q7 유리함수의 최댓값, 최솟값

다음 물음에 답하시오.

(1) $a \le x \le -2$에서 함수 $y=\dfrac{kx+3}{x+1}$의 최댓값이 $\dfrac{5}{3}$, 최솟값이 1일 때, a와 k의 값을 구하시오. (단, $k<3$)

(2) $x \ge 0$에서 함수 $y=\dfrac{bx+c}{x+a}$의 최솟값이 0이고, 그래프의 점근선이 직선 $x=-2$, $y=2$이다. 상수 a, b, c의 값을 구하시오.

대표 Q7 풀이

(1) $f(x)=\dfrac{kx+3}{x+1}$이라 하면 $f(x)=\dfrac{3-k}{x+1}+k$

$y=f(x)$의 그래프는 점근선이 직선 $x=-1$, $y=k$이고, $k<3$이므로 $3-k>0$이다.

$a \le x \le -2$에서

$y=\dfrac{kx+3}{x+1}$의 그래프는

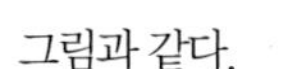

그림과 같다.

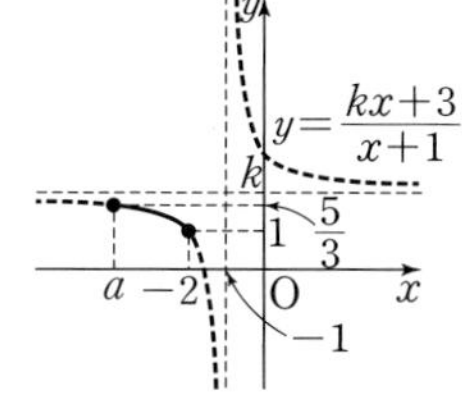

$x=-2$일 때 최소이고, 최솟값은 1이므로

$\dfrac{-2k+3}{-2+1}=1$ $\quad \therefore$ $\boldsymbol{k=2}$

$x=a$일 때 최대이고, 최댓값은 $\dfrac{5}{3}$이므로

$\dfrac{2a+3}{a+1}=\dfrac{5}{3}$, $6a+9=5a+5$ $\quad \therefore$ $\boldsymbol{a=-4}$

(2) 점근선이 직선 $x=-2$, $y=2$이므로 함수의 식을

$y=\dfrac{k}{x+2}+2\ (k \ne 0)$ $\quad \cdots$ ㉠

로 놓을 수 있다.

$x \ge 0$에서 최솟값이 0이면 그래프는 그림과 같으므로 $k<0$이고

$x=0$일 때 $y=0$이다.

$y=\dfrac{k}{x+2}+2$, y, 2, -2, O, x

㉠에서

$0=\dfrac{k}{2}+2$

$\therefore k=-4$

$k=-4$를 ㉠에 대입하면 $y=\dfrac{-4}{x+2}+2=\dfrac{2x}{x+2}$

$\therefore$ $\boldsymbol{a=2,\ b=2,\ c=0}$

7-1 나의 풀이

7-2 나의 풀이

본책 127쪽

대표 Q8 유리함수의 합성함수

함수 $f(x)=\dfrac{x}{x-1}$, $g(x)=\dfrac{2x+1}{x-2}$에 대하여 다음 물음에 답하시오.

(1) $y=(g\circ f)(x)$의 그래프의 점근선의 방정식을 구하시오.

(2) $f^1=f$, $f^{n+1}=f\circ f^n$ (n은 자연수)이라 할 때, $f^{100}(3)$의 값을 구하시오.

대표 Q8 풀이

(1) $(g\circ f)(x)=g(f(x))=\dfrac{2f(x)+1}{f(x)-2}$

$$=\frac{\frac{2x}{x-1}+1}{\frac{x}{x-1}-2}=\frac{2x+(x-1)}{x-2(x-1)}$$

$$=\frac{3x-1}{-x+2}=\frac{-3x+1}{x-2}$$

$$=\frac{-3(x-2)-5}{x-2}=\frac{-5}{x-2}-3$$

따라서 점근선의 방정식은 $\boldsymbol{x=2,\ y=-3}$

(2) $f(3)=\dfrac{3}{2}$

$$f^2(3)=f(f(3))=f\left(\frac{3}{2}\right)=\frac{\frac{3}{2}}{\frac{3}{2}-1}=3$$

$$f^3(3)=f(f^2(3))=f(3)=\frac{3}{2}$$

$$f^4(3)=f(f^3(3))=f\left(\frac{3}{2}\right)=3$$

이므로

$$f(3)=f^3(3)=f^5(3)=\cdots=\frac{3}{2}$$

$$f^2(3)=f^4(3)=f^6(3)=\cdots=3$$

$\therefore f^{100}(3)=f^2(3)=\mathbf{3}$

나만의 Note

8-1 나의 풀이

8-2 나의 풀이

대표 Q9 유리함수의 역함수

다음 물음에 답하시오.

(1) 함수 $f(x)=\frac{x+3}{x+1}$일 때, $f^{-1}(x)$를 구하시오.

(2) 함수 $g(x)=\frac{ax+b}{x+2}$에 대하여 $y=g^{-1}(x)$의 그래프의 점근선은 직선 $x=1$, $y=2b$이다. $g^{-1}(b)$의 값을 구하시오.

대표 Q9 풀이

(1) $f(x)=y$로 놓으면 $y=\frac{x+3}{x+1}$

$x+3=y(x+1)$, $(-y+1)x=y-3$

$\therefore x=-\frac{y-3}{y-1}$

x와 y를 바꾸면

$y=-\frac{x-3}{x-1}$ $\quad\therefore$ $\boldsymbol{f^{-1}(x)=-\frac{x-3}{x-1}}$

(2) $y=g^{-1}(x)$의 그래프의 점근선은 직선 $x=1$, $y=2b$이므로 $y=g(x)$의 그래프의 점근선은 직선 $x=2b$, $y=1$이다.

또 $g(x)=\frac{a(x+2)+b-2a}{x+2}=\frac{b-2a}{x+2}+a$에서

$y=g(x)$의 그래프의 점근선은 직선 $x=-2$, $y=a$이다.

따라서 $a=1$, $b=-1$이므로 $g(x)=\frac{x-1}{x+2}$

$g^{-1}(-1)=k$라 하면 $g(k)=-1$

$\frac{k-1}{k+2}=-1$ $\quad\therefore$ $k=\boldsymbol{-\frac{1}{2}}$

나만의 Note

9-1 나의 풀이

9-2 나의 풀이

› 본책 129쪽

대표 Q10 유리함수의 그래프와 직선

함수 $f(x)=\dfrac{x+1}{x-1}$에 대하여 다음 물음에 답하시오.

(1) 직선 $y=-x+k$와 곡선 $y=f(x)$가 접할 때, 상수 k의 값을 모두 구하시오.

(2) $2\le x\le 4$에서 $y=f(x)$의 그래프와 직선 $y=m(x+1)+2$가 만날 때, 실수 m값의 범위를 구하시오.

대표 Q10 풀이

$f(x)=\dfrac{x+1}{x-1}=\dfrac{2}{x-1}+1$이므로 점근선은 직선 $x=1$, $y=1$이다.

(1) $y=-x+k$의 그래프는 기울기가 -1인 직선이므로 $y=f(x)$의 그래프와 접하려면

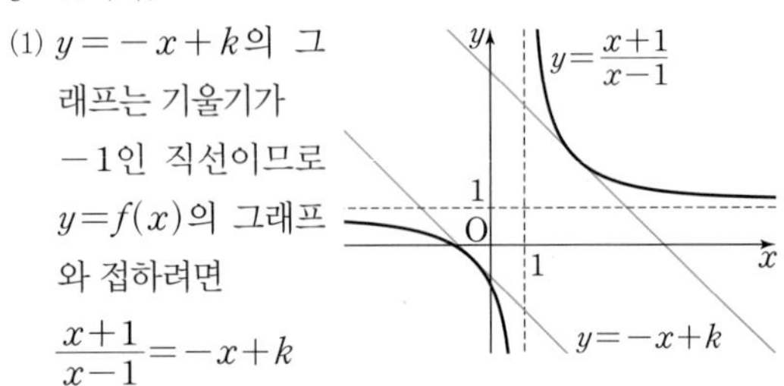

$\dfrac{x+1}{x-1}=-x+k$

$(-x+k)(x-1)=x+1$, $x^2-kx+k+1=0$

이 이차방정식이 중근을 가져야 하므로

$D=(-k)^2-4(k+1)=0$, $k^2-4k-4=0$

$\therefore\ k=2\pm\sqrt{(-2)^2-1\times(-4)}=\mathbf{2\pm2\sqrt{2}}$

(2) $y=m(x+1)+2$에서 $y-2=m(x+1)$ $\cdots$ ㉠

이므로 점 $(-1,\ 2)$를 지나는 직선이다.

따라서 이 직선이 $2\le x\le 4$에서 $y=f(x)$의 그래프와 만나려면 그림에서 색칠한 부분에 있으면 된다.

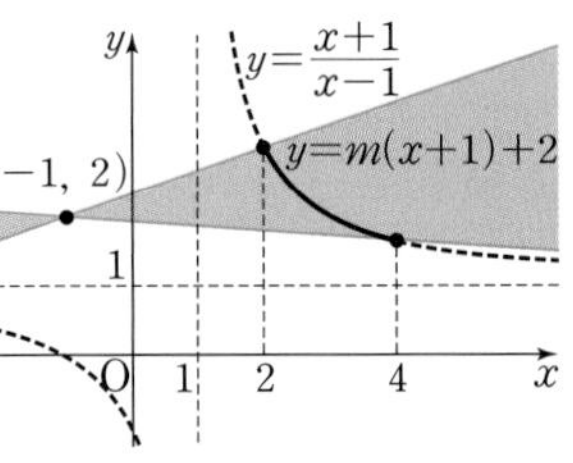

$f(2)=3$이므로 ㉠의 직선이 점 $(2,\ 3)$을 지날 때,

$3-2=m(2+1)$ $\quad\therefore\ m=\dfrac{1}{3}$

$f(4)=\dfrac{5}{3}$이므로 ㉠의 직선이 점 $\left(4,\ \dfrac{5}{3}\right)$를 지날 때,

$\dfrac{5}{3}-2=m(4+1)$ $\quad\therefore\ m=-\dfrac{1}{15}$

따라서 실수 m값의 범위는 $\mathbf{-\dfrac{1}{15}\le m\le\dfrac{1}{3}}$

10-1 나의 풀이

10-2 나의 풀이

대표 Q1 무리식의 계산

다음 물음에 답하시오.

(1) $\dfrac{x}{1+\sqrt{x+1}}-\dfrac{x}{1-\sqrt{x+1}}$를 간단히 하시오.

(2) $f(x)=\sqrt{x+1}+\sqrt{x}$일 때,

$$\frac{1}{f(1)}+\frac{1}{f(2)}+\frac{1}{f(3)}+\cdots+\frac{1}{f(99)}$$

의 값을 구하시오.

대표 Q1 풀이

(1) $\dfrac{x}{1+\sqrt{x+1}}-\dfrac{x}{1-\sqrt{x+1}}$

$=\dfrac{x(1-\sqrt{x+1})-x(1+\sqrt{x+1})}{(1+\sqrt{x+1})(1-\sqrt{x+1})}$

$=\dfrac{x-x\sqrt{x+1}-x-x\sqrt{x+1}}{1-(x+1)}$

$=\dfrac{-2x\sqrt{x+1}}{-x}=\mathbf{2\sqrt{x+1}}$

(2) $\dfrac{1}{f(x)}=\dfrac{1}{\sqrt{x+1}+\sqrt{x}}$

$=\dfrac{\sqrt{x+1}-\sqrt{x}}{(x+1)-x}=\sqrt{x+1}-\sqrt{x}$

$\therefore \dfrac{1}{f(1)}+\dfrac{1}{f(2)}+\dfrac{1}{f(3)}+\cdots+\dfrac{1}{f(99)}$

$=(\sqrt{2}-1)+(\sqrt{3}-\sqrt{2})+(\sqrt{4}-\sqrt{3})+\cdots$
$+(\sqrt{100}-\sqrt{99})$

$=-1+\sqrt{100}=\mathbf{9}$

나만의 Note

1-1 나의 풀이

1-2 나의 풀이

> 본책 137쪽

대표 Q2 무리식의 값

다음 물음에 답하시오.

(1) $x=\sqrt{3}+\sqrt{2}$, $y=\sqrt{3}-\sqrt{2}$일 때, $\dfrac{\sqrt{x}+\sqrt{y}}{\sqrt{x}-\sqrt{y}}$의 값을 구하시오.

(2) $x=\sqrt{3}$일 때, $\dfrac{\sqrt{x+1}}{\sqrt{x-1}}+\dfrac{\sqrt{x-1}}{\sqrt{x+1}}$의 값을 구하시오.

대표 Q2 풀이

(1) $\dfrac{\sqrt{x}+\sqrt{y}}{\sqrt{x}-\sqrt{y}}=\dfrac{(\sqrt{x}+\sqrt{y})^2}{(\sqrt{x}-\sqrt{y})(\sqrt{x}+\sqrt{y})}$

$=\dfrac{x+y+2\sqrt{xy}}{x-y}$

조건에서

$x+y=2\sqrt{3}$, $x-y=2\sqrt{2}$, $xy=3-2=1$이므로

$\dfrac{\sqrt{x}+\sqrt{y}}{\sqrt{x}-\sqrt{y}}=\dfrac{2\sqrt{3}+2}{2\sqrt{2}}=\dfrac{\sqrt{3}+1}{\sqrt{2}}=\mathbf{\dfrac{\sqrt{6}+\sqrt{2}}{2}}$

(2) $\dfrac{\sqrt{x+1}}{\sqrt{x-1}}+\dfrac{\sqrt{x-1}}{\sqrt{x+1}}=\dfrac{(\sqrt{x+1})^2+(\sqrt{x-1})^2}{\sqrt{x-1}\sqrt{x+1}}$

$=\dfrac{x+1+x-1}{\sqrt{x^2-1}}=\dfrac{2x}{\sqrt{x^2-1}}$

$x=\sqrt{3}$을 대입하면

$\dfrac{2\sqrt{3}}{\sqrt{3-1}}=\dfrac{2\sqrt{3}}{\sqrt{2}}=\dfrac{2\sqrt{3}\sqrt{2}}{2}=\mathbf{\sqrt{6}}$

나만의 Note

2-1 나의 풀이

2-2 나의 풀이

2-3 나의 풀이

대표 Q3 무리함수의 그래프

다음 함수의 그래프를 그리고, 정의역과 치역을 구하시오.

(1) $y=3-\sqrt{2x-4}$ (2) $y=\sqrt{2-3x}-1$

대표 Q3 풀이

(1) $y=3-\sqrt{2x-4}$

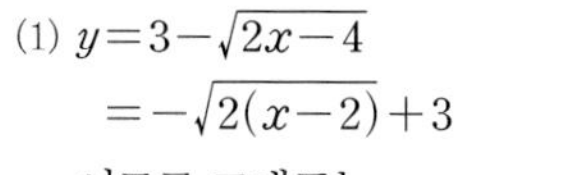

$=-\sqrt{2(x-2)}+3$

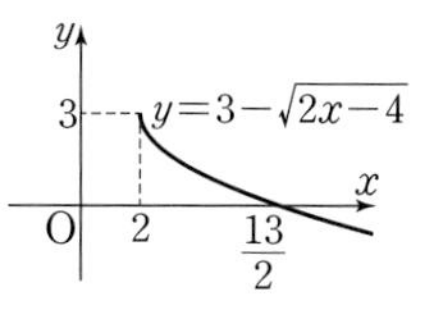

이므로 그래프는 $y=-\sqrt{2x}$의 그래프를 x축 방향으로 2만큼, y축 방향으로 3만큼 평행이동한 것이다.

따라서 **정의역은** $\{x|x\geq 2\}$, **치역은** $\{y|y\leq 3\}$이다.

(2) $y=\sqrt{2-3x}-1$

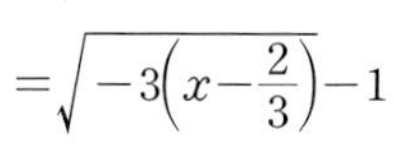

$=\sqrt{-3\left(x-\frac{2}{3}\right)}-1$

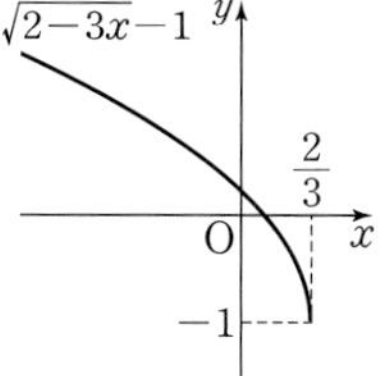

이므로 그래프는 $y=\sqrt{-3x}$의 그래프를 x축 방향으로 $\frac{2}{3}$만큼, y축 방향으로 -1만큼 평행이동한 것이다.

따라서 **정의역은** $\left\{x\middle|x\leq\frac{2}{3}\right\}$, **치역은** $\{y|y\geq -1\}$이다.

나만의 Note

3-1 나의 풀이

3-2 나의 풀이

> 본책 142쪽

대표 Q4 무리함수와 평행이동

다음 물음에 답하시오.

(1) 함수 $y=\sqrt{ax}$의 그래프를 x축 방향으로 b만큼, y축 방향으로 -2만큼 평행이동한 그래프의 식은 $y=2\sqrt{x-1}+c$이다. 상수 a, b, c의 값을 구하시오.

(2) 함수 $y=\sqrt{-2x+a}+b$의 정의역은 $\{x|x\le-2\}$이고 최솟값은 1이다. 상수 a, b의 값을 구하시오.

대표 Q4 풀이

(1) $y=\sqrt{ax}$의 그래프를 x축 방향으로 b만큼, y축 방향으로 -2만큼 평행이동한 그래프의 식은

$y=\sqrt{a(x-b)}-2$ … ㉠

$y=2\sqrt{x-1}+c$에서 $y=\sqrt{4(x-1)}+c$이므로

㉠과 비교하면

$\boldsymbol{a=4,\ b=1,\ c=-2}$

(2) $y=\sqrt{-2x+a}+b$의 그래프는 $y=\sqrt{-2x}$의 그래프를 평행이동한 것이고 정의역이 $\{x|x\le-2\}$, 최솟값이 1이므로 그림과 같다.

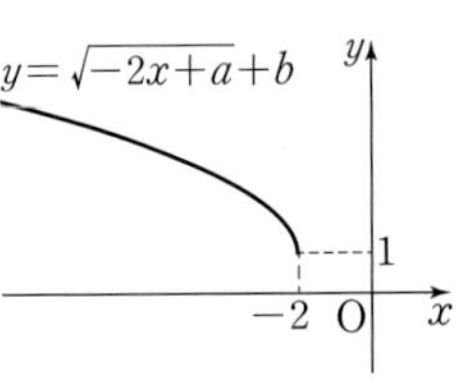

곧, 함수의 식은

$y=\sqrt{-2(x+2)}+1$

$\therefore\ y=\sqrt{-2x-4}+1$

$y=\sqrt{-2x+a}+b$와 비교하면

$\boldsymbol{a=-4,\ b=1}$

나만의 Note

4-1 나의 풀이

4-2 나의 풀이

4-3 나의 풀이

 역함수

다음 물음에 답하시오.

(1) 함수 $y=\sqrt{-x+1}+2$의 역함수를 구하시오.

(2) 함수 $y=-x^2+6x-8$ $(x\leq 3)$의 역함수를 구하시오.

대표 Q5 풀이

(1) $y=\sqrt{-x+1}+2$의 치역은 $\{y\,|\,y\geq 2\}$이므로 역함수의 정의역은 $\{x\,|\,x\geq 2\}$

$y=\sqrt{-x+1}+2$에서 $y-2=\sqrt{-x+1}$

양변을 제곱하면

$y^2-4y+4=-x+1$ $\quad\therefore x=-y^2+4y-3$

x와 y를 바꾸면 역함수는

$\boldsymbol{y=-x^2+4x-3\ (x\geq 2)}$

(2) $y=-x^2+6x-8=-(x-3)^2+1$

에서 $y-1=-(x-3)^2$, $(x-3)^2=-y+1$

그런데 $x\leq 3$이므로 $x-3=-\sqrt{-y+1}$

$\therefore x=3-\sqrt{-y+1}$

x와 y를 바꾸면 역함수는

$\boldsymbol{y=-\sqrt{-x+1}+3}$

나만의 Note

5-1 나의 풀이

5-2 나의 풀이

대표 Q6 무리함수의 그래프와 직선

함수 $f(x)=\sqrt{x-1}$에 대하여 다음 물음에 답하시오.

(1) $y=f(x)$의 그래프와 직선 $y=mx-1$이 접할 때, 상수 m의 값을 구하시오.

(2) $y=f(x)$의 그래프와 직선 $y=\frac{1}{2}x+k$가 서로 다른 두 점에서 만날 때, 상수 k값의 범위를 구하시오.

대표 Q6 풀이

(1) 곡선 $y=\sqrt{x-1}$과 직선 $y=mx-1$이 접하므로
$\sqrt{x-1}=mx-1$
에서 양변을 제곱하면

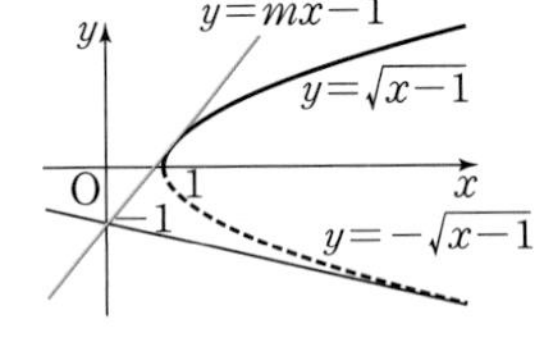

$x-1=(mx-1)^2$ $\therefore m^2x^2-(2m+1)x+2=0$

$D=(2m+1)^2-8m^2=0$이어야 하므로 $m=\frac{1\pm\sqrt{2}}{2}$

그런데 $m>0$이므로 $m=\mathbf{\frac{1+\sqrt{2}}{2}}$

(2) 곡선 $y=\sqrt{x-1}$과 직선 $y=\frac{1}{2}x+k$가 서로 다른 두 점에서 만나려면 그림에서 접하는 경우를 제외한 색칠한 부분에 있으면 된다.

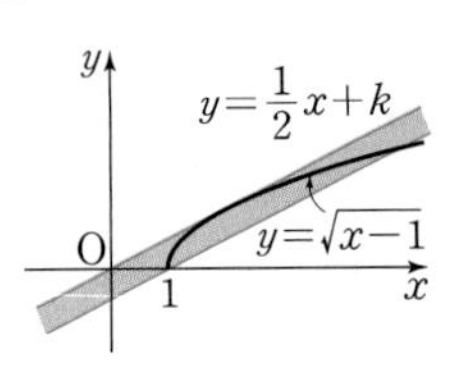

(i) $y=\sqrt{x-1}$의 그래프와 직선 $y=\frac{1}{2}x+k$가 접할 때,

$\sqrt{x-1}=\frac{1}{2}x+k$에서 양변을 제곱하면

$x-1=\left(\frac{1}{2}x+k\right)^2$

$\therefore x^2+4(k-1)x+4k^2+4=0$

$\frac{D}{4}=4(k-1)^2-4k^2-4=0$이어야 하므로 $k=0$

(ii) 직선 $y=\frac{1}{2}x+k$가 점 $(1,\ 0)$을 지날 때,

$0=\frac{1}{2}\times1+k$ $\therefore k=-\frac{1}{2}$

(i), (ii)에서 $\mathbf{-\frac{1}{2}\le k<0}$

6-1 나의 풀이

6-2 나의 풀이

대표 Q7 역함수와 그래프의 교점

다음 물음에 답하시오.

(1) 함수 $y=\sqrt{x-1}+1$, $x=\sqrt{y-1}+1$의 그래프가 만나는 점의 좌표를 모두 구하시오.

(2) 함수 $f(x)=\sqrt{3x-a}+2$이다. $y=f(x)$와 $y=f^{-1}(x)$의 그래프가 두 점에서 만나고 두 교점 사이의 거리가 $\sqrt{2}$일 때, 상수 a의 값을 구하시오.

대표 Q7 풀이

(1) 두 함수는 x와 y가 바뀐 꼴이므로 서로 역함수이다.
곧, 두 함수의 그래프를 그리면 그림과 같이 직선 $y=x$에 대칭이고, 두 함수의 그래프의 교점은

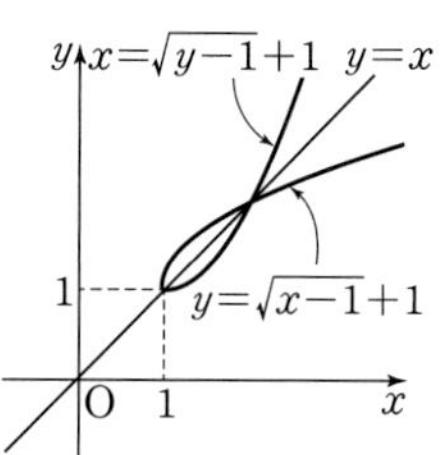

$y=\sqrt{x-1}+1$의 그래프와 직선 $y=x$의 교점과 같다.
$x=\sqrt{x-1}+1$에서 $x-1=\sqrt{x-1}$
양변을 제곱하면 $x^2-2x+1=x-1$
$(x-1)(x-2)=0$ $\therefore x=1$ 또는 $x=2$
따라서 교점의 좌표는 **(1, 1), (2, 2)**이다.

(2) $y=f(x)$와 $y=f^{-1}(x)$의 그래프의 교점은 $y=f(x)$의 그래프와 직선 $y=x$의 교점과 같고, 두 점에서 만나므로 그림과 같다.

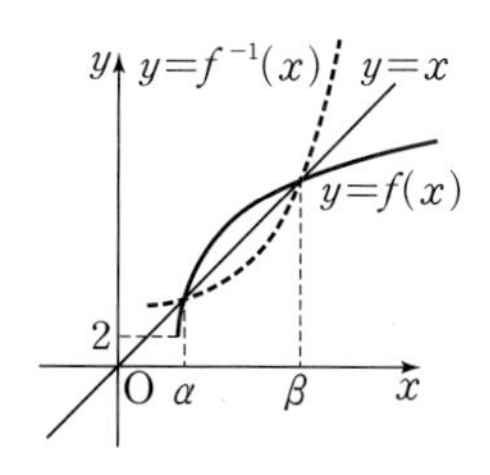

곧, 교점의 x좌표는 방정식 $\sqrt{3x-a}+2=x$의 해이다.
$\sqrt{3x-a}=x-2$에서 양변을 제곱하면
$3x-a=x^2-4x+4$, $x^2-7x+a+4=0$
이 방정식의 두 근을 α, $\beta\,(\alpha<\beta)$라 하면 근과 계수의 관계에서 $\alpha+\beta=7$, $\alpha\beta=a+4$
또 교점의 좌표는 (α, α), (β, β)이다.
두 교점 사이의 거리가 $\sqrt{2}$이므로
$(\beta-\alpha)^2+(\beta-\alpha)^2=2$, $(\beta-\alpha)^2=1$
$\therefore \beta-\alpha=1$ ($\because \alpha<\beta$)
$\alpha+\beta=7$과 연립하여 풀면 $\alpha=3$, $\beta=4$
$\alpha\beta=a+4$에 대입하면 $a=$**8**

7-1 나의 풀이

7-2 나의 풀이

대표 Q1 합의 법칙

주사위 두 개를 동시에 던질 때, 다음 물음에 답하시오.

(1) 두 눈의 수의 합이 4의 배수인 경우의 수를 구하시오.

(2) 두 눈의 수의 차가 4 이상인 경우의 수를 구하시오.

대표 Q1 풀이

(1) 두 눈의 수의 합이 4의 배수인 경우는 4, 8, 12일 때이다.

(i) 두 눈의 수의 합이 4인 경우
(1, 3), (2, 2), (3, 1)의 3개

(ii) 두 눈의 수의 합이 8인 경우
(2, 6), (3, 5), (4, 4), (5, 3), (6, 2)의 5개

(iii) 두 눈의 수의 합이 12인 경우
(6, 6)의 1개

따라서 구하는 경우의 수는
$3+5+1=\mathbf{9}$

(2) 두 눈의 수의 차가 4 이상인 경우는 4, 5일 때이다.

(i) 두 눈의 수의 차가 4인 경우
(1, 5), (5, 1), (2, 6), (6, 2)의 4개

(ii) 두 눈의 수의 차가 5인 경우
(1, 6), (6, 1)의 2개

따라서 구하는 경우의 수는
$4+2=\mathbf{6}$

나만의 Note

1-1 나의 풀이

1-2 나의 풀이

대표 Q2 곱의 법칙

지점 A, B, C 사이에 그림과 같은 길이 있을 때, 다음 물음에 답하시오.
(단, 같은 지점을 두 번 이상 지나지 않는다.)

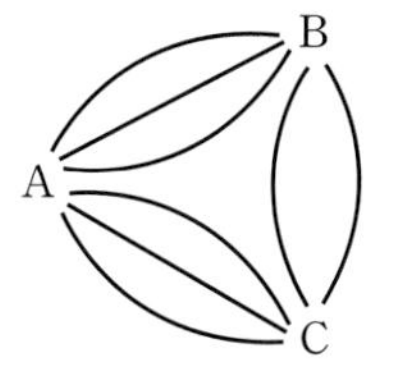

(1) A에서 B를 거쳐 C로 가는 경우의 수를 구하시오.

(2) A에서 B, C를 한 번씩 거쳐 다시 A로 돌아오는 경우의 수를 구하시오.

대표 Q2 풀이

(1) A → B → C로 가는 경우의 수는
$3\times2=$**6**

(2) (i) A → B → C → A인 경우는
$3\times2\times3=18$(개)

(ii) A → C → B → A인 경우는
$3\times2\times3=18$(개)

따라서 구하는 경우의 수는
$18+18=$**36**

나만의 Note

2-1 나의 풀이

2-2 나의 풀이

약수의 개수 문제

다음 물음에 답하시오.

(1) 72의 약수의 개수를 구하시오.

(2) 72의 약수 중 2의 배수의 개수를 구하시오.

(3) 72의 약수 중 9와 서로소인 약수의 개수를 구하시오.

대표 Q3 풀이

$72=2^3\times3^2$이므로 약수는 표와 같다.

3^2의 약수 \ 2^3의 약수	1	2	2^2	2^3
1	1	2	2^2	2^3
3	3	2×3	$2^2\times3$	$2^3\times3$
3^2	3^2	2×3^2	$2^2\times3^2$	$2^3\times3^2$

(1) 72의 약수의 개수는
$(3+1)\times(2+1)=4\times3=$**12**

(2) 약수 중 2의 배수의 개수는 약수의 개수에서 2의 배수가 아닌 약수의 개수를 뺀 것과 같다.
2의 배수가 아닌 약수의 개수는 3^2의 약수의 개수와 같으므로 $2+1=3$
따라서 72의 약수의 개수는 12이므로 약수 중 2의 배수의 개수는
$12-3=$**9**

(3) $9=3^2$이므로 9와 서로소이면 소인수 중에 3이 없어야 한다.
따라서 약수 중 9와 서로소인 약수의 개수는 2^3의 약수의 개수와 같으므로
$3+1=$**4**

나만의 Note

3-1 나의 풀이

본책 155쪽

대표 Q4 돈을 지불하는 문제

100원짜리 동전 1개, 50원짜리 동전 2개, 10원짜리 동전 4개가 있다. 이 중 일부 또는 전부를 사용하여 지불하려고 할 때, 다음 물음에 답하시오.
(단, 0원을 지불하는 것은 생각하지 않는다.)

(1) 지불하는 방법의 수를 구하시오.

(2) 지불하는 금액의 수를 구하시오.

대표 Q4 풀이

(1) 100원짜리 동전을 지불하는 방법은
0개, 1개 ➡ 2가지
50원짜리 동전을 지불하는 방법은
0개, 1개, 2개 ➡ 3가지
10원짜리 동전을 지불하는 방법은
0개, 1개, …, 4개 ➡ 5가지
그런데 0원을 지불하는 경우를 빼야 하므로 지불하는 방법의 수는
$2\times3\times5-1=30-1=\mathbf{29}$

(2) 100원짜리 동전을 50원짜리 동전 2개로 생각한다.
곧, 50원짜리 동전 4개, 10원짜리 동전 4개로 지불하는 방법의 수와 같다.
따라서 50원짜리 동전 4개로 지불하는 방법은 5가지, 10원짜리 동전 4개로 지불하는 방법은 5가지이므로 지불하는 금액의 수는
$5\times5-1=\mathbf{24}$

나만의 Note

4-1 나의 풀이

› 본책 156쪽

대표 Q5 색칠하는 문제

그림과 같이 분할된 영역을 5개의 색으로 칠하려고 한다. 칠하는 방법의 수를 구하시오.
(단, 같은 색은 여러 번 쓸 수 있지만, 이웃한 부분은 서로 다른 색으로 칠한다.)

(1) 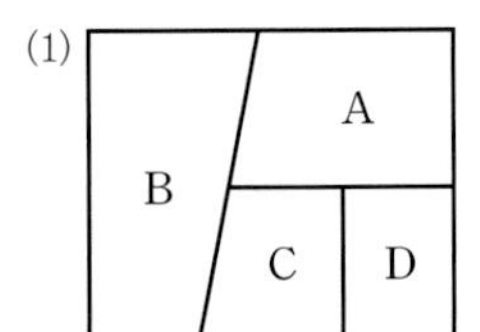

(2) 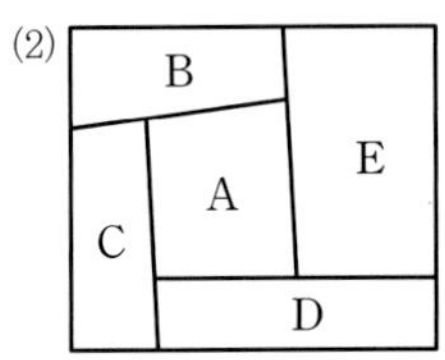

대표 Q5 풀이

(1) A에 칠할 수 있는 색은 5가지
B에 칠할 수 있는 색은 A의 색을 뺀 4가지
C에 칠할 수 있는 색은 A, B의 색을 뺀 3가지
D에 칠할 수 있는 색은 A, C의 색을 뺀 3가지
따라서 구하는 방법의 수는
$5\times4\times3\times3=\mathbf{180}$

(2) B는 C, E와는 이웃하지만, D와는 이웃하지 않으므로 B와 D에 같은 색을 칠하는 경우와 다른 색을 칠하는 경우로 나누어 구한다.
(i) B와 D에 같은 색을 칠하는 경우
A에 칠할 수 있는 색은 5가지
B에 칠할 수 있는 색은 A의 색을 뺀 4가지
C에 칠할 수 있는 색은 A, B의 색을 뺀 3가지
D에 칠할 수 있는 색은 B의 색과 같으므로 1가지
E에 칠할 수 있는 색은 A, B(또는 D)의 색을 뺀 3가지
따라서 구하는 방법의 수는
$5\times4\times3\times1\times3=180$
(ii) B와 D에 다른 색을 칠하는 경우
A에 칠할 수 있는 색은 5가지
B에 칠할 수 있는 색은 A의 색을 뺀 4가지
C에 칠할 수 있는 색은 A, B의 색을 뺀 3가지
D에 칠할 수 있는 색은 A, B, C의 색을 뺀 2가지
E에 칠할 수 있는 색은 A, B, D의 색을 뺀 2가지
따라서 구하는 방법의 수는
$5\times4\times3\times2\times2=240$
(i), (ii)에서 구하는 방법의 수는 $180+240=\mathbf{420}$

5-1 나의 풀이

5-2 나의 풀이

Q6 수형도를 이용하는 문제

다음 물음에 답하시오.

(1) 그림과 같은 정육면체에서 꼭짓점 A를 출발하여 꼭짓점 B까지 모서리를 따라가는 경우의 수를 구하시오.
(단, 한 번 지나간 꼭짓점은 다시 지나지 않는다.)

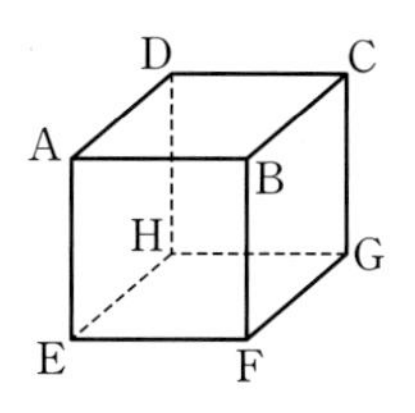

(2) 학생 A, B, C, D가 각각 작성한 답안지를 네 명이서 한 개씩 채점하려고 한다. 자기가 작성한 답안지는 채점하지 않는다고 할 때, 채점하는 경우의 수를 구하시오.

날선 Q6 풀이

(1) 꼭짓점 A에서 모서리 하나로 연결 가능한 꼭짓점은 B, D, E이다.

(i) A−B인 경우는 1가지

(ii) A−D로 시작하는 경우는 다음과 같이 7가지

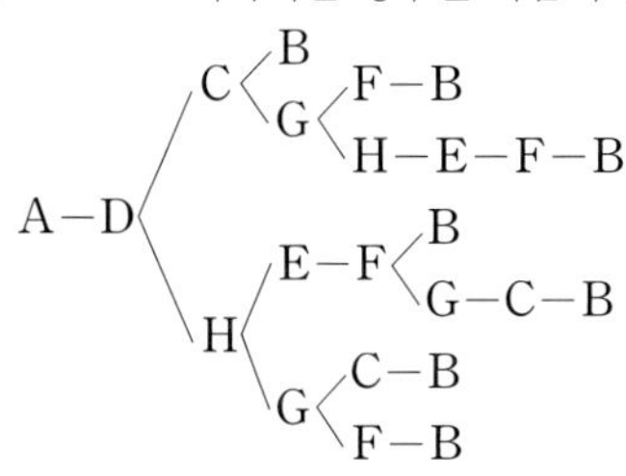

(iii) A−E로 시작하는 경우는 A−D로 시작하는 경우와 그 경우의 수가 같으므로 7가지

(i), (ii), (iii)에서 구하는 경우의 수는 $1+7+7=$**15**

(2) 네 학생 A, B, C, D의 답안지를 각각 a, b, c, d라 하고 수형도를 그려 보면 다음과 같다.

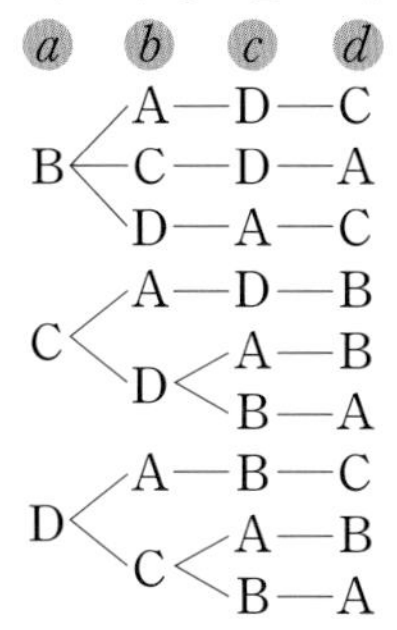

따라서 구하는 경우의 수는 **9**이다.

6-1 나의 풀이

6-2 나의 풀이

본책 164쪽

대표 Q1 조건이 있는 자연수

0, 1, 2, 3, 4가 하나씩 적힌 카드 5장에서 3장을 뽑아 세 자리 자연수를 만들 때, 다음 물음에 답하시오.

(1) 만들 수 있는 자연수의 개수를 구하시오.

(2) 만들 수 있는 짝수의 개수를 구하시오.

(3) 만들 수 있는 3의 배수의 개수를 구하시오.

대표 Q1 풀이

(1) 백의 자리에는 0이 올 수 없으므로 백의 자리에는 1, 2, 3, 4의 4개의 숫자가 올 수 있다.
각각에 대하여 십의 자리, 일의 자리에는 백의 자리 숫자를 뺀 4개의 숫자 중 2개를 뽑아 나열하면 되므로 구하는 세 자리 자연수의 개수는
$4\times{}_4P_2=4\times(4\times3)=\mathbf{48}$

(2) 짝수는 일의 자리 숫자가 0, 2, 4이다.
(i) 일의 자리 숫자가 0인 경우
백의 자리, 십의 자리에는 1, 2, 3, 4의 4개의 숫자 중 2개를 뽑아 나열하면 되므로 경우의 수는
${}_4P_2=4\times3=12$
(ii) 일의 자리 숫자가 2인 경우
백의 자리에는 2, 0을 뺀 1, 3, 4의 3개의 숫자가 올 수 있고, 십의 자리에는 백의 자리와 일의 자리에 온 숫자를 뺀 3개의 숫자가 올 수 있으므로 경우의 수는 $3\times3=9$
(iii) 일의 자리 숫자가 4인 경우
일의 자리 숫자가 2일 때와 같으므로 경우의 수는 9
(i), (ii), (iii)에서 구하는 짝수의 개수는
$12+9+9=\mathbf{30}$

(3) 3의 배수는 각 자리 숫자의 합이 3의 배수이다. 각 자리 숫자의 합이 3의 배수인 경우는
(0, 1, 2), (0, 2, 4), (1, 2, 3), (2, 3, 4)
이므로 이를 나열하는 경우만 생각하면 된다.
(i) (0, 1, 2) 또는 (0, 2, 4)인 경우
백의 자리에는 0이 올 수 없으므로 경우의 수는
$2\times2\times1=4$ $\quad\therefore 2\times4=8$
(ii) (1, 2, 3) 또는 (2, 3, 4)인 경우
3장을 나열하는 경우의 수이므로 $3!=6$
$\therefore 2\times6=12$
(i), (ii)에서 구하는 3의 배수의 개수는 $8+12=\mathbf{20}$

1-1 나의 풀이

Q2 이웃하거나 이웃하지 않는 순열

자음 ㄱ, ㄴ, ㄷ, ㄹ이 하나씩 적힌 카드 4장과 모음 ㅏ, ㅓ, ㅜ가 하나씩 적힌 카드 3장이 있다. 7장을 일렬로 나열할 때, 다음 물음에 답하시오.

(1) 모음끼리 이웃하는 경우의 수를 구하시오.

(2) 모음끼리 이웃하지 않는 경우의 수를 구하시오.

대표 Q2 풀이

(1) 모음 카드 3장을 한 묶음으로 보고, 자음 카드 4장과 합하여 5장을 일렬로 나열하는 경우의 수는 $5!$
묶음 안의 모음 카드 3장을 일렬로 나열하는 경우의 수는 $3!$
따라서 구하는 경우의 수는
$5!\times 3!=(5\times 4\times 3\times 2\times 1)\times(3\times 2\times 1)$
$=120\times 6=\mathbf{720}$

(2) 자음 카드 4장을 일렬로 나열하는 경우의 수는 $4!$
모음 카드는 자음 카드 사이사이와 양 끝의 자리 5곳 중 3곳에 한 장씩 나열하면 되므로 경우의 수는 ${}_5P_3$
따라서 구하는 경우의 수는
$4!\times {}_5P_3=(4\times 3\times 2\times 1)\times(5\times 4\times 3)$
$=24\times 60=\mathbf{1440}$

나만의 Note

2-1 나의 풀이

2-2 나의 풀이

> 본책 166쪽

대표 Q3 '적어도'를 포함한 순열

A, B, C, D, E가 하나씩 적힌 카드 5장과 a, b, c가 하나씩 적힌 카드 3장이 있다. 8장을 일렬로 나열할 때, 다음 물음에 답하시오.

(1) 짝수 번째 자리에 대문자가 있는 경우의 수를 구하시오.

(2) A와 B 사이에 소문자만 2개 있는 경우의 수를 구하시오.

(3) 적어도 한쪽 끝이 소문자인 경우의 수를 구하시오.

대표 Q3 풀이

(1) 짝수 번째 자리에 A, B, C, D, E 중 4장을 뽑아 나열하는 경우의 수는 ${}_5P_4$

홀수 번째 자리에 나머지 4장을 나열하는 경우의 수는 $4!$

따라서 구하는 경우의 수는

${}_5P_4 \times 4! = 120 \times 24 = \mathbf{2880}$

(2) a, b, c 중 A와 B 사이에 들어갈 2장을 뽑아 나열하는 경우의 수는 ${}_3P_2$

A와 B를 바꾸는 경우는 2가지

A○○B를 한 묶음으로 보고 나머지 4장과 합하여 5장을 나열하는 경우의 수는 $5!$

따라서 구하는 경우의 수는

${}_3P_2 \times 2 \times 5! = 6 \times 2 \times 120 = \mathbf{1440}$

(3) 전체 경우에서 양 끝이 모두 대문자인 경우를 빼면 된다.

전체 경우의 수는 $8!$

양 끝에 A, B, C, D, E 중 2장을 뽑아 나열하는 경우의 수는 ${}_5P_2$

가운데 여섯 자리에 나머지 6장을 나열하는 경우의 수는 $6!$

따라서 구하는 경우의 수는

$$8! - {}_5P_2 \times 6! = (8 \times 7 - 5 \times 4) \times 6! = 36 \times 720 = \mathbf{25920}$$

나만의 Note

3-1 나의 풀이

3-2 나의 풀이

> 본책 167쪽

대표 Q4 사전식 배열

1, 2, 3, 4, 5가 하나씩 적힌 카드 5장을 일렬로 나열하여 다섯 자리 자연수를 만들 때, 다음 물음에 답하시오.

(1) 42000보다 큰 수의 개수를 구하시오.

(2) 크기가 작은 수부터 배열할 때 86번째 오는 수를 구하시오.

대표 Q4 풀이

(1) 42000보다 큰 수는

42○○○, 43○○○, 45○○○, 5○○○○

꼴이다.

42○○○ 꼴은 3!

43○○○ 꼴은 3!

45○○○ 꼴은 3!

5○○○○ 꼴은 4!

따라서 구하는 자연수의 개수는

$3!+3!+3!+4!=6+6+6+24=\mathbf{42}$

(2) 1○○○○ 꼴은 $4!=24$

2○○○○ 꼴은 $4!=24$ (48개)

3○○○○ 꼴은 $4!=24$ (72개)

41○○○ 꼴은 $3!=6$ (78개)

42○○○ 꼴은 $3!=6$ (84개)

따라서 86번째 오는 수는 43○○○ 꼴인 수 중 두 번째 수이므로 **43152**이다.

나만의 Note

4-1 나의 풀이

4-2 나의 풀이

본책 170쪽

$_{n}C_{r}$의 계산

다음 물음에 답하시오.

(1) $_{n}C_{2}={_{n}C_{4}}$일 때, n의 값을 구하시오.

(2) $_{10}C_{n}={_{10}C_{2n-2}}$일 때, n의 값을 모두 구하시오.

(3) $1\le r<n$일 때, $_{n}C_{r}={_{n-1}C_{r-1}}+{_{n-1}C_{r}}$가 성립함을 보이시오.

대표 Q5 풀이

(1) $_{n}C_{2}=\dfrac{_{n}P_{2}}{2!}=\dfrac{n(n-1)}{2}$

$_{n}C_{4}=\dfrac{_{n}P_{4}}{4!}=\dfrac{n(n-1)(n-2)(n-3)}{24}$이므로

$\dfrac{n(n-1)}{2}=\dfrac{n(n-1)(n-2)(n-3)}{24}$

그런데 $n\ge4$이므로 $n(n-1)\ne0$

$12=(n-2)(n-3)$, $n^2-5n-6=0$

$(n+1)(n-6)=0$ $\therefore n=\mathbf{6}$ $(\because n\ge4)$

(2) $n=2n-2$일 때 $n=\mathbf{2}$

$10-n=2n-2$일 때 $n=\mathbf{4}$

(3) $_{n-1}C_{r-1}=\dfrac{(n-1)!}{(r-1)!\{(n-1)-(r-1)\}!}$

$=\dfrac{(n-1)!}{(r-1)!(n-r)!}$

$_{n-1}C_{r}=\dfrac{(n-1)!}{r!\{(n-1)-r\}!}=\dfrac{(n-1)!}{r!(n-r-1)!}$

$\therefore$ (우변) $={_{n-1}C_{r-1}}+{_{n-1}C_{r}}$

$=\dfrac{(n-1)!}{(r-1)!(n-r)!}+\dfrac{(n-1)!}{r!(n-r-1)!}$

$=\dfrac{(n-1)!\times r}{r!(n-r)!}+\dfrac{(n-1)!\times(n-r)}{r!(n-r)!}$

$=\dfrac{(n-1)!\times(r+n-r)}{r!(n-r)!}=\dfrac{n!}{r!(n-r)!}$

$={_{n}C_{r}}=$ (좌변)

나만의 Note

5-1 나의 풀이

5-2 나의 풀이

대표 Q6 뽑는 문제

1부터 10까지의 자연수가 하나씩 적힌 공 10개가 들어 있는 상자에서 공 4개를 동시에 꺼낼 때, 다음 물음에 답하시오.

(1) 공 4개를 꺼내는 경우의 수를 구하시오.

(2) 짝수가 적힌 공 2개, 홀수가 적힌 공 2개를 꺼내는 경우의 수를 구하시오.

(3) 적어도 하나는 홀수가 적힌 공을 꺼내는 경우의 수를 구하시오.

(4) 꺼낸 공 중 가장 작은 숫자가 2인 경우의 수를 구하시오.

대표 Q6 풀이

(1) ${}_{10}C_4=\frac{10\times9\times8\times7}{4\times3\times2\times1}=\mathbf{210}$

(2) 짝수가 적힌 공 2개를 꺼내는 경우의 수는 ${}_5C_2$, 홀수가 적힌 공 2개를 꺼내는 경우의 수는 ${}_5C_2$이므로

${}_5C_2\times{}_5C_2=\frac{5\times4}{2\times1}\times\frac{5\times4}{2\times1}=\mathbf{100}$

(3) 전체 경우의 수 ${}_{10}C_4$에서 짝수가 적힌 공만을 뽑는 경우의 수를 빼면 되므로

${}_{10}C_4-{}_5C_4=210-{}_5C_1=210-5=\mathbf{205}$

(4) 1이 적힌 공은 뽑지 않고 2가 적힌 공은 뽑아야 하므로 2가 적힌 공은 이미 뽑았다고 생각하고, 1과 2를 제외한 3, 4, 5, ⋯, 10이 적힌 공에서 3개를 꺼내는 경우의 수는

${}_8C_3=\frac{8\times7\times6}{3\times2\times1}=\mathbf{56}$

나만의 Note

6-1 나의 풀이

본책 172쪽

대표 Q7 뽑고 나열하는 문제

A를 포함한 1학년 4명과 B를 포함한 2학년 6명으로 구성된 동아리에서 5명을 뽑을 때, 다음 물음에 답하시오.

(1) 5명을 일렬로 세우는 경우의 수를 구하시오.

(2) A와 B는 반드시 뽑아 5명을 일렬로 세우는 경우의 수를 구하시오.

(3) 1학년 2명과 2학년 3명을 뽑아 일렬로 세우는 경우의 수를 구하시오.

(4) 1학년 2명과 2학년 3명을 뽑고 2학년이 양 끝에 오도록 일렬로 세우는 경우의 수를 구하시오.

대표 Q7 풀이

(1) 전체 10명 중 5명을 뽑는 경우의 수는 ${}_{10}C_5$
뽑은 5명을 일렬로 세우는 경우의 수는 $5!$
따라서 구하는 경우의 수는

$${}_{10}C_5\times5!=\frac{10\times9\times8\times7\times6}{5!}\times5!=\mathbf{30240}$$

(2) A와 B를 이미 뽑았다고 생각하고, A와 B를 제외한 8명에서 3명을 뽑는 경우의 수는 ${}_8C_3$
뽑은 5명을 일렬로 세우는 경우의 수는 $5!$
따라서 구하는 경우의 수는

$${}_8C_3\times5!=\frac{8\times7\times6}{3\times2\times1}\times5!=\mathbf{6720}$$

(3) 1학년 2명을 뽑는 경우의 수는 ${}_4C_2$
2학년 3명을 뽑는 경우의 수는 ${}_6C_3$
뽑은 5명을 일렬로 세우는 경우의 수는 $5!$
따라서 구하는 경우의 수는

$${}_4C_2\times{}_6C_3\times5!=\frac{4\times3}{2\times1}\times\frac{6\times5\times4}{3\times2\times1}\times5!=\mathbf{14400}$$

(4) 1학년 2명과 2학년 3명을 뽑는 경우의 수는
${}_4C_2\times{}_6C_3$
뽑은 2학년 3명 중 2명을 양 끝에 세우는 경우의 수는
${}_3P_2$
나머지 3명을 세우는 경우의 수는 $3!$
따라서 구하는 경우의 수는

$${}_4C_2\times{}_6C_3\times{}_3P_2\times3!$$
$$=\frac{4\times3}{2\times1}\times\frac{6\times5\times4}{3\times2\times1}\times(3\times2)\times6=\mathbf{4320}$$

7-1 나의 풀이

대표 Q8 선분, 직선, 삼각형의 개수

그림과 같이 좌표평면 위에 점 12개가 있을 때, 다음을 구하시오.

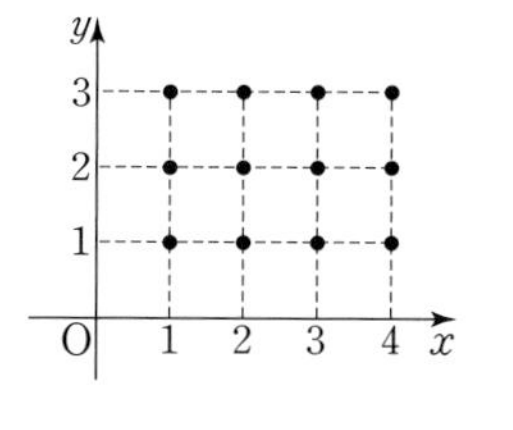

(1) 두 점을 연결하여 만들 수 있는 서로 다른 선분의 개수

(2) 두 점을 연결하여 만들 수 있는 서로 다른 직선의 개수

(3) 세 점을 꼭짓점으로 하는 삼각형의 개수

대표 Q8 풀이

(1) 12개의 점 중 두 점을 택하면 선분이 하나 정해지므로 구하는 선분의 개수는

$_{12}C_2=\frac{12\times11}{2\times1}=\mathbf{66}$

(2) 12개의 점 중 두 점을 택하는 경우의 수는 $_{12}C_2$
이 중 그림과 같이 한 직선 위에 네 점이 있는 경우는 3가지, 세 점이 있는 경우는 8가지이므로

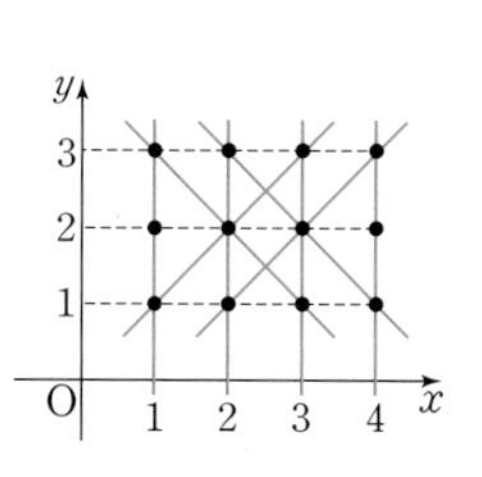

중복되는 직선의 개수는 $3\times{}_4C_2+8\times{}_3C_2$
따라서 구하는 직선의 개수는

$_{12}C_2-(3\times{}_4C_2+8\times{}_3C_2)+3+8$

$=66-\left(3\times\frac{4\times3}{2\times1}+8\times3\right)+11=\mathbf{35}$

(3) 12개의 점으로 만들 수 있는 삼각형의 개수는 $_{12}C_3$
그런데 한 직선 위에 있는 세 점을 택하면 삼각형이 되지 않는다.
일직선 위에 네 점이 있는 경우는 3가지, 세 점이 있는 경우는 8가지이므로 각 직선에서 세 점을 택하는 경우의 수는 $3\times{}_4C_3+8\times{}_3C_3$
따라서 구하는 삼각형의 개수는

$_{12}C_3-(3\times{}_4C_3+8\times{}_3C_3)$

$={}_{12}C_3-(3\times{}_4C_1+8\times1)$

$=\frac{12\times11\times10}{3\times2\times1}-(3\times4+8\times1)$

$=\mathbf{200}$

8-1 나의 풀이

8-2 나의 풀이

본책 174쪽

대표 Q9 조를 나누는 문제

서로 다른 사탕 9개를 세 묶음으로 나눌 때, 다음 물음에 답하시오.

(1) 2개, 2개, 5개 세 묶음으로 나누는 경우의 수를 구하시오.

(2) 2개, 2개, 5개 세 묶음으로 나눈 다음, 세 명에게 나누어 주는 경우의 수를 구하시오.

대표 Q9 풀이

(1) 서로 다른 사탕 9개를 2개, 2개, 5개로 나누는 경우의 수는

$${}_9C_2\times{}_7C_2\times{}_5C_5\times\frac{1}{2!}$$
$$=\frac{9\times8}{2\times1}\times\frac{7\times6}{2\times1}\times1\times\frac{1}{2\times1}=\mathbf{378}$$

(2) 세 묶음으로 나눈 사탕을 세 명에게 나누어 주는 경우의 수는 $3!$

따라서 구하는 경우의 수는

$378\times3!=378\times6=\mathbf{2268}$

나만의 Note

9-1 나의 풀이

순열, 조합 구분하기

크기가 다른 상자 8개가 일렬로 놓여 있다. 다음과 같이 상자에 공을 넣는 경우의 수를 구하시오.
(단, 각 상자에는 공을 2개 이상 넣을 수 없다.)

(1) 서로 다른 공 5개를 상자에 넣는 경우

(2) 똑같은 공 5개를 상자에 넣는 경우

(3) 크기가 서로 다른 공 5개를 넣는데, 큰 공은 작은 공보다 더 큰 상자에 넣는 경우

대표 Q10 풀이

(1) 8개의 상자 중 5개를 뽑는 순열이므로 구하는 경우의 수는

$_8P_5=8\times7\times6\times5\times4=\mathbf{6720}$

(2) 8개의 상자 중 5개를 뽑는 조합이므로 구하는 경우의 수는

$$_8C_5={}_8C_3=\frac{8\times7\times6}{3\times2\times1}=\mathbf{56}$$

(3) 8개의 상자 중 5개를 뽑은 다음, 공을 크기순으로 넣으면 된다.

곧, 8개의 상자 중 5개를 뽑는 조합이므로 구하는 경우의 수는

$$_8C_5={}_8C_3=\frac{8\times7\times6}{3\times2\times1}=\mathbf{56}$$

나만의 Note

10-1 나의 풀이

10-2 나의 풀이

memo

나의 오답 Note 사용 설명서 How to use the note

문제를 푸는 건 내가 무엇을 알고 무엇을 모르는지 확인하는 단계입니다.
문제를 다 풀고 정답만 채점한 후에 책을 덮어버리면 성적이 절대 오르지 않아요.
확실히 맞은 문제, 잘 못 이해해서 틀린 문제, 풀이 과정을 몰라서 틀린 문제를 구분하여 표시해 두고,
틀린 문제는 나의 오답 Note를 이용하여 틀린 이유와 내가 몰랐던 개념을 정리해 두세요.

"나의 오답 Note는 이렇게 작성하세요."

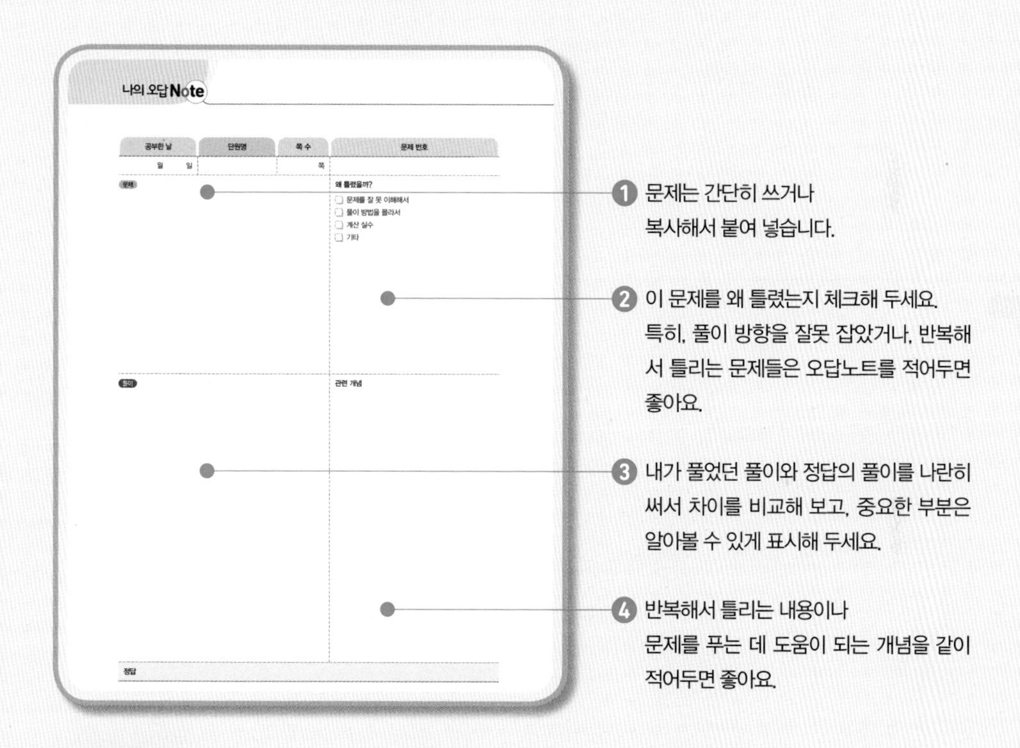

마지막으로!

오답노트를 만들기만 하고 다시 보지 않으면 아무 의미가 없어요!
다시 문제를 정확히 맞을 때까지 반복해서 풀어 보세요.

나의 오답 Note 한글파일은 동아출판 홈페이지 (http://www.bookdonga.com)에서 다운로드 받을 수 있습니다.

나의 오답 Note

공부한 날	단원명	쪽 수	문제 번호
월 일		쪽	

문제

왜 틀렸을까?

- ☐ 문제를 잘 못 이해해서
- ☐ 풀이 방법을 몰라서
- ☐ 계산 실수
- ☐ 기타

풀이

관련 개념

정답

공부한 날	단원명	쪽 수	문제 번호
월 일		쪽	

문제

왜 틀렸을까?

- ☐ 문제를 잘 못 이해해서
- ☐ 풀이 방법을 몰라서
- ☐ 계산 실수
- ☐ 기타

풀이

관련 개념

정답

공부한 날	단원명	쪽 수	문제 번호
월 일		쪽	

문제

왜 틀렸을까?

- ☐ 문제를 잘 못 이해해서
- ☐ 풀이 방법을 몰라서
- ☐ 계산 실수
- ☐ 기타

풀이

관련 개념

정답

공부한 날	단원명	쪽 수	문제 번호
월 일		쪽	

문제

왜 틀렸을까?

- [ ] 문제를 잘 못 이해해서
- [ ] 풀이 방법을 몰라서
- [ ] 계산 실수
- [ ] 기타

풀이

관련 개념

정답

나의 오답 Note

공부한 날	단원명	쪽 수	문제 번호
월 일		쪽	

문제

왜 틀렸을까?

- ☐ 문제를 잘 못 이해해서
- ☐ 풀이 방법을 몰라서
- ☐ 계산 실수
- ☐ 기타

풀이

관련 개념

정답

날선개념
학습 Note

필수개념으로 꽉 채운 개념기본서

날선개념

고등 수학(하)

정답 및 풀이

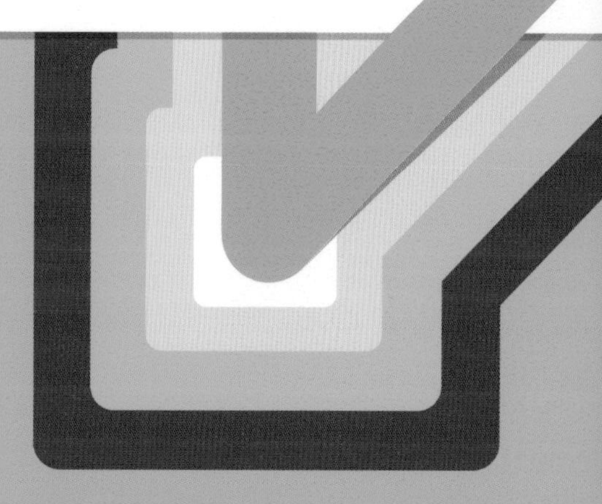

동아출판

날선개념

정답 및 풀이 사용 설명서

1. 풀이를 보기 전에 최대한 고민하고, 그래도 해결되지 않을 때 풀이를 보세요.
2. 풀이의 전략이 있는 문제는 전략 부분에서 힌트를 얻어 다시 풀어 보세요.
3. 다른 풀이, 참고는 다양한 사고력을 키워주므로 꼭 읽어 보세요.

* 대표Q & 날선Q 문제의 풀이는 [날선개념 학습 Note]에서도 확인할 수 있습니다.

1 집합

개념 Check 8쪽 ~ 11쪽

1

①, ③ 작거나 크다는 기준이 분명하지 않다.

⑤ 착하다는 기준이 분명하지 않다.

따라서 집합이 될 수 있는 것은 ②, ④이다.

답 ②, ④

2

집합 A의 원소는 2, 3, 5, 7이므로

(1) $2\in A$ (2) $5\in A$ (3) $9\notin A$

답 (1) $\in$ (2) $\in$ (3) $\notin$

3

(1) 10보다 작은 홀수는 1, 3, 5, 7, 9이므로
$\{1, 3, 5, 7, 9\}$

(2) $|x-1|\le 2$에서 $-2\le x-1\le 2$
$\therefore -1\le x\le 3$
x는 정수이므로 -1, 0, 1, 2, 3이다.
$\therefore \{-1, 0, 1, 2, 3\}$

답 (1) $\{1, 3, 5, 7, 9\}$
(2) $\{-1, 0, 1, 2, 3\}$

참고 $|x|\le a\,(a>0)$이면 $-a\le x\le a$

4

답 (1) 예 $\{x\,|\,x$는 20보다 작은 자연수$\}$
또는 $\{x\,|\,x$는 19 이하의 자연수$\}$
(2) 예 $\{x\,|\,x$는 5의 배수$\}$

5

(1) $x^2=9$에서 $x=\pm 3$이므로 $B=\{-3, 3\}$
곧, B의 모든 원소가 A의 원소이므로 $B\subset A$

(2) $B=\{3, 6, 9, 12, \cdots\}$이므로 A, B의 원소가 같다.
$\therefore A=B$

(3) $A=\{1, 3, 5, \cdots\}$, $B=\{1, 2, 3, 4, 5, \cdots\}$이므로
A의 모든 원소가 B의 원소이다.
$\therefore A\subset B$

답 (1) $B\subset A$ (2) $A=B$ (3) $A\subset B$

6

$B\subset A$이므로 B의 모든 원소가 A의 원소이다.

a^2은 -1 또는 4이고, a는 실수이므로

$a^2=4$ ($\because a^2\ge 0$)

$\therefore a=\pm 2$

답 ± 2

7

$A=B$이므로 두 집합의 원소가 같다.

$\therefore a=5, b=2$

답 $a=5, b=2$

8

(1) $A=\{a, b\}$이므로 부분집합은
$\varnothing$, $\{a\}$, $\{b\}$, $\{a, b\}$

(2) $B=\{1, 3, 9\}$이므로 부분집합은
$\varnothing$, $\{1\}$, $\{3\}$, $\{9\}$, $\{1, 3\}$, $\{1, 9\}$, $\{3, 9\}$, $\{1, 3, 9\}$

답 (1) $\varnothing$, $\{a\}$, $\{b\}$, $\{a, b\}$
(2) $\varnothing$, $\{1\}$, $\{3\}$, $\{9\}$, $\{1, 3\}$, $\{1, 9\}$, $\{3, 9\}$, $\{1, 3, 9\}$

9

(1) $n(A)=1$이므로 부분집합의 개수는 $2^1=2$,
진부분집합의 개수는 $2^1-1=1$

(2) $n(B)=5$이므로 부분집합의 개수는 $2^5=32$,
진부분집합의 개수는 $2^5-1=31$

답 (1) 부분집합의 개수 : 2, 진부분집합의 개수 : 1
(2) 부분집합의 개수 : 32, 진부분집합의 개수 : 31

대표Q 12쪽 ~ 15쪽

대표 01

(1) $n=1, 2, 3$이므로 $x=\dfrac{1}{n}$에 대입하면

$x=1, \dfrac{1}{2}, \dfrac{1}{3}$ $\therefore \left\{1, \dfrac{1}{2}, \dfrac{1}{3}\right\}$

(2) $n=-1, 0, 1, 2$이므로 $x=4n-1$에 대입하면

$x=-5, -1, 3, 7$ $\therefore \{-5, -1, 3, 7\}$

(3) $x^2=4$에서 x는 B의 원소이므로

$x=2$ $\therefore \{2\}$

(4) $a=1, 2, 3$이고 $b=-1, 0, 1, 2$이므로 $a+b$의 값은 표와 같다.

a \ b	-1	0	1	2
1	0	1	2	3
2	1	2	3	4
3	2	3	4	5

집합을 원소나열법으로 나타내면

$\{0, 1, 2, 3, 4, 5\}$

답 (1) $\left\{1, \frac{1}{2}, \frac{1}{3}\right\}$ (2) $\{-5, -1, 3, 7\}$

(3) $\{2\}$ (4) $\{0, 1, 2, 3, 4, 5\}$

1-1

(1) $n=2, 4, 6, 8$이므로 $x=\frac{2}{n}$에 대입하면

$x=1, \frac{1}{2}, \frac{1}{3}, \frac{1}{4}$ $\therefore \left\{1, \frac{1}{2}, \frac{1}{3}, \frac{1}{4}\right\}$

(2) $n=1, 2, 3, 4, \cdots$이므로 $x=3n+1$에 대입하면

$x=4, 7, 10, 13, \cdots$ $\therefore \{4, 7, 10, 13, \cdots\}$

답 (1) $\left\{1, \frac{1}{2}, \frac{1}{3}, \frac{1}{4}\right\}$ (2) $\{4, 7, 10, 13, \cdots\}$

1-2

$a=-1, 0, 1$이고 $b=1, 2$이므로 ab의 값은 표와 같다. 집합을 원소나열법으로 나타내면

$\{-2, -1, 0, 1, 2\}$

a \ b	1	2
-1	-1	-2
0	0	0
1	1	2

답 $\{-2, -1, 0, 1, 2\}$

대표 Q2

A의 원소는 $1, 2, \{1, 2\}$이다.

ㄱ, ㅁ. 1은 A의 원소이므로 $1\in A$, $\{1\}\subset A$

ㄴ. 2는 A의 원소이므로 $2\in A$ $\therefore \{2\}\subset A$

ㄷ. $\{1, 2\}$는 A의 원소이므로 $\{1, 2\}\in A$

ㄹ. 공집합은 모든 집합의 부분집합이므로 $\varnothing\subset A$

ㅂ. 1, 2가 A의 원소이므로 $\{1, 2\}\subset A$

ㅅ. $\{\{1, 2\}\}$도 원소가 1개인 A의 부분집합이다.

따라서 옳은 것은 ㄱ, ㄷ, ㄹ, ㅁ의 4개이다.

답 ②

2-1

A의 원소는 $\varnothing, 1, \{1\}, 2$이다.

① $\{1\}$은 A의 원소이므로 $\{1\}\in A$

② 공집합은 모든 집합의 부분집합이므로 $\varnothing\subset A$

③ 1, 2는 A의 원소이므로 $\{1, 2\}\subset A$

④ $\varnothing$, $\{1\}$은 A의 원소이므로 $\{\varnothing, \{1\}\}\subset A$

⑤ A의 원소는 4개이므로 $n(A)=4$

따라서 옳지 않은 것은 ⑤이다.

답 ⑤

대표 Q3

(1) 2가 방정식의 해이므로

$2^3+a\times2^2-2-a=0$, $3a=-6$ $\therefore a=-2$

곧, $x^3-2x^2-x+2=0$이므로

$(x-2)(x+1)(x-1)=0$

$\therefore x=2$ 또는 $x=-1$ 또는 $x=1$

$b<c$이므로 $b=-1$, $c=1$

다른 풀이

$A\subset B$이고 $B\subset A$이므로 $A=B$이다.

A의 원소는 방정식 $x^3+ax^2-x-a=0$의 해이다.

$x(x^2-1)+a(x^2-1)=0$, $(x+a)(x^2-1)=0$

$(x+a)(x+1)(x-1)=0$

$\therefore x=-a$ 또는 $x=-1$ 또는 $x=1$

B의 원소와 비교하면 $-a=2$이고 $b<c$이므로

$a=-2$, $b=-1$, $c=1$

(2) $A\subset B$, $B\subset C$, $C\subset A$이므로 $A=B=C$이다.

$A=\{x\mid -2\le x\le 4a\}$이고

$b\le x+a\le 5$에서 $b-a\le x\le 5-a$

$A=B$이므로

$b-a=-2$, $4a=5-a$ $\therefore a=1$, $b=-1$

$\therefore A=B=\{x\mid -2\le x\le 4\}$

$|x-a|\le c$에서 $a=1$이므로

$-c\le x-1\le c$, $1-c\le x\le 1+c$

$A=C$이므로 $-2=1-c$ $\therefore c=3$

답 (1) $a=-2$, $b=-1$, $c=1$ (2) $a=1$, $b=-1$, $c=3$

3-1

$A\subset B$이고 $B\subset A$이므로 $A=B$

$\therefore -4\in A$, $2\in A$이므로 $2a=-4$ 또는 $2a=2$

(i) $2a=-4$일 때, $a=-2$이므로

$A=\{1, -4, -7\}$, $B=\{-4, 2, 10\}$

곧, $A\ne B$이므로 모순이다.

(ii) $2a=2$일 때, $a=1$이므로

$A=\{1,\ 2,\ -4\}$, $B=\{-4,\ 2,\ 1\}$

곧, $A=B$가 성립한다.

(i), (ii)에서 $a=1$

답 1

참고 $1\in B$이므로 $2a^2-a=1$로 놓고 a의 값을 구해도 된다.

3-2

$A\subset B$, $B\subset C$, $C\subset A$이므로 $A=B=C$이다.

2가 A, B의 원소이므로 C의 원소이다.

곧, 2가 방정식 $x^3-2x^2-x+c=0$의 해이므로 대입하면

$c=2$

이때 $x^3-2x^2-x+2=0$은

$(x+1)(x-1)(x-2)=0$

$\therefore C=\{-1,\ 1,\ 2\}$

A, B와 비교하면 $a=-1$, $b=1$

답 $a=-1$, $b=1$, $c=2$

대표 Q4

(1) $n(A)=5$이므로 A의 부분집합의 개수는 $2^5=32$

(2) A에서 0과 2를 제외한 집합 $\{4,\ 6,\ 8\}$의 부분집합과 같다.

따라서 부분집합의 개수는 $2^3=8$

(3) A에서 0과 2를 제외한 집합 $\{4,\ 6,\ 8\}$의 부분집합에 0과 2를 넣은 집합과 같다.

따라서 부분집합의 개수는 $2^3=8$

(4) $\{4,\ 6,\ 8\}$의 부분집합에 0만 넣는 경우, 2만 넣는 경우, 0과 2를 모두 넣는 경우가 있다.

따라서 부분집합의 개수는 $2^3\times 3=24$

다른 풀이

0이 있는 부분집합은 $\{2,\ 4,\ 6,\ 8\}$의 부분집합에 0을 넣은 집합과 같으므로 개수는 2^4

2가 있는 부분집합의 개수는 2^4

이 중 0과 2가 모두 있는 부분집합이 중복되므로 2^3개가 중복된다.

따라서 부분집합의 개수는 $2^4+2^4-2^3=24$

답 (1) 32 (2) 8 (3) 8 (4) 24

4-1

(1) A의 부분집합의 개수는 $2^2=4$

B의 부분집합의 개수는 $2^6=64$

(2) B에서 a와 e를 제외한 집합 $\{b,\ c,\ d,\ f\}$의 부분집합과 같다.

따라서 부분집합의 개수는 $2^4=16$

(3) B에서 a와 e를 제외한 집합 $\{b,\ c,\ d,\ f\}$의 부분집합에 a와 e를 넣은 집합과 같다.

따라서 부분집합의 개수는 $2^4=16$

(4) $\{b,\ c,\ d,\ f\}$의 부분집합에 a만 넣는 경우, e만 넣는 경우, a와 e를 모두 넣는 경우가 있다.

따라서 부분집합의 개수는 $2^4\times 3=48$

다른 풀이

a를 포함하는 B의 부분집합과 e를 포함하는 B의 부분집합에는 a, e를 포함하는 부분집합이 중복되므로 개수는 $2^5+2^5-2^4=48$

답 (1) A의 부분집합의 개수 : 4, B의 부분집합의 개수 : 64

(2) 16 (3) 16 (4) 48

개념 Check 16쪽~18쪽

10

답 $\{2,\ 4\}$

11

답 (1) $\{1,\ 2,\ 3,\ 4,\ 5,\ 6,\ 8\}$ (2) $\{1,\ 8\}$ (3) $\{3,\ 5,\ 6\}$

12

$U=\{1,\ 2,\ 3,\ 4,\ 5,\ 6,\ 7,\ 8,\ 9,\ 10\}$이므로

$A^C=U-A=\{3,\ 5,\ 6,\ 7,\ 9,\ 10\}$

답 $\{3,\ 5,\ 6,\ 7,\ 9,\ 10\}$

13

답 (1) $\varnothing$ (2) U (3) $\varnothing$ (4) U

대표Q 19쪽~23쪽

대표 Q5

$U=\{1,\ 2,\ 3,\ \cdots,\ 9\}$이므로

$A=\{2,\ 3,\ 5,\ 7\}$,

$B=\{1,\ 3,\ 5,\ 7,\ 9\}$

U와 A, B를 벤다이어그램으로 나타내면 그림과 같다.

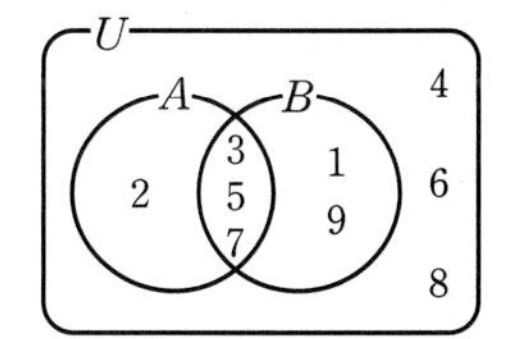

(1) $(A\cup B)-(A\cap B)=\{1, 2, 9\}$
(2) $A^C-B=\{4, 6, 8\}$
(3) $(A\cup B)^C=\{4, 6, 8\}$
(4) $A^C\cup B^C=\{1, 2, 4, 6, 8, 9\}$

답 (1) $\{1, 2, 9\}$ (2) $\{4, 6, 8\}$
(3) $\{4, 6, 8\}$ (4) $\{1, 2, 4, 6, 8, 9\}$

5-1

(1) 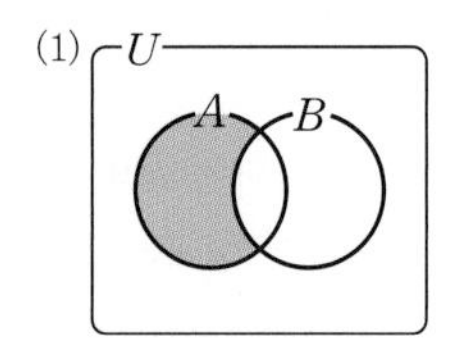

(2) 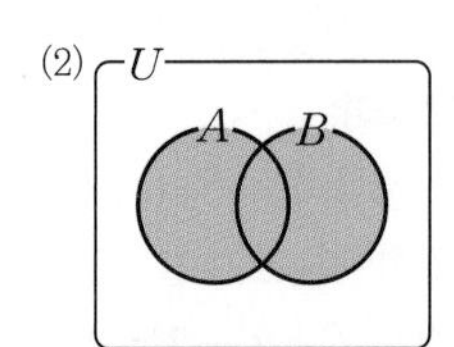

(3) 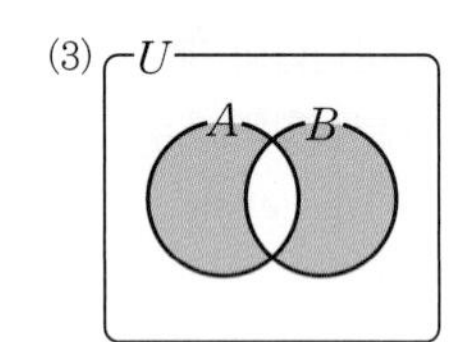

(4) 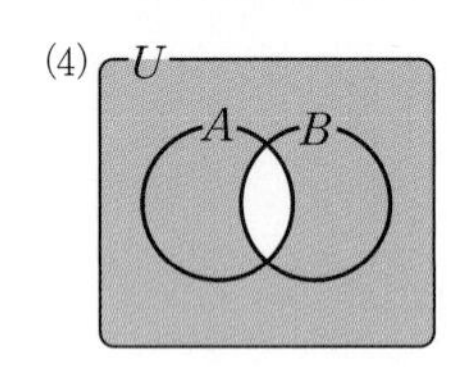

답 풀이 참조

5-2

$U=\{1, 2, 3, \cdots, 19\}$이므로
$A=\{1, 2, 3, 4, 6, 12\}$,
$B=\{1, 2, 3, 6, 9, 18\}$

U
A B
4 12 | 1 2 3 6 | 9 18
5 7 8 10 11 13 14 15 16 17 19

(1) $A^C\cap B=\{9, 18\}$
(2) $A\cup B=\{1, 2, 3, 4, 6, 9, 12, 18\}$,
$A\cap B=\{1, 2, 3, 6\}$에서
$(A\cap B)^C=\{4, 5, 7, 8, 9, \cdots, 19\}$
$\therefore (A\cup B)\cap(A\cap B)^C=\{4, 9, 12, 18\}$

답 (1) $\{9, 18\}$ (2) $\{4, 9, 12, 18\}$

대표 Q6

$U=\{1, 2, 3, \cdots, 12\}$이므로
$A=\{3, 6, 9, 12\}$,
$B=\{5, 6, 7, 8, 9, 10\}$,
$C=\{2, 4, 6, 8, 10, 12\}$
U와 A, B, C를 벤다이어그램으로 나타내면 그림과 같다.

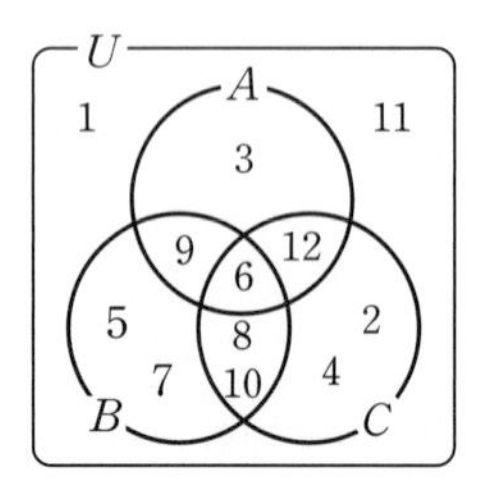

(1) $A\cap B=\{6, 9\}$, $C^C=\{1, 3, 5, 7, 9, 11\}$이므로
$(A\cap B)\cap C^C=\{9\}$
(2) $A^C=\{1, 2, 4, 5, 7, 8, 10, 11\}$,
$B\cup C=\{2, 4, 5, 6, 7, 8, 9, 10, 12\}$에서
$(B\cup C)^C=\{1, 3, 11\}$
$\therefore A^C\cap(B\cup C)^C=\{1, 11\}$
(3) $B-C=\{5, 7, 9\}$이므로
$A-(B-C)=\{3, 6, 12\}$
(4) $A-B=\{3, 12\}$, $C-B=\{2, 4, 12\}$이므로
$(A-B)\cup(C-B)=\{2, 3, 4, 12\}$

다른 풀이

(1) 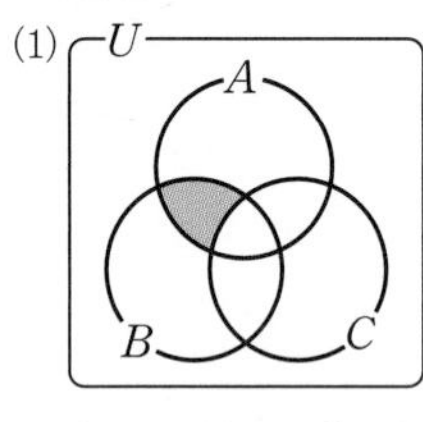

$(A\cap B)\cap C^C=\{9\}$

(2) 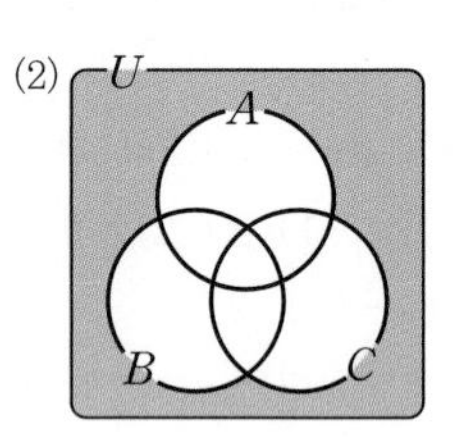

$A^C\cap(B\cup C)^C=\{1, 11\}$

(3) 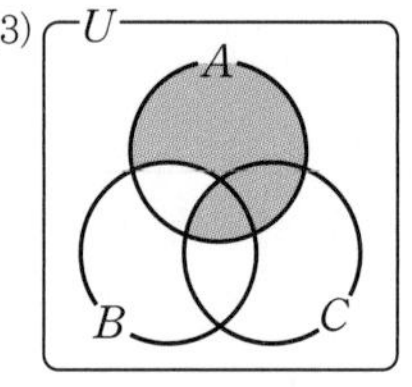

$A-(B-C)$
$=\{3, 6, 12\}$

(4) 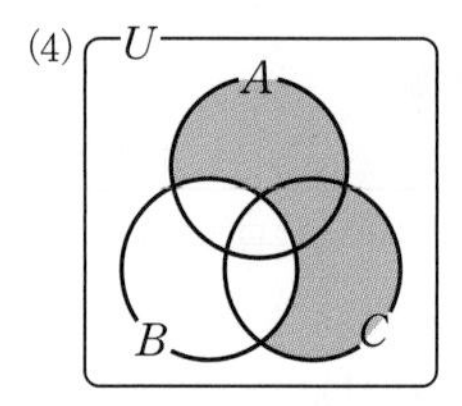

$(A-B)\cup(C-B)$
$=\{2, 3, 4, 12\}$

답 (1) $\{9\}$ (2) $\{1, 11\}$
(3) $\{3, 6, 12\}$ (4) $\{2, 3, 4, 12\}$

6-1

$U=\{2, 4, 6, \cdots, 20\}$이므로
$A=\{4, 8, 12, 16, 20\}$,
$B=\{10, 12, 14, 16, 18, 20\}$,
$C=\{2, 4, 10, 20\}$
U와 A, B, C를 벤다이어그램으로 나타내면 그림과 같다.

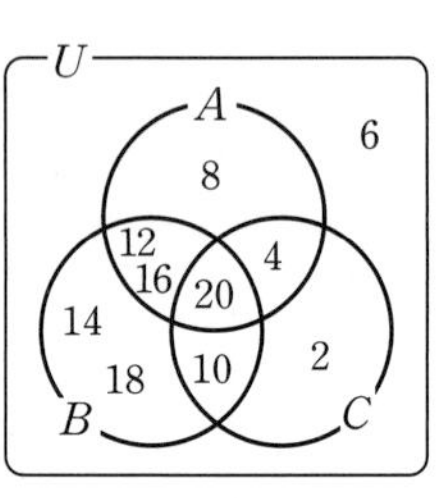

(1) $B\cap C=\{10, 20\}$이므로
$A\cup(B\cap C)=\{4, 8, 10, 12, 16, 20\}$
(2) $A\cap B=\{12, 16, 20\}$, $A\cap C=\{4, 20\}$이므로
$(A\cap B)\cup(A\cap C)=\{4, 12, 16, 20\}$

(3) $A-B=\{4, 8\}$이므로
$(A-B)-C=\{8\}$

(4) $A^C=\{2, 6, 10, 14, 18\}$, $B\cap C=\{10, 20\}$이므로
$A^C-(B\cap C)=\{2, 6, 14, 18\}$

다른 풀이

(1) 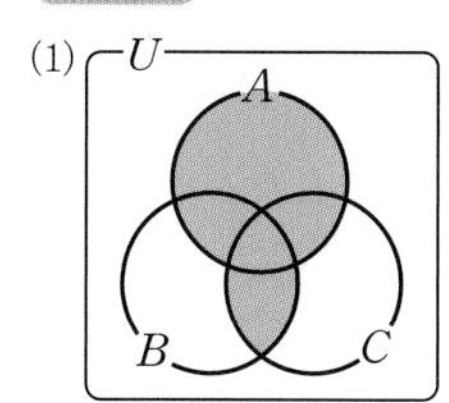

$A\cup(B\cap C)$
$=\{4, 8, 10, 12, 16, 20\}$

(2) 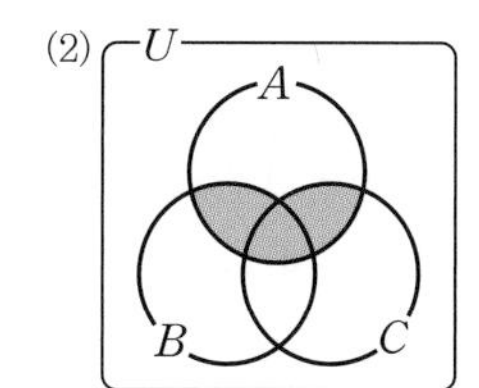

$(A\cap B)\cup(A\cap C)$
$=\{4, 12, 16, 20\}$

(3) 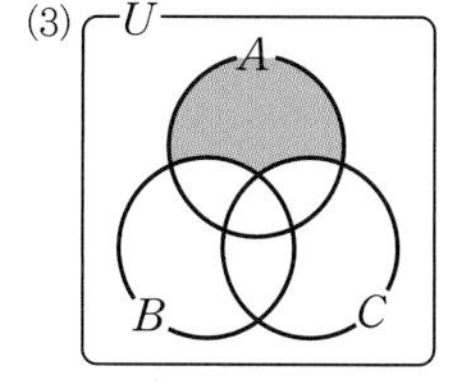

$(A-B)-C=\{8\}$

(4) 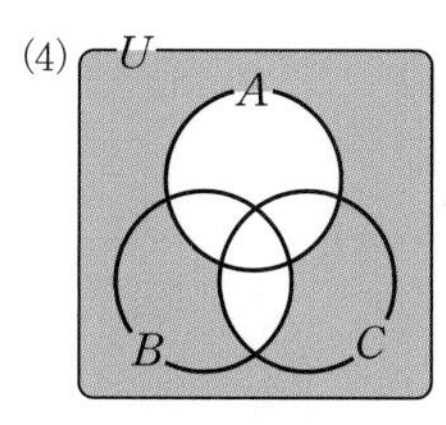

$A^C-(B\cap C)$
$=\{2, 6, 14, 18\}$

답 (1) $\{4, 8, 10, 12, 16, 20\}$ (2) $\{4, 12, 16, 20\}$
(3) $\{8\}$ (4) $\{2, 6, 14, 18\}$

대표 07

(1) $A\cap B=\{3, 4\}$이므로 4는 B의 원소이다. 곧,
$a^2-5=4$, $a^2=9$
$\therefore a=\pm3$

(i) $a=-3$일 때, $A=\{-3, 4, 10\}$, $B=\{2, 3, 4\}$이므로 $A\cap B=\{4\}$
따라서 조건을 만족시키지 않는다.

(ii) $a=3$일 때, $A=\{3, 4, 10\}$, $B=\{2, 3, 4\}$이므로 $A\cap B=\{3, 4\}$
따라서 조건을 만족시킨다.

(i), (ii)에서 $a=3$, $A\cup B=\{2, 3, 4, 10\}$

(2) $A-B=\{1, 4, 7\}$에서 1, 4, 7은 A의 원소이므로 a는 4 또는 7이다.

(i) $a=4$일 때, $A=\{1, 3, 4, 7\}$, $B=\{2, 3, 6\}$이므로 $A-B=\{1, 4, 7\}$
따라서 조건을 만족시킨다.

(ii) $a=7$일 때, $A=\{1, 3, 7, 13\}$, $B=\{3, 5, 9\}$이므로 $A-B=\{1, 7, 13\}$
따라서 조건을 만족시키지 않는다.

(i), (ii)에서 $a=4$

(3) 주어진 조건을 벤다이어그램으로 나타내면 그림과 같다.

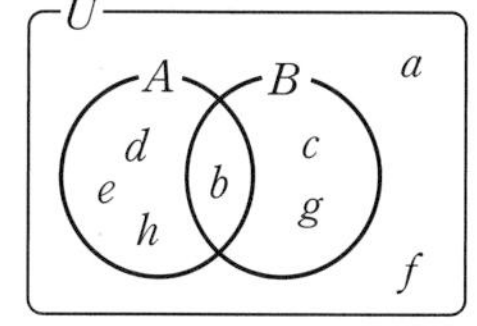

$\therefore A=\{b, d, e, h\}$

답 (1) $a=3$, $A\cup B=\{2, 3, 4, 10\}$
(2) 4 (3) $\{b, d, e, h\}$

7-1

$A\cup B=\{1, 2, 4\}$이므로 $a+2$는 1 또는 2 또는 4이다.

(i) $a+2=1$일 때, $a=-1$
$A=\{1, 2\}$, $B=\{1, 2\}$이므로 $A\cup B=\{1, 2\}$
따라서 조건을 만족시키지 않는다.

(ii) $a+2=2$일 때, $a=0$
$A=\{0, 1\}$, $B=\{0, 2\}$이므로 $A\cup B=\{0, 1, 2\}$
따라서 조건을 만족시키지 않는다.

(iii) $a+2=4$일 때, $a=2$
$A=\{1, 2\}$, $B=\{2, 4\}$이므로 $A\cup B=\{1, 2, 4\}$
따라서 조건을 만족시킨다.

(i), (ii), (iii)에서 $a=2$, $A\cap B=\{2\}$

답 $a=2$, $A\cap B=\{2\}$

7-2

주어진 조건을 벤다이어그램으로 나타내면 그림과 같다.

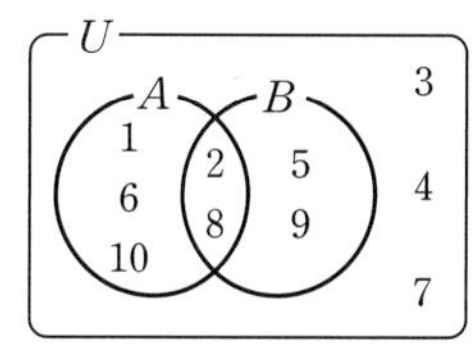

$\therefore A=\{1, 2, 6, 8, 10\}$,
$(A\cup B)^C=\{3, 4, 7\}$

답 $A=\{1, 2, 6, 8, 10\}$, $(A\cup B)^C=\{3, 4, 7\}$

참고 $B-A$, A^C, $A^C\cup B^C$는 다음 벤다이어그램에서 색칠한 부분이다.

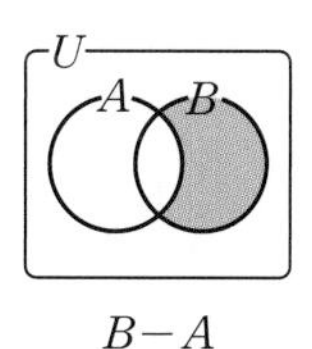

$B-A$

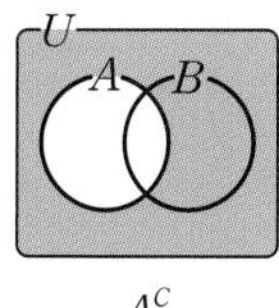

A^C

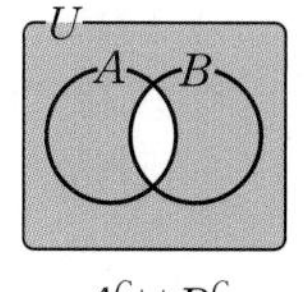

$A^C\cup B^C$

대표 08

① 주어진 조건을 벤다이어그램으로 나타내면 그림과 같다.

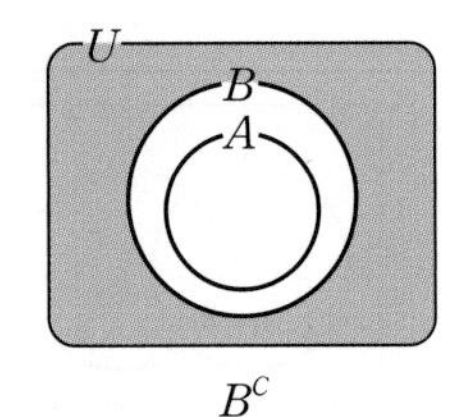

B^C

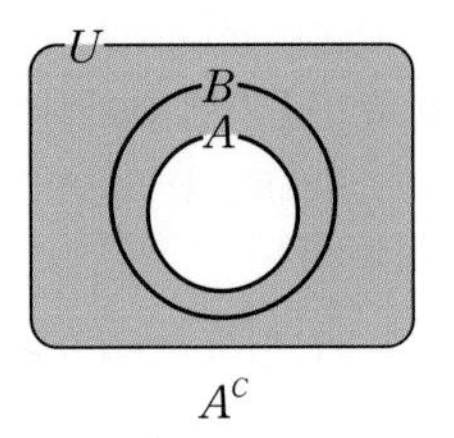

A^C

$\therefore B^C \subset A^C$

② 주어진 조건을 벤다이어그램으로 나타내면 그림과 같다.

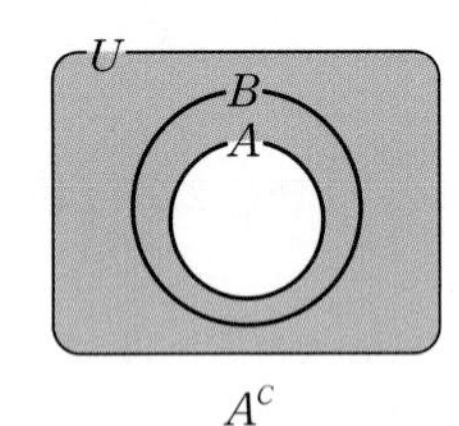

A^C

$\cup$

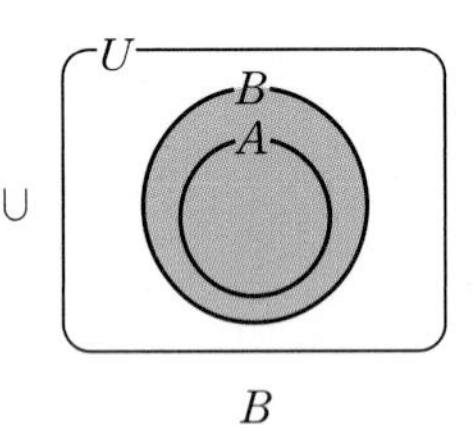

B

$\therefore A^C \cup B = U$

③ $A \cap B = A$를 벤다이어그램으로 나타내면 그림과 같으므로 $A \subset B$

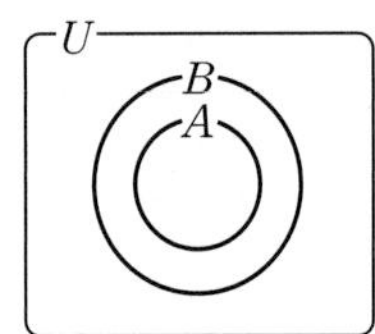

④ $A \cup B = A$를 벤다이어그램으로 나타내면 그림과 같고 $A \cap B^C$은 그림에서 색칠한 부분이다.

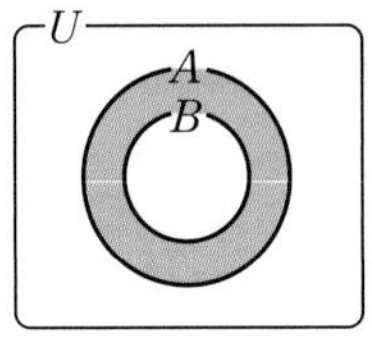

$\therefore A \cap B^C \neq \varnothing$

⑤ $A \cup B = U$에서 $x \notin A$이면 $x \in B$

곧, $x \in A^C$이면 $x \in B$이므로 $A^C \subset B$

따라서 옳지 않은 것은 ④이다.

답 ④

참고 ⑤ $A \cup B = U$이면 $B^C \subset A$도 성립한다.

8-1

(1) $A \cap A^C = \varnothing$이므로 $(A \cap A^C)^C = \varnothing^C = U$

(2) $A \cup A^C = U$이므로 $(A \cup A^C)^C = U^C = \varnothing$

(3) $A \subset B$이므로 벤다이어그램으로 나타내면 그림과 같다.

$\therefore A \cap B^C = \varnothing$

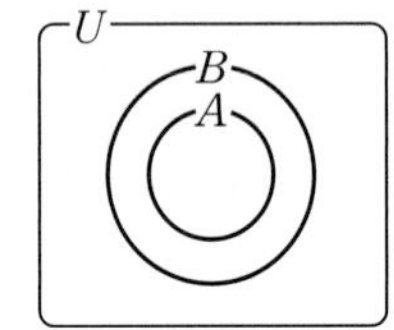

(4) $(A^C)^C = A$이므로 $(A^C)^C \cap B = A \cap B = A$

답 (1) U (2) $\varnothing$ (3) $\varnothing$ (4) A

8-2

①, ②, ③ $A^C \cap B = \varnothing$이므로 A^C와 B의 공통인 원소가 없다. 따라서 B의 원소는 A^C의 원소가 아니므로 A의 원소이다.

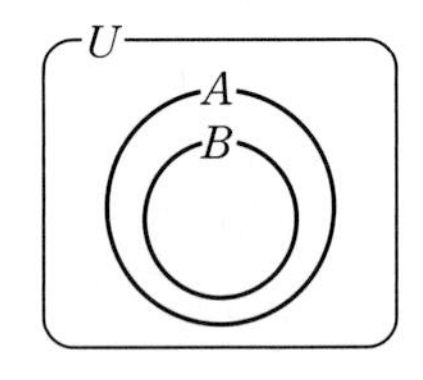

$B \subset A$, $A \cap B = B$, $A^C \subset B^C$

④ A의 원소 중 B의 원소가 아닌 것이 있을 수 있으므로 $A - B \neq \varnothing$

⑤ $A \cup B^C = U$를 벤다이어그램으로 나타내면 그림과 같다.

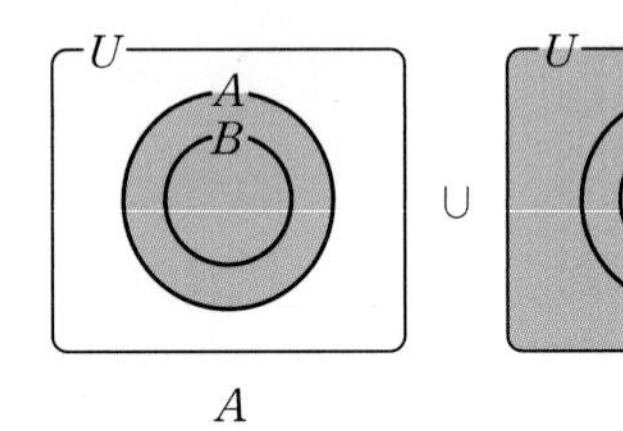

A $\quad$ B^C

$A \cup B^C = U$

따라서 옳지 않은 것은 ④이다.

답 ④

참고 $A^C \cap B = \varnothing$이면 벤다이어그램에서 색칠한 부분에 원소가 없다. 곧, $B \subset A$이므로 B의 원소는 A의 원소이다.

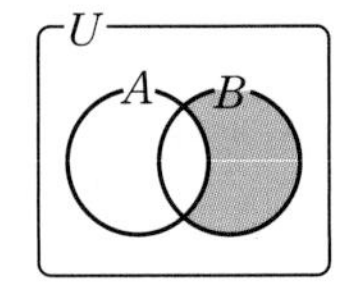

날선 09

(1) $(A \cap B) \cup C = C$에서 $(A \cap B) \subset C$

$(A \cup B) \cap C = C$에서 $C \subset (A \cup B)$

$\therefore (A \cap B) \subset C \subset (A \cup B)$

$A \cap B = \{4, 5\}$, $A \cup B = \{1, 2, 3, 4, 5, 6, 7\}$이므로 C는 $A \cup B$의 부분집합 중 4와 5를 모두 원소로 갖는 집합이다.

따라서 C의 개수는 $\{1, 2, 3, 6, 7\}$의 부분집합의 개수와 같으므로 $2^5 = 32$

(2) $1 \in C$이면 $1 \in (A \cap C)$이지만 $1 \notin (B \cap C)$이므로 $A \cap C \neq B \cap C$이다.

따라서 1은 C의 원소가 아니다.

같은 이유로 $A-B$의 원소 2, 3도 C의 원소가 아니다.
또 $6\in C$이면 $6\in(B\cap C)$이지만 $6\notin(A\cap C)$이므로 $A\cap C\neq B\cap C$이다.
따라서 6은 C의 원소가 아니다.
같은 이유로 $B-A$의 원소 7도 C의 원소가 아니다.
C는 $A\cap B$의 원소 4, 5와 $(A\cup B)^C$의 원소 8은 포함해도 된다.
따라서 C의 개수는 $\{4, 5, 8\}$의 부분집합의 개수와 같으므로 $2^3=8$

답 (1) 32 (2) 8

9-1

$(A-B)\cup C=C$에서 $(A-B)\subset C$
$(A\cup B)\cap C=C$에서 $C\subset(A\cup B)$
$\therefore (A-B)\subset C\subset(A\cup B)$
$A-B=\{a, b, c\}$, $A\cup B=\{a, b, c, d, e, f, g\}$이므로 C는 $A\cup B$의 부분집합 중 a, b, c를 모두 원소로 갖는 집합이다.
따라서 C의 개수는 $\{d, e, f, g\}$의 부분집합의 개수와 같으므로 $2^4=16$

답 16

9-2

주어진 조건을 벤다이어그램으로 나타내면 그림과 같다.

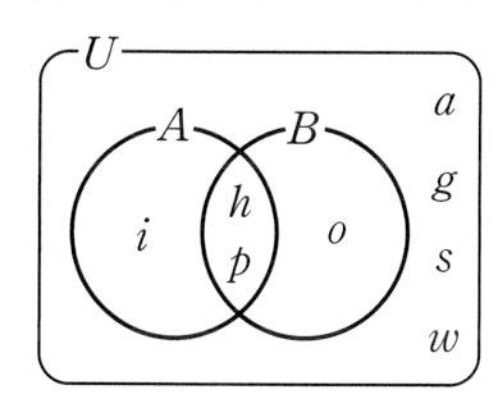

(1) C는 $A-B$, $B-A$의 원소 i, o는 포함하지 않고, $A\cap B$의 원소 h, p와 $(A\cup B)^C$의 원소 a, g, s, w는 포함해도 된다.
따라서 C의 개수는 $\{h, p, a, g, s, w\}$의 부분집합의 개수와 같으므로 $2^6=64$

(2) i는 $A\cup C$의 원소이므로 i는 $B\cup C$의 원소이다.
따라서 i는 C의 원소이다.
o는 $B\cup C$의 원소이므로 $A\cup C$의 원소이다.
따라서 o는 C의 원소이다.
또 C는 $A\cap B$와 $(A\cup B)^C$의 원소는 포함해도 되고, 포함하지 않아도 되므로 U의 부분집합 중 i와 o를 모두 원소로 갖는 집합이다.
따라서 C의 개수는 $\{a, g, h, p, s, w\}$의 부분집합의 개수와 같으므로 $2^6=64$

답 (1) 64 (2) 64

1 집합

24쪽~26쪽

01 ③ **02** ④ **03** ④ **04** $\{-2, -1, 1\}$
05 4 **06** 4
07 (1) $\{x\mid -3\le x<5\}$ (2) $\{x\mid 1\le x\le 2\}$
(3) $\{x\mid -3\le x<1\}$ (4) $\{x\mid x<1$ 또는 $x\ge 5\}$
08 ③ **09** ⑤ **10** ③, ④
11 ③ **12** $a=2$, $B=\{0, 1, 3\}$
13 $\{1, 2, 6, 7\}$ **14** $a=4$, $b=6$, $c=7$
15 8 **16** 32

01

ㄴ, ㄷ. '높은', '빠른'은 기준이 분명하지 않다.
따라서 집합인 것은 ㄱ, ㄹ, ㅁ의 3개이다.

답 ③

02

① $y=1, 2, 3, 4, 5, \cdots$를 $x=2y-1$에 대입하면 $\{1, 3, 5, 7, 9, \cdots\}$
② $y=2, 4, 6, 8, 10, \cdots$을 $x=y-1$에 대입하면 $\{1, 3, 5, 7, 9, \cdots\}$
③ $4=2^2$과 서로소인 자연수는 2를 약수로 갖지 않으므로 $\{1, 3, 5, 7, 9, \cdots\}$
④ 약수가 홀수 개인 자연수는 제곱수이므로 $\{1, 4, 9, 16, 25, \cdots\}$
⑤ 모든 홀수 a는 $a=1\times a$이므로 두 홀수의 곱으로 나타낼 수 있다. 그러나 짝수는 두 홀수의 곱으로 나타낼 수 없으므로 $\{1, 3, 5, 7, 9, \cdots\}$

따라서 나머지 넷과 다른 하나는 ④이다.

답 ④

03

$x^2-3x+2=0$에서 $(x-1)(x-2)=0$
$\therefore x=1$ 또는 $x=2$
$\therefore A=\{1, 2\}$

$x^2-4\le 0$에서 $(x+2)(x-2)\le 0$
$\therefore -2\le x\le 2$
$\therefore B=\{x\mid -2\le x\le 2\}$
$|x-1|<1$에서 $-1<x-1<1$ $\quad\therefore 0<x<2$
그런데 x는 정수이므로 $x=1$
$\therefore C=\{1\}$
따라서 A, B, C의 포함 관계는 $C\subset A\subset B$

답 ④

04

$-1\in B$, $1\in B$이므로 $x=-1$, 1을 방정식
$x^3+2x^2+ax+b=0$에 대입하면
$-1+2-a+b=0$, $1+2+a+b=0$
두 식을 연립하여 풀면 $a=-1$, $b=-2$
따라서 B의 방정식은 $x^3+2x^2-x-2=0$
$(x+2)(x+1)(x-1)=0$
$\therefore x=-2$ 또는 $x=-1$ 또는 $x=1$
$\therefore B=\{-2, -1, 1\}$

답 $\{-2, -1, 1\}$

05

집합 A의 부분집합의 개수는 $15+1=16$
A의 원소의 개수를 k라 하면
$2^k=16$ $\quad\therefore k=4$

답 4

참고 (진부분집합의 개수)$+1=$(부분집합의 개수)

06

X는 A의 부분집합 중 1, 2를 포함하고 4를 포함하지 않는 집합이다.
X의 개수는 $\{3, 5\}$의 부분집합의 개수와 같다.
따라서 집합 X의 개수는 $2^2=4$

답 4

07

A, B를 수직선 위에 나타내면 그림과 같다.

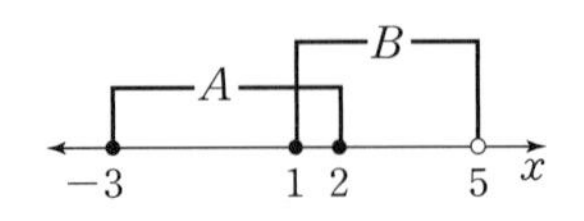

(1) $A\cup B$
$=\{x\mid -3\le x<5\}$
(2) $A\cap B=\{x\mid 1\le x\le 2\}$
(3) $A-B=\{x\mid -3\le x<1\}$
(4) $B^C=\{x\mid x<1$ 또는 $x\ge 5\}$

답 풀이 참조

08

① 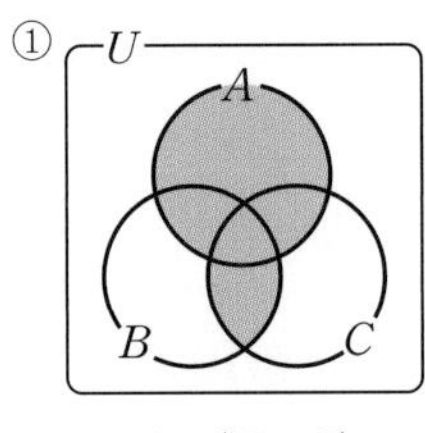

$A\cup(B\cap C)$

② $A\cap(B\cup C)$

③ 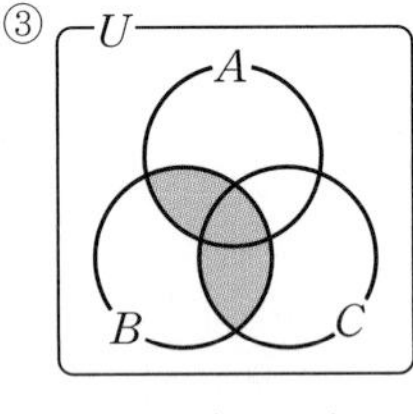

$B\cap(A\cup C)$

④ 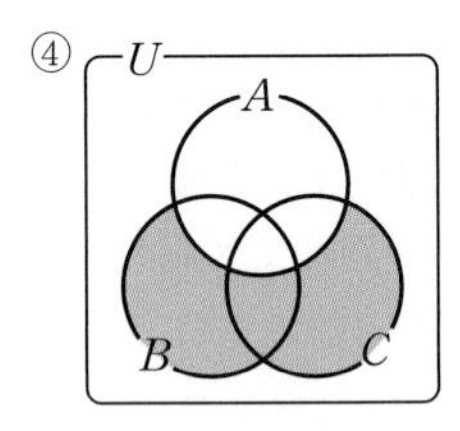

$A^C\cap(B\cup C)$

⑤ 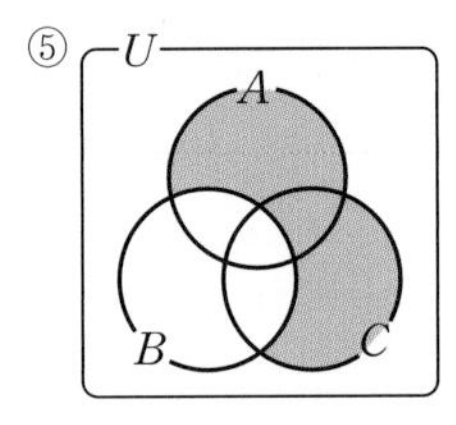

$B^C\cap(A\cup C)$

따라서 색칠한 부분을 나타내는 집합은 ③이다.

답 ③

09

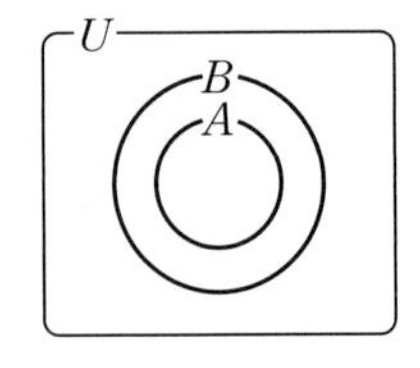

$A^C\cup B=U$이므로 x가 A의 원소이면 x가 A^C의 원소가 아니고 x가 B의 원소이다.
$\therefore A\subset B$

이때 $A\cap B=A$, $A-B=\varnothing$,
$B^C\subset A^C$, $A\cup B^C\ne U$이므로 옳지 않은 것은 ⑤이다.

답 ⑤

10 전략 원소이면 $\in$, 부분집합이면 $\subset$를 사용한다.

A의 원소는 $\varnothing$, a, b, $\{a, b\}$이다.
① $\varnothing$은 모든 집합의 부분집합이므로 $\varnothing\subset A$
② $\varnothing$은 A의 원소이므로 $\{\varnothing\}\subset A$
③ a는 A의 원소이므로 $a\in A$, $\{a\}\subset A$

④ $\{a, b\}$는 A의 원소이므로 $\{a, b\} \in A$
⑤ a, b는 A의 원소이므로 $\{a, b\} \subset A$
따라서 옳지 않은 것은 ③, ④이다.

답 ③, ④

11 전략 집합 B, C의 원소를 구한다.
$x=-1, 0, 1$이고 $y=-1, 0, 1$이므로
$|xy|=0, 1 \quad \therefore B=\{0, 1\}$
$x+y=-2, -1, 0, 1, 2$이므로
$C=\{-2, -1, 0, 1, 2\}$
$\therefore B \subset A \subset C$

답 ③

12 전략 $3 \in (A \cup B)$이므로 $3 \in A$ 또는 $3 \in B$이다.
$A \cup B=\{0, 1, 2, 3\}$이므로 $3 \in A$ 또는 $3 \in B$이다.
(i) $3 \in A$일 때, $a^2-1=3$, $a^2=4$
$\therefore a=\pm 2$
$a=-2$이면 $A=\{1, 2, 3\}$, $B=\{-5, -3, 0\}$
이므로 $A \cup B=\{-5, -3, 0, 1, 2, 3\}$
조건을 만족시키지 않는다.
$a=2$이면 $A=\{1, 2, 3\}$, $B=\{0, 1, 3\}$
이므로 $A \cup B=\{0, 1, 2, 3\}$
조건을 만족시킨다.
(ii) $3 \in B$일 때, $a-1=3$ 또는 $2a-1=3$
$a-1=3$이면 $a=4$이고
$A=\{1, 2, 15\}$, $B=\{0, 3, 7\}$
이므로 $A \cup B=\{0, 1, 2, 3, 7, 15\}$
조건을 만족시키지 않는다.
$2a-1=3$이면 $a=2$이므로
$A=\{1, 2, 3\}$, $B=\{0, 1, 3\}$
이므로 $A \cup B=\{0, 1, 2, 3\}$
조건을 만족시킨다.
(i), (ii)에서 $a=2$, $B=\{0, 1, 3\}$

답 $a=2$, $B=\{0, 1, 3\}$

13 전략 주어진 조건을 벤다이어그램으로 나타내 본다.
주어진 조건을 벤다이어그램으로 나타내면 그림과 같다.
$\therefore A=\{1, 2, 6, 7\}$

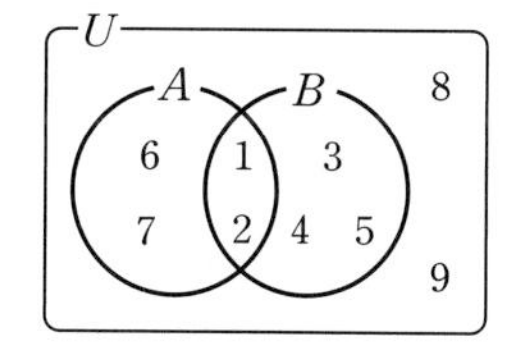

답 $\{1, 2, 6, 7\}$

14 전략 벤다이어그램의 색칠한 부분을 집합으로 나타내어 본다.
벤다이어그램의 색칠한 부분이 나타내는 집합은
$A \cap (B \cup C)$
따라서 4, 6, 7은 A와 $B \cup C$의 원소이다.
4, 6, 7이 A의 원소이므로 $a=4$
4, 6, 7이 $B \cup C$의 원소이므로
$B \cup C=\{b, c, 3, 4, 5, 8, 9\}$
$b<c$이므로 $b=6$, $c=7$

답 $a=4$, $b=6$, $c=7$

15 전략 집합 A, B, C의 포함 관계를 생각한다.
$A-B=\{2, 4\}$이고 $(A-B) \cap C=\varnothing$이므로
C는 2, 4를 포함하지 않는다.
또 $A \cap C=C$이므로 C는 A의 부분집합이다.
따라서 C의 개수는 $\{1, 3, 5\}$의 부분집합의 개수와 같으므로 $2^3=8$

답 8

16 전략 가장 작은 원소가 $1, 2, 2^2, 2^3$인 경우로 나누어 생각한다.
(i) 가장 작은 원소가 1인 경우
$2, 2^2, 2^3$을 원소로 가질 수 있으므로 구하는 부분집합의 개수는
$2^3=8$
(ii) 가장 작은 원소가 2인 경우
1은 원소로 갖지 않고 $2^2, 2^3$은 원소로 가질 수 있으므로 구하는 부분집합의 개수는
$2^2=4$
(iii) 가장 작은 원소가 2^2인 경우
1, 2는 원소로 갖지 않고 2^3은 원소로 가질 수 있으므로 구하는 부분집합의 개수는
2
(iv) 가장 작은 원소가 2^3인 경우
구하는 부분집합의 개수는
1
(i)~(iv)에서 가장 작은 원소의 합은
$1 \times 8+2 \times 4+2^2 \times 2+2^3 \times 1=32$

답 32

2 집합의 연산 법칙

개념 Check
28쪽 ~ 30쪽

1

$A\cap(C\cap B)=A\cap(B\cap C)=(A\cap B)\cap C=\{1, 2\}$

답 $\{1, 2\}$

2

㉠ A와 B의 위치를 바꾸어도 성립하므로 교환법칙을 이용하였다.

㉡ $A\cap A^C$를 먼저 계산하고 $B\cap$을 계산해도 성립하므로 결합법칙을 이용하였다.

답 ㉠ : 교환법칙, ㉡ : 결합법칙

3

㉠ 공통인 $A\cap$으로 묶어도 성립하므로 분배법칙을 이용하였다.

㉡ B^C와 C^C에서 여집합(^{C})으로 묶었으므로 드모르간의 법칙을 이용하였다.

답 ㉠ : 분배법칙, ㉡ : 드모르간의 법칙

대표Q
31쪽 ~ 33쪽

대표 Q1

$(A-B)^C\cap(A\cup B)=(A\cap B^C)^C\cap(A\cup B)$
$=(A^C\cup B)\cap(A\cup B)$
$=(A^C\cap A)\cup B=\varnothing\cup B=B$

따라서 $B=A\cap B$이므로 $B\subset A$

② $A\cup B=A$ ③ $B\subset A$이므로 $A^C\subset B^C$

④ $A-B\neq\varnothing$ ⑤ $A^C\cap B=B-A=\varnothing$

따라서 옳은 것은 ③, ⑤이다.

답 ③, ⑤

참고 좌변을 벤다이어그램으로 나타낸 다음 우변과 비교해도 된다.

1-1

$A-B^C=A\cap(B^C)^C=A\cap B$이므로

$(A\cup B)\cap(A-B^C)=(A\cup B)\cap(A\cap B)$
$=A\cap B$

$\therefore \{(A\cup B)\cap(A-B^C)\}\cup A=(A\cap B)\cup A=A$

따라서 $A=U$이므로 $B\subset A$

② $A\cup B=A$

③ $B\subset A$이므로 $A\cap B=B$

⑤ $A-B=U-B=B^C$

따라서 옳은 것은 ②, ④이다.

답 ②, ④

대표 Q2

(1) $(A\cap B)\cup(A\cup B^C)^C=(A\cap B)\cup\{A^C\cap(B^C)^C\}$
$=(A\cap B)\cup(A^C\cap B)$
$=(A\cup A^C)\cap B$
$=U\cap B$
$=B$

(2) $\{A\cap(A^C\cup B)\}\cup\{B^C\cap(A\cup B)\}$
$=\{(\underbrace{A\cap A^C}_{\varnothing})\cup(A\cap B)\}$
$\cup\{(B^C\cap A)\cup(\underbrace{B^C\cap B}_{\varnothing})\}$
$=(A\cap B)\cup(\underbrace{B^C\cap A}_{A\cap B^C})$
$=A\cap(\underbrace{B\cup B^C}_{U})=A$

(3) $(A-B)\cup(A-C)=(A\cap B^C)\cup(A\cap C^C)$
$=A\cap(B^C\cup C^C)$
$=A\cap(B\cap C)^C$
$=A-(B\cap C)$

답 풀이 참조

2-1

(1) $(A\cap B)\cup(A-B)=(A\cap B)\cup(A\cap B^C)$
$=A\cap(\underbrace{B\cup B^C}_{U})=A$

$\therefore \{(A\cap B)\cup(A-B)\}\cap A^C=A\cap A^C=\varnothing$

(2) $B\cap(B\cup C)=B$이므로

$\{A\cap(A^C\cup B)\}\cup\{B\cap(B\cup C)\}$
$=\{(\underbrace{A\cap A^C}_{\varnothing})\cup(A\cap B)\}\cup B$
$=(A\cap B)\cup B=B$

답 풀이 참조

대표 Q3

(1) $A\triangle U=(A-U)\cup(U-A)=\varnothing\cup A^C=A^C$

$A\triangle\varnothing=(A-\varnothing)\cup(\varnothing-A)=A\cup\varnothing=A$

$\therefore (A\triangle U)-(A\triangle\varnothing)=A^C-A=A^C$

(2) $(A \triangle B) \cap C$는 $A \triangle B$와 C의 공통부분이다.
$(A \triangle B) \triangle C$는 $A \triangle B$와 C의 합집합에서
$(A \triangle B) \cap C$ 부분을 뺀다.

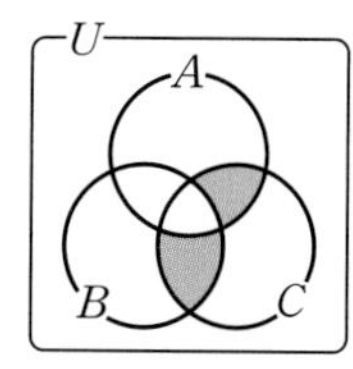

$(A \triangle B) \cap C$

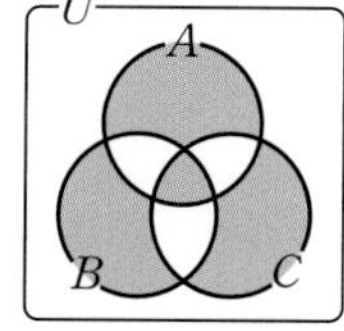

$(A \triangle B) \triangle C$

답 (1) A^C (2) 풀이 참조

3-1

① $A * U = (A \cap U) \cup (A \cup U)^C = A \cup U^C$
$= A \cup \varnothing = A$

② $B * A = (B \cap A) \cup (B \cup A)^C$
$= (A \cap B) \cup (A \cup B)^C = A * B$

③ $A * \varnothing = (A \cap \varnothing) \cup (A \cup \varnothing)^C = \varnothing \cup A^C = A^C$

④ $A^C * B^C = (A^C \cap B^C) \cup (A^C \cup B^C)^C$
$= (A \cup B)^C \cup (A \cap B)$
$= (A \cap B) \cup (A \cup B)^C = A * B$

⑤ $A * A^C = (A \cap A^C) \cup (A \cup A^C)^C$
$= \varnothing \cup U^C = \varnothing \cup \varnothing = \varnothing$

따라서 옳지 않은 것은 ①이다.

답 ①

참고 $A * B = (A \cap B) \cup (A \cup B)^C$를 벤다이어그램으로 나타내면 그림과 같다.

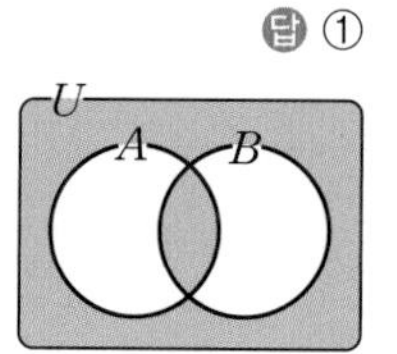

개념 Check

34쪽

4

$n(A \cup B) = n(A) + n(B) - n(A \cap B)$이므로

(1) $n(A \cup B) = n(A) + n(B) - n(A \cap B)$
$= 7 + 5 - 3 = 9$

(2) $n(A \cap B) = n(A) + n(B) - n(A \cup B)$
$= 6 + 10 - 12 = 4$

(3) $n(B) = n(A \cup B) - n(A) + n(A \cap B)$
$= 15 - 7 + 3 = 11$

답 (1) 9 (2) 4 (3) 11

대표Q

35쪽~39쪽

대표 Q4

(1) $n(A^C \cap B) = n(B - A) = 14$
$n(A^C \cap B^C) = n((A \cup B)^C) = 9$
각 집합의 원소의 개수를 벤다이어그램에 나타내면 그림과 같다.
따라서 그림에서 색칠한 부분의 원소의 개수는
$40 - (6 + 14 + 9) = 11$
$\therefore n(A) = 11 + 6 = 17$
$n(A^C \cup B^C) = n((A \cap B)^C)$
$= 40 - 6 = 34$

(2) $n(A) > n(B)$이므로
$B \subset A$일 때 $n(A \cap B)$가 최대이고
최댓값은 $n(B) = 20$이다.
또 $n(A \cup B) = n(A) + n(B) - n(A \cap B)$ … ㉠
이므로 $n(A \cup B)$가 최대이면 $n(A \cap B)$가 최소이다.
$(A \cup B) \subset U$이므로
$n(A \cup B)$의 최댓값은 $n(U) = 40$
이때 ㉠에서
$40 = 30 + 20 - n(A \cap B)$ $\therefore n(A \cap B) = 10$
따라서 $A \cup B = U$일 때 $n(A \cap B)$의 최솟값은 10이다.

답 (1) $n(A) = 17$, $n(A^C \cup B^C) = 34$
(2) 최댓값 : 20, 최솟값 : 10

4-1

$A^C \cup B^C = (A \cap B)^C$이므로
$n(A \cap B) = n(U) - n((A \cap B)^C) = 30 - 24 = 6$
각 집합의 원소의 개수를 벤다이어그램에 나타내면 그림과 같다.

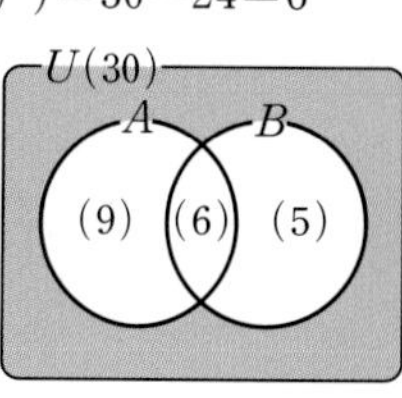

따라서 그림에서 색칠한 부분의 원소의 개수는
$30 - (9 + 6 + 5) = 10$

(1) $n(A \cap B) = 6$

(2) $n(A \cup B) = 9 + 6 + 5 = 20$

(3) $A^C \cap B^C = (A \cup B)^C$이므로

$n(A^C \cap B^C) = n(U) - n(A \cup B)$

$\qquad\qquad = 30 - 20 = 10$

답 (1) 6 (2) 20 (3) 10

4-2

$A^C \cap B^C = (A \cup B)^C$이므로 벤다이어그램으로 나타내면 그림과 같다.

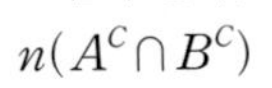

$n(A^C \cap B^C)$

$= n(U) - n(A \cup B)$

$\therefore k = 30 - n(A \cup B)$

(i) k가 최대일 때

$n(A \cup B)$의 값이 최소이므로 $A \subset B$이다.

$\therefore k = 30 - 12 = 18$

(ii) k가 최소일 때

$n(A \cup B)$의 값이 최대일 때, 곧 $A \cap B = \varnothing$이다.

$\therefore k = 30 - (10 + 12) = 8$

(i), (ii)에서 k의 최댓값은 18, 최솟값은 8이다.

답 최댓값 : 18, 최솟값 : 8

대표 Q5

재성이네 반 학생 전체의 집합을 U, 농구반을 신청한 학생의 집합을 A, 오케스트라 합주반을 신청한 학생의 집합을 B라 하면

$n(U) = 30$, $n(A) = 17$, $n(B) = 10$,

$n(A^C \cap B^C) = 5$

(1) $n(A^C \cap B^C) = n((A \cup B)^C) = n(U) - n(A \cup B)$ 이므로

$5 = 30 - n(A \cup B)$ $\quad \therefore n(A \cup B) = 25$

$n(A \cup B) = n(A) + n(B) - n(A \cap B)$이므로

$25 = 17 + 10 - n(A \cap B)$

$\therefore n(A \cap B) = 2$

따라서 농구반과 오케스트라 합주반을 모두 신청한 학생은 2명이다.

(2) $n(A - B) = n(A) - n(A \cap B) = 17 - 2 = 15$

따라서 농구반만 신청한 학생은 15명이다.

답 (1) 2 (2) 15

5-1

1학년 학생 전체의 집합을 U, 버스를 이용하는 학생의 집합을 A, 지하철을 이용하는 학생의 집합을 B라 하면

$n(U) = 90$, $n(A) = 45$, $n(B) = 35$, $n(A \cap B) = 12$ 이므로

$n(A \cup B) = n(A) + n(B) - n(A \cap B)$

$\qquad\qquad = 45 + 35 - 12 = 68$

$\therefore n((A \cup B)^C) = n(U) - n(A \cup B)$

$\qquad\qquad = 90 - 68 = 22$

따라서 버스와 지하철 중 어느 것도 이용하지 않는 학생은 22명이다.

답 22

5-2

학생 전체의 집합을 U, A 문제를 맞힌 학생의 집합을 A, B 문제를 맞힌 학생의 집합을 B라 하면

$n(U) = 25$, $n(A) = 16$, $n(B) = 10$, $n(A^C \cap B^C) = 3$

$A^C \cap B^C = (A \cup B)^C$이므로

$n(A \cup B) = n(U) - n((A \cup B)^C) = 25 - 3 = 22$

$\therefore n(A \cap B) = n(A) + n(B) - n(A \cup B)$

$\qquad\qquad = 16 + 10 - 22 = 4$

$\therefore n(A - B) = n(A) - n(A \cap B) = 16 - 4 = 12$

따라서 A 문제만 맞힌 학생은 12명이다.

답 12

대표 Q6

(1) $(A - B) \cup (B - C) \cup (C - A)$ 는 그림과 같고, $A - B$, $B - C$, $C - A$의 공통부분은 없다.

$n(A \cup B \cup C)$

$= n(A - B) + n(B - C)$

$\quad + n(C - A)$

$\quad + n(A \cap B \cap C)$

$40 = 8 + 10 + 12 + n(A \cap B \cap C)$

$\therefore n(A \cap B \cap C) = 10$

(2) $A \cap B = \varnothing$이므로 U와 A, B, C를 벤다이어그램으로 나타내면 그림과 같다.

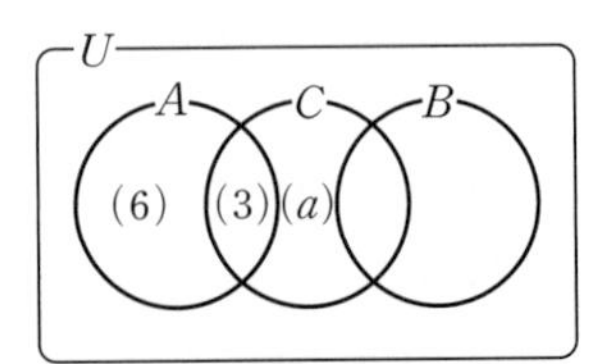

$n(A \cap C) = 3$, $n(A \cap C^C) = n(A - C) = 6$이므로

$a = n(C \cap B^C) - 3 = 6 - 3 = 3$

$\therefore n(A\cup B\cup C)=n(A\cup B)+a$
$=16+3=19$

답 (1) 10 (2) 19

6-1

$A\cap C=\varnothing$이므로 A, B, C를 벤다이어그램으로 나타내면 그림과 같다.

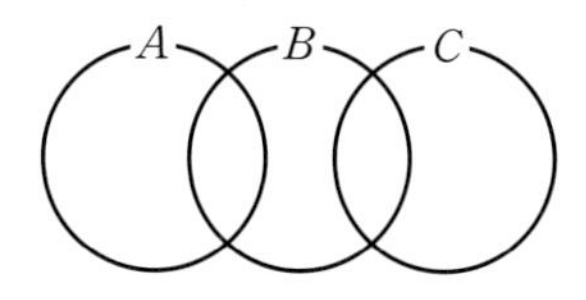

$n(A\cup B\cup C)=n(A\cup B)+n(C)-n(B\cap C)$ 이므로

$20=15+7-n(B\cap C)$ $\therefore n(B\cap C)=2$

답 2

6-2

종이 한 장의 넓이는 4π이므로 세 장으로 덮힌 부분의 넓이를 S_1, 두 장이 겹쳐진 부분의 넓이를 S_2, 세 장이 겹쳐진 부분의 넓이를 S_3이라 하면

$4\pi\times 3=S_1+S_2+2S_3$

$12\pi=6\pi+S_2+2\times\pi$ $\therefore S_2=4\pi$

답 4π

대표 07

(1) A_3은 3의 배수의 집합이고, A_4는 4의 배수의 집합이므로 $A_3\cap A_4$는 3의 배수이면서 4의 배수인 수의 집합이다. 곧, 12의 배수의 집합이다.

$\therefore A_3\cap A_4=A_{12}$ $\therefore k=12$

(2) $A_3\cup A_4$는 3의 배수이거나 4의 배수인 수의 집합이다.

100보다 작은 3의 배수는

$3\times 1,\ 3\times 2,\ \cdots,\ 3\times 33$이므로 $n(A_3)=33$

100보다 작은 4의 배수는

$4\times 1,\ 4\times 2,\ \cdots,\ 4\times 24$이므로 $n(A_4)=24$

100보다 작은 12의 배수는

$12\times 1,\ 12\times 2,\ \cdots,\ 12\times 8$이므로 $n(A_{12})=8$

$\therefore n(A_3\cup A_4)=n(A_3)+n(A_4)-n(A_3\cap A_4)$
$=33+24-8=49$

(3) $(A_2\cup A_3)\cap A_4=(A_2\cap A_4)\cup(A_3\cap A_4)$ $\cdots$ ㉠

$A_2\cap A_4$는 2의 배수이면서 4의 배수인 수의 집합이므로 4의 배수의 집합이다.

$\therefore A_2\cap A_4=A_4$

$A_3\cap A_4$는 12의 배수의 집합이므로

$A_3\cap A_4=A_{12}$

12의 배수는 모두 4의 배수이므로 $A_{12}\subset A_4$

따라서 ㉠은 $A_4\cup A_{12}=A_4$이고, 원소의 개수는

$n(A_4)=24$

답 (1) 12 (2) 49 (3) 24

7-1

(1) A_{12}는 12의 약수의 집합이고, A_{18}은 18의 약수의 집합이므로 $A_{12}\cap A_{18}$은 12와 18의 최대공약수인 6의 약수의 집합이다.

$\therefore A_{12}\cap A_{18}=A_6$ $\therefore k=6$

(2) $A_{12}=\{1,\ 2,\ 3,\ 4,\ 6,\ 12\}$, $A_{18}=\{1,\ 2,\ 3,\ 6,\ 9,\ 18\}$, $A_6=\{1,\ 2,\ 3,\ 6\}$이므로

$n(A_{12}\cup A_{18})=n(A_{12})+n(A_{18})-n(A_{12}\cap A_{18})$
$=n(A_{12})+n(A_{18})-n(A_6)$
$=6+6-4=8$

(3) $(A_{12}\cup A_{18})\cap A_{24}=(A_{12}\cap A_{24})\cup(A_{18}\cap A_{24})$ $\cdots$ ㉠

A_{12}는 12의 약수의 집합, A_{24}는 24의 약수의 집합이고, 12와 24의 최대공약수는 12이므로

$A_{12}\cap A_{24}=A_{12}$

A_{18}은 18의 약수의 집합, A_{24}는 24의 약수의 집합이고, 18과 24의 최대공약수는 6이므로

$A_{18}\cap A_{24}=A_6$

6의 약수는 모두 12의 약수이므로 $A_6\subset A_{12}$

따라서 ㉠은 $A_{12}\cup A_6=A_{12}$이고, 12의 약수는 6개이므로

$n(A_{12})=6$

(4) $A_k\subset A_{36}$이면 k의 약수는 36의 약수이다.

따라서 k는 36의 약수이다.

36의 약수는 1, 2, 3, 4, 6, 9, 12, 18, 36이므로 가능한 k는 9개이다.

답 (1) 6 (2) 8 (3) 6 (4) 9

날선 08

$A=\{a,\ b,\ c,\ d,\ e\}$라 하면

$B=\{2a+k,\ 2b+k,\ 2c+k,\ 2d+k,\ 2e+k\}$

집합 X의 모든 원소의 합을 $S(X)$라 하면

(가)에서 $S(A)=25$이므로

$S(B)=2S(A)+5k=50+5k$

(나), (다)에서 $S(A\cup B)=81$, $S(A\cap B)=14$
$S(A\cup B)=S(A)+S(B)-S(A\cap B)$이므로
$81=25+50+5k-14 \quad \therefore k=4$

답 4

8-1

집합 X의 모든 원소의 합을 $S(X)$라 하자.
$S(A\cap B)=4$이고,
$S(A\cup B)=S(A)+S(B)-S(A\cap B)$이므로
$S(A\cup B)=21+15-4=32$

답 32

8-2

(1) 주어진 조건을 벤다이어그램으로 나타내면 그림과 같다.

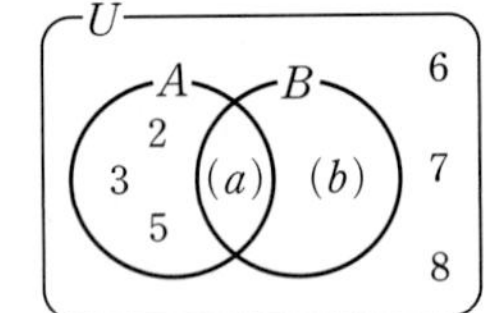

$S(A\cap B)=a$,
$S(B-A)=b$라 하면
$(2+3+5)+a+b+(6+7+8)=46$
이므로 $a+b=15$
$\therefore S(B)=a+b=15 \quad \cdots ㉠$

(2) $2S(A\cap B)=S(B-A)$에서 $2a=b \quad \cdots ㉡$
㉠, ㉡을 연립하여 풀면 $a=5$, $b=10$
$\therefore S(A)=2+3+5+a=15$

답 (1) 15 (2) 15

연습과 실전 2 집합의 연산 법칙 40쪽~44쪽

01 (1) $A\cap$ (2) $A\cap B$	**02** ⑤	**03** ③	
04 ⑤	**05** 28	**06** ②	
07 (1) 22 (2) 11 (3) 33	**08** 15	**09** 6	
10 (가) : $(A\cap C)^C$, (나) : $\cup$, (다) : $B\cap C^C$			
11 풀이 참조	**12** $\{a, c, e, f\}$	**13** ④	
14 4	**15** ④	**16** 18	**17** ②
18 (1) 20 (2) 4	**19** 32	**20** ③	**21** 24

01

(1) $(A\cap B)\cup(A\cap C)$에서 공통부분 $A\cap$으로 묶으면
$\boxed{A\cap}(B\cup C)$

(2) $(A\cup C)\cap(B\cup C)$에서 공통부분 $\cup C$로 묶으면
$(\boxed{A\cap B})\cup C$

답 (1) $A\cap$ (2) $A\cap B$

02

ㄱ. A와 B^C가 서로소이므로
$A\cap B^C=\varnothing \quad \therefore A-B=\varnothing$ (참)

ㄴ. ㄱ에서 $A-B=\varnothing$이므로 $A\subset B$, 곧 $A\cap B=A$
$\therefore (A\cap B)^C=A^C$ (참)

ㄷ. $(A^C\cup B)\cap A=(A^C\cap A)\cup(B\cap A)$
$=\varnothing\cup A=A$ (참)

따라서 옳은 것은 ㄱ, ㄴ, ㄷ이다.

답 ⑤

03

$(A^C\cup B)\cap B^C=(A^C\cap B^C)\cup(B\cap B^C)$
$=(A\cup B)^C\cup\varnothing$
$=(A\cup B)^C$
$\therefore \{(A^C\cup B)\cap B^C\}^C=\{(A\cup B)^C\}^C=A\cup B$

다른 풀이

드모르간의 법칙을 먼저 이용하면
$\{(A^C\cup B)\cap B^C\}^C=(A^C\cup B)^C\cup(B^C)^C$
$=(A\cap B^C)\cup B$
$=(A\cup B)\cap(B^C\cup B)$
$=(A\cup B)\cap U$
$=A\cup B$

답 ③

04

ㄱ. $A-B$는 그림에서 색칠한 부분이므로 $A-(A-B)$는 (가) 부분이다.

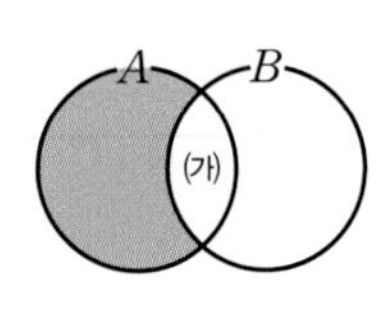

$\therefore A-(A-B)=A\cap B$ (참)

ㄴ. $(A-B)^C=(A\cap B^C)^C=A^C\cup B$ (참)

ㄷ. 주어진 조건을 벤다이어그램으로 나타내면 그림과 같으므로 참임을 알 수 있다.

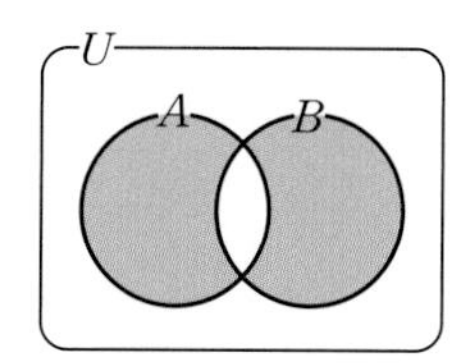

따라서 옳은 것은 ㄱ, ㄴ, ㄷ이다.

답 ⑤

05

$U-(A^C\cap B)^C=U\cap\{(A^C\cap B)^C\}^C=U\cap(A^C\cap B)$

$=A^C\cap B=B-A$

$B-A=\{6, 7, 8\}$이므로

주어진 조건을 벤다이어그램에 나타내면 그림과 같다.

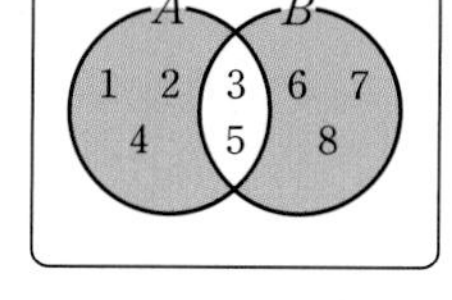

$A\triangle B=(A-B)\cup(B-A)$는 색칠한 부분이므로 $A\triangle B$의 모든 원소의 합은

$1+2+4+6+7+8=28$

답 28

06

$(\text{좌변})=\{(A\cap B)\cup(A-B)\}\cap B$

$=\{(A\cap B)\cup(A\cap B^C)\}\cap B$

$=\{A\cap(B\cup B^C)\}\cap B$

$=(A\cap U)\cap B$

$=A\cap B$

이므로 $A\cap B=B$ $\quad\therefore B\subset A$

③, ④ $B\subset A$이므로 $A\cup B=A$, $A\cap B^C\neq\varnothing$

⑤ $A^C\cup B$를 벤다이어그램으로 나타내면 그림과 같다.

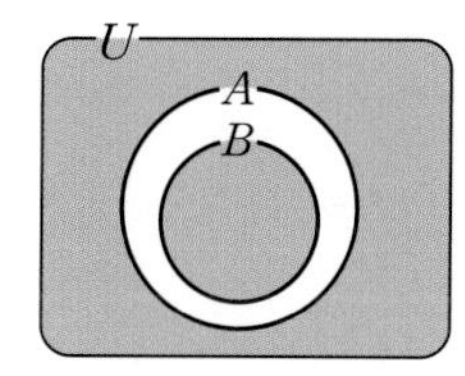

$\therefore A^C\cup B\neq U$

따라서 옳은 것은 ②이다.

답 ②

07

각 집합의 원소의 개수를 벤다이어그램에 나타내면 그림과 같다.

U(50)
A
B
(11)
(17)
(18)

(1) $n(A^C)=50-28=22$

(2) $n(A\cap B^C)=n(A-B)$

$=28-17=11$

(3) $n(A^C\cup B^C)=n((A\cap B)^C)$

$=n(U)-n(A\cap B)$

$=50-17=33$

답 (1) 22 (2) 11 (3) 33

08

조사한 전체 회원의 집합을 U, 데뷔 앨범 CD를 가지고 있는 회원의 집합을 A, 스페셜 앨범 CD를 가지고 있는 회원의 집합을 B라 하면 $n(U)=30$, $n(A)=12$, $n(B)=6$, $n(A\cap B)=3$이므로

$n(A\cup B)=n(A)+n(B)-n(A\cap B)$

$=12+6-3=15$

데뷔 앨범과 스페셜 앨범 CD 중 어느 것도 없는 회원의 집합은 $(A\cup B)^C$이므로 회원 수는

$n((A\cup B)^C)=n(U)-n(A\cup B)$

$=30-15=15$

따라서 구하는 회원은 15명이다.

답 15

09

$A_{12}\cup A_2=A_2$, $A_{12}\cup A_3=A_3$이므로

$(A_{12}\cup A_2)\cap(A_{12}\cup A_3)=A_2\cap A_3=A_6$

$\therefore k=6$

답 6

10 전략 집합의 연산 법칙을 이용하여 정리한다.

$(A\cap B)-(A\cap C)$

$=(A\cap B)\cap\boxed{(A\cap C)^C}$

$=(A\cap B)\cap(A^C\cup C^C)$

$=(A\cap B\cap A^C)\boxed{\cup}(A\cap B\cap C^C)$

$=\varnothing\boxed{\cup}(A\cap B\cap C^C)$

$=A\cap\boxed{B\cap C^C}$

$=A\cap(B-C)$

답 (가) : $(A\cap C)^C$, (나) : $\cup$, (다) : $B\cap C^C$

11 전략 $(A\cup B)$, $(A\cup B^C)$에서 $A\cup$이 공통임을 착안하여 $(A\cup B)\cap(A\cup B^C)$부터 간단히 한다.

$(A\cup B)\cap(A^C\cup B)\cap(A\cup B^C)$
$=(A\cup B)\cap(A\cup B^C)\cap(A^C\cup B)$ ⟶ 교환법칙
$=\{(A\cup B)\cap(A\cup B^C)\}\cap(A^C\cup B)$ ⟶ 결합법칙
$=\{A\cup(B\cap B^C)\}\cap(A^C\cup B)$ ⟶ 분배법칙
$=(A\cup\varnothing)\cap(A^C\cup B)$
$=A\cap(A^C\cup B)=(A\cap A^C)\cup(A\cap B)$ ⟶ 분배법칙
$=\varnothing\cup(A\cap B)=A\cap B$

답 풀이 참조

참고 벤다이어그램을 그려 서로 같음을 비교해도 된다.

12 전략 벤다이어그램을 그려서 B의 원소를 찾는다.

$(A\cap B^C)\cup(A^C\cap B)=(A-B)\cup(B-A)$ ⋯ ㉠

은 그림에서 색칠한 부분이다.

(가)의 원소는 A와 ㉠의 공통 원소이므로 b, d

(나)의 원소는 $A-$㉠의 원소이므로 a, c, e

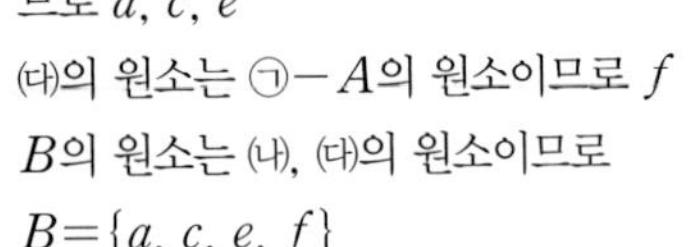

(다)의 원소는 ㉠$-A$의 원소이므로 f

B의 원소는 (나), (다)의 원소이므로

$B=\{a, c, e, f\}$

답 $\{a, c, e, f\}$

13 전략 $\{x\mid f(x)\geq 0\}\cap\{x\mid g(x)<0\}$을 A, B, C, D로 나타내어 본다.

$g(x)<0\leq f(x)$에서 $\begin{cases} f(x)\geq 0 \\ g(x)<0 \end{cases}$

$\{x\mid f(x)\geq 0\}=\{x\mid f(x)>0$ 또는 $f(x)=0\}=A\cup C$
$\{x\mid g(x)\geq 0\}=\{x\mid g(x)>0$ 또는 $g(x)=0\}=B\cup D$
$g(x)<0$은 $g(x)\geq 0$이 아닌 경우이므로
$\{x\mid g(x)<0\}=(B\cup D)^C=B^C\cap D^C$
따라서 해를 집합 A, B, C, D로 나타내면
$(A\cup C)\cap(B^C\cap D^C)$

답 ④

14 전략 집합의 연산 법칙을 이용하여 식을 간단히 한다.

$A\circledcirc B=(A\cup B)-(A\cap B)$를 벤다이어그램으로 나타내면 그림과 같으므로

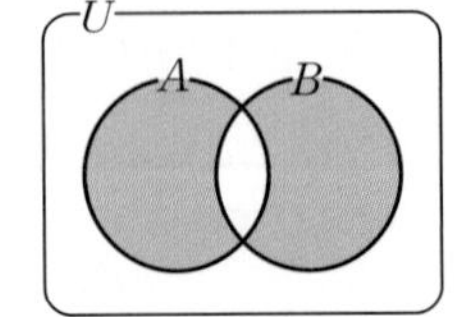

$(A\circledcirc B)\cup B=A\cup B$
$(A\circledcirc B)\cap B=B-A$
$\therefore (A\circledcirc B)\circledcirc B$
$=\{(A\circledcirc B)\cup B\}-\{(A\circledcirc B)\cap B\}$
$=(A\cup B)-(B-A)=A$

그런데 $n(A\cup B)=n(A)+n(B)-n(A\cap B)$이므로
$9=n(A)+6-1$ $\quad\therefore n(A)=4$
$\therefore n((A\circledcirc B)\circledcirc B)=n(A)=4$

답 4

15 전략 $n(A\cap B)$가 최소이면 $n(A\cup B)$가 최대이고, $n(A\cap B)$가 최대이면 $n(A\cup B)$가 최소이다.

전체 학생의 집합을 U, 봉사 활동 A, B를 신청한 학생의 집합을 각각 A, B라 하면
$n(U)=30$, $n(A)+n(B)=36$

(i) $n(A\cap B)$의 최솟값
$n(A)+n(B)-n(A\cup B)=36-30=6$

(ii) $n(A\cap B)$의 최댓값
$n(A\cap B)=36-n(A\cup B)$ ⋯ ㉠
따라서 $n(A\cup B)$가 최소이면 $n(A\cap B)$가 최대이다.
$A=B$일 때 $A\cup B=A\cap B$이므로 $n(A\cup B)$가 최대이다.
또 ㉠에서 최댓값은 $n(A\cap B)=n(A\cup B)=18$
최댓값과 최솟값의 합은 $18+6=24$

답 ④

16 전략 B와 C가 서로소이면 $B\cap C=\varnothing$이다.

$B\cap C=\varnothing$이므로 A, B, C를 벤다이어그램으로 나타내면 그림과 같고, $A^C\cap B$는 색칠한 부분이다.

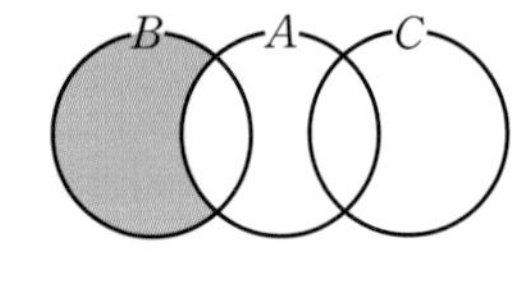

따라서
$n(A\cup B\cup C)=n(A\cup C)+n(B-A)$
조건에서 $n(B-A)=6$
또 $A^C\cap C^C=(A\cup C)^C$이므로
$n(A\cup C)=n(U)-n(A^C\cap C^C)=30-18=12$
$\therefore n(A\cup B\cup C)=12+6=18$

답 18

17 **전략** $A\cap B\cap C=\varnothing$이므로 $A\cap B$, $B\cap C$, $A\cap C$에는 $A\cap B\cap C$인 경우가 없음을 이용한다.

전체 수강생의 집합을 U, 자격증 A, B, C를 취득한 수강생의 집합을 각각 A, B, C라 하면

$n(U)=35$, $n(A)=21$,
$n(B)=18$, $n(C)=15$,
$n(A\cup B\cup C)$
$=35-3=32$,
$n(A\cap B\cap C)=0$

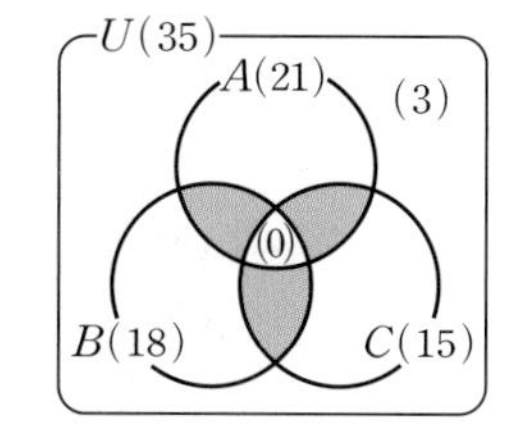

주어진 조건을 벤다이어그램에 나타내면 그림과 같고 색칠한 부분에 속하는 원소의 개수를 x라 하면

$n(A\cup B\cup C)$
$=n(A)+n(B)+n(C)-x$

$32=21+18+15-x$ $\quad\therefore x=22$

따라서 자격증 A, B, C 중에서 두 종류의 자격증만 취득한 수강생은 22명이다.

답 ②

18 **전략** $A_n\subset A_m$이면 n은 m의 배수, m은 n의 약수이다.

(1) A_4는 4의 배수의 집합, A_{10}은 10의 배수의 집합이고, 4와 10의 최소공배수는 20이므로 $A_4\cap A_{10}=A_{20}$
$A_a\subset A_{20}$이므로 a는 20의 배수이다.
곧, a의 최솟값은 20이다.

(2) A_8은 8의 배수의 집합, A_{12}는 12의 배수의 집합이므로 $(A_8\cup A_{12})\subset A_b$이면 $A_8\subset A_b$이고 $A_{12}\subset A_b$이다.
$A_8\subset A_b$이므로 b는 8의 약수이다.
또 $A_{12}\subset A_b$이므로 b는 12의 약수이다.
b는 8과 12의 공약수이다. 곧, b의 최댓값은 8과 12의 최대공약수 4이다.

답 (1) 20 (2) 4

19 **전략** $A\cap B$와 $A^C\cap B^C$를 이용하여 집합 A, B가 될 수 있는 것을 모두 생각한다.

$A^C\cap B^C=(A\cup B)^C=\{7\}$이므로
$A\cup B=\{1, 3, 5\}$

(i) $A=\{3\}$, $B=\{1, 3, 5\}$인 경우
$f(A)\times f(B)=3\times 9=27$

(ii) $A=\{1, 3\}$, $B=\{3, 5\}$인 경우
$f(A)\times f(B)=4\times 8=32$

(iii) $A=\{3, 5\}$, $B=\{1, 3\}$인 경우
$f(A)\times f(B)=8\times 4=32$

(iv) $A=\{1, 3, 5\}$, $B=\{3\}$인 경우
$f(A)\times f(B)=9\times 3=27$

따라서 $f(A)\times f(B)$의 최댓값은 32이다.

답 32

20 **전략** ㄷ. A와 B의 중복되는 부분은 빼야 함에 주의한다.

ㄷ. $f(A)+f(B)$는 $f(A\cap B)$가 두 번 더해졌으므로
$f(A\cup B)=f(A)+f(B)-f(A\cap B)$ (거짓)

따라서 옳은 것은 ㄱ, ㄴ이다.

답 ③

참고 ㄴ. $A=B$일 때도 $A\subset B$이므로 $f(A)=f(B)$일 수도 있다.

21 **전략** $S(A\cap B)$, $S(A\cup B)$의 값을 찾을 수 있으므로 $S(A\cup B)=S(A)+S(B)-S(A\cap B)$를 이용한다.

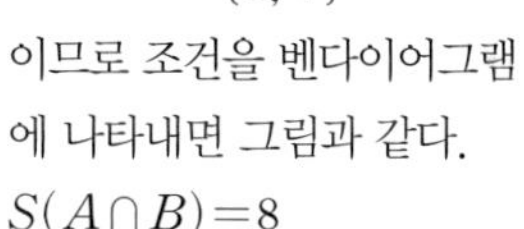

$A^C\cap B^C=(A\cup B)^C$
$=\{1, 7\}$

이므로 조건을 벤다이어그램에 나타내면 그림과 같다.

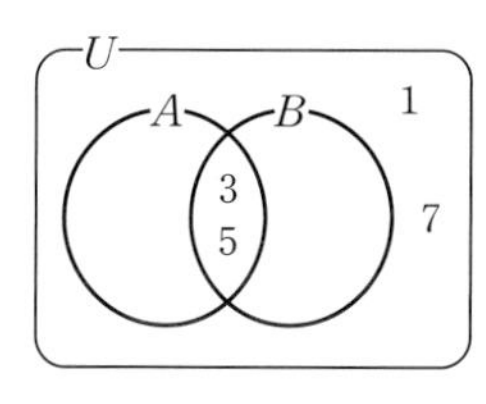

$S(A\cap B)=8$

$A\cup B$는 전체집합에서 1, 7을 뺀 집합이므로
$S(A\cup B)=S(U)-8=36-8=28$
$S(A\cup B)=S(A)+S(B)-S(A\cap B)$이고,
조건에서 $S(A)=2S(B)$이므로
$28=3S(B)-8$
$\therefore S(B)=12$, $S(A)=24$

답 24

3 명제

개념 Check

46쪽~49쪽

1

ㄱ. 6의 배수 6, 12, 18, …은 3의 배수이다.
따라서 참인 명제이다.

ㄴ, ㄷ. 참, 거짓을 판별할 수 없으므로 명제가 아니다.

ㄹ. π는 무리수이다.
따라서 거짓인 명제이다.

ㅁ. x, y의 값에 따라 참, 거짓이 달라지므로 명제가 아니다.

ㅂ. $x=0$일 때 $x^2=0$이다.
따라서 거짓인 명제이다.

따라서 명제인 것은 ㄱ, ㄹ, ㅂ이고, ㄱ은 참, ㄹ, ㅂ은 거짓이다.

답 ㄱ : 참, ㄹ : 거짓, ㅂ : 거짓

2

답 (1) 소수의 약수는 2개가 아니다. (거짓)
(2) $3>1$ (참)

3

전체집합 $U=\{1, 2, 3, \cdots, 9\}$이고 조건 p, q의 진리집합을 P, Q라 하면

(1) 조건 p의 진리집합은 $P=\{2, 4, 6, 8\}$

(2) 조건 $\sim p$의 진리집합은 $P^C=\{1, 3, 5, 7, 9\}$

(3) $(x-2)(x-3)=0$에서 $x=2$ 또는 $x=3$이므로
조건 q의 진리집합은 $Q=\{2, 3\}$

(4) 조건 $\sim q$의 진리집합은
$Q^C=\{1, 4, 5, 6, 7, 8, 9\}$

(5) 조건 'p 그리고 q'의 진리집합은 $P\cap Q$이다.
$\therefore P\cap Q=\{2\}$

(6) 조건 'p 또는 q'의 진리집합은 $P\cup Q$이다.
$\therefore P\cup Q=\{2, 3, 4, 6, 8\}$

답 (1) $\{2, 4, 6, 8\}$ (2) $\{1, 3, 5, 7, 9\}$
(3) $\{2, 3\}$ (4) $\{1, 4, 5, 6, 7, 8, 9\}$
(5) $\{2\}$ (6) $\{2, 3, 4, 6, 8\}$

4

(1) 가정 : $x^2=4$
결론 : $x=2$

(2) 가정 : 삼각형의 두 변의 길이가 같다.
결론 : 이등변삼각형이다.

답 풀이 참조

5

조건 p, q의 진리집합을 P, Q라 하면

(1) $P=\{4, 8, 12, \cdots\}$, $Q=\{2, 4, 6, \cdots\}$
따라서 $P\subset Q$이므로 명제 $p \longrightarrow q$는 참이다.

(2) $xy=0$이면 $x=0$ 또는 $y=0$
$x^2+y^2=0$이면 $x=0$ 그리고 $y=0$
따라서 $P\not\subset Q$이므로 명제 $p \longrightarrow q$는 거짓이다.

답 (1) 참 (2) 거짓

6

(1) 명제는 참,
부정 : 어떤 정사각형은 마름모가 아니다.
(모든 정사각형은 마름모이므로 거짓)

(2) x가 실수이면 $x^2\geq 0$이므로 명제는 거짓,
부정 : 모든 실수 x에 대하여 $x^2\geq 0$이다. (참)

답 풀이 참조

대표Q

50쪽~53쪽

대표 Q1

전체집합 $U=\{1, 2, 3, \cdots, 9\}$이고
조건 p, q의 진리집합을 P, Q라 하면
$P=\{2, 3, 5, 7\}$, $Q=\{1, 3, 5, 7, 9\}$

(1) 조건 '$\sim(\sim p)=p$'의 진리집합은 P이므로
$P=\{2, 3, 5, 7\}$

(2) 조건 'p 그리고 $\sim q$'의 진리집합은 $P\cap Q^C$이므로
$P\cap Q^C=\{2\}$

(3) 조건 '$\sim(p$ 또는 $q)$'의 진리집합은 $(P\cup Q)^C$이므로
$P\cup Q=\{1, 2, 3, 5, 7, 9\}$
$\therefore (P\cup Q)^C=\{4, 6, 8\}$

답 (1) $\{2, 3, 5, 7\}$ (2) $\{2\}$ (3) $\{4, 6, 8\}$

1-1

조건 p, q의 진리집합을 P, Q라 하면
$P=\{x|-3<x<3\}$, $Q=\{x|x\leq 0$ 또는 $x\geq 5\}$
이므로
$P^C=\{x|x\leq -3$ 또는 $x\geq 3\}$,
$Q^C=\{x|0<x<5\}$
(1) $\sim(\sim q)=q$의 진리집합은 Q이므로
$Q=\{x|x\leq 0$ 또는 $x\geq 5\}$
(2) $P^C\cup Q=\{x|x\leq 0$ 또는 $x\geq 3\}$
(3) $P^C\cap Q^C=\{x|3\leq x<5\}$

답 (1) $\{x|x\leq 0$ 또는 $x\geq 5\}$
(2) $\{x|x\leq 0$ 또는 $x\geq 3\}$
(3) $\{x|3\leq x<5\}$

대표 02

(1) 조건 p, q의 진리집합을 P, Q라 하자.
$P=\{x|-a+1<x<2\}$
또 $a>0$이므로
$Q=\{x|-2<x<2a\}$
$p \longrightarrow q$가 참이면
$P\subset Q$이므로 그림에서

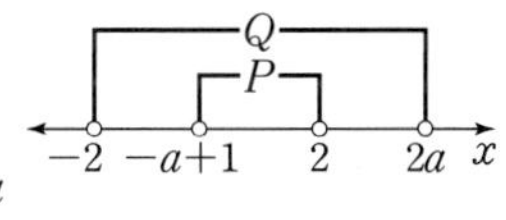

$-a+1\geq -2$이고 $2\leq 2a$

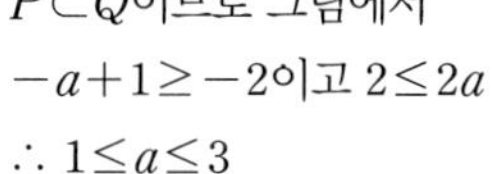

$\therefore 1\leq a\leq 3$
(2) 조건 p, q의 진리집합을 P, Q라 하면
$P=\{x|x^2-4x+3\neq 0\}$,
$Q=\{x|x>a\}$
$\sim p : x^2-4x+3=0$이므로 $P^C=\{1, 3\}$
$\sim p \longrightarrow q$가 거짓이면 $P^C\not\subset Q$이므로 $a\geq 1$

답 (1) $1\leq a\leq 3$ (2) $a\geq 1$

2-1

조건 p, q의 진리집합을 P, Q라 하면
$P=\{x|a-3\leq x\leq a+3\}$
$x^2+2x-24\leq 0$에서 $(x+6)(x-4)\leq 0$
$\therefore Q=\{x|-6\leq x\leq 4\}$
$p \longrightarrow q$가 참이면
$P\subset Q$이므로 그림에서

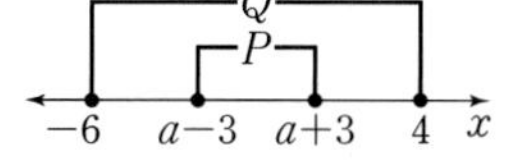

$a-3\geq -6$이고 $a+3\leq 4$
$\therefore -3\leq a\leq 1$
따라서 a의 최댓값은 1이다.

답 1

2-2

조건 p, q의 진리집합을 P, Q라 하자.
$\sim p : x^2-2x-15\leq 0$이므로 $P^C=\{x|-3\leq x\leq 5\}$
$Q=\{x|5-a\leq x\leq a\}$
$\sim p \longrightarrow q$가 참이면
$P^C\subset Q$이므로 그림에서

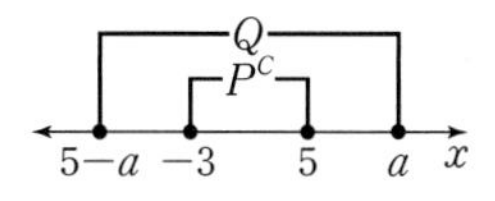

$5-a\leq -3$이고 $a\geq 5$
$\therefore a\geq 8$

답 $a\geq 8$

대표 03

$P\cup Q=P$에서 $Q\subset P$이고 $Q^C\cap R=R$에서 $R\subset Q^C$이므로 집합 P, Q, R의 포함 관계를 벤다이어그램으로 나타내면 그림과 같다.

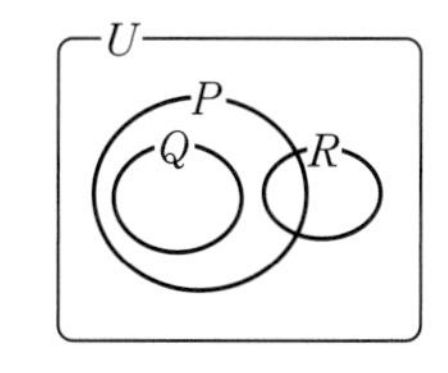

① $P\not\subset Q$이므로 $p \longrightarrow q$는 거짓이다.
② $R\not\subset P^C$이므로 $r \longrightarrow \sim p$는 거짓이다.
③ $(P\cap Q)\subset R^C$이므로 (p 그리고 q) $\longrightarrow \sim r$는 참이다.
④ $(P\cap R)\subset Q^C$이므로 (p 그리고 r) $\longrightarrow \sim q$는 참이다.
⑤ $(Q\cup R)\not\subset P$이므로 (q 또는 r) $\longrightarrow p$는 거짓이다.
따라서 참인 것은 ③, ④이다.

답 ③, ④

3-1

$p \longrightarrow q$가 참이면 $P\subset Q$이므로 벤다이어그램으로 나타내면 그림과 같다.

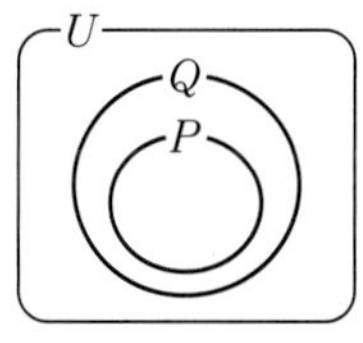

① $P\cap Q=P$ ③ $P^C\cap Q\neq\varnothing$
④ $P\cup Q^C\neq U$ ⑤ $P\cap Q^C=\varnothing$

답 ②

3-2

$P\cap Q^C=P$이므로 $P\subset Q^C$　　$\therefore P\cap Q=\varnothing$

또 $R\subset(P\cup Q)$이므로 벤다이어 그램으로 나타내면 그림과 같다.

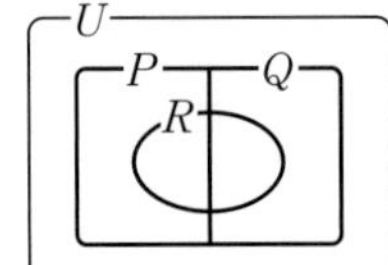

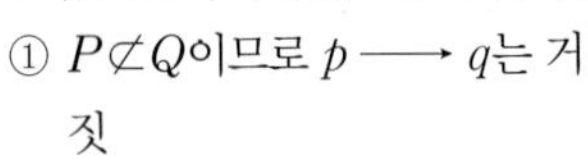

① $P\not\subset Q$이므로 $p \longrightarrow q$는 거짓

② $R\not\subset P$이므로 $r \longrightarrow p$는 거짓

③ $Q^C\not\subset R$이므로 $\sim q \longrightarrow r$는 거짓

④ $(P\cup R)\not\subset Q^C$이므로 (p 또는 r) $\longrightarrow \sim q$는 거짓

⑤ $(Q^C\cap R)\subset P$이므로 ($\sim q$ 그리고 r) $\longrightarrow p$는 참

따라서 참인 것은 ⑤이다.

답 ⑤

대표 Q4

(1) $x^2-4x-5=0$을 풀면 $x=-1$ 또는 $x=5$

곧, $x^2-4x-5=0$을 만족시키는 x가 U에 없으므로 주어진 명제는 거짓이다.

주어진 명제의 부정은

모든 x에 대하여 $x^2-4x-5\neq0$이다.

또 U의 모든 원소에 대하여 $x^2-4x-5\neq0$이므로 주어진 명제의 부정은 참이다.

(2) $xy-4x-4y+16\geq0$에서 $(x-4)(y-4)\geq0$

U의 모든 원소에 대하여 $x-4\leq0$, $y-4\leq0$이므로

$(x-4)(y-4)\geq0$

따라서 주어진 명제는 참이다.

주어진 명제의 부정은 어떤 x, y에 대하여

$xy-4x-4y+16<0$이다.

$(x-4)(y-4)<0$에서 x, y가 U의 원소이면

$x-4\leq0$, $y-4\leq0$이므로 거짓이다.

답 (1) 명제는 거짓, 부정 : 모든 x에 대하여 $x^2-4x-5\neq0$이다. (참)

(2) 명제는 참, 부정 : 어떤 x, y에 대하여 $xy-4x-4y+16<0$이다. (거짓)

4-1

① $x=0, 1, 2$이면 $|x|\leq x$이므로 명제는 참이다.

② 모든 x, y에 대하여 $x^2\leq4$, $y^2\leq4$

$x^2+y^2<9$이므로 명제는 참이다.

③ $x^2-x-6\leq0$을 풀면 $-2\leq x\leq3$

곧, 모든 x에 대하여 $x^2-x-6\leq0$이므로 명제는 참이다.

④ $x=0$이면 $x^2\leq0$이므로 명제는 참이다.

⑤ $(x-2)(x+2)>0$에서

$x<-2$ 또는 $x>2$　　… ㉠

따라서 U의 모든 원소는 ㉠을 만족시키지 않으므로 거짓이다.

따라서 거짓인 명제는 ⑤이다.

답 ⑤

참고 명제의 참, 거짓을 판별하기 쉽지 않은 경우 부정의 참, 거짓을 조사해도 된다.

4-2

(1) 부정은

어떤 실수 x에 대하여 $\sqrt{x^2}\neq x$이다.

$x=-1$일 때, $\sqrt{(-1)^2}=1\neq-1$이므로 참이다.

(2) 부정은

모든 실수 x에 대하여 $x^2-4x+4>0$이다.

$x=2$일 때, $2^2-4\times2+4=0$이므로 거짓이다.

답 (1) 어떤 실수 x에 대하여 $\sqrt{x^2}\neq x$이다. (참)

(2) 모든 실수 x에 대하여 $x^2-4x+4>0$이다. (거짓)

개념 Check

54쪽

7

(1) 역 : $x=1$이면 $x^2=1$이다. (참)

대우 : $x\neq1$이면 $x^2\neq1$이다. (거짓)

[반례] $x=-1$이면 $x\neq1$이지만 $x^2=1$이다.

(2) 역 : $x^2>4$이면 $x>2$이다. (거짓)

[반례] $x=-3$이면 $x^2>4$이지만 $x<2$이다.

대우 : $x^2\leq4$이면 $x\leq2$이다. (참)

(3) 역 : 평행사변형은 마름모이다. (거짓)

[반례] 직사각형은 평행사변형이지만 네 변의 길이가 모두 같지는 않으므로 마름모가 아니다.

대우 : 평행사변형이 아니면 마름모가 아니다. (참)

답 풀이 참조

8

명제 $\sim p \longrightarrow q$가 참이므로 대우 $\sim q \longrightarrow p$도 참이다.
따라서 참인 명제는 ④이다.

답 ④

대표Q 55쪽~56쪽

대표 Q5

(1) $x=1$, $y=0$이면 $xy=0$이지만 $x^2+y^2=1$이므로 주어진 명제는 거짓이다.
역 : x, y가 실수일 때, $x^2+y^2=0$이면 $xy=0$이다.
$x^2+y^2=0$이면 $x=0$, $y=0$이므로 $xy=0$이다.
따라서 참이다.
대우 : x, y가 실수일 때, $x^2+y^2\neq 0$이면 $xy\neq 0$이다.
명제가 거짓이므로 거짓이다.

(2) x, y가 짝수이면 $x+y$는 짝수이므로 주어진 명제는 참이다.
역 : $x+y$가 짝수이면 x, y는 짝수이다.
$x=1$, $y=3$이면 $x+y$는 짝수이지만 x, y는 짝수가 아니다. 따라서 거짓이다.
대우 : $x+y$가 짝수가 아니면 x 또는 y가 짝수가 아니다. 명제가 참이므로 참이다.

(3) $A\subset B$이면 $A\subset(B\cup C)$이고 $A\subset C$이면 $A\subset(B\cup C)$이다.
따라서 $A\subset B$ 또는 $A\subset C$이면 $A\subset(B\cup C)$이므로 주어진 명제는 참이다.
역 : $A\subset(B\cup C)$이면 $A\subset B$ 또는 $A\subset C$이다.
A, B, C가 그림과 같은 경우 $A\subset(B\cup C)$이지만 $A\subset B$도 아니고 $A\subset C$도 아니다.
따라서 거짓이다.

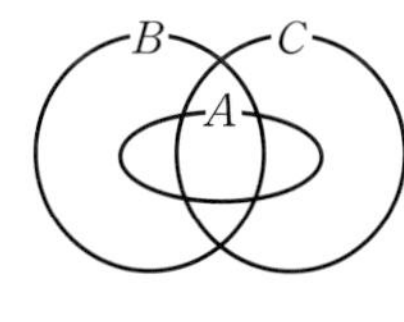

대우 : $A\not\subset(B\cup C)$이면 $A\not\subset B$이고 $A\not\subset C$이다.
명제가 참이므로 참이다.

답 풀이 참조

5-1

(1) $x<0$, $y<0$이면 $xy>0$이지만 $x<0$, $y<0$이므로 주어진 명제는 거짓이다.
역 : $x>0$이고 $y>0$이면 $xy>0$이다.
따라서 참이다.
대우 : $x\leq 0$ 또는 $y\leq 0$이면 $xy\leq 0$이다.
명제가 거짓이므로 거짓이다.

(2) $ac=bc$에서 $(a-b)c=0$이므로 $a=b$ 또는 $c=0$이다. 따라서 주어진 명제는 참이다.
역 : $a=b$ 또는 $c=0$이면 $ac=bc$이다.
따라서 참이다.
대우 : $a\neq b$이고 $c\neq 0$이면 $ac\neq bc$이다.
명제가 참이므로 참이다.

답 풀이 참조

5-2

명제의 대우가 참이므로 주어진 명제도 참이다.
p : $|x-a|<2$, q : $0<x<5$라 하고 진리집합을 P, Q라 하면
$P=\{x|a-2<x<a+2\}$,
$Q=\{x|0<x<5\}$
$P\subset Q$이므로
$0\leq a-2$, $a+2\leq 5$ $\qquad\therefore 2\leq a\leq 3$

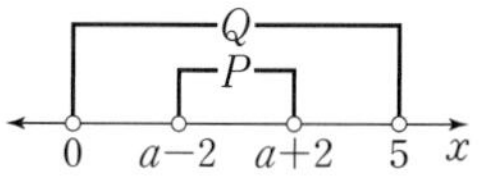

답 $2\leq a\leq 3$

대표 Q6

명제 $p\longrightarrow q$, $r\longrightarrow \sim q$가 모두 참이므로
대우를 생각하면
$\sim q\longrightarrow \sim p$, $q\longrightarrow \sim r$가 모두 참
또 $p\longrightarrow q$, $q\longrightarrow \sim r$가 모두 참이므로
$p\longrightarrow \sim r$가 참
대우를 생각하면 $r\longrightarrow \sim p$가 참
⑤ $r\longrightarrow \sim p$가 참이므로 $R\subset P^C$
이때 $R^C\not\subset P^C$일 수 있으므로 $\sim r\longrightarrow \sim p$는 거짓이다.
따라서 참이 아닌 것은 ⑤이다.

답 ⑤

6-1

명제 $p\longrightarrow \sim q$, $\sim p\longrightarrow r$가 모두 참이므로 대우를 생각하면
$q\longrightarrow \sim p$, $\sim r\longrightarrow p$가 모두 참
또 $q\longrightarrow \sim p$, $\sim p\longrightarrow r$가 모두 참이므로
$q\longrightarrow r$가 참
대우를 생각하면 $\sim r\longrightarrow \sim q$가 참
④ $p\longrightarrow \sim r$의 참, 거짓은 알 수 없다.
따라서 참이 아닌 것은 ④이다.

답 ④

6-2

조건 p, q, r를

p : 물고기가 산다.

q : 바다이다.

r : 낚시를 할 수 있다.

라 하면 조건에서 명제 $\sim p \longrightarrow \sim q$, $p \longrightarrow r$가 참

대우를 생각하면 $q \longrightarrow p$, $\sim r \longrightarrow \sim p$가 참

또 $q \longrightarrow p$, $p \longrightarrow r$가 참이므로 $q \longrightarrow r$가 참

대우를 생각하면 $\sim r \longrightarrow \sim q$가 참

ㄱ은 $q \longrightarrow r$, ㄴ은 $q \longrightarrow p$이므로 참이고

ㄷ은 $\sim q \longrightarrow \sim r$이므로 참, 거짓은 알 수 없다.

따라서 참인 명제는 ㄱ, ㄴ이다.

답 ④

57쪽 ~ 58쪽

9

조건 p, q의 진리집합을 P, Q라 하면

$P=\{x \mid -1 \le x \le 5\}$, $Q=\{x \mid -1 < x < 1\}$

$Q \subset P$이므로 $q \Longrightarrow p$

(1) p는 q이기 위한 필요조건이다.

(2) q는 p이기 위한 충분조건이다.

답 (1) 필요조건 (2) 충분조건

10

$P \cap Q = P$이면 $P \subset Q$이므로 $p \Longrightarrow q$

(1) p는 q이기 위한 충분조건이다.

(2) q는 p이기 위한 필요조건이다.

답 (1) 충분 (2) 필요

11

조건 p, q의 진리집합을 P, Q라 하면

(1) $P=\{1, 2, 3, 6\}$, $Q=\{1, 2, 3, 4, 6, 12\}$

$P \subset Q$이므로 $p \Longrightarrow q$

따라서 p는 q이기 위한 충분조건이다.

(2) $P=\{-1, 1\}$, $Q=\{1\}$

$P \supset Q$이므로 $p \Longleftarrow q$

따라서 p는 q이기 위한 필요조건이다.

답 (1) 충분조건 (2) 필요조건

12

④ $x>0$이고 $y>0$이면 $x+y>0$이므로 $p \Longrightarrow q$

$x=3$, $y=-2$이면 $x+y>0$이지만 $x>0$, $y<0$이므로 $p \not\Longleftarrow q$이다.

따라서 p는 q이기 위한 충분조건이므로 필요충분조건이 아닌 것은 ④이다.

답 ④

참고 조건 p, q에 대하여 p가 q이기 위한 필요충분조건이려면 명제 $p \longrightarrow q$와 그 역인 $q \longrightarrow p$가 모두 참이어야 한다.

13

p가 q이기 위한 필요충분조건, 곧 $p \Longleftrightarrow q$이므로

$P=Q$

$\therefore P \cup Q^C = P \cup P^C = U$

답 U

대표Q 59쪽 ~ 60쪽

대표 Q7

(1) $x=y$이면 $xz=yz$이므로 $p \Longrightarrow q$

$z=0$이면 $xz=yz=0$이지만 $x \ne y$일 수도 있으므로 $p \not\Longleftarrow q$이다.

따라서 p는 q이기 위한 충분조건이다.

(2) $xy<0$에서 $x>0$, $y<0$ 또는 $x<0$, $y>0$

따라서 $p \Longrightarrow q$, $p \Longleftarrow q$이므로 p는 q이기 위한 필요충분조건이다.

(3) $x=1+\sqrt{2}$, $y=1-\sqrt{2}$이면 $x+y=2$(유리수), $xy=-1$(유리수)이지만 x, y는 유리수가 아니므로

$p \not\Longrightarrow q$

x, y가 유리수이면 $x+y$, xy가 유리수이므로

$p \Longleftarrow q$

따라서 p는 q이기 위한 필요조건이다.

답 (1) 충분조건 (2) 필요충분조건 (3) 필요조건

7-1

(1) $x=1$이면 $x^3=1$이므로 $p \Longrightarrow q$

$x^3=1$이면 $(x-1)(x^2+x+1)=0$이고 x는 실수이므로 $p \Longleftarrow q$

따라서 p는 q이기 위한 필요충분조건이다.

(2) $x^2+y^2=0$에서 $x=0$, $y=0$

따라서 $p \Longrightarrow q$, $p \Longleftarrow q$이므로 p는 q이기 위한 필요충분조건이다.

답 (1) 필요충분조건 (2) 필요충분조건

참고 (1) x가 실수라는 조건이 없는 경우

$x^3=1$에서 $x=1$ 또는 $x=\dfrac{-1\pm\sqrt{3}i}{2}$이므로

$p \not\Longleftarrow q$이다.

따라서 $p \Longrightarrow q$, $p \not\Longleftarrow q$이므로 p는 q이기 위한 충분조건이 된다.

(2) x, y가 실수라는 조건이 없는 경우

$x=0$이고 $y=0$이면 $x^2+y^2=0$이므로

$p \Longleftarrow q$이다.

$x=1$, $y=i$일 때 $x^2+y^2=0$이지만 x, y는 0이 아니다.

따라서 $p \Longleftarrow q$, $p \not\Longrightarrow q$이므로 p는 q이기 위한 필요조건이 된다.

7-2

(1) $(x-y)(y-z)=0$에서 $x=y$ 또는 $y=z$

따라서 $p \Longrightarrow q$, $p \not\Longleftarrow q$이므로 p는 q이기 위한 충분조건이다.

(2) $x=1+i$, $y=1-i$이면 $x+y=2$(실수), $xy=2$(실수)이지만 x, y는 실수가 아니므로

$p \not\Longrightarrow q$

x, y가 실수이면 $x+y$, xy가 실수이므로 $p \Longleftarrow q$

따라서 p는 q이기 위한 필요조건이다.

답 (1) 충분조건 (2) 필요조건

대표 08

조건 p, q의 진리집합을 P, Q라 하면

(1) $P\cap Q^C=\varnothing$에서 $P-Q=\varnothing$이므로 $P\subset Q$

곧, $p \Longrightarrow q$이므로 p는 q이기 위한 충분조건이다.

(2) $x^2-2x-8>0$, $(x+2)(x-4)>0$에서

$x<-2$ 또는 $x>4$

$P=\{x\,|\,x<-2$ 또는 $x>4\}$

$x^2-3ax+2a^2<0$, $(x-a)(x-2a)<0$이므로

(i) $a>0$일 때,

$Q=\{x\,|\,a<x<2a\}$

$Q\subset P$이려면 $a\geq 4$

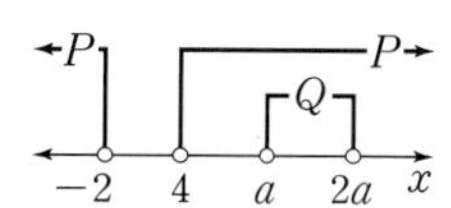

(ii) $a<0$일 때,

$Q=\{x\,|\,2a<x<a\}$

$Q\subset P$이려면 $a\leq -2$

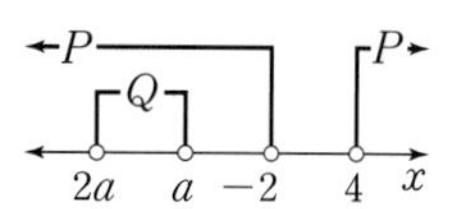

(i), (ii)에서 $a\leq -2$ 또는 $a\geq 4$

답 (1) 충분조건 (2) $a\leq -2$ 또는 $a\geq 4$

8-1

(1) $P\supset Q$이므로 $p \Longleftarrow q$이다.

따라서 p는 q이기 위한 필요조건이다.

(2) $R^C\supset Q$이므로 $\sim r \Longleftarrow q$이다.

따라서 $\sim r$는 q이기 위한 필요조건이다.

(3) $(P\cap R)\subset Q^C$이므로 (p 그리고 r) $\Longrightarrow \sim q$이다.

따라서 (p 그리고 r)는 $\sim q$이기 위한 충분조건이다.

답 (1) 필요조건 (2) 필요조건 (3) 충분조건

8-2

조건 p, q, r의 진리집합을 P, Q, R라 하면

$x^2-3x-4<0$, $(x+1)(x-4)<0$에서

$P=\{x\,|\,-1<x<4\}$

또 $Q=\{x\,|\,-a\leq x\leq a\}$, $R=\{x\,|\,-b\leq x\leq b\}$

이때 p가 q이기 위한 충분조건이므로 $P\subset Q$,

p가 r이기 위한 필요조건이므로 $P\supset R$이어야 한다.

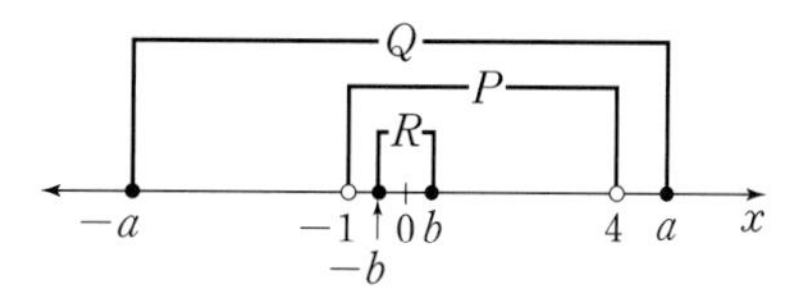

$P\subset Q$이고 $a>0$이므로 $a\geq 4$

$P\supset R$이고 $b>0$이므로 $0<b<1$

답 $a\geq 4$, $0<b<1$

연습과 실전 3 명제

61쪽~64쪽

01 7 **02** ④ **03** 15 **04** ① **05** ②, ③
06 풀이 참조 **07** ②
08 (1) 충분조건 (2) 필요조건
09 a의 최댓값 : 3, b의 최솟값 : 8 **10** ③
11 ⑤ **12** ⑤ **13** ② **14** $-5 \le a \le 4$
15 ④ **16** 3 **17** ②
18 (1) 필요조건 (2) 필요충분조건 **19** ③

01

조건 p, q의 진리집합을 P, Q라 하면
$P=\{4, 5, 6, 7, 8, 9\}$, $Q=\{1, 2, 3, 4, 6, 8\}$
'p 그리고 q'의 진리집합은
$X=P\cap Q=\{4, 6, 8\}$
'$\sim p$ 또는 q'의 진리집합은
$Y=P^C\cup Q=\{1, 2, 3, 4, 6, 8, 10\}$
$\therefore X\cup Y=\{1, 2, 3, 4, 6, 8, 10\}$
$\therefore n(X\cup Y)=7$

답 7

02

$f(x)g(x)=0$은 $f(x)=0$ 또는 $g(x)=0$이므로
진리집합은 $P\cup Q$
$f(x)g(x)\neq 0$은 $f(x)g(x)=0$의 부정이므로
진리집합은 $(P\cup Q)^C=P^C\cap Q^C$
따라서 진리집합을 차례로 P, Q로 나타낸 것은 ④이다.

다른 풀이
$f(x)g(x)\neq 0$은 $f(x)\neq 0$ 그리고 $g(x)\neq 0$이므로
진리집합은 $P^C\cap Q^C$

답 ④

03

모든 자연수 x는 양수이므로 주어진 명제가 참이 되려면
$k-5\le 0$, 곧 $k\le 5$
또 k가 자연수이므로 $k>0$
$\therefore 0<k\le 5$
따라서 모든 k값의 합은
$1+2+3+4+5=15$

답 15

04

주어진 명제의 부정이 참이므로 이 명제는 거짓이다.
'어떤 x에 대하여 $p(x)$이고 $\sim q(x)$이다.'가 거짓이므로
$P\cap Q^C=\varnothing$, 곧 $P-Q=\varnothing$ $\therefore P\subset Q$
따라서 옳은 것은 ①이다.

답 ①

참고 다음과 같이 구할 수도 있다.
부정 '$x\in U$인 모든 x에 대하여 $\sim p(x)$ 또는 $q(x)$이다.'가 참이므로 $P^C\cup Q=U$이다.
이때 $(P^C\cup Q)^C=U^C$이므로 $P\cap Q^C=\varnothing$

05

① 역 : $xz=yz$이면 $x=y$이다. (거짓)
[반례] $xz=yz$이면 $x=y$ 또는 $z=0$이므로 $x\neq y$일 수도 있다.
② 역 : $|x|<1$이면 $x^2-1\le 0$이다. (참)
③ 역 : $x^2+y^2=0$이면 $|x|+|y|=0$이다. (참)
$x^2+y^2=0$이면 $x=0$, $y=0$이므로 $|x|+|y|=0$이다.
④ 역 : $|xy|=xy$이면 $x\ge 0$, $y\ge 0$이다. (거짓)
[반례] $|xy|=xy$이면 $xy\ge 0$이므로 $x\ge 0$, $y\ge 0$ 또는 $x\le 0$, $y\le 0$이다.
⑤ 역 : $x+y$가 짝수이면 xy는 홀수이다. (거짓)
[반례] $x+y$가 짝수이면 x, y는 모두 짝수이거나 모두 홀수이므로 xy는 짝수일 수도 있다.
따라서 역이 참인 것은 ②, ③이다.

답 ②, ③

06

(1) 대우 : $2x-3>1$이면 $x>3$이다. (거짓)
[반례] $x=\frac{5}{2}$이면 $2x-3>1$이지만 $x<3$이다.
(2) 대우 : $x+y\neq 6$이면 $x\neq 2$ 또는 $y\neq 4$이다. (참)

답 풀이 참조

참고 명제의 대우의 참, 거짓은 주어진 명제의 참, 거짓과 같다.

07

p는 q이기 위한 충분조건이므로 $p\Longrightarrow q$
대우도 참이므로 $\sim q\Longrightarrow \sim p$
$\sim q$는 r이기 위한 필요조건이므로 $r\Longrightarrow \sim q$
대우도 참이므로 $q\Longrightarrow \sim r$

$r \Longrightarrow \sim q$, $\sim q \Longrightarrow \sim p$이므로 삼단논법에 의하여

$r \Longrightarrow \sim p$, 대우도 참이므로 $p \Longrightarrow \sim r$

따라서 참이 아닌 것은 ②이다.

다른 풀이

조건 p, q, r의 진리집합을 P, Q, R라 하면

$p \Longrightarrow q$이므로 $P \subset Q$

$r \Longrightarrow \sim q$이므로 $R \subset Q^C$

따라서 P, Q, R를 벤다이어그램으로 나타내면 그림과 같다.

① $P \subset R^C$　② $Q^C \not\subset R$

③ $Q^C \subset P^C$　④ $R \subset P^C$

⑤ $Q \subset R^C$

따라서 참이라 할 수 없는 것은 ② $\sim q \longrightarrow r$이다.

답 ②

08

(1) $xy=0$에서 $x=0$ 또는 $y=0$

$xyz=0$에서 $x=0$ 또는 $y=0$ 또는 $z=0$

따라서 $p \Longrightarrow q$, $p \not\Longleftarrow q$이므로 p는 q이기 위한 충분조건이다.

(2) 조건 p, q의 진리집합을 P, Q라 하면

$x^2 \le 4$에서 $P=\{x \mid -2 \le x \le 2\}$

$|x|<2$에서 $Q=\{x \mid -2<x<2\}$

곧, $P \supset Q$이므로 $p \Longleftarrow q$

따라서 p는 q이기 위한 필요조건이다.

답 (1) 충분조건　(2) 필요조건

09

조건 p, q, r의 진리집합을 P, Q, R라 하면

p가 q이기 위한 필요조건이므로 $P \supset Q$, p가 r이기 위한 충분조건이므로 $P \subset R$이어야 한다.

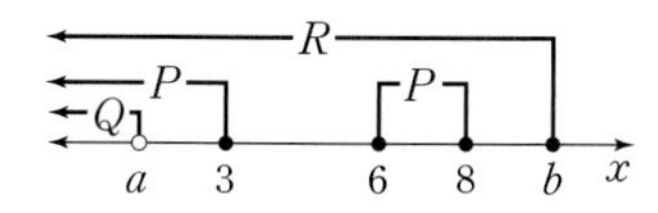

$P \supset Q$이므로 $a \le 3$, $P \subset R$이므로 $b \ge 8$

따라서 a의 최댓값은 3, b의 최솟값은 8이다.

답 a의 최댓값 : 3, b의 최솟값 : 8

10

ㄱ. $A=\{1\}$, $B=\{2, 3\}$이면 $n(A) \le n(B)$이지만 $A \not\subset B$이므로 $p \not\Longrightarrow q$

역으로 $p \Longleftarrow q$

곧, p는 q이기 위한 필요조건이다.

ㄴ. $n(A-B)=0$이면 $A-B=\varnothing$이므로 $A \subset B$

$A \subset B$이면 $n(A) \ne n(B)$일 수도 있으므로

$p \not\Longrightarrow q$

역으로 $A=\{1\}$, $B=\{2\}$이면 $A-B=\{1\}$

$n(A)=n(B)$이지만 $n(A-B) \ne 0$이므로

$p \not\Longleftarrow q$

곧, p, q는 서로 아무 조건도 아니다.

ㄷ. $A=B^C$이면 $A \cup B=B^C \cup B=U$이므로 $p \Longrightarrow q$

역으로 $B=U$이면 $A \cup B=U$이지만 $A \ne B^C=\varnothing$이므로 $p \not\Longleftarrow q$

곧, p는 q이기 위한 충분조건이다.

따라서 p가 q이기 위한 충분조건인 것은 ㄷ이다.

답 ③

11 전략 식의 부정을 구한 후, 정리한다.

$(a-b)^2+(b-c)^2+(c-a)^2=0$의 부정은

$(a-b)^2+(b-c)^2+(c-a)^2 \ne 0$

a, b, c가 실수이므로

$(a-b)^2 \ne 0$ 또는 $(b-c)^2 \ne 0$ 또는 $(c-a)^2 \ne 0$

$a-b \ne 0$ 또는 $b-c \ne 0$ 또는 $c-a \ne 0$

$\therefore$ $a \ne b$ 또는 $b \ne c$ 또는 $c \ne a$

곧, a, b, c 중 다른 것이 적어도 하나 있다.

③ $a=b$ 또는 $b=c$ 또는 $c=a$

④ $a \ne b$이고 $b \ne c$이고 $c \ne a$

따라서 주어진 식의 부정과 같은 것은 ⑤이다.

답 ⑤

12 전략 주어진 명제를 이용해 집합 P, Q, R의 포함 관계를 생각한다.

$p \longrightarrow \sim q$가 참이므로 $P \subset Q^C$, 곧 $P \cap Q=\varnothing$

(p 또는 q) $\longrightarrow r$가 참이므로 $(P \cup Q) \subset R$

집합 P, Q, R의 포함 관계를 벤다이어그램으로 나타내면 그림과 같다.

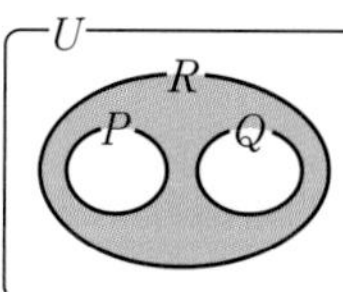

⑤ $(P \cup Q)^C \cap R$는 색칠한 부분이므로 $(P \cup Q)^C \cap R \ne \varnothing$

따라서 옳지 않은 것은 ⑤이다.

답 ⑤

13 전략 모든 집합 A에 대하여 $(Q\cap A)\cup P=P$가 성립하도록 P, Q의 포함 관계를 찾는다.

$(Q\cap A)\cup P=P$이면 $(Q\cap A)\subset P$이다.
모든 A에 대하여 성립하려면 $Q\subset P$이다.
따라서 참인 명제는 ②이다.

답 ②

14 전략 어떤 실수 x에 대하여 명제가 성립하므로 두 부등식의 공통부분이 존재할 때의 a값의 범위를 구한다.

어떤 실수 x에 대하여 주어진 명제가 성립하므로
$a\leq x\leq a+2$와 $-3\leq x\leq 4$의 공통부분이 존재한다.

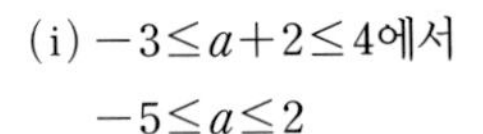

(i) $-3\leq a+2\leq 4$에서
$-5\leq a\leq 2$

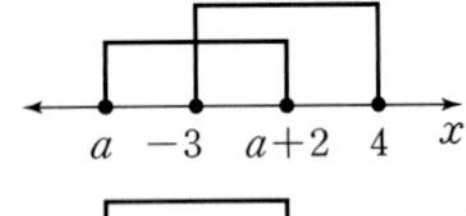

(ii) $-3\leq a\leq 4$

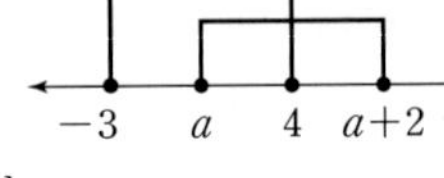

(i), (ii)에서 구하는 a값의 범위는
$-5\leq a\leq 4$

답 $-5\leq a\leq 4$

15 전략 대우와 삼단논법을 이용하여 참인 명제를 찾는다.

$p\Longrightarrow r$, $q\Longrightarrow\sim s$, $\sim q\Longrightarrow\sim r$이고 그 대우도 참이므로 $\sim r\Longrightarrow\sim p$, $s\Longrightarrow\sim q$, $r\Longrightarrow q$

① $p\Longrightarrow r$, $r\Longrightarrow q$, $q\Longrightarrow\sim s$이므로 삼단논법에 의하여 $p\Longrightarrow\sim s$

② $r\Longrightarrow q$, $q\Longrightarrow\sim s$이므로 삼단논법에 의하여 $r\Longrightarrow\sim s$

③ $q\longrightarrow p$가 참인지는 알 수 없다.

④ $s\Longrightarrow\sim q$, $\sim q\Longrightarrow\sim r$, $\sim r\Longrightarrow\sim p$이므로 삼단논법에 의하여 $s\Longrightarrow\sim p$

⑤ $\sim s\longrightarrow r$가 참인지는 알 수 없다.

따라서 참인 명제는 ④이다.

답 ④

참고 p, q, r, s의 관계를 그림과 같이 나타낼 수 있다.
초록색 화살표는 삼단논법의 결과이다.

$p\Longrightarrow r$
$\Downarrow\quad\times\quad\Downarrow$
$\sim s\Longleftarrow q$

16 전략 두 조건의 진리집합을 구한다.

부등식 $x^2-4n^2<0$을 풀면
$x^2<4n^2\qquad\therefore -2n<x<2n$
따라서 조건 p의 진리집합은
$P=\{x|-2n<x<2n\}$
방정식 $x^2-6x+5=0$을 풀면
$(x-1)(x-5)=0\qquad\therefore x=1$ 또는 $x=5$
따라서 조건 q의 진리집합은 $Q=\{1, 5\}$
p가 q이기 위한 필요조건이므로 $Q\subset P$이다.
$-2n<1$, $5<2n\qquad\therefore n>\dfrac{5}{2}$
따라서 자연수 n의 최솟값은 3이다.

답 3

17 전략 $p\longrightarrow q$, $q\longrightarrow p$의 참, 거짓을 확인한다.

ㄱ. $ab>0$이면 $a>0$, $b>0$ 또는 $a<0$, $b<0$
그런데 $a+b>0$이므로 $a>0$, $b>0$이다.
$\therefore p\Longrightarrow q$
역으로 $a>0$이고 $b>0$이면 $a+b>0$, $ab>0$이다.
$\therefore p\Longleftarrow q$
따라서 $p\Longleftrightarrow q$이므로 p는 q이기 위한 필요충분조건이다.

ㄴ. $1<a<2$이고 $3<b<4$이면 $3<ab<8$이므로
$p\Longrightarrow q$
$a=\dfrac{3}{2}$, $b=4$이면 $ab=6$이므로 $3<ab<8$이지만
$3<b<4$가 아니므로 $p\not\Longleftarrow q$
따라서 p는 q이기 위한 충분조건이다.

ㄷ. $x=1$, $y=-2$일 때, $x>y$이지만 $x^2<y^2$
$x=-2$, $y=1$일 때, $x^2>y^2$이지만 $x<y$
따라서 $p\not\Longrightarrow q$, $p\not\Longleftarrow q$이므로 아무 조건도 아니다.

따라서 p가 q이기 위한 충분조건이지만 필요조건이 아닌 것은 ㄴ이다.

답 ②

18 전략 p, q, r, s의 관계를 알아본다.

p는 s이기 위한 필요조건이고, $\sim q$이기 위한 충분조건이므로

$p \Longleftarrow s$, $p \Longrightarrow \sim q$

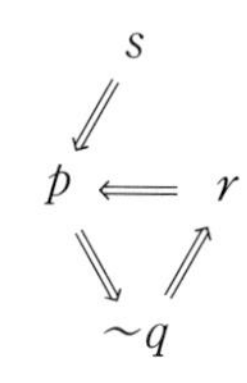

r는 p이기 위한 충분조건이고, $\sim q$이기 위한 필요조건이므로

$r \Longrightarrow p$, $r \Longleftarrow \sim q$

(1) $s \Longrightarrow p \Longleftrightarrow r$이므로 r는 s이기 위한 필요조건이다.

(2) $p \Longleftrightarrow \sim q$에서 $q \Longleftrightarrow \sim p$이므로 q는 $\sim p$이기 위한 필요충분조건이다.

답 (1) 필요조건 (2) 필요충분조건

19 전략 시장 조사 결과를 기호를 이용하여 명제로 바꾼다.

조건 p, q, r, s가 다음과 같다고 하자.

p : 10대, 20대에게 선호도가 높다.

q : 판매량이 많다.

r : 가격이 싸다.

s : 기능이 많다.

이때 (가), (나), (다)를 명제로 나타내면 다음과 같다.

(가) : $p \Longrightarrow q$, (나) : $r \Longrightarrow q$, (다) : $s \Longrightarrow p$

그 대우도 참이므로

$\sim q \Longrightarrow \sim p$, $\sim q \Longrightarrow \sim r$, $\sim p \Longrightarrow \sim s$

주어진 보기를 명제로 나타내면

① $s \longrightarrow \sim r$ ② $\sim r \longrightarrow \sim q$

③ $\sim q \longrightarrow \sim s$ ④ $p \longrightarrow s$

⑤ $p \longrightarrow \sim r$

곧, ①, ②, ④, ⑤는 참이라 할 수 없다.

③ $\sim q \Longrightarrow \sim p$, $\sim p \Longrightarrow \sim s$이므로 삼단논법에 의하여 $\sim q \Longrightarrow \sim s$

따라서 추론한 내용으로 항상 옳은 것은 ③이다.

답 ③

4 귀류법과 절대부등식

개념 Check

66쪽

1

답 (1) 두 쌍의 대변이 각각 평행한 사각형

(2) 변의 길이가 모두 같고, 내각의 크기가 모두 같은 다각형

(3) 모든 면이 합동인 정다각형이고, 각 꼭짓점에 모인 면의 개수가 같은 다면체

대표Q

67쪽~68쪽

대표 01

a, b, c가 모두 3의 배수가 아니면 $3k+1$ 또는 $3k+2$ (k는 0 또는 자연수) 꼴이다.

$(3k+1)^2=9k^2+6k+1=\boxed{3}(3k^2+2k)+1$

$(3k+2)^2=9k^2+12k+4=\boxed{3}(3k^2+4k+1)+1$

이므로 a^2, b^2, c^2은 모두 3으로 나눈 나머지가 $\boxed{1}$이다.

이때 a^2+b^2은 3으로 나눈 나머지가 $\boxed{2}$이고, c^2은 3으로 나눈 나머지가 $\boxed{1}$이므로 $a^2+b^2 \neq c^2$이다.

따라서 대우가 참이므로 주어진 명제도 참이다.

답 (가) : 3, (나) : 1, (다) : 2

1-1

(1) 주어진 명제의 대우

'm과 n이 모두 홀수가 아니면 mn은 홀수가 아니다.'

곧, 'm 또는 n이 짝수이면 mn은 짝수이다.'

가 참임을 보이면 된다.

$m=2k$, $n=2l-1$ (k, l은 자연수)라 하면

$mn=2k(2l-1)=2(2kl-k)$이므로

mn은 짝수이다.

또 $m=2k-1$, $n=2l$ (k, l은 자연수)일 때도 위와 마찬가지로 성립한다.

$m=2k$, $n=2l$ (k, l은 자연수)라 하면

$mn=2k \times 2l=2(2kl)$이므로

mn은 짝수이다.

따라서 대우가 참이므로 주어진 명제도 참이다.

(2) 주어진 명제의 대우

'mn이 짝수가 아니면 m^2+n^2이 홀수가 아니다.'

곧, 'mn이 홀수이면 m^2+n^2이 짝수이다.'

가 참임을 보이면 된다.

mn이 홀수이면 (1)에서 m, n이 모두 홀수이다.

곧, m^2, n^2은 모두 홀수이므로 m^2+n^2은 짝수이다.

따라서 대우가 참이므로 주어진 명제도 참이다.

답 풀이 참조

대표 Q2

$\sqrt{2}$가 [유리수]라 가정하면

$\sqrt{2}=\frac{b}{a}$ (a, b는 서로소인 자연수)

로 놓을 수 있다.

양변을 제곱하면

$2=\frac{b^2}{a^2}$ $\quad \therefore 2a^2=b^2 \quad \cdots$ ㉠

b^2이 짝수이므로 b는 짝수이다.

b는 짝수이므로 $b=$[$2k$] (k는 자연수)로 놓고 ㉠에 대입하면

$2a^2=(2k)^2 \quad \therefore a^2=2k^2$

위와 마찬가지로 a^2이 짝수이므로 a도 짝수이다.

곧, a와 b가 모두 짝수이므로 a, b는 [서로소]라는 가정에 모순된다.

따라서 $\sqrt{2}$는 [유리수]가 아니다.

답 (가) : 유리수, (나) : $2k$, (다) : 서로소

2-1

(1) $\sqrt{3}$이 유리수라 가정하면

$\sqrt{3}=\frac{b}{a}$ (a, b는 서로소인 자연수)

로 놓을 수 있다.

양변을 제곱하면

$3=\frac{b^2}{a^2}$ $\quad \therefore 3a^2=b^2 \quad \cdots$ ㉠

b^2이 3의 배수이므로 b도 3의 배수이다.

$b=3k$ (k는 자연수)로 놓고 ㉠에 대입하면

$3a^2=(3k)^2 \quad \therefore a^2=3k^2$

위와 마찬가지로 a^2이 3의 배수이므로 a도 3의 배수이다.

곧, a와 b가 모두 3의 배수이므로 a, b는 서로소라는 가정에 모순된다.

따라서 $\sqrt{3}$은 유리수가 아니다.

(2) $1+\sqrt{3}$이 유리수라 가정하면

$1+\sqrt{3}=m$ (m은 유리수)

으로 놓을 수 있다.

곧, $\sqrt{3}=m-1$이고 유리수끼리의 뺄셈은 유리수이므로 $m-1$은 유리수이다.

그런데 $\sqrt{3}$은 무리수이므로 모순이다.

따라서 $1+\sqrt{3}$은 유리수가 아니다.

답 풀이 참조

2-2

오각형에서 예각인 내각이 3개를 넘는다고 가정하면, 곧 오각형에서 예각인 내각이 4개나 5개라 하면

(i) 예각인 내각이 4개일 때

오각형의 내각의 크기의 합은 $180^\circ \times 3=540^\circ$이고, 예각 4개의 크기의 합은 360°보다 작으므로 나머지 한 내각의 크기는 $540^\circ-360^\circ=180^\circ$보다 커야 한다. 그런데 다각형의 한 내각의 크기는 180°보다 클 수 없으므로 모순이다.

(ii) 예각인 내각이 5개일 때

예각 5개의 크기의 합은 450°보다 작고, 이 또한 오각형의 내각의 크기의 합이 540°이므로 모순이다.

답 풀이 참조

69쪽 ~ 71쪽

2

두 식의 차를 구하면

$(a+b)^2-4ab=a^2+b^2-2ab=(a-b)^2 \geq 0$

$\therefore (a+b)^2 \geq 4ab$

답 $(a+b)^2 \geq 4ab$

3

$(\sqrt{a+b})^2-(\sqrt{a}+\sqrt{b})^2=a+b-(a+2\sqrt{ab}+b)$

$=-2\sqrt{ab}<0$

$\therefore \sqrt{a+b}<\sqrt{a}+\sqrt{b}$

답 $\sqrt{a+b}<\sqrt{a}+\sqrt{b}$

참고 $a>0$, $b>0$이면 $\sqrt{a}\sqrt{b}=\sqrt{ab}$

4

ㄱ. $x \geq \frac{1}{2}$일 때 성립한다.

ㄷ. $x\neq0$일 때 성립한다.
ㄹ. $(x-2)^2>0$이므로 $x\neq2$일 때 성립한다.
ㅁ. $(x+1)^2+1>0$이므로 항상 성립한다.
따라서 절대부등식은 ㄴ, ㅁ이다.

답 ㄴ, ㅁ

5

$x^2+3x+a=0$의 판별식을 D라 하면

$D=3^2-4a\leq0\qquad \therefore a\geq\frac{9}{4}$

답 $a\geq\frac{9}{4}$

6

$a>0$, $b>0$일 때, $a+b\geq2\sqrt{ab}$를 이용한다. (단, 등호는 $a=b$일 때 성립한다.)

(1) $x+\frac{4}{x}\geq2\sqrt{x\times\frac{4}{x}}\qquad \therefore x+\frac{4}{x}\geq\boxed{4}$

등호는 $x=\frac{4}{x}$에서 $x^2=4$일 때 성립하고

$x>0$이므로 등호는 $\boxed{x=2}$일 때 성립한다.

(2) $\frac{x}{y}+\frac{y}{x}\geq2\sqrt{\frac{x}{y}\times\frac{y}{x}}\qquad \therefore \frac{x}{y}+\frac{y}{x}\geq\boxed{2}$

등호는 $\frac{x}{y}=\frac{y}{x}$에서 $x^2=y^2$일 때 성립하고

$x>0$, $y>0$이므로 등호는 $\boxed{x=y}$일 때 성립한다.

답 (1) 4, $x=2$ (2) 2, $x=y$

대표Q 72쪽~75쪽

대표 Q3

(1) $2(ax+by)-(a+b)(x+y)$
$=2(ax+by)-(ax+ay+bx+by)$
$=ax+by-ay-bx=a(x-y)-b(x-y)$
$=(a-b)(x-y)$
$a>b$, $x>y$이므로
$2(ax+by)-(a+b)(x+y)>0$
$\therefore 2(ax+by)>(a+b)(x+y)$

(2) $(\sqrt{a+b})^2-(\sqrt{a}+\sqrt{b})^2$
$=(a+b)-(a+2\sqrt{ab}+b)$
$=-2\sqrt{ab}\leq0$
$\therefore \sqrt{a+b}\leq\sqrt{a}+\sqrt{b}$
(단, 등호는 $a=0$ 또는 $b=0$일 때 성립한다.)

(3) $|a+b|^2-(|a|+|b|)^2$
$=(a+b)^2-(|a|^2+2|a||b|+|b|^2)$
$=(a^2+2ab+b^2)-(a^2+2|ab|+b^2)$
$=2(ab-|ab|)\leq0$
$\therefore |a+b|\leq|a|+|b|$
(단, 등호는 $ab\geq0$일 때 성립한다.)

답 풀이 참조

3-1

$(x^2+y^2+1)-(xy+x+y)$
$=x^2+y^2+1-xy-x-y$
$=\frac{1}{2}\{(x-y)^2+(x-1)^2+(y-1)^2\}\geq0$
$\therefore x^2+y^2+1\geq xy+x+y$
(단, 등호는 $x=y=1$일 때 성립한다.)

답 $x^2+y^2+1\geq xy+x+y$

3-2

$\{\sqrt{2(a+b)}\}^2-(\sqrt{a}+\sqrt{b})^2$
$=2(a+b)-(a+2\sqrt{ab}+b)$
$=a-2\sqrt{ab}+b$
$=(\sqrt{a}-\sqrt{b})^2\geq0$
$\therefore \sqrt{2(a+b)}\geq\sqrt{a}+\sqrt{b}$
(단, 등호는 $a=b$일 때 성립한다.)

답 풀이 참조

3-3

$|a-b|^2-||a|-|b||^2$
$=(a-b)^2-(|a|-|b|)^2$
$=(a-b)^2-(|a|^2-2|a||b|+|b|^2)$
$=(a^2-2ab+b^2)-(a^2-2|ab|+b^2)$
$=2(|ab|-ab)\geq0$
$\therefore |a-b|\geq||a|-|b||$
(단, 등호는 $ab\geq0$일 때 성립한다.)

답 풀이 참조

대표 Q4

(1) $\frac{y}{2x}+\frac{x}{2y}\geq2\sqrt{\frac{y}{2x}\times\frac{x}{2y}}=2\times\sqrt{\frac{1}{4}}=1$

등호가 성립하려면 $\frac{y}{2x}=\frac{x}{2y}$, $y^2=x^2$

$x>0$, $y>0$이므로 $x=y$

따라서 $\frac{y}{2x}+\frac{x}{2y}$의 최솟값은 1이다.

(2) $\left(x+\frac{4}{y}\right)\left(y+\frac{9}{x}\right)=xy+9+4+\frac{36}{xy}$

$\geq 13+2\sqrt{xy\times\frac{36}{xy}}$

$=13+2\times6=25$

등호가 성립하려면 $xy=\frac{36}{xy}$ $\quad\therefore xy=6$

따라서 $\left(x+\frac{4}{y}\right)\left(y+\frac{9}{x}\right)$의 최솟값은 25이다.

(3) $x>1$에서 $x-1>0$이므로

$4x+\frac{1}{x-1}=4(x-1)+\frac{1}{x-1}+4$

$\geq 2\sqrt{4(x-1)\times\frac{1}{x-1}}+4$

$=2\times2+4=8$

등호가 성립하려면 $4(x-1)=\frac{1}{x-1}$, $(x-1)^2=\frac{1}{4}$

$x>1$이므로 $x-1=\frac{1}{2}$ $\quad\therefore x=\frac{3}{2}$

따라서 $4x+\frac{1}{x-1}$의 최솟값은 8이다.

답 (1) 1 (2) 25 (3) 8

4-1

(1) $2a+\frac{8}{a}\geq 2\sqrt{2a\times\frac{8}{a}}$

$=2\sqrt{16}=8$

등호가 성립하려면 $2a=\frac{8}{a}$, $a^2=4$

$a>0$이므로 $a=2$

따라서 $2a+\frac{8}{a}$의 최솟값은 8이다.

(2) $(a+2b)\left(\frac{2}{a}+\frac{1}{b}\right)=2+\frac{a}{b}+\frac{4b}{a}+2$

$\geq 4+2\sqrt{\frac{a}{b}\times\frac{4b}{a}}$

$=4+2\times2=8$

등호가 성립하려면 $\frac{a}{b}=\frac{4b}{a}$, $a^2=4b^2$

$a>0$, $b>0$이므로 $a=2b$

따라서 $(a+2b)\left(\frac{2}{a}+\frac{1}{b}\right)$의 최솟값은 8이다.

(3) $\left(\frac{a}{b}+\frac{c}{d}\right)\left(\frac{b}{a}+\frac{d}{c}\right)=1+\frac{ad}{bc}+\frac{bc}{ad}+1$

$\geq 2+2\sqrt{\frac{ad}{bc}\times\frac{bc}{ad}}=4$

등호는 $\frac{ad}{bc}=\frac{bc}{ad}$, 곧 $ad=bc$일 때 성립한다.

따라서 $\left(\frac{a}{b}+\frac{c}{d}\right)\left(\frac{b}{a}+\frac{d}{c}\right)$의 최솟값은 4이다.

답 (1) 8 (2) 8 (3) 4

4-2

$2x+1+\frac{2}{x+2}=2(x+2)+\frac{2}{x+2}-3$

$\geq 2\sqrt{2(x+2)\times\frac{2}{x+2}}-3$

$=2\times2-3=1$

등호가 성립하려면

$2(x+2)=\frac{2}{x+2}$, $(x+2)^2=1$

$x>-2$이므로 $x+2=1$ $\quad\therefore x=-1$

따라서 $2x+1+\frac{2}{x+2}$의 최솟값은 1이다.

답 1

대표 05

$x>0$, $y>0$이므로 산술평균과 기하평균의 관계를 이용한다.

(1) $x+3y\geq 2\sqrt{x\times3y}=2\sqrt{3xy}$

$xy=12$를 대입하면 $x+3y\geq 12$

등호는 $x=3y$일 때 성립한다.

따라서 $x+3y$의 최솟값은 12이다.

(2) $2x+3y\geq 2\sqrt{2x\times3y}=2\sqrt{6xy}$

$2x+3y=6$이므로

$2\sqrt{6xy}\leq 6$ (단, 등호는 $2x=3y$일 때 성립한다.)

$\therefore (\sqrt{2x}+\sqrt{3y})^2=2x+2\sqrt{6xy}+3y$

$=6+2\sqrt{6xy}$

$\leq 6+6=12$

$(\sqrt{2x}+\sqrt{3y})^2\leq 12$이므로

$0<\sqrt{2x}+\sqrt{3y}\leq\sqrt{12}=2\sqrt{3}$

따라서 $\sqrt{2x}+\sqrt{3y}$의 최댓값은 $2\sqrt{3}$이다.

(3) $\frac{2}{x}+\frac{3}{y}\geq 2\sqrt{\frac{2}{x}\times\frac{3}{y}}=2\sqrt{\frac{6}{xy}}$

$(x+2y)\left(\frac{2}{x}+\frac{3}{y}\right)=2+\frac{3x}{y}+\frac{4y}{x}+6$

$\geq 2\sqrt{\frac{3x}{y}\times\frac{4y}{x}}+8$

$=4\sqrt{3}+8$

$x+2y=2$를 대입하면

$2\left(\frac{2}{x}+\frac{3}{y}\right)\ge 4\sqrt{3}+8 \qquad \therefore \frac{2}{x}+\frac{3}{y}\ge 2\sqrt{3}+4$

등호가 성립하려면

$\frac{2}{x}=\frac{3}{y}$, $3x=2y$

따라서 $\frac{2}{x}+\frac{3}{y}$의 최솟값은 $2\sqrt{3}+4$이다.

답 (1) 12 (2) $2\sqrt{3}$ (3) $2\sqrt{3}+4$

5-1

(1) $5x+3y\ge 2\sqrt{5x\times 3y}=2\sqrt{15xy}=2\sqrt{15\times 45}$
$=30\sqrt{3}$

(단, 등호는 $5x=3y$일 때 성립한다.)

따라서 $5x+3y$의 최솟값은 $30\sqrt{3}$이다.

(2) $\frac{1}{x}+\frac{1}{y}\ge 2\sqrt{\frac{1}{x}\times\frac{1}{y}}=2\sqrt{\frac{1}{xy}}=2\sqrt{\frac{1}{45}}=\frac{2\sqrt{5}}{15}$

$\left(\text{단, 등호는 } \frac{1}{x}=\frac{1}{y}\text{일 때 성립한다.}\right)$

따라서 $\frac{1}{x}+\frac{1}{y}$의 최솟값은 $\frac{2\sqrt{5}}{15}$이다.

답 (1) $30\sqrt{3}$ (2) $\frac{2\sqrt{5}}{15}$

5-2

(1) $x+2y\ge 2\sqrt{x\times 2y}$

$x+2y=4$이므로

$2\sqrt{2xy}\le 4$, $\sqrt{2xy}\le 2$

(단, 등호는 $x=2y$일 때 성립한다.)

$x>0$, $y>0$이므로

$2xy\le 4 \qquad \therefore xy\le 2$

따라서 xy의 최댓값은 2이다.

(2) $(\sqrt{x}+\sqrt{2y})^2=x+2\sqrt{2xy}+2y$
$=4+2\sqrt{2xy}$

$x=2y$일 때 xy의 최댓값이 2이므로

$(\sqrt{x}+\sqrt{2y})^2=4+2\sqrt{2xy}$
$\le 4+2\sqrt{2\times 2}=8$

$(\sqrt{x}+\sqrt{2y})^2\le 8$이므로

$0<\sqrt{x}+\sqrt{2y}\le\sqrt{8}=2\sqrt{2}$

따라서 $\sqrt{x}+\sqrt{2y}$의 최댓값은 $2\sqrt{2}$이다.

(3) $\frac{2}{x}+\frac{1}{y}=\frac{x+2y}{xy}=\frac{4}{xy}$

$\frac{2}{x}+\frac{1}{y}\ge 2\sqrt{\frac{2}{x}\times\frac{1}{y}}=2\sqrt{\frac{2}{xy}}$

$x=2y$일 때 xy의 최댓값이 2이므로

$\frac{2}{x}+\frac{1}{y}\ge 2\sqrt{\frac{2}{xy}}=2$

따라서 $\frac{2}{x}+\frac{1}{y}$의 최솟값은 2이다.

답 (1) 2 (2) $2\sqrt{2}$ (3) 2

대표 06

(1) 좌변에서 우변을 빼고 부호를 조사하면

$(a^2+b^2)(x^2+y^2)-(ax+by)^2$
$=(a^2x^2+a^2y^2+b^2x^2+b^2y^2)$
$\quad-(a^2x^2+2abxy+b^2y^2)$
$=a^2y^2-2abxy+b^2x^2$
$=(ay-bx)^2$

a, b, x, y는 실수이므로

$(ay-bx)^2\ge 0$

따라서 다음이 성립한다.

$(a^2+b^2)(x^2+y^2)\ge(ax+by)^2$

등호는 $ay=bx$, 곧 $\frac{x}{a}=\frac{y}{b}$일 때 성립한다.

(2) x, y가 실수이므로 (1)에 의하여

$(1^2+3^2)(x^2+y^2)\ge(x+3y)^2$

$x^2+y^2=40$이므로

$10\times 40\ge(x+3y)^2$

$\therefore -20\le x+3y\le 20$

$\left(\text{단, 등호는 } x=\frac{y}{3}\text{일 때 성립한다.}\right)$

따라서 $x+3y$의 최댓값은 20, 최솟값은 -20이다.

다른 풀이

$x+3y=k$로 놓자.

$x=-3y+k$를 $x^2+y^2=40$에 대입하면

$(-3y+k)^2+y^2=40$

$10y^2-6ky+k^2-40=0$

x, y가 실수이므로 방정식의 판별식을 D라 하면

$\frac{D}{4}=9k^2-10(k^2-40)\ge 0$

$k^2\le 400 \qquad \therefore -20\le k\le 20$

따라서 $x+3y$의 최댓값은 20, 최솟값은 -20이다.

답 (1) 풀이 참조 (2) 최댓값 : 20, 최솟값 : -20

참고 다음 절대부등식을 코시-슈바르츠 부등식이라 한다.

a, b, x, y가 실수일 때

$(a^2+b^2)(x^2+y^2)\ge(ax+by)^2$

$\left(\text{단, 등호는 } \frac{x}{a}=\frac{y}{b}\text{일 때 성립한다.}\right)$

6-1

$(a^2+b^2)(c^2+d^2) \geq (ac+bd)^2$

$\left(\text{단, 등호는 } \frac{a}{c}=\frac{b}{d}\text{일 때 성립한다.}\right)$

$4\times 9 \geq (ac+bd)^2 \qquad \therefore -6 \leq ac+bd \leq 6$

따라서 $ac+bd$의 최댓값은 6이다.

답 6

6-2

좌변에서 우변을 빼면

$(a^2+b^2+c^2)(x^2+y^2+z^2)-(ax+by+cz)^2$

$=a^2x^2+a^2y^2+a^2z^2+b^2x^2+b^2y^2+b^2z^2+c^2x^2+c^2y^2$

$\quad +c^2z^2-(a^2x^2+b^2y^2+c^2z^2+2abxy+2bcyz+2acxz)$

$=(a^2y^2-2abxy+b^2x^2)+(b^2z^2-2bcyz+c^2y^2)$

$\quad +(a^2z^2-2acxz+c^2x^2)$

$=(ay-bx)^2+(bz-cy)^2+(az-cx)^2 \geq 0$

$\therefore (a^2+b^2+c^2)(x^2+y^2+z^2) \geq (ax+by+cz)^2$

등호는 $ay=bx$, $bz=cy$, $az=cx$

곧, $\frac{x}{a}=\frac{y}{b}=\frac{z}{c}$일 때 성립한다.

답 풀이 참조

연습과 실전 4 귀류법과 절대부등식 76쪽~78쪽

01 (가) : 홀수, (나) : $m-n$		02 ⑤	03 1	
04 15	05 ④	06 ⑤	07 ③	08 6
09 ⑤	10 80	11 21	12 $\frac{324}{41}$	

01

주어진 명제의 대우

'$a>b$인 자연수 a, b에 대하여 a, b가 모두 [홀수]이면 a^2-b^2은 4의 배수이다.'가 참임을 증명하면 된다.

$a>b$이므로 $m>n$인 자연수 m, n에 대하여

$a=2m-1$, $b=2n-1$이라 하면

$a^2-b^2=(2m-1)^2-(2n-1)^2$

$\quad=(2m-1+2n-1)(2m-1-2n+1)$

$\quad=(2m+2n-2)(2m-2n)$

$\quad=4(m+n-1)(\boxed{m-n})$

$m+n-1>0$, $m-n>0$

곧, a^2-b^2은 4의 배수이다.

따라서 대우가 참이므로 주어진 명제도 참이다.

답 (가) : 홀수, (나) : $m-n$

02

$a>b$, $c>d$에서 $a-b>0$, $c-d>0$이므로

ㄱ. $(a+c)-(b+d)=(a-b)+(c-d)>0$

$\quad \therefore a+c>b+d$ (참)

ㄴ. $(a-d)-(b-c)=(a-b)+(c-d)>0$

$\quad \therefore a-d>b-c$ (참)

ㄷ. $a=-1$, $b=-2$이면 $a>b$이지만 $a^2<b^2$ (거짓)

ㄹ. $a>b$, $b>c$에서 $a-b>0$, $b-c>0$이므로

$\quad (a-b)+(b-c)>0$, $a-c>0$

$\quad \therefore a>c$ (참)

따라서 옳은 것은 ㄱ, ㄴ, ㄹ이다.

답 ⑤

참고 ㄱ의 $a+c>b+d$에서 c와 d를 이항하면 ㄴ의 결과인 $a-d>b-c$이다.

03

$x>0$, $y>0$이므로 산술평균과 기하평균의 관계에 의하여

$x^2+4y^2 \geq 2\sqrt{x^2\times 4y^2}$

$x^2+4y^2=4$를 대입하면

$4 \geq 4xy \qquad \therefore xy \leq 1$

등호가 성립하려면 $x^2=4y^2$

$x>0$, $y>0$이므로 $x=2y$

따라서 xy의 최댓값은 1이다.

답 1

04

$a>1$이므로 $a-1>0$

산술평균과 기하평균의 관계에 의하여

$9a+\frac{1}{a-1}=9(a-1)+\frac{1}{a-1}+9$

$\quad \geq 2\sqrt{9(a-1)\times\frac{1}{a-1}}+9$

$\quad =2\times 3+9$

$\quad =6+9=15$

등호가 성립하려면 $9(a-1)=\frac{1}{a-1}$, $(a-1)^2=\frac{1}{9}$

$a>1$이므로 $a-1=\frac{1}{3}$ $\quad\therefore a=\frac{4}{3}$

따라서 $9a+\frac{1}{a-1}$의 최솟값은 15이다.

답 15

05 전략 귀류법을 이용하여 명제를 증명한다.

'1000과 $1000-n$이 서로소가 아니다.'라 가정하면
1000과 $1000-n$은 2 이상의 공약수가 있다.

$1000=at$ $\quad\cdots$ ㉠

$1000-n=bt$ $\quad\cdots$ ㉡

(a, b, t는 자연수, $a>b$, $t\geq2$)

라 하면 ㉠－㉡에서 $n=(a-b)t$이므로 t는 1000과 n의 공약수이다.

이것은 '1000과 n이 서로소이다.'에 모순된다.

따라서 1000과 n이 서로소이면 1000과 $1000-n$도 서로소이다.

그러므로 (가)~(다)에 알맞은 것을 순서대로 나열한 것은 ④이다.

답 ④

06 전략 두 식을 빼서 부호를 조사한다.

(i) $A-B=(ab+cd)-(ac+bd)$
$=(ab-ac)+(cd-bd)$
$=a(b-c)-d(b-c)$
$=(a-d)(b-c)$

$a-d<0$, $b-c<0$이므로

$A-B>0$ $\quad\therefore A>B$

(ii) $B-C=(ac+bd)-(ad+bc)$
$=(ac-ad)+(bd-bc)$
$=a(c-d)-b(c-d)$
$=(a-b)(c-d)$

$a-b<0$, $c-d<0$이므로

$B-C>0$ $\quad\therefore B>C$

(i), (ii)에서 $A>B>C$

따라서 대소 관계를 바르게 나타낸 것은 ⑤이다.

답 ⑤

07 전략 산술평균과 기하평균의 관계, 실수의 성질을 이용한다.

ㄱ. x, y가 양수이므로 $x+y\geq2\sqrt{xy}$

$x+y=2$를 대입하면 $2\geq2\sqrt{xy}$

$\therefore xy\leq1$ (단, 등호는 $x=y=1$일 때 성립한다.)

(참)

ㄴ. $x^2+y^2=(x+y)^2-2xy=4-2xy$

$xy\leq1$이므로 $-2xy\geq-2$, $4-2xy\geq2$

$\therefore x^2+y^2\geq2$ (단, 등호는 $x=y=1$일 때 성립한다.)

(참)

ㄷ. $xy\leq1$이고 $xy>0$이므로 $\frac{1}{xy}\geq1$

$\therefore \frac{1}{x}+\frac{1}{y}\geq2\sqrt{\frac{1}{xy}}\geq2$

(단, 등호는 $x=y=1$일 때 성립한다.) (거짓)

따라서 옳은 것은 ㄱ, ㄴ이다.

답 ③

08 전략 주어진 식을 분리하여 곱이 간단한 꼴로 묶어 산술평균과 기하평균의 관계를 이용한다.

$\frac{b+c}{a}+\frac{c+a}{b}+\frac{a+b}{c}$

$=\frac{b}{a}+\frac{c}{a}+\frac{c}{b}+\frac{a}{b}+\frac{a}{c}+\frac{b}{c}$

$=\left(\frac{b}{a}+\frac{a}{b}\right)+\left(\frac{c}{a}+\frac{a}{c}\right)+\left(\frac{c}{b}+\frac{b}{c}\right)$

$\geq2\sqrt{\frac{b}{a}\times\frac{a}{b}}+2\sqrt{\frac{c}{a}\times\frac{a}{c}}+2\sqrt{\frac{c}{b}\times\frac{b}{c}}$

$=2+2+2=6$

등호는 $\frac{b}{a}=\frac{a}{b}$, $\frac{c}{a}=\frac{a}{c}$, $\frac{c}{b}=\frac{b}{c}$일 때 성립하므로

$a^2=b^2=c^2$, 곧 $a=b=c$일 때 성립한다.

따라서 $\frac{b+c}{a}+\frac{c+a}{b}+\frac{a+b}{c}$의 최솟값은 6이다.

답 6

09 전략 두 점 A, B의 좌표를 먼저 구한다.

$y=0$을 $y=mx+2m+3$에 대입하면

$0=mx+2m+3$ $\quad\therefore x=-\frac{2m+3}{m}$

따라서 점 A의 좌표는 $\left(-\frac{2m+3}{m}, 0\right)$이다.

$x=0$을 $y=mx+2m+3$에 대입하면

$y=2m+3$이므로 점 B의 좌표는 $(0, 2m+3)$이다.

m이 양수이므로 $\overline{\mathrm{OA}}=\dfrac{2m+3}{m}$, $\overline{\mathrm{OB}}=2m+3$이고

삼각형 OAB의 넓이를 S라 하면

$$S=\frac{1}{2}\times\overline{\mathrm{OA}}\times\overline{\mathrm{OB}}$$
$$=\frac{1}{2}\times\frac{2m+3}{m}\times(2m+3)$$
$$=\frac{4m^2+12m+9}{2m}$$
$$=2m+6+\frac{9}{2m}$$
$$\geq 2\sqrt{2m\times\frac{9}{2m}}+6$$
$$=6+6=12$$

$\left(\text{단, 등호는 } 2m=\dfrac{9}{2m}\text{, 곧 } m=\dfrac{3}{2}\text{일 때 성립한다.}\right)$

따라서 삼각형 OAB의 넓이의 최솟값은 12이다.

 ⑤

10 전략 A의 겉넓이는 나무토막 B를 잘라 내기 전 직육면체의 겉넓이와 같다.

A의 부피는 47, B의 부피는 1이고

(A의 부피)+(B의 부피)$=3xy$

$47+1=3xy$이므로 $xy=16$

$\therefore$ (A의 겉넓이)$=2(3x+3y+xy)$

$=6(x+y)+2xy$

$=6(x+y)+32$

$\geq 12\sqrt{xy}+32$

$=12\times4+32$

$=80$

(단, 등호는 $x=y=4$일 때 성립한다.)

따라서 A의 겉넓이의 최솟값은 80이다.

답 80

11 전략 코시-슈바르츠 부등식을 이용하여 $3x+4y$값의 범위를 구한다.

코시-슈바르츠 부등식에 의하여

$(x^2+y^2)(3^2+4^2)\geq(3x+4y)^2$

$\left(\text{단, 등호는 } \dfrac{x}{3}=\dfrac{y}{4}\text{, 곧 } 4x=3y\text{일 때 성립한다.}\right)$

$x^2+y^2=4$를 대입하면

$4\times25\geq(3x+4y)^2 \qquad \therefore -10\leq 3x+4y\leq 10$

따라서 -10에서 10까지의 정수의 개수는 21이다.

답 21

12 전략 삼각형의 넓이를 이용하여 a, b 사이의 관계를 구하고, 코시-슈바르츠 부등식을 이용한다.

피타고라스 정리에 의하여

$\overline{\mathrm{AC}}=\sqrt{6^2+8^2}=10$

삼각형 ABC의 넓이에서

$\triangle\mathrm{ABC}=\triangle\mathrm{PAB}+\triangle\mathrm{PBC}+\triangle\mathrm{PCA}$

이므로

$\dfrac{1}{2}\times6\times8=\dfrac{1}{2}\times6\times2+\dfrac{1}{2}\times8\times a+\dfrac{1}{2}\times10\times b$

$\therefore 4a+5b=18$

코시-슈바르츠 부등식에 의하여

$(4^2+5^2)(a^2+b^2)\geq(4a+5b)^2$

$\left(\text{단, 등호는 } \dfrac{a}{4}=\dfrac{b}{5}\text{, 곧 } 5a=4b\text{일 때 성립한다.}\right)$

$41(a^2+b^2)\geq18^2 \qquad \therefore a^2+b^2\geq\dfrac{324}{41}$

따라서 a^2+b^2의 최솟값은 $\dfrac{324}{41}$이다.

답 $\dfrac{324}{41}$

5 함수

개념 Check 81쪽~84쪽

1

답 (1) $f(1)=2$, $f(2)=4$, $f(x)=2x$

(2) 정의역 : $\{0, 1, 2, 3\}$

공역 : $\{0, 1, 2, 3, 4, 5, 6\}$

치역 : $\{0, 2, 4, 6\}$

2

$f(x)=x^2-2x$이므로

(1) $f(2)=2^2-2\times2=0$

(2) $f(2x)=(2x)^2-2\times2x=4x^2-4x$

(3) $f(x^2)=(x^2)^2-2\times x^2=x^4-2x^2$

답 (1) 0 (2) $f(2x)=4x^2-4x$ (3) $f(x^2)=x^4-2x^2$

3

$f(1)=g(1)$이므로 $1+a=b$

$f(2)=g(2)$이므로 $2+a=4b$

두 식을 연립하여 풀면 $a=-\frac{2}{3}$, $b=\frac{1}{3}$

답 $a=-\frac{2}{3}$, $b=\frac{1}{3}$

4

(1) $f(-2)=-3$, $f(-1)=0$, $f(0)=1$, $f(1)=0$, $f(2)=-3$

이므로 치역은 $\{-3, 0, 1\}$

(2)

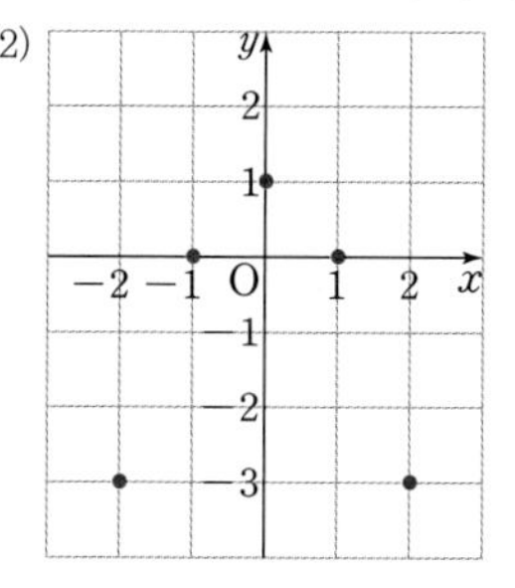

답 (1) $\{-3, 0, 1\}$ (2) 풀이 참조

5

(1) ㄴ. 0에 대응하는 원소가 없으므로 함수가 아니다.

ㄹ. 3에 대응하는 원소가 2개이므로 함수가 아니다.

따라서 함수가 아닌 것은 ㄴ, ㄹ이다.

(2) 일대일함수이고 치역과 공역이 같은 것은 ㄱ, ㅁ이다.

(3) 치역의 원소가 1개인 것은 ㄷ이다.

(4) 자기 자신에 대응하는 것은 ㅁ이다.

답 (1) ㄴ, ㄹ (2) ㄱ, ㅁ (3) ㄷ (4) ㅁ

대표Q 85쪽~88쪽

대표 01

$X=\{-1, 0, 1, 2\}$, $Y=\{-2, -1, 0, 1, 2, 4\}$

이므로 X에서 Y로의 대응은 다음과 같다.

ㄱ.

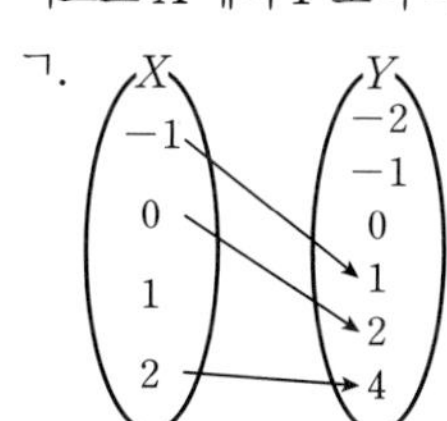

ㄴ.

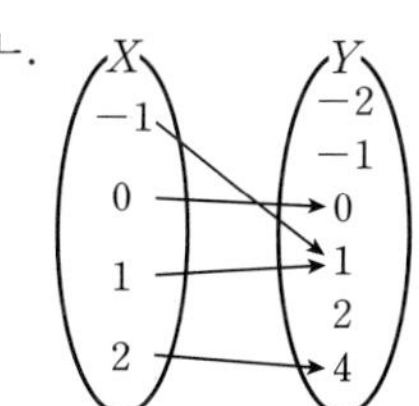

ㄷ.

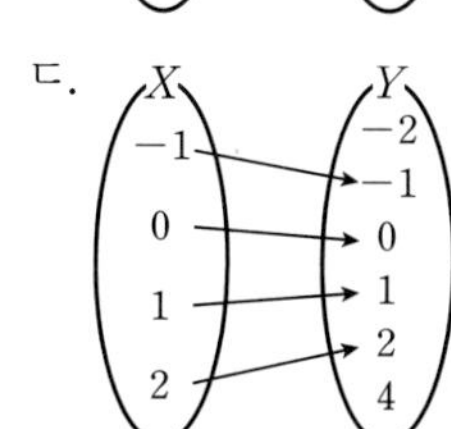

ㄹ.

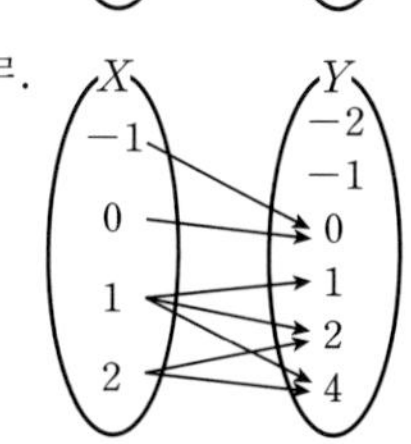

(1) ㄱ. 1에 대응하는 원소가 없다.

ㄹ. 1, 2에 대응하는 원소가 2개 이상이다.

따라서 X에서 Y로의 함수인 것은 ㄴ, ㄷ이다.

(2) 함수인 ㄴ, ㄷ 중에서 $x_1\neq x_2$일 때 $f(x_1)\neq f(x_2)$인 것은 ㄷ이다.

답 (1) ㄴ, ㄷ (2) ㄷ

1-1

$X=\{-2, -1, 1, 2\}$, $Y=\{-2, -1, 0, 1, 2\}$이므로 X에서 Y로의 대응은 다음과 같다.

ㄱ.
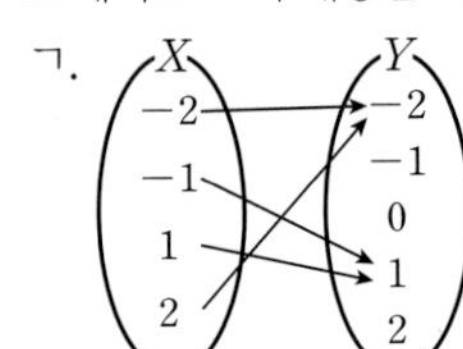

ㄴ.
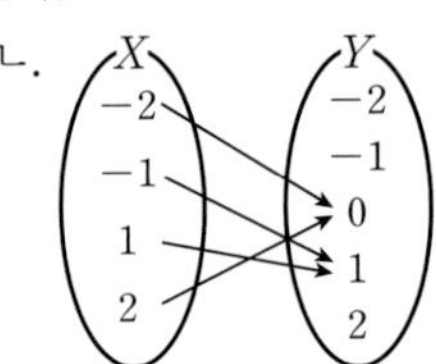

ㄷ.
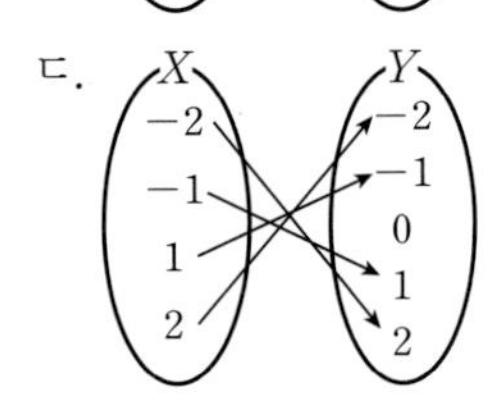

ㄹ.
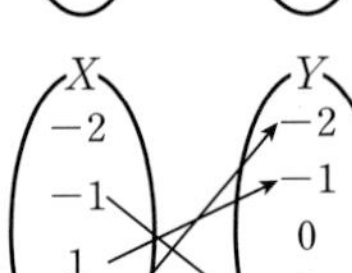
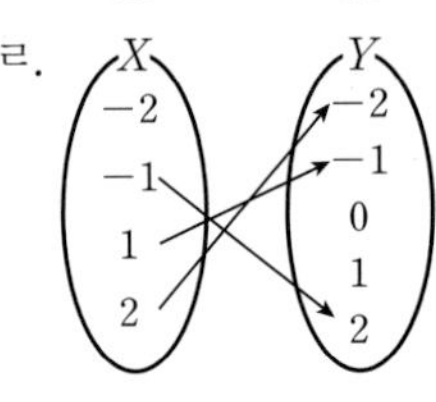

(1) ㄹ. -2에 대응하는 원소가 없다.
따라서 X에서 Y로의 함수인 것은 ㄱ, ㄴ, ㄷ이다.

(2) 함수인 ㄱ, ㄴ, ㄷ 중에서 $x_1 \neq x_2$일 때 $f(x_1) \neq f(x_2)$인 것은 ㄷ이다.

답 (1) ㄱ, ㄴ, ㄷ (2) ㄷ

대표 02

(1) (i) $a>0$일 때
$f(x)$가 일대일대응이면 그림과 같다. 곧,
$f(-1)=1$, $f(5)=4$ 이므로
$-a+b=1$, $5a+b=4$
두 식을 연립하여 풀면
$a=\frac{1}{2}$, $b=\frac{3}{2}$

(ii) $a<0$일 때
$f(x)$가 일대일대응이면 그림과 같다. 곧,
$f(-1)=4$, $f(5)=1$ 이므로
$-a+b=4$, $5a+b=1$
두 식을 연립하여 풀면
$a=-\frac{1}{2}$, $b=\frac{7}{2}$

(i), (ii)에서 $a=\frac{1}{2}$, $b=\frac{3}{2}$ 또는 $a=-\frac{1}{2}$, $b=\frac{7}{2}$

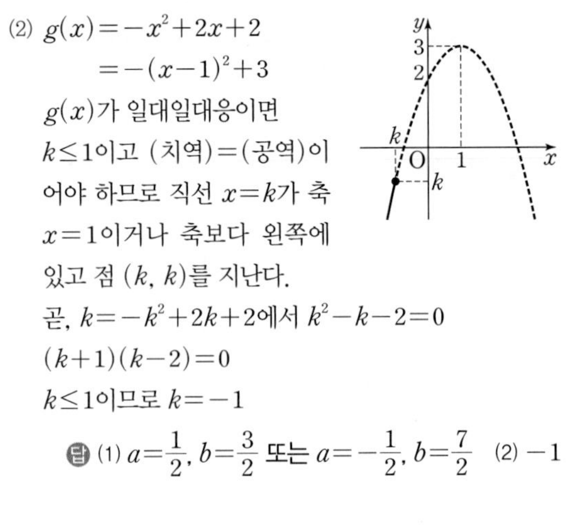

(2) $g(x)=-x^2+2x+2$
$=-(x-1)^2+3$
$g(x)$가 일대일대응이면 $k\leq 1$이고 (치역)=(공역)이어야 하므로 직선 $x=k$가 축 $x=1$이거나 축보다 왼쪽에 있고 점 (k, k)를 지난다.
곧, $k=-k^2+2k+2$에서 $k^2-k-2=0$
$(k+1)(k-2)=0$
$k\leq 1$이므로 $k=-1$

답 (1) $a=\frac{1}{2}$, $b=\frac{3}{2}$ 또는 $a=-\frac{1}{2}$, $b=\frac{7}{2}$ (2) -1

2-1

(i) $b>0$일 때
$f(x)$가 일대일대응이면 그림과 같다. 곧,
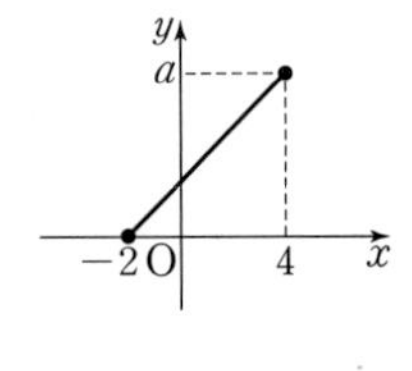
$f(-2)=0$, $f(4)=a$이므로
$-2b+2=0$ $\quad\therefore b=1$
$4b+2=a$ $\quad\therefore a=6$

(ii) $b<0$일 때
$f(x)$가 일대일대응이면 그림과 같다. 곧,
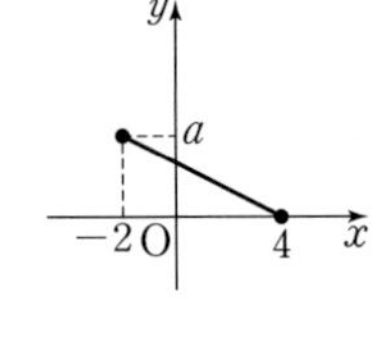
$f(4)=0$, $f(-2)=a$이므로
$4b+2=0$ $\quad\therefore b=-\frac{1}{2}$
$-2b+2=a$ $\quad\therefore a=3$

(i), (ii)에서 $a=6$, $b=1$ 또는 $a=3$, $b=-\frac{1}{2}$

답 $a=6$, $b=1$ 또는 $a=3$, $b=-\frac{1}{2}$

2-2

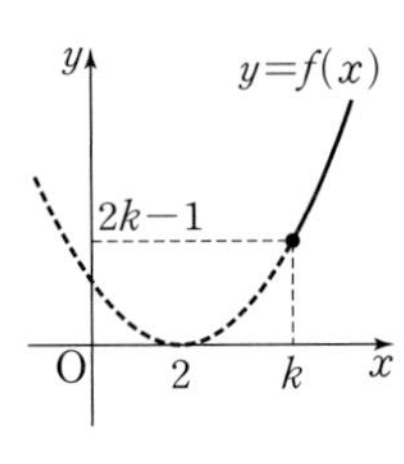

$f(x)=x^2-4x+4=(x-2)^2$
$k\geq 2$이고, (치역)=(공역)이어야 하므로 $f(x)$가 일대일대응이면 직선 $x=k$가 축 $x=2$보다 오른쪽에 있고 점 $(k, 2k-1)$을 지난다.
곧, $k^2-4k+4=2k-1$에서 $k^2-6k+5=0$
$(k-1)(k-5)=0$
$k\geq 2$이므로 $k=5$

 5

대표 03

(1) 2, $\frac{1}{3}$은 유리수이므로

$f(2)=\frac{1}{2}$, $f\left(\frac{1}{3}\right)=\frac{1}{\frac{1}{3}}=3$

$\sqrt{3}$, $\frac{1}{\sqrt{2}}$은 무리수이므로

$f(\sqrt{3})=(\sqrt{3})^2=3$, $f\left(\frac{1}{\sqrt{2}}\right)=\left(\frac{1}{\sqrt{2}}\right)^2=\frac{1}{2}$

따라서 구하는 함수 $f(x)$의 치역은 $\left\{\frac{1}{2}, 3\right\}$이다.

(2) $f(x+y)=f(x)+f(y)$에서

$f(2)=4$이므로 $x=1$, $y=1$을 대입하면

$f(2)=f(1)+f(1)$ $\quad\therefore f(1)=2$

$x=1$, $y=2$를 대입하면

$f(3)=f(1)+f(2)=2+4=6$

$x=2$, $y=3$을 대입하면

$f(5)=f(2)+f(3)=4+6=10$

$x=-1$, $y=3$을 대입하면

$f(2)=f(-1)+f(3)$

$4=f(-1)+6$ $\quad\therefore f(-1)=-2$

답 (1) $\left\{\frac{1}{2}, 3\right\}$ (2) $f(5)=10$, $f(-1)=-2$

참고 (2) $f(5)$와 $f(-1)$의 값을 구하는 방법은 여러 가지이지만, 어떻게 구하든 상관없이 $f(5)$와 $f(-1)$의 값은 하나이다.

3-1

$\sqrt{5}$, $\sqrt{12}$는 무리수, $\sqrt{9}=3$, $\sqrt{16}=4$는 유리수이므로

$f(5)=2\times5=10$, $f(12)=2\times12=24$,

$f(9)=\sqrt{9}=3$, $f(16)=\sqrt{16}=4$

따라서 구하는 함수의 치역은 $\{3, 4, 10, 24\}$

답 $\{3, 4, 10, 24\}$

3-2

$xf(1-x)+(1+x)f(x)=4x+1$에서

(1) $x=0$을 대입하면

$1\times f(0)=1$ $\quad\therefore f(0)=1$

(2) $x=-1$을 대입하면

$-1\times f(2)=-3$ $\quad\therefore f(2)=3$

(3) $x=1$을 대입하면

$f(0)+2f(1)=5$

$f(0)=1$이므로

$1+2f(1)=5$ $\quad\therefore f(1)=2$

답 (1) 1 (2) 3 (3) 2

대표 04

(1) -1의 함숫값은 3, 4, 5, 6의 4개

각각의 경우 0의 함숫값은 3, 4, 5, 6의 4개

각각의 경우 1의 함숫값은 3, 4, 5, 6의 4개

따라서 함수 f의 개수는

$4\times4\times4=64$

(2) -1의 함숫값은 3, 4, 5, 6의 4개

0의 함숫값은 -1의 함숫값을 뺀 3개

1의 함숫값은 -1과 0의 함숫값을 뺀 2개

따라서 일대일함수 f의 개수는

$4\times3\times2=24$

(3) $f(1)=f(-1)$이므로 $f(1)$의 값이 정해지면

$f(-1)$의 값도 같은 값으로 정해진다.

$f(1)$의 값은 3, 4, 5, 6의 4개가 가능하고

각 경우 $f(0)$의 값은 4개가 가능하다.

따라서 구하는 함수의 개수는

$4\times4=16$

답 (1) 64 (2) 24 (3) 16

4-1

(1) -2의 함숫값은 0, 1, 2, 3, 4의 5개

각각의 경우 -1의 함숫값은 0, 1, 2, 3, 4의 5개

각각의 경우 1의 함숫값은 0, 1, 2, 3, 4의 5개

각각의 경우 2의 함숫값은 0, 1, 2, 3, 4의 5개

따라서 함수 f의 개수는

$5\times5\times5\times5=625$

(2) -2의 함숫값은 0, 1, 2, 3, 4의 5개

-1의 함숫값은 -2의 함숫값을 뺀 4개

1의 함숫값은 -2와 -1의 함숫값을 뺀 3개

2의 함숫값은 -2, -1, 1의 함숫값을 뺀 2개

따라서 일대일함수 f의 개수는

$5\times4\times3\times2=120$

(3) -2, -1, 1, 2 모두에 대응할 수 있는 원소는 0, 1, 2, 3, 4의 5개이므로 상수함수 f의 개수는 5이다.

(4) $f(1)=1$이므로

-2의 함숫값은 0, 1, 2, 3, 4의 5개

-1의 함숫값은 0, 1, 2, 3, 4의 5개

2의 함숫값은 0, 1, 2, 3, 4의 5개

따라서 구하는 함수의 개수는

$5\times5\times5=125$

답 (1) 625 (2) 120 (3) 5 (4) 125

4-2

(i) 함수의 개수

0의 함숫값은 0, 1, 2, 3의 4개

각각의 경우 1의 함숫값은 0, 1, 2, 3의 4개

각각의 경우 2의 함숫값은 0, 1, 2, 3의 4개

각각의 경우 3의 함숫값은 0, 1, 2, 3의 4개

따라서 함수의 개수는

$4\times4\times4\times4=256$

(ii) 일대일대응의 개수

0의 함숫값은 0, 1, 2, 3의 4개

1의 함숫값은 0의 함숫값을 뺀 3개

2의 함숫값은 0과 1의 함숫값을 뺀 2개

3의 함숫값은 0, 1, 2의 함숫값을 뺀 1개

따라서 일대일대응의 개수는

$4\times3\times2\times1=24$

(iii) 상수함수의 개수

0, 1, 2, 3 모두에 대응할 수 있는 원소는 0, 1, 2, 3의 4개이므로 상수함수의 개수는 4

답 함수 : 256, 일대일대응 : 24, 상수함수 : 4

참고 함수 $f: X \longrightarrow Y$에서 두 집합 X, Y의 원소의 개수가 각각 m, n일 때

① 함수의 개수 ➡ $\underbrace{n\times n\times n\times\cdots\times n}_{m\text{개}}=n^m$

② 일대일함수의 개수

➡ $n(n-1)(n-2)\times\cdots\times\{n-(m-1)\}$

(단, $n\geq m$)

③ 일대일대응의 개수

➡ $n(n-1)(n-2)\times\cdots\times2\times1$ (단, $m=n$)

④ 상수함수의 개수 ➡ n

5 함수

89쪽~92쪽

01 5 **02** (1) ㄱ, ㄹ, ㅁ (2) ㅁ

03 (1) ㄱ, ㄴ, ㄹ, ㅁ, ㅂ (2) ㄹ, ㅁ (3) ㄱ (4) ㄹ

04 ⑤ **05** ②, ⑤ **06** 4 **07** 6

08 $a=2$, $b=1$ **09** 11 **10** 9

11 $a=2$, $b=1$ **12** $\{-2, 1, 3\}$

13 $-3<a<3$ **14** 1024

15 -2 **16** 14 **17** 96 **18** 12

01

$f(x)=(2x^2$의 일의 자리 숫자$)$이므로

$f(1)=2$, $f(2)=8$, $f(3)=8$, $f(4)=2$, $f(5)=0$

따라서 $f(a)=8$을 만족시키는 a는 2와 3이므로 합은

$2+3=5$

답 5

02

X에서 Y로의 대응은 다음과 같다.

ㄱ.

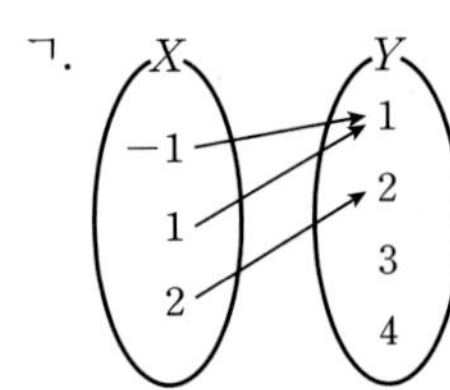

ㄴ.

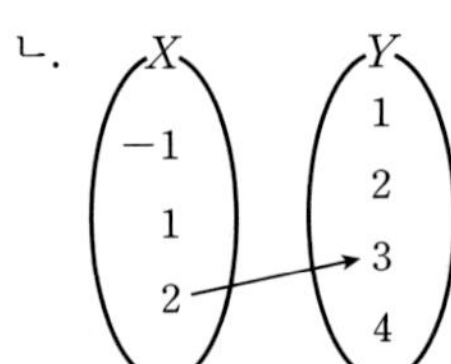

ㄷ.

ㄹ.

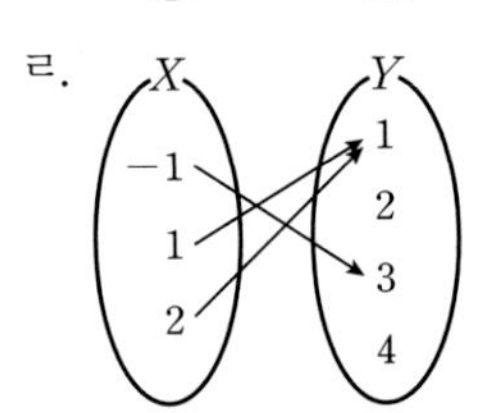

ㅁ.

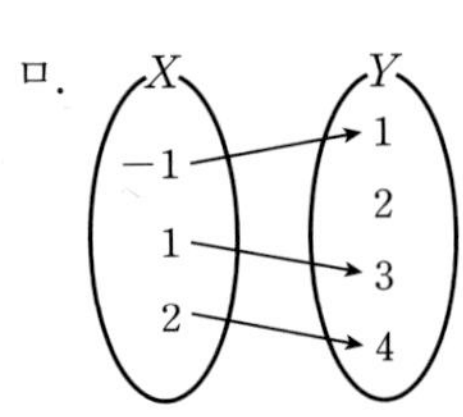

(1) ㄴ. -1, 1에 대응하는 원소가 없으므로 함수가 아니다.

ㄷ. -1, 2에 대응하는 원소가 없으므로 함수가 아니다.

따라서 X에서 Y로의 함수인 것은 ㄱ, ㄹ, ㅁ이다.

(2) 함수인 ㄱ, ㄹ, ㅁ 중에서

$x_1\neq x_2$일 때 $f(x_1)\neq f(x_2)$인 것은 ㅁ이다.

답 (1) ㄱ, ㄹ, ㅁ (2) ㅁ

03

직선 $x=k$(초록색), $y=k$(빨간색) (k는 상수)를 그으면 그림과 같다.

ㄱ.
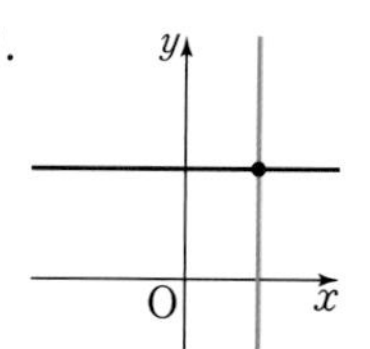

ㄴ.
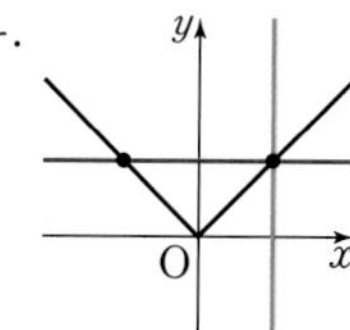

ㄷ.
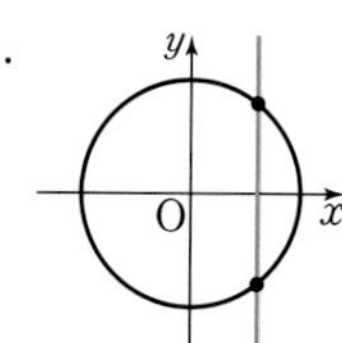

ㄹ.
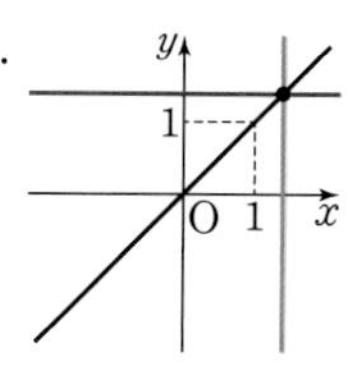

ㅁ.
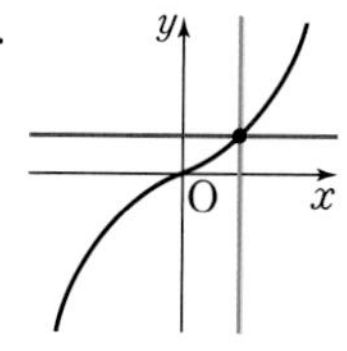

ㅂ.
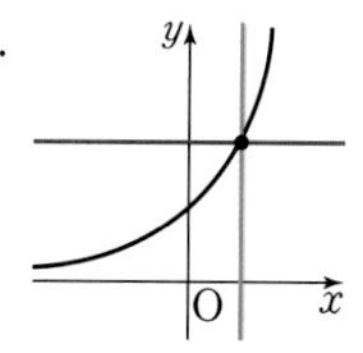

ㄱ. 그래프가 $y=c$ (c는 상수) 꼴이므로 상수함수이다.

ㄴ. 그래프와 직선 $x=k$의 교점이 1개이므로 함수이지만 직선 $y=k$와의 교점이 2개이므로 일대일함수는 아니다.

ㄷ. 직선 $x=k$와의 교점이 2개이므로 함수가 아니다.

ㄹ. $f(x)=x$이므로 항등함수이다.

ㅁ. 그래프와 직선 $y=k$의 교점이 1개이므로 일대일함수이고, 치역과 공역이 같으므로 일대일대응이다.

ㅂ. 그래프와 직선 $y=k$의 교점이 1개이므로 일대일함수이지만 치역은 $\{y|y>0\}$이므로 일대일대응은 아니다.

답 (1) ㄱ, ㄴ, ㄹ, ㅁ, ㅂ (2) ㄹ, ㅁ (3) ㄱ (4) ㄹ

04

ㄱ. 함수에서는 $x_1=x_2$이면 $f(x_1)=f(x_2)$이다. (참)

ㄴ. '$x_1 \neq x_2$이면 $f(x_1) \neq f(x_2)$이다.'는 일대일함수의 정의이고, 대우도 성립하므로

$f(x_1)=f(x_2)$이면 $x_1=x_2$이다. (참)

ㄷ. 치역과 공역이 같고, 일대일함수이므로 일대일대응이다. (참)

따라서 옳은 것은 ㄱ, ㄴ, ㄷ이다.

답 ⑤

05

그래프를 나타내고 직선 $y=k$(k는 상수)를 그으면 그림과 같다.

①
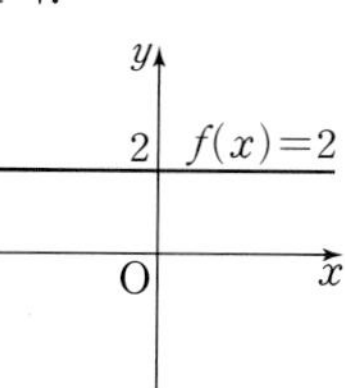

②
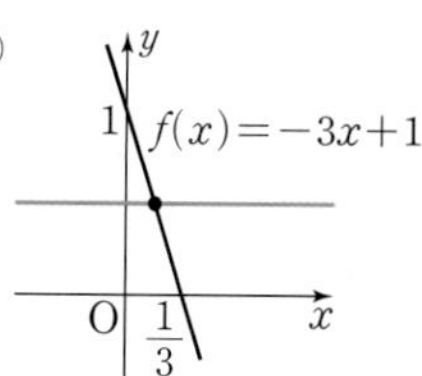

③
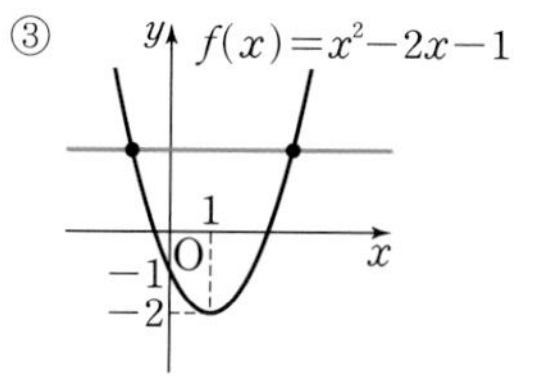

④
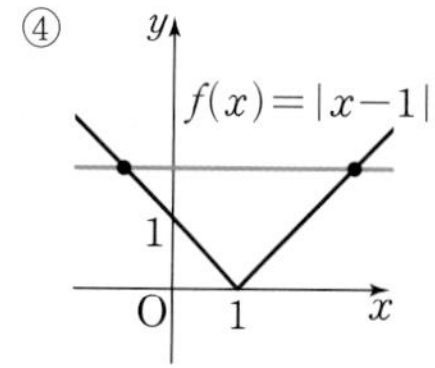

⑤ $f(x)=x|x|$

따라서 그래프와 직선 $y=k$의 교점이 1개인 일대일함수는 ②, ⑤이다.

답 ②, ⑤

06

$f(x)=x^2-2x-4$

$\quad\;\;=(x-1)^2-5$

이므로 $y=f(x)$의 그래프는 그림과 같다.

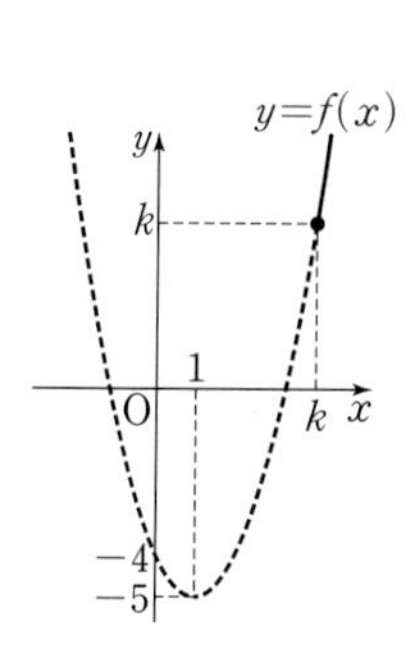

함수 $f(x)$가 일대일대응이므로 $k \geq 1$

(치역)=(공역)이므로

$f(k)=k$이다. 곧,

$k^2-2k-4=k$, $k^2-3k-4=0$

$(k-4)(k+1)=0$

$k \geq 1$이므로 $k=4$

답 4

07

$3x-1=5$라 하면 $x=2$

$f(3x-1)=x+4$에 $x=2$를 대입하면

$f(5)=2+4=6$

다른 풀이

$f(3x-1)=x+4$에서

$3x-1=t$로 놓으면 $x=\frac{t+1}{3}$

$\therefore f(t)=\frac{t+1}{3}+4=\frac{t+13}{3}$

t를 x로 바꾸면 $f(x)=\frac{x+13}{3}$

$\therefore f(5)=\frac{5+13}{3}=6$

답 6

08

$f(-2)=5$, $f(0)=1$, $f(2)=5$이고, $f=g$이므로

$g(-2)=2a+b=5$

$g(0)=b=1$

$g(2)=2a+b=5$

$\therefore a=2$, $b=1$

답 $a=2$, $b=1$

09

함수 f는 일대일대응이고 $f(2)-f(3)=3$에서

함숫값의 차가 3인 치역은 5와 8이므로

$f(2)=8$, $f(3)=5$

따라서 남은 치역이 6이므로 $f(4)=6$

$\therefore f(3)+f(4)=5+6=11$

답 11

10

$f(1)+f(-1)=0$이므로

$f(1)=1$, $f(-1)=-1$ 또는 $f(1)=-1$, $f(-1)=1$

또는 $f(1)=f(-1)=0$인 3가지 경우가 있다.

각각의 경우 $f(0)$의 함숫값은 -1, 0, 1이 모두 가능하므로 함수 f의 개수는

$3\times3=9$

답 9

11

전략 함수 $f(x)$가 일대일대응이면 x의 값이 증가할 때, y의 값도 항상 증가하거나 항상 감소해야 한다.

함수 $f(x)$가 일대일대응이면

$x\geq1$일 때, 이차함수 $y=x^2-ax+3$의 그래프는 아래로 볼록하므로 x의 값이 증가할 때 y의 값도 증가한다.

$x<1$일 때, 이차함수 $y=-x^2+2bx-3$의 그래프는 위로 볼록하므로 x의 값이 증가할 때 y의 값도 증가한다.

곧, $f(-2)=-11$, $f(-1)=-6$, $f(1)=2$, $f(2)=3$이어야 하므로

$f(-2)=-4-4b-3=-11 \qquad \therefore b=1$

$f(2)=4-2a+3=3 \qquad \therefore a=2$

답 $a=2$, $b=1$

12

전략 함수 $f(x)$가 항등함수이면 $f(x)=x$이다.

함수 f가 항등함수이므로 $f(x)=x$이다.

(i) $x<-1$일 때, $f(x)=-2$이므로 $x=-2$

(ii) $-1\leq x\leq2$일 때, $f(x)=x$에서

$2x-1=x \qquad \therefore x=1$

(iii) $x>2$일 때, $f(x)=3$이므로 $x=3$

(i), (ii), (iii)에서 집합 X는 $X=\{-2, 1, 3\}$

답 $\{-2, 1, 3\}$

13

전략 함수 $f(x)$가 일대일대응이려면 $x\geq2$, $x<2$일 때의 직선의 기울기의 부호가 같아야 한다.

함수 $f(x)=a|x-2|+3x-1$에서

(i) $x\geq2$일 때

$f(x)=a(x-2)+3x-1$

$=(a+3)x-2a-1$

(ii) $x<2$일 때

$f(x)=-a(x-2)+3x-1$

$=(3-a)x+2a-1$

함수 $f(x)$가 일대일대응이면 두 직선의 기울기가 모두 양수이거나 모두 음수로 같아야 한다.

(i), (ii)에서 $(a+3)(3-a)>0$

$(a+3)(a-3)<0$

$\therefore -3<a<3$

답 $-3<a<3$

참고 함수 $f(x)$가 일대일대응이면 x의 값이 증가할 때 y의 값도 항상 증가하거나 감소해야 하므로 실수 전체의 집합에서 일대일대응이면 그림과 같이 두 직선의 기울기의 부호가 같아야 한다.

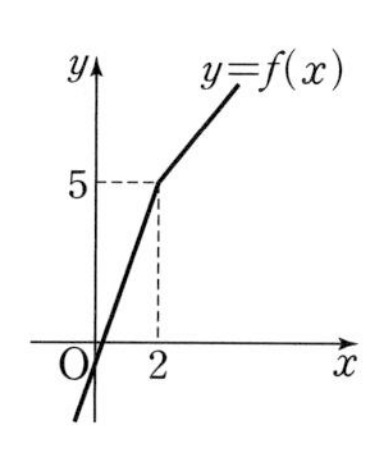

14 전략 주어진 조건에서 규칙을 찾아 함숫값을 구한다.

$f(x+2)=2f(x)$이므로

$f(19)=2f(17)=2\times2f(15)=\cdots=2^9f(1)$

$0<x\le2$에서 $f(x)=x+1$이므로 $f(1)=2$

$\therefore f(19)=2^9\times2=2^{10}=1024$

답 1024

15 전략 $f(x)$가 일차함수이므로 $f(x)=ax+b(a\ne0)$로 놓고 조건을 모두 만족시키는 상수 a, b를 구한다.

$f(x)$가 일차함수이므로 $f(x)=ax+b(a\ne0)$로 놓으면

(가)에서

$ax+b-a(1+x)-b=2 \qquad \therefore a=-2$

(나)에서

$ax+b+a(1-x)+b=-4$, $a+2b=-4$

$a=-2$를 대입하면 $b=-1$

따라서 $f(x)=-2x-1$이므로

$f(x)+f(-x)=-2x-1+2x-1=-2$

답 -2

16 전략 먼저 100을 소인수분해한다.

$100=2^2\times5^2$이므로

$f(100)=f(2^2)+f(5^2)$

$=f(2)+f(2)+f(5)+f(5)$

$=2+2+5+5=14$

답 14

참고 세 소수 l, m, n에 대하여

$f(l\times mn)=f(l)+f(mn)=f(l)+f(m)+f(n)$

$f(lm\times n)=f(lm)+f(n)=f(l)+f(m)+f(n)$

이므로 $f(100)$을 $f(20\times5)$ 또는 $f(50\times2)$ 등으로 구해도 결과는 같다.

17 전략 정의역의 각 원소에 대하여 함숫값으로 가능한 것의 개수를 찾는다.

(i) $x=1$일 때, $1+f(1)\ge4$, $f(1)\ge3$이므로
$f(1)=3$, 4의 2개

(ii) $x=2$일 때, $2+f(2)\ge4$, $f(2)\ge2$이므로
$f(2)=2$, 3, 4의 3개

(iii) $x=3$일 때, $3+f(3)\ge4$, $f(3)\ge1$이므로
$f(3)=1$, 2, 3, 4의 4개

(iv) $x=4$일 때, $4+f(4)\ge4$, $f(4)\ge0$이므로
$f(4)=1$, 2, 3, 4의 4개

(i)~(iv)에서 함수 f의 개수는

$2\times3\times4\times4=96$

답 96

18 전략 $f(n)f(n+2)$의 값이 짝수이면 $f(n)$과 $f(n+2)$ 중 하나는 반드시 짝수이다.

$3\le n\le5$인 모든 자연수 n에 대해 $f(n)f(n+2)$의 값이 짝수이므로 $f(3)f(5)$, $f(4)f(6)$, $f(5)f(7)$의 값은 모두 짝수이다.

함수 f가 일대일대응이고 함숫값 중 짝수는 4, 6의 2개뿐이고 $f(4)$, $f(6)$ 중 하나는 반드시 짝수이므로 $f(5)$가 반드시 짝수가 되어야 한다.

따라서 $f(3)$, $f(7)$은 모두 홀수이고 $f(3)$과 $f(7)$의 값은 3, 5, 7 중 존재하므로 $f(3)+f(7)$의 최댓값은

$5+7=12$

답 12

6 합성함수와 역함수

개념 Check

94쪽~95쪽

1

$f(x)=2x-1$, $g(x)=-x^2+1$이므로

(1) $(g\circ f)(1)=g(f(1))=g(1)=0$

(2) $(f\circ g)(1)=f(g(1))=f(0)=-1$

(3) $(f\circ f)(1)=f(f(1))=f(1)=1$

답 (1) 0 (2) -1 (3) 1

2

$f(x)=-x+1$, $g(x)=2x$, $h(x)=x^2$이고

(1) $((f\circ g)\circ h)(1)=(f\circ g)(h(1))=(f\circ g)(1)$
$=f(g(1))=f(2)=-1$

(2) $f\circ(g\circ h)=(f\circ g)\circ h$이므로
$(f\circ(g\circ h))(-2)=(f\circ g)(h(-2))$
$=(f\circ g)(4)$
$=f(g(4))=f(8)=-7$

(3) $(f\circ g\circ h)(0)=(f\circ g)(h(0))=(f\circ g)(0)$
$=f(g(0))=f(0)=1$

답 (1) -1 (2) -7 (3) 1

대표Q

96쪽~100쪽

대표 Q1

(1) $g\circ f$의 함숫값을 찾아 그림으로 나타내면

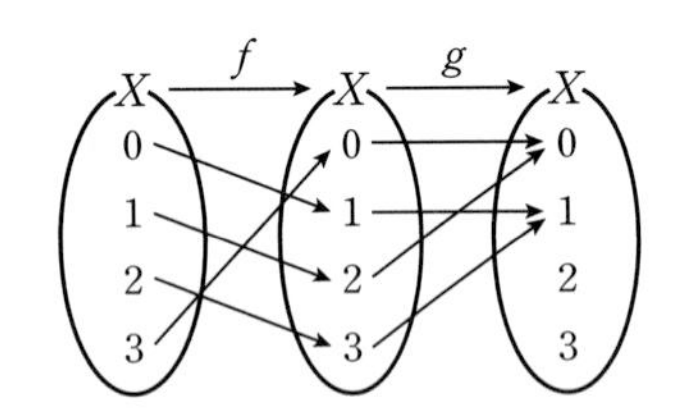

➡ 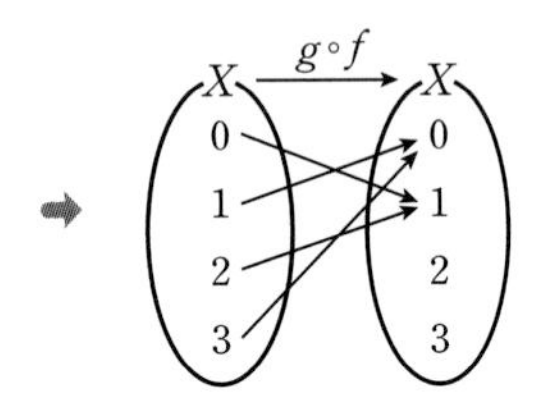

(2) $f\circ g$의 함숫값을 찾아 그림으로 나타내면

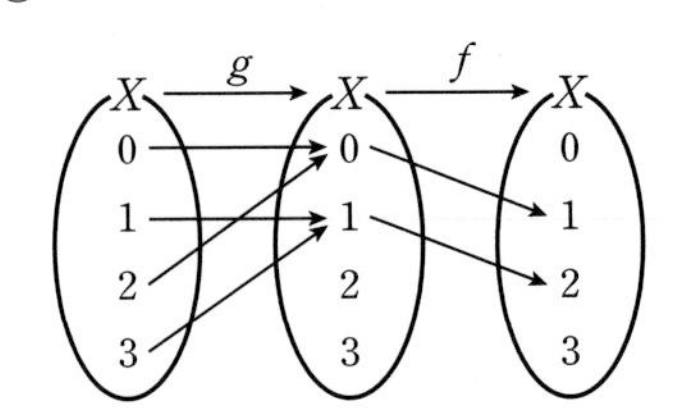

➡ 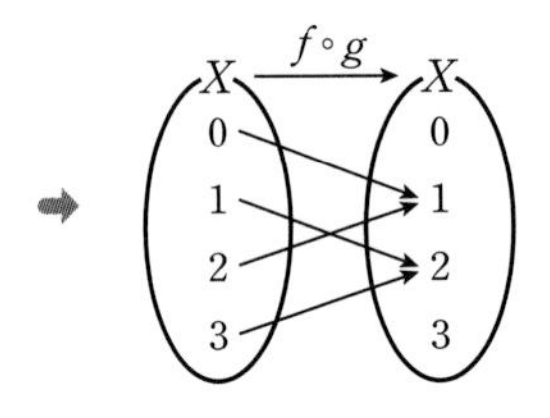

(3) (2)에서 구한 $f\circ g$를 이용하여 $h\circ(f\circ g)$를 그림으로 나타내면

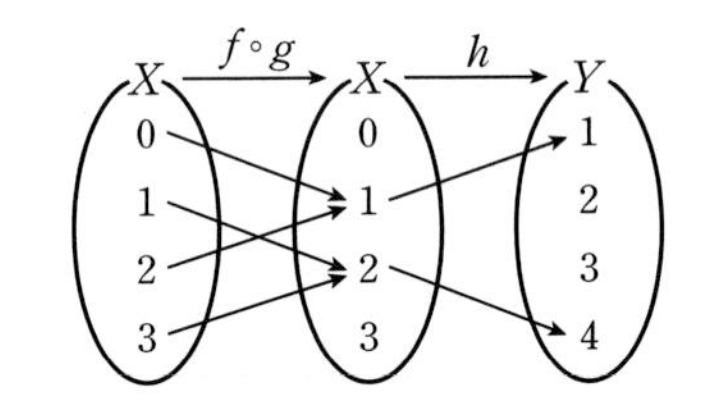

➡ 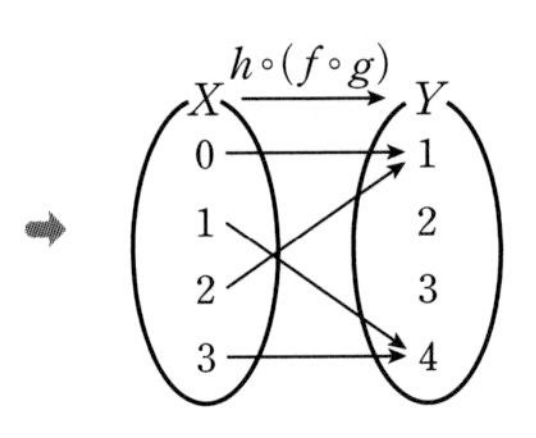

(4) 결합법칙이 성립하므로 $(h\circ g)\circ f=h\circ(g\circ f)$이고 (1)에서 구한 $g\circ f$를 이용하여 $h\circ(g\circ f)$를 그림으로 나타내면

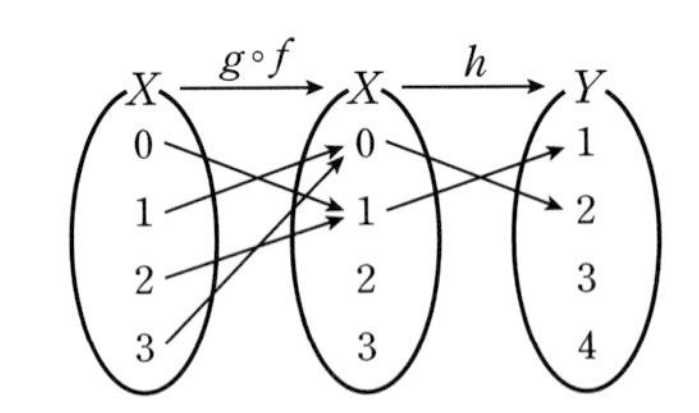

➡ 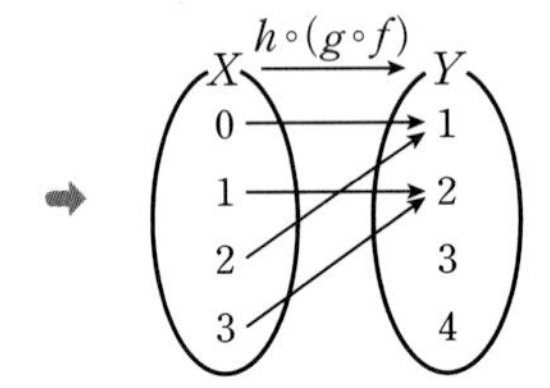

답 풀이 참조

1-1

① $(g\circ f)(a)=g(f(a))=g(d)=d$
이므로 항등함수가 아니다.

② $(h\circ g)(a)=h(g(a))=h(b)=d$
이므로 항등함수가 아니다.

③ $f\circ f$의 함숫값을 찾아 그림으로 나타내면

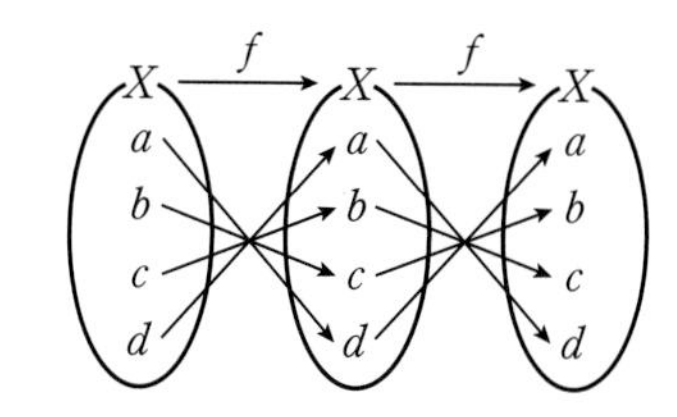

➡ 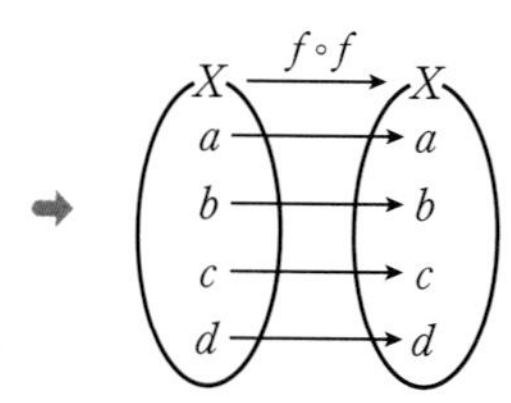

곧, $f\circ f$는 항등함수이다.

④ $(h\circ f)(b)=h(f(b))=h(c)=c$
이므로 항등함수가 아니다.

⑤ $h\circ g\circ f$의 함숫값을 찾아 그림으로 나타내면

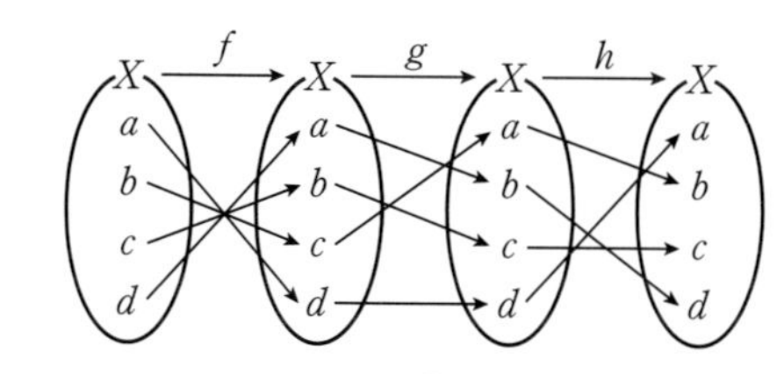

➡ 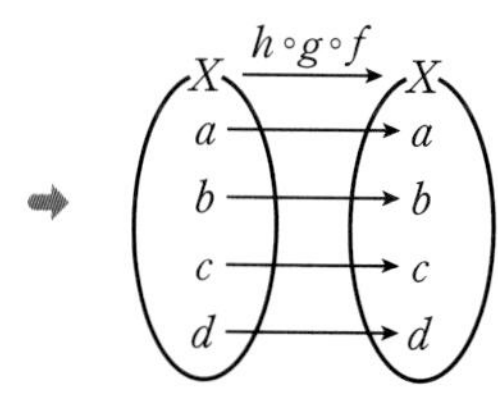

곧, $h\circ g\circ f$는 항등함수이다.

따라서 항등함수는 ③, ⑤이다.

답 ③, ⑤

대표 Q2

(1) $(f\circ g)(x)=f(g(x))=f(ax+3)$
$=(ax+3)-2=ax+1$
$(g\circ f)(x)=g(f(x))=g(x-2)$
$=a(x-2)+3=ax-2a+3$
$f\circ g=g\circ f$이므로 $ax+1=ax-2a+3$
x에 대한 항등식이므로
$1=-2a+3 \quad \therefore a=1$

(2) $g(x)=2x+3$이므로
$(g\circ f)(x)=g(f(x))=g(x-2)$
$=2(x-2)+3=2x-1$
$\therefore (h\circ g\circ f)(x)=(h\circ(g\circ f))(x)=h(2x-1)$
$=(2x-1)^2$

(3) $(f\circ f)(x)=f(x-2)=(x-2)-2=x-4$
$(f\circ f\circ f)(x)=(f\circ(f\circ f))(x)=f(x-4)$
$=(x-4)-2=x-6$
$\therefore (f\circ f\circ f\circ f)(x)=(f\circ(f\circ f\circ f))(x)$
$=f(x-6)$
$=(x-6)-2=x-8$

답 (1) 1 (2) $(h\circ g\circ f)(x)=(2x-1)^2$
(3) $(f\circ f\circ f\circ f)(x)=x-8$

참고 **항등식의 성질**
$ax+b=0$이 x에 대한 항등식 $\Longleftrightarrow a=0,\ b=0$
$ax+b=a'x+b'$이 x에 대한 항등식 $\Longleftrightarrow a=a',\ b=b'$

2-1

$(f\circ f)(x)=f(f(x))=f(ax+b)$
$=a(ax+b)+b=a^2x+ab+b$
이므로 $f\circ f=f$에서
$a^2x+ab+b=ax+b$
x에 대한 항등식이므로 $a^2=a,\ ab+b=b$
$a^2=a$에서 $a(a-1)=0$
$a\neq 0$이므로 $a=1$
$ab+b=b$에서 $ab=0 \quad \therefore b=0$

답 $a=1,\ b=0$

2-2

(1) $(g\circ f)(x)=g(f(x))=g(2x)=-2x+3$
(2) $(f\circ g)(x)=f(g(x))=f(-x+3)$
$=2(-x+3)=-2x+6$

이므로

$(h \circ f \circ g)(x)=(h \circ (f \circ g))(x)=h(-2x+6)$

$=(-2x+7)^2=4x^2-28x+49$

(3) $(f \circ f)(x)=f(2x)=4x$

이므로

$(f \circ f \circ f)(x)=(f \circ (f \circ f))(x)=f(4x)=8x$

답 (1) $(g \circ f)(x)=-2x+3$

(2) $(h \circ f \circ g)(x)=4x^2-28x+49$

(3) $(f \circ f \circ f)(x)=8x$

대표 Q3

(1) $f\left(\frac{5}{4}\right)=\frac{3}{2}$

$f^2\left(\frac{5}{4}\right)=f\left(f\left(\frac{5}{4}\right)\right)=f\left(\frac{3}{2}\right)=1$

$f^3\left(\frac{5}{4}\right)=f\left(f^2\left(\frac{5}{4}\right)\right)=f(1)=2$

$f^4\left(\frac{5}{4}\right)=f\left(f^3\left(\frac{5}{4}\right)\right)=f(2)=0$

$f^5\left(\frac{5}{4}\right)=f\left(f^4\left(\frac{5}{4}\right)\right)=f(0)=1$

$f^6\left(\frac{5}{4}\right)=f\left(f^5\left(\frac{5}{4}\right)\right)=f(1)=2$

$f^7\left(\frac{5}{4}\right)=f\left(f^6\left(\frac{5}{4}\right)\right)=f(2)=0$

⋮

곧, f^2부터 1, 2, 0이 반복된다.

$49=3\times16+1$이므로

$f^{49}\left(\frac{5}{4}\right)=f^{46}\left(\frac{5}{4}\right)=\cdots=f^4\left(\frac{5}{4}\right)=0$

$f^{50}\left(\frac{5}{4}\right)=f\left(f^{49}\left(\frac{5}{4}\right)\right)=f(0)=1$

(2) $f^2(a)=1$에서

$f(f(a))=1$이다.

그림에서 $f(0)=1$ 또는

$f\left(\frac{3}{2}\right)=1$이므로

$f(a)=0$ 또는 $f(a)=\frac{3}{2}$

따라서 $f(a)=0$일 때 $a=2$, $f(a)=\frac{3}{2}$일 때

$a=\frac{1}{2}, \frac{5}{4}$

답 (1) $f^{49}\left(\frac{5}{4}\right)=0$, $f^{50}\left(\frac{5}{4}\right)=1$ (2) $\frac{1}{2}, \frac{5}{4}, 2$

3-1

(1) $f(0)=3$

$f^2(0)=f(f(0))=f(3)=1$

$f^3(0)=f(f^2(0))=f(1)=2$

$f^4(0)=f(f^3(0))=f(2)=4$

$f^5(0)=f(f^4(0))=f(4)=0$

$f^6(0)=f(f^5(0))=f(0)=3$

⋮

곧, 3, 1, 2, 4, 0이 반복된다.

$33=5\times6+3$이므로

$f^{33}(0)=f^{28}(0)=\cdots=f^3(0)=2$

(2) $f^3(a)=0$에서

$f(f^2(a))=0$

그림에서 $f(4)=0$이므로

$f^2(a)=4$

$f^2(a)=4$에서

$f(f(a))=4$

그림에서 $f(2)=4$이므로 $f(a)=2$

따라서 $f(a)=2$인 x의 값은 2개이므로 $f^3(a)=0$인 a값의 개수는 2이다.

답 (1) 2 (2) 2

3-2

(i) $f(2)=3$

$f^2(2)=f(f(2))=f(3)=1$

$f^3(2)=f(f^2(2))=f(1)=2$

$f^4(2)=f(f^3(2))=f(2)=3$

⋮

곧, 3, 1, 2가 반복된다.

$100=3\times33+1$이므로

$f^{100}(2)=f^{97}(2)=\cdots=f(2)=3$

(ii) $f(3)=1$

$f^2(3)=f(f(3))=f(1)=2$

$f^3(3)=f(f^2(3))=f(2)=3$

$f^4(3)=f(f^3(3))=f(3)=1$

⋮

곧, 1, 2, 3이 반복된다.

$101=3\times33+2$이므로

$f^{101}(3)=f^{98}(3)=\cdots=f^2(3)=2$

답 $f^{100}(2)=3$, $f^{101}(3)=2$

대표 Q4

(1) $f(x)=t$로 놓으면

$t=x^2-2x=(x-1)^2-1$

따라서 그림에서

$-2\le x\le 2$일 때, $-1\le t\le 8$

$g(f(x))=g(t)=t^2+2t+2$

$=(t+1)^2+1$

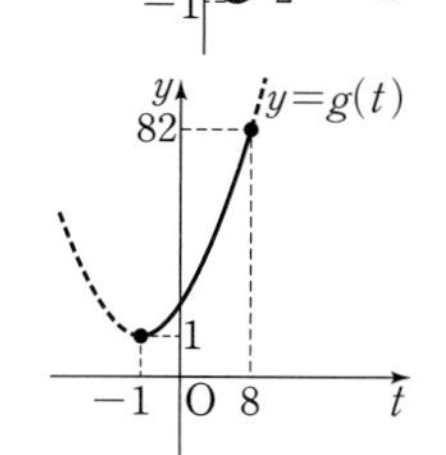

이고 $-1\le t\le 8$에서

$y=g(t)$의 그래프는 그림과

같으므로 $g(t)$의

최댓값은 $g(8)=82$,

최솟값은 $g(-1)=1$

(2) $f(f(x))=f(x)$에서 $f(x)=t$로 놓으면

$f(t)=t$이므로 $t^2-2t=t$

$t(t-3)=0$　　$\therefore t=0$ 또는 $t=3$

(i) $t=0$일 때, $x^2-2x=0$

$x(x-2)=0$　　$\therefore x=0$ 또는 $x=2$

(ii) $t=3$일 때, $x^2-2x=3$

$x^2-2x-3=0$, $(x+1)(x-3)=0$

$\therefore x=-1$ 또는 $x=3$

따라서 구하는 x의 값은 -1, 0, 2, 3이다.

(3) $f(g(x))\le 0$에서 $g(x)=t$로 놓으면

$f(t)\le 0$이므로 $t^2-2t\le 0$

$t(t-2)\le 0$　　$\therefore 0\le t\le 2$

$t=x^2+2x+2$이므로 $0\le x^2+2x+2\le 2$

(i) $0\le x^2+2x+2$에서

$(x+1)^2+1\ge 0$이므로 모든 x에 대하여 성립한다.

(ii) $x^2+2x+2\le 2$에서

$x^2+2x\le 0$, $x(x+2)\le 0$　　$\therefore -2\le x\le 0$

(i), (ii)에서 $-2\le x\le 0$

답 (1) 최댓값: 82, 최솟값: 1

(2) $x=-1$ 또는 $x=0$ 또는 $x=2$ 또는 $x=3$

(3) $-2\le x\le 0$

4-1

$g(x)=t$로 놓으면

$t=x^2-4x+1$

$=(x-2)^2-3$

따라서 그림에서

$0\le x\le 3$일 때 $-3\le t\le 1$

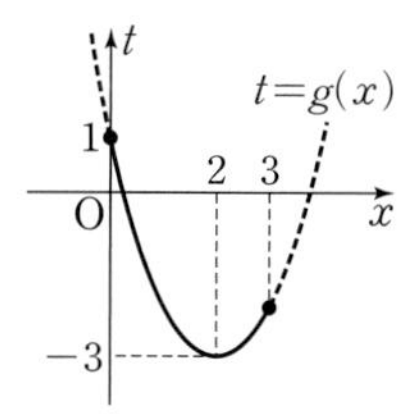

$f(g(x))=f(t)=-2t^2+2t$

$=-2\left(t-\frac{1}{2}\right)^2+\frac{1}{2}$

이고 $-3\le t\le 1$에서 $y=f(t)$

의 그래프는 그림과 같으므로

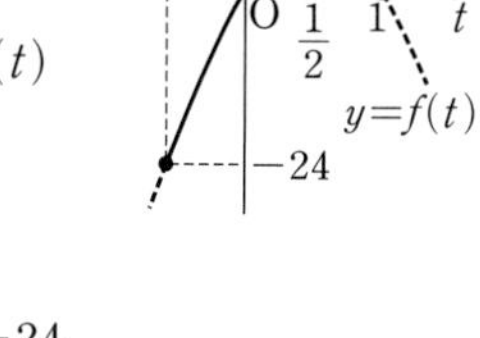

$f(t)$의 최댓값은 $f\left(\frac{1}{2}\right)=\frac{1}{2}$,

최솟값은 $f(-3)=-24$

답 최댓값 : $\frac{1}{2}$, 최솟값 : -24

4-2

$g(f(x))=f(x)$에서 $f(x)=t$로 놓으면 $g(t)=t$

그림에서 $y=g(x)$의 그래프와 직선 $y=x$의 교점의

x좌표가 $g(x)=x$의 해이고 교점의 x좌표는 0, 3이다.

곧, $g(t)=t$의 해는 $t=0$ 또는 $t=3$

(i) $f(x)=0$일 때, $x^2+2x=0$

$x(x+2)=0$　　$\therefore x=-2$ 또는 $x=0$

(ii) $f(x)=3$일 때, $x^2+2x=3$

$x^2+2x-3=0$, $(x+3)(x-1)=0$

$\therefore x=-3$ 또는 $x=1$

따라서 구하는 방정식의 해는 $x=-3$ 또는 $x=-2$ 또는

$x=0$ 또는 $x=1$이다.

답 $x=-3$ 또는 $x=-2$ 또는 $x=0$ 또는 $x=1$

대표 Q5

주어진 그림에서 두 함수 $f(x)$, $g(x)$의 식을 $0\le x<1$,

$1\le x\le 2$로 나누어 구하면 다음과 같다.

$$f(x)=\begin{cases}2x & (0\le x<1)\\ -2x+4 & (1\le x\le 2)\end{cases}$$

$$g(x)=\begin{cases}2x & (0\le x<1)\\ 2 & (1\le x\le 2)\end{cases}$$

(1) $g\left(\frac{3}{4}\right)=2\times\frac{3}{4}=\frac{3}{2}$이므로

$(f\circ g)\left(\frac{3}{4}\right)=f\left(g\left(\frac{3}{4}\right)\right)=f\left(\frac{3}{2}\right)$

$=(-2)\times\frac{3}{2}+4=1$

$f\left(\frac{3}{4}\right)=2\times\frac{3}{4}=\frac{3}{2}$이므로

$(g\circ f)\left(\frac{3}{4}\right)=g\left(f\left(\frac{3}{4}\right)\right)=g\left(\frac{3}{2}\right)=2$

$\therefore (f\circ g)\left(\frac{3}{4}\right)+(g\circ f)\left(\frac{3}{4}\right)=1+2=3$

(2) $y=(g\circ f)(x)=g(f(x))$에서

$$g(f(x))=\begin{cases}2f(x) & (0\le f(x)<1)\\ 2 & (1\le f(x)\le 2)\end{cases}$$

$$=\begin{cases}2\times 2x & \left(0\le x<\frac{1}{2}\right)\\ 2(-2x+4) & \left(\frac{3}{2}<x\le 2\right)\\ 2 & \left(\frac{1}{2}\le x\le \frac{3}{2}\right)\end{cases}$$

$$=\begin{cases}4x & \left(0\le x<\frac{1}{2}\right)\\ -4x+8 & \left(\frac{3}{2}<x\le 2\right)\\ 2 & \left(\frac{1}{2}\le x\le \frac{3}{2}\right)\end{cases}$$

따라서 $y=(g\circ f)(x)$의 그래프는 그림과 같다.

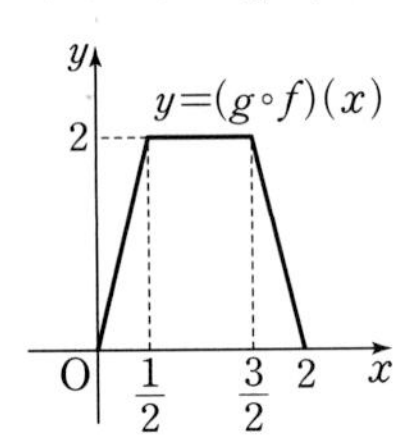

답 (1) 3 (2) 풀이 참조

5-1

주어진 그림에서 두 함수 $f(x)$, $g(x)$의 식은 다음과 같다.

$$f(x)=\begin{cases}2 & (0\le x<1)\\ -2x+4 & (1\le x\le 2)\end{cases},\ g(x)=-x+2$$

$y=(f\circ g)(x)=f(g(x))$에서

$$f(g(x))=\begin{cases}2 & (0\le g(x)<1)\\ -2g(x)+4 & (1\le g(x)\le 2)\end{cases}$$

$$=\begin{cases}2 & (0\le -x+2<1)\\ -2(-x+2)+4 & (1\le -x+2\le 2)\end{cases}$$

$$=\begin{cases}2 & (1<x\le 2)\\ 2x & (0\le x\le 1)\end{cases}$$

따라서 $y=(f\circ g)(x)$의 그래프는 그림과 같다.

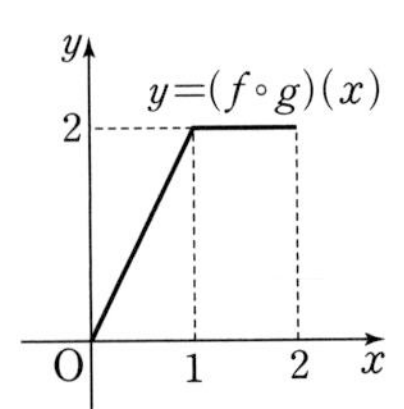

답 풀이 참조

개념 Check 101쪽~103쪽

3

답

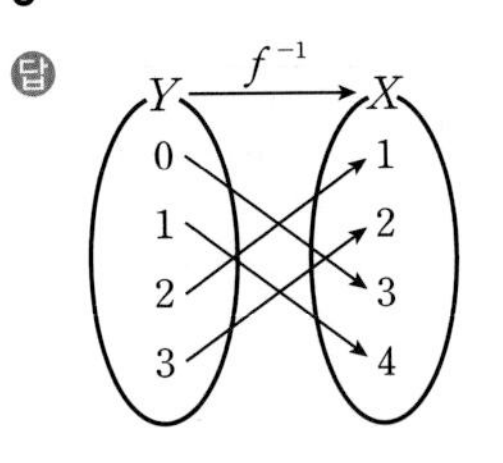

4

$f^{-1}(x)=2x-3$, $g^{-1}(x)=\dfrac{x+1}{2}$에서

(1) $f^{-1}(3)=2\times 3-3=3$이므로

$$(f\circ g)^{-1}(3)=(g^{-1}\circ f^{-1})(3)=g^{-1}(f^{-1}(3))=g^{-1}(3)=\frac{3+1}{2}=2$$

(2) $g^{-1}(0)=\dfrac{0+1}{2}=\dfrac{1}{2}$이므로

$$(g\circ f)^{-1}(0)=(f^{-1}\circ g^{-1})(0)=f^{-1}(g^{-1}(0))=f^{-1}\left(\frac{1}{2}\right)=2\times\frac{1}{2}-3=-2$$

답 (1) 2 (2) -2

5

$x=$(y에 대한 식) 꼴로 나타내면

$y=\dfrac{1}{2}x+1$에서 $\dfrac{1}{2}x=y-1$ $\quad\therefore x=\boxed{2y-2}$

x를 y로, y를 x로 바꾸면 $y=\boxed{2x-2}$

답 (가): $2y-2$, (나): $2x-2$

6

(1) 직선 $y=x$를 이용하여 $y=f(x)$의 함숫값을 y축 위에 나타내면 그림과 같다.

$f(3)=2$이므로

$f^{-1}(2)=3$

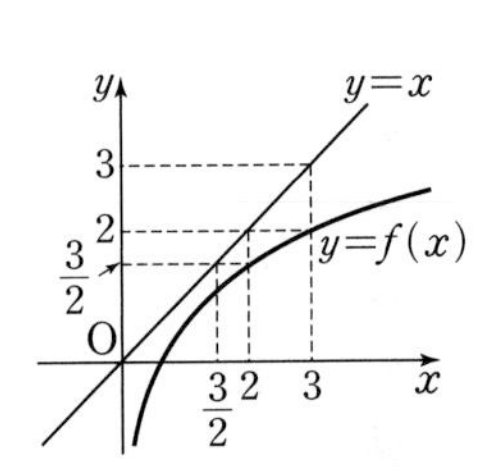

(2) $y=f^{-1}(x)$의 그래프를 직선 $y=x$에 대칭하여 그리면 그림과 같다.

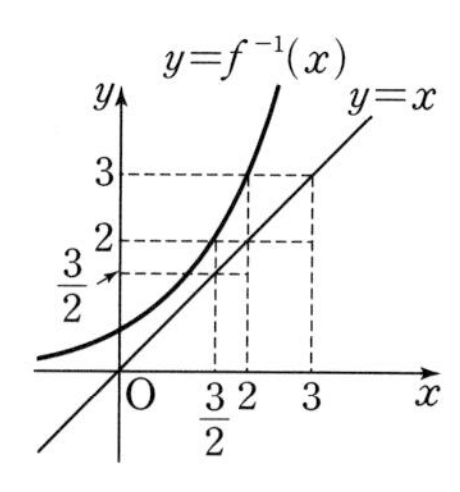

답 (1) 3 (2) 풀이 참조

대표Q 104쪽 ~ 108쪽

대표 Q6

(1) $y=3x+2$에서 $3x=y-2$ $\quad\therefore x=\frac{1}{3}y-\frac{2}{3}$

x와 y를 바꾸면 $y=\frac{1}{3}x-\frac{2}{3}$

$\therefore f^{-1}(x)=\frac{1}{3}x-\frac{2}{3}$

(2) $h\circ f=g$에서 양변의 오른쪽에 f^{-1}를 합성하면

$(h\circ f)\circ f^{-1}=g\circ f^{-1}$

$h\circ(f\circ f^{-1})=g\circ f^{-1}$ ← $f\circ f^{-1}=I$

$h=g\circ f^{-1}$

$\therefore h(x)=g(f^{-1}(x))=g\left(\frac{1}{3}x-\frac{2}{3}\right)$

$=\frac{3}{2}\left(\frac{1}{3}x-\frac{2}{3}\right)+1=\frac{1}{2}x$

(3) $f\circ h=g$에서 양변의 왼쪽에 f^{-1}를 합성하면

$f^{-1}\circ(f\circ h)=f^{-1}\circ g$

$(f^{-1}\circ f)\circ h=f^{-1}\circ g$ ← $f^{-1}\circ f=I$

$h=f^{-1}\circ g$

$\therefore h(x)=f^{-1}(g(x))=f^{-1}\left(\frac{3}{2}x+1\right)$

$=\frac{1}{3}\left(\frac{3}{2}x+1\right)-\frac{2}{3}=\frac{1}{2}x-\frac{1}{3}$

답 (1) $f^{-1}(x)=\frac{1}{3}x-\frac{2}{3}$ (2) $h(x)=\frac{1}{2}x$
(3) $h(x)=\frac{1}{2}x-\frac{1}{3}$

6-1

(1) $y=-x+3$에서 $x=-y+3$

x와 y를 바꾸면 $y=-x+3$

$\therefore f^{-1}(x)=-x+3$

(2) $h\circ f=g$에서 양변의 오른쪽에 f^{-1}를 합성하면

$(h\circ f)\circ f^{-1}=g\circ f^{-1}$

$h\circ(f\circ f^{-1})=g\circ f^{-1}$

$h=g\circ f^{-1}$

$\therefore h(x)=g(f^{-1}(x))=g(-x+3)$

$=2(-x+3)-4=-2x+2$

(3) $f\circ h=g$에서 양변의 왼쪽에 f^{-1}를 합성하면

$f^{-1}\circ(f\circ h)=f^{-1}\circ g$

$(f^{-1}\circ f)\circ h=f^{-1}\circ g$

$h=f^{-1}\circ g$

$\therefore h(x)=f^{-1}(g(x))=f^{-1}(2x-4)$

$=-(2x-4)+3=-2x+7$

답 (1) $f^{-1}(x)=-x+3$ (2) $h(x)=-2x+2$
(3) $h(x)=-2x+7$

대표 Q7

(1) $g^{-1}\circ f^{-1}=(f\circ g)^{-1}$이므로 $f\circ g$의 역대응을 그림으로 나타내면 다음과 같다.

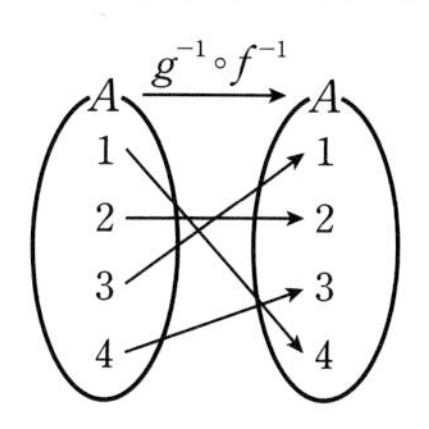

(2) f는 일대일대응이고

$f(1)=2$, $f(g(2))=2$이므로 $g(2)=1$

$f(2)=4$, $f(g(3))=4$이므로 $g(3)=2$

$f(3)=1$, $f(g(4))=1$이므로 $g(4)=3$

$f(4)=3$, $f(g(1))=3$이므로 $g(1)=4$

따라서 $g(x)$를 그림으로 나타내면 다음과 같다.

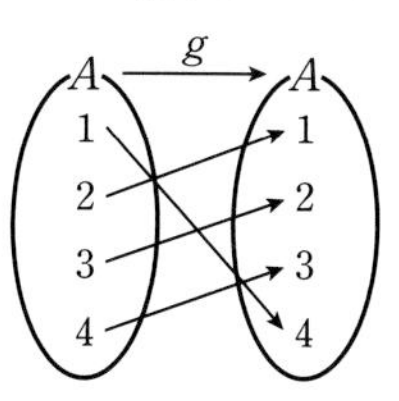

답 풀이 참조

7-1

(1) $f(1)=2$, $g(f(1))=4$이므로 $g(2)=4$

$f(2)=1$, $g(f(2))=1$이므로 $g(1)=1$

$f(3)=4$, $g(f(3))=2$이므로 $g(4)=2$

$f(4)=3$, $g(f(4))=3$이므로 $g(3)=3$

따라서 $g(x)$의 그래프를 좌표평면 위에 나타내면 다음과 같다.

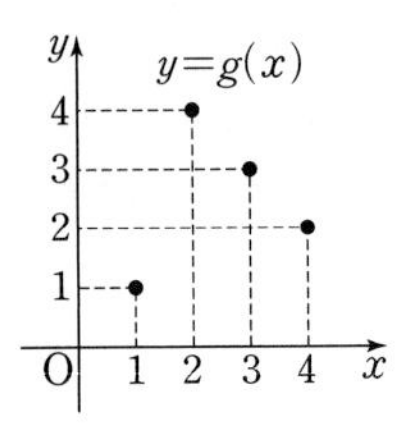

(2) $f^{-1}(x)$가 아래 왼쪽 그림과 같으므로 $(f^{-1}\circ g)(x)$의 그래프를 좌표평면 위에 나타내면 아래 오른쪽과 같다.

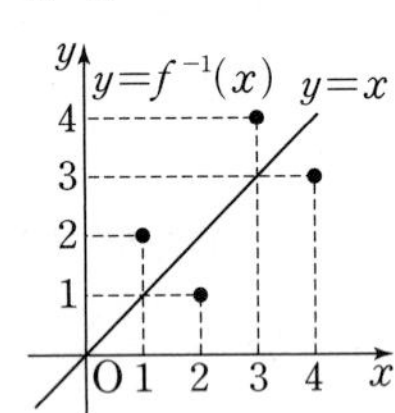

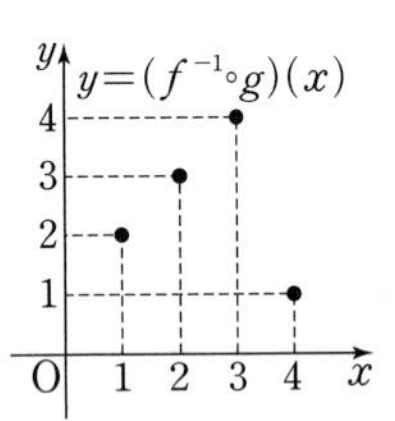

답 풀이 참조

대표 Q8

(1) $f\circ(g\circ f)^{-1}\circ f=f\circ f^{-1}\circ g^{-1}\circ f$
$=I\circ g^{-1}\circ f=g^{-1}\circ f$
$\therefore (f\circ(g\circ f)^{-1}\circ f)(2)=(g^{-1}\circ f)(2)$
$=g^{-1}(f(2))=g^{-1}(0)$

$g^{-1}(0)=a$라 하면 $g(a)=0$이므로

$\frac{2}{3}a-1=0 \qquad \therefore a=\frac{3}{2}$

따라서 $g^{-1}(0)=\frac{3}{2}$이므로

$(f\circ(g\circ f)^{-1}\circ f)(2)=\frac{3}{2}$

(2) g가 f의 역함수이므로

$g(3)=1$에서 $f(1)=3 \qquad \cdots ㉠$

$f(3x)$의 역함수가 $h(x)$이므로

$h(3)=a$라 하면 $f(3a)=3$

㉠에 의해 $3a=1 \qquad \therefore a=\frac{1}{3}$

$\therefore h(3)=\frac{1}{3}$

다른 풀이

$k(x)=3x$라 하면 $f(3x)=f(k(x))=(f\circ k)(x)$

따라서 $h(x)=(f\circ k)^{-1}(x)=(k^{-1}\circ f^{-1})(x)$

$k^{-1}(x)=\frac{1}{3}x$이므로 $h(x)=\frac{1}{3}f^{-1}(x)=\frac{1}{3}g(x)$

$\therefore h(3)=\frac{1}{3}g(3)=\frac{1}{3}\times 1=\frac{1}{3}$

답 (1) $\frac{3}{2}$ (2) $\frac{1}{3}$

8-1

$f\circ(f\circ g)^{-1}\circ f=f\circ(g^{-1}\circ f^{-1})\circ f$
$=(f\circ g^{-1})\circ(f^{-1}\circ f)$
$=(f\circ g^{-1})\circ I=f\circ g^{-1}$

이므로 $(f\circ g^{-1})(k)=4$에서 $f(g^{-1}(k))=4$

$g^{-1}(k)=a$라 하면 $f(a)=4$이므로

$3a-2=4 \qquad \therefore a=2$

곧, $g^{-1}(k)=2$이므로 $g(2)=k$이고

$g(2)=-2\times 2+4=0 \qquad \therefore k=0$

답 0

8-2

$h(x)$는 $f(-x+2)$의 역함수이므로

$h(0)=a$라 하면 $f(-a+2)=0 \qquad \cdots ㉠$

g가 f의 역함수이므로

$g(0)=3$에서 $f(3)=0 \qquad \cdots ㉡$

㉠과 ㉡에서 $-a+2=3 \qquad \therefore a=-1$

따라서 $h(0)$의 값은 -1이다.

답 -1

대표 Q9

(1) $y=2kx+k^2$의 그래프는 기울기가 $2k$인 직선이다.

$y=x^2+2$의 그래프는 꼭짓점의 좌표가 $(0,\ 2)$이고 아래로 볼록한 포물선이다.

함수 $f(x)$의 역함수가 존재하면 일대일대응이므로 그림에서 직선 $y=2kx+k^2$의 기울기가 양수이다.

$2k>0 \qquad \therefore k>0$

또 $y=2kx+k^2$의 그래프가 점 $(1,\ 3)$을 지나므로

$3=2k+k^2$, $(k+3)(k-1)=0$

$k>0$이므로 $k=1$

(2) $f(x)=\begin{cases} 2x+1 & (x<1) \\ x^2+2 & (x\geq 1) \end{cases}$이다.

$f^{-1}(6)=a$라 하면 $f(a)=6$이므로 $a\geq 1$이다.

$a^2+2=6,\ a^2=4$

$a\geq 1$이므로 $a=2$

$f^{-1}(f^{-1}(6))=f^{-1}(2)$에서

$f^{-1}(2)=b$라 하면 $f(b)=2$이므로 $b<1$이다.

$2b+1=2 \qquad \therefore b=\frac{1}{2}$

$\therefore f^{-1}(f^{-1}(6))=f^{-1}(2)=\frac{1}{2}$

답 (1) 1 (2) $\frac{1}{2}$

9-1

$x\geq 2$일 때, 직선 $y=2x-1$의 그래프는 그림과 같다.

역함수가 존재하면 일대일대응이므로 $x<2$일 때 직선 $y=ax-a^2+6$의 기울기 $a>0$

또 (치역)=(공역)이므로 $y=ax-a^2+6$이 점 $(2,\ 3)$을 지나야 한다. 곧, $3=2a-a^2+6$, $a^2-2a-3=0$

$(a+1)(a-3)=0$

그런데 $a>0$이므로 $a=3$

답 3

9-2

(1) $x\geq 0$일 때,

$f(x)=x+kx+1=(k+1)x+1$

이므로 그래프는 기울기가 $k+1$이고, y절편이 1인 직선이다.

$x<0$일 때,

$f(x)=-x+kx+1=(k-1)x+1$

이므로 그래프는 기울기가 $k-1$이고, y절편이 1인 직선이다.

따라서 그림과 같이 직선의 기울기가 모두 양수이거나 음수일 때, $f(x)$는 일대일대응이다.

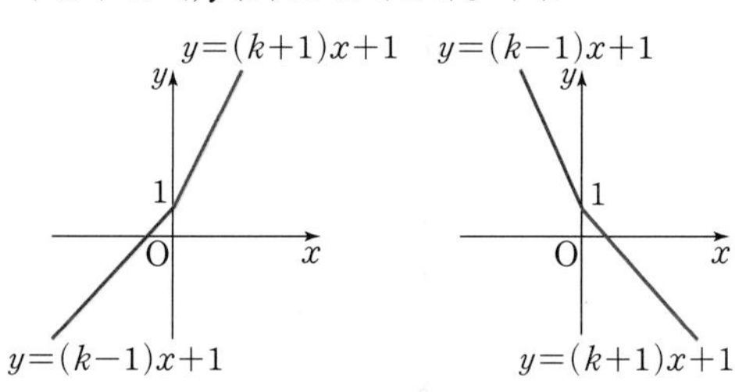

(i) $k+1>0$이고 $k-1>0$일 때, $k>1$

(ii) $k+1<0$이고 $k-1<0$일 때, $k<-1$

(i), (ii)에서 $k<-1$ 또는 $k>1$

(2) $f^{-1}(0)=-2$에서 $f(-2)=0$이므로

$|-2|-2k+1=0 \qquad \therefore k=\frac{3}{2}$

$f^{-1}(4)=a$라 하면 $f(a)=4$이므로

$|a|+\frac{3}{2}a+1=4,\ |a|+\frac{3}{2}a-3=0$

(i) $a>0$일 때, $a+\frac{3}{2}a-3=0 \qquad \therefore a=\frac{6}{5}$

(ii) $a<0$일 때, $-a+\frac{3}{2}a-3=0 \qquad \therefore a=6$

이때 $a<0$이므로 모순이다.

(i), (ii)에서 $a=\frac{6}{5}$이므로 $f^{-1}(4)=\frac{6}{5}$

답 (1) $k<-1$ 또는 $k>1$ (2) $\frac{6}{5}$

대표 Q10

(1) 점 $(1,\ 4)$는 $y=ax+b$의 그래프 위의 점이므로

$f(1)=4$에서 $4=a+b \qquad \cdots$ ㉠

또 점 $(2,\ 0)$이 $y=f^{-1}(x)$의 그래프 위의 점이므로 점 $(0,\ 2)$는 $y=f(x)$의 그래프 위의 점이다. 곧,

$f(0)=2$에서 $2=0+b \qquad \therefore b=2$

㉠에 대입하면 $4=a+2 \qquad \therefore a=2$

(2) $y=f(x)$와 $y=g(x)$의 그래프의 교점은 $y=f(x)$의 그래프와 직선 $y=x$의 교점과 같다.

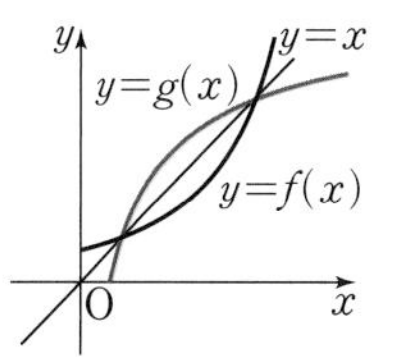

함수 $f(x)=\frac{1}{5}(x^2+4)$와 역함수 $g(x)$의 그래프의 교점의 x좌표는

$\frac{1}{5}(x^2+4)=x$에서 $x^2-5x+4=0$

$(x-1)(x-4)=0 \qquad \therefore x=1$ 또는 $x=4$

따라서 두 교점의 좌표는 $(1,\ 1)$, $(4,\ 4)$이므로 교점 사이의 거리는

$\sqrt{(4-1)^2+(4-1)^2}=3\sqrt{2}$

답 (1) $a=2,\ b=2$ (2) $3\sqrt{2}$

10-1

점 $(2,\ 1)$은 $y=ax+b$의 그래프 위의 점이므로

$1=2a+b \qquad \cdots$ ㉠

또 점 $(2,\ 1)$이 $y=f^{-1}(x)$의 그래프 위의 점이므로

점 $(1,\ 2)$는 $y=f(x)$의 그래프 위의 점이다.

$\therefore 2=a+b \qquad \cdots$ ㉡

㉠, ㉡을 연립하여 풀면 $a=-1,\ b=3$

답 $a=-1,\ b=3$

참고 $f(x)=-x+3$의 그래프는 직선 $y=x$와 수직이고 직선 $y=x$에 대칭인 직선이다.
따라서 $y=f^{-1}(x)$는 $y=f(x)$와 같다.

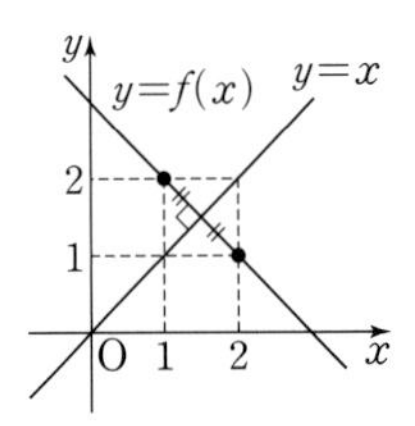

10-2

$y=f(x)$의 그래프와 $y=f^{-1}(x)$의 그래프의 교점은 $y=f(x)$의 그래프와 직선 $y=x$의 교점이므로
$x^2+2x+k=x$에서 $x^2+x+k=0$
두 그래프가 만나므로 실근을 갖는다.
곧, $D=1-4k\geq0$ $\therefore k\leq\frac{1}{4}$

답 $k\leq\frac{1}{4}$

연습과 실전 6 합성함수와 역함수 109쪽~112쪽

01 (1) 4 (2) 3 02 (1) 5 (2) 2 (3) 0
03 2 04 2 05 $f(x)=x+3$
06 $a=2$, $b=-2$ 07 2 08 $\frac{1}{3}$
09 $a=-\frac{1}{2}$, $b=1$ 10 ①, ⑤
11 a의 최댓값 : $\frac{2}{3}$, $b=-\frac{1}{3}$ 12 ① 13 $\frac{3}{2}$
14 $f^{99}(1)=2$, $f^{100}(3)=3$
15 $f(x)=x^2+4$, $g(x)=\frac{1}{4}x$ 16 $g(x)=\frac{1}{2}x-\frac{1}{2}$
17 (1) a (2) b 18 7 19 ④ 20 ⑤

01

(1) $(f\circ f)(2)=f(f(2))=f(3)=4$
(2) $f(3)=4$이므로 $f^{-1}(4)=3$

답 (1) 4 (2) 3

02

$f(2)=1-2=-1$
$g(2)=-2$, $g(-1)=-(-1)=1$
(1) $(f\circ g)(2)=f(g(2))=f(-2)=(-2)^2+1=5$
(2) $(f\circ f)(2)=f(f(2))=f(-1)=(-1)^2+1=2$
(3) $(f\circ g\circ f)(2)=(f\circ g)(f(2))$
$=f(g(-1))=f(1)=1-1=0$

답 (1) 5 (2) 2 (3) 0

03

$(f\circ g)(a)=f(g(a))=f(a^2-1)$
$=2(a^2-1)-1$
$=2a^2-3$
이므로
$2a^2-3=5$, $a^2=4$ $\therefore a=\pm2$
그런데 a가 양수이므로 $a=2$

답 2

04

$(g\circ f)(x)=g(f(x))=g(2x-1)=-2x+1+a$
$(f\circ g)(x)=f(g(x))=f(-x+a)=-2x+2a-1$
이므로
$-2x+1+a=-2x+2a-1$ $\therefore a=2$

답 2

05

$(h\circ(g\circ f))(x)=((h\circ g)\circ f)(x)$
$=(h\circ g)(f(x))$
$=2f(x)-1$
이므로
$2f(x)-1=2x+5$ $\therefore f(x)=x+3$

답 $f(x)=x+3$

06

$y=\frac{1}{2}x+b$의 역함수를 구하면
$\frac{1}{2}x=y-b$ $\therefore x=2y-2b$
x와 y를 바꾸면 $y=2x-2b$
$f(x)=ax+4$와 비교하면
$a=2$, $-2b=4$에서 $b=-2$

답 $a=2$, $b=-2$

07

$(f^{-1}\circ g)(4)=f^{-1}(g(4))=f^{-1}(6)$이고
$f(2)=6$이므로
$f^{-1}(6)=2$
$\therefore (f^{-1}\circ g)(4)=2$

답 2

08

주어진 그림에서

$x \geq 0$일 때 $f(x)=3x$

$x<0$일 때 $f(x)=\frac{1}{2}x$

$\therefore (f \circ f)(-4)=f(f(-4))=f(-2)$

$=\frac{1}{2}\times(-2)=-1$

$f^{-1}(4)=a$라 하면 $f(a)=4$

그래프에서 $a>0$이므로 $f(a)=3a=4$ $\quad \therefore a=\frac{4}{3}$

$\therefore (f \circ f)(-4)+f^{-1}(4)=-1+\frac{4}{3}=\frac{1}{3}$

답 $\frac{1}{3}$

09

$f^{-1}(1)=0$에서 $f(0)=1$ $\quad \therefore b=1$

$f^{-1}(f^{-1}(b))=2b$에서 $f^{-1}(f^{-1}(1))=2$

$f^{-1}(0)=2$이므로 $f(2)=0$

$f(x)=ax+1$이고 $f(2)=0$이므로

$2a+1=0$ $\quad \therefore a=-\frac{1}{2}$

답 $a=-\frac{1}{2}, b=1$

10

함수가 일대일대응이면 역함수가 존재한다.

①
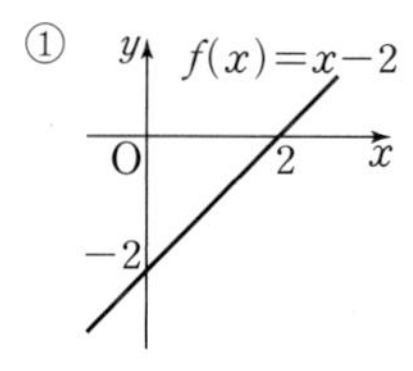

②
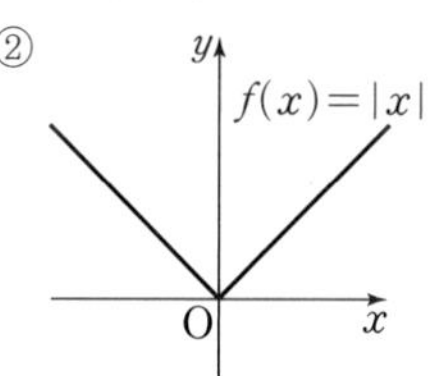

③
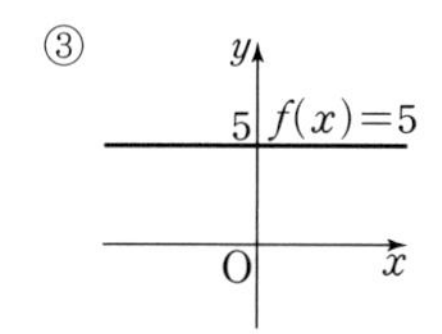

④
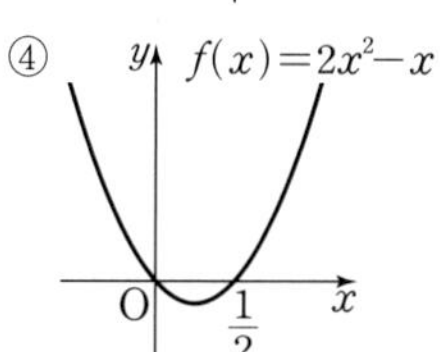

⑤
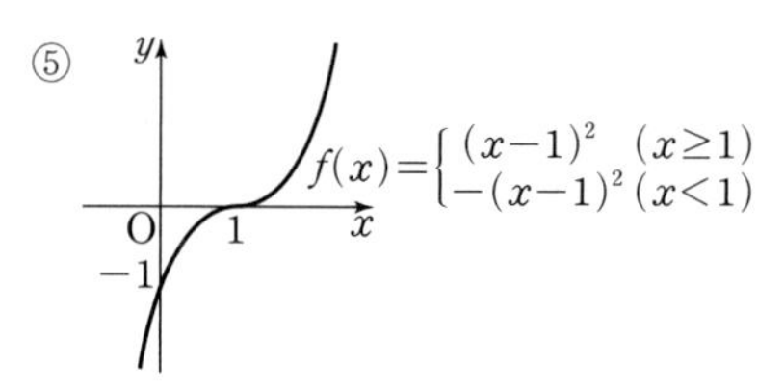

①, ⑤의 그래프가 일대일대응이므로 역함수가 존재한다.

답 ①, ⑤

11

역함수가 존재하면 $f(x)$는 일대일대응이다.

$f(x)=3x^2-4x+1$

$=3\left(x-\frac{2}{3}\right)^2-\frac{1}{3}$

이므로 그래프는 그림과 같고

$x \geq \frac{2}{3}$ 또는 $x \leq \frac{2}{3}$일 때 일대일대응이다.

정의역이 $\{x \mid x \leq a\}$이므로 $a \leq \frac{2}{3}$이다.

따라서 a의 최댓값은 $\frac{2}{3}$이고 이때 함숫값은 $-\frac{1}{3}$이므로

$y \geq -\frac{1}{3}$이다.

$\therefore b=-\frac{1}{3}$

답 a의 최댓값 : $\frac{2}{3}$, $b=-\frac{1}{3}$

12

전략 $f \circ h=g$의 양변의 왼쪽에 f^{-1}를 합성하고 $f^{-1} \circ f$가 항등함수임을 이용한다.

$f \circ h=g$에서 $f^{-1} \circ f \circ h=f^{-1} \circ g$

$\therefore h=f^{-1} \circ g$

$\therefore (h \circ f)(3)=h(f(3))=h(2)=f^{-1}(g(2))$

$=f^{-1}(3)=1$

답 ①

13

전략 $g(4)=3$을 $(g \circ f)(x)=3x+1$에 이용하는 방법을 생각한다.

$(g \circ f)(x)=3x+1$에서 $g(f(x))=3x+1$

$3x+1=3$이면 $x=\frac{2}{3}$이므로

$x=\frac{2}{3}$를 $g(f(x))=3x+1$에 대입하면 $g\left(f\left(\frac{2}{3}\right)\right)=3$

g가 일대일함수이고 $g(4)=3$이므로 $f\left(\frac{2}{3}\right)=4$

$f(x)=ax+3$에 $x=\frac{2}{3}$를 대입하면

$\frac{2}{3}a+3=4$ $\quad \therefore a=\frac{3}{2}$

답 $\frac{3}{2}$

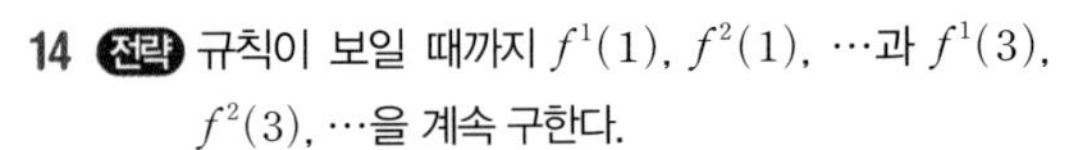

14 전략 규칙이 보일 때까지 $f^1(1)$, $f^2(1)$, …과 $f^1(3)$, $f^2(3)$, …을 계속 구한다.

함수 f를 나타내면 그림과 같다.

(i) $f^1(1)=f(1)=4$

$f^2(1)=f(f(1))=f(4)=3$

$f^3(1)=f(f^2(1))=f(3)=2$

$f^4(1)=f(f^3(1))=f(2)=1$

$f^5(1)=f(f^4(1))=f(1)=4$

⋮

곧, 4, 3, 2, 1이 반복된다.

$99=4\times24+3$이므로

$f^{99}(1)=f^{95}(1)=\cdots=f^3(1)=2$

(ii) $f^1(3)=2$, $f^2(3)=1$, $f^3(3)=4$, $f^4(3)=3$, $f^5(3)=2$, …

곧, 2, 1, 4, 3이 반복된다.

$100=4\times25$이므로

$f^{100}(3)=f^{96}(3)=\cdots=f^4(3)=3$

답 $f^{99}(1)=2$, $f^{100}(3)=3$

15 전략 $g(x)=ax+b\ (a\neq0)$로 놓는다.

$f(g(x))=\{g(x)\}^2+4$에서 $g(x)=t$로 놓으면

$f(t)=t^2+4$ $\quad\therefore f(x)=x^2+4$

$g(x)=ax+b$ (a, b는 상수, $a\neq0$)라 하면

$g(f(x))=4\{g(x)\}^2+1$이므로

$a(x^2+4)+b=4(ax+b)^2+1$

$ax^2+4a+b=4a^2x^2+8abx+4b^2+1$

x에 대한 항등식이므로

$4a^2=a$, $8ab=0$, $4b^2+1=4a+b$

그런데 $a\neq0$이므로 $a=\frac{1}{4}$, $b=0$ $\quad\therefore g(x)=\frac{1}{4}x$

답 $f(x)=x^2+4$, $g(x)=\frac{1}{4}x$

16 전략 모든 함수 $h(x)$에 대하여 성립하므로 $g\circ f$는 항등함수이다.

모든 함수 $h(x)$에 대하여 $h\circ(g\circ f)=h$가 성립하므로 $g\circ f$는 항등함수이다.

따라서 $(g\circ f)(x)=x$이므로

$g(f(x))=g(2x+1)=x$

$2x+1=t$라 하면 $x=\frac{1}{2}t-\frac{1}{2}$이므로 $g(t)=\frac{1}{2}t-\frac{1}{2}$

따라서 t 대신 x를 넣으면 $g(x)=\frac{1}{2}x-\frac{1}{2}$

답 $g(x)=\frac{1}{2}x-\frac{1}{2}$

17 전략 직선 $y=x$를 이용하여 x축 위의 점의 좌표를 구한다.

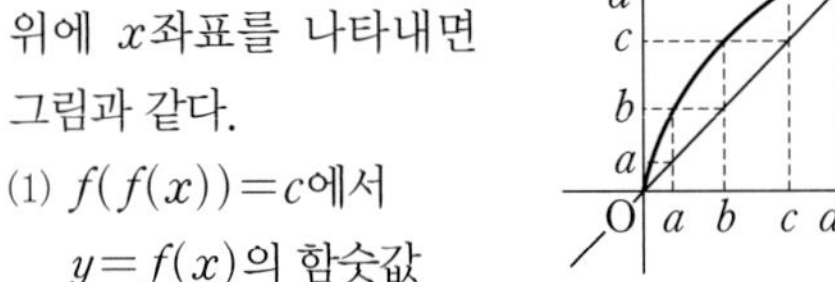

직선 $y=x$ 위의 점의 x좌표, y좌표는 같으므로 x축 위에 x좌표를 나타내면 그림과 같다.

(1) $f(f(x))=c$에서 $y=f(x)$의 함숫값 c에 대응하는 x좌표는 b이므로 $f(x)=b$

또 $y=f(x)$의 함숫값 b에 대응하는 x좌표는 a이므로 $x=a$

(2) $f^{-1}(f^{-1}(d))$에서 $f^{-1}(d)=m$으로 놓으면

$f(m)=d$이므로 $m=c$

$f^{-1}(c)=n$으로 놓으면 $f(n)=c$이므로 $n=b$

$\therefore (f^{-1}\circ f^{-1})(d)=f^{-1}(f^{-1}(d))=f^{-1}(c)=b$

답 (1) a (2) b

18 전략 역함수가 존재하려면 일대일대응이어야 함을 이용한다.

함수 g의 역함수가 존재하므로 g는 일대일대응이다.

$g(2)=3$, $g^{-1}(1)=3$에서

$g(3)=1$

$(g\circ f)(2)=g(f(2))=g(1)=2$

g는 일대일대응이므로 그림에서 $g(4)=4$

$\therefore g^{-1}(4)+(f\circ g)(2)=4+f(g(2))$

$=4+f(3)=4+3=7$

답 7

19 전략 $h(x)=2x+3$으로 놓고 함수 $y=(f\circ h)(x)$의 역함수를 구한다.

$h(x)=2x+3$으로 놓으면 $f(2x+3)=(f\circ h)(x)$

$y=2x+3$에서 $x=\frac{1}{2}y-\frac{3}{2}$이므로

$h^{-1}(x)=\frac{1}{2}x-\frac{3}{2}$

$\therefore y^{-1}=(f\circ h)^{-1}(x)=(h^{-1}\circ f^{-1})(x)$

$=\frac{1}{2}f^{-1}(x)-\frac{3}{2}=\frac{1}{2}g(x)-\frac{3}{2}$

따라서 $a=\frac{1}{2}$, $b=-\frac{3}{2}$이므로 $a+b=-1$

다른 풀이

$f^{-1}(x)=g(x)$이므로 $(f\circ g)(x)=f(g(x))=x$

$y=f(2x+3)$에서 x, y를 서로 바꾸면 $x=f(2y+3)$

$\therefore g(x)=2y+3$, $y=\frac{1}{2}g(x)-\frac{3}{2}$

따라서 $a=\frac{1}{2}$, $b=-\frac{3}{2}$이므로 $a+b=-1$

답 ④

20 전략 ㄷ. $f(f(x))=f(x)$에서 $f(x)=t$라 하면 $f(t)=t$이다. $y=f(t)$의 그래프와 직선 $y=t$의 교점을 생각한다.

ㄱ. $f(f(1))=f(2)=0$ (참)

ㄴ. $y=f(x)$의 그래프와 직선 $y=x$는 두 점에서 만나므로 방정식 $f(x)=x$의 실근은 2개이다. (참)

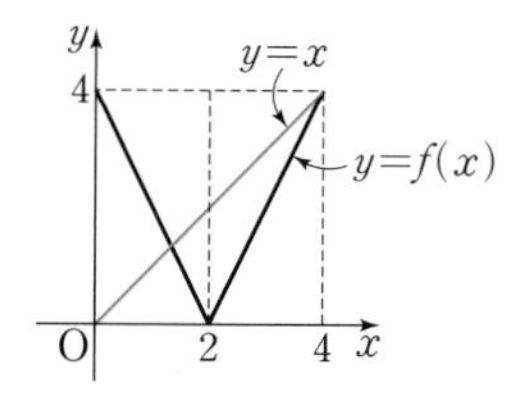

ㄷ. $f(x)=t$라 하면 $f(t)=t$ $(0\le t\le 4)$

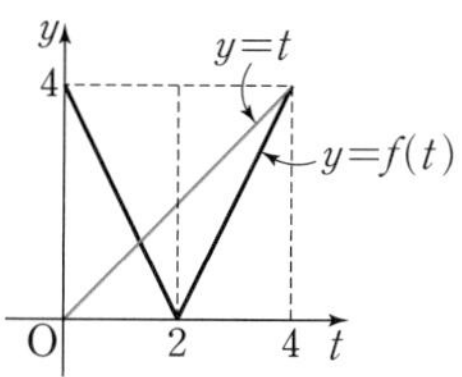

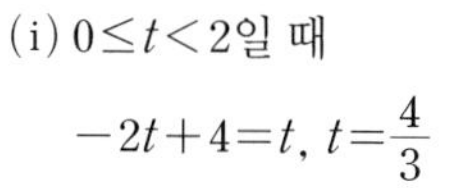

(i) $0\le t<2$일 때

$-2t+4=t$, $t=\frac{4}{3}$

(ii) $2\le t\le 4$일 때

$2t-4=t$, $t=4$

$t=\frac{4}{3}$일 때 $|2x-4|=\frac{4}{3}$에서

$2x-4=\pm\frac{4}{3}$ $\quad\therefore x=\frac{4}{3}$ 또는 $x=\frac{8}{3}$

$t=4$일 때 $|2x-4|=4$에서 $2x-4=\pm 4$

$\therefore x=0$ 또는 $x=4$

따라서 방정식 $f(f(x))=f(x)$의 실근의 합은

$\frac{4}{3}+\frac{8}{3}+0+4=8$ (참)

따라서 옳은 것은 ㄱ, ㄴ, ㄷ이다.

답 ⑤

참고 $f(x)=\begin{cases}-2x+4 & (0\le x<2)\\ 2x-4 & (2\le x\le 4)\end{cases}$이므로 함수 $f(f(x))$는 다음과 같다.

$$\begin{aligned}f(f(x))&=|2f(x)-4|\\&=\begin{cases}-2f(x)+4 & (0\le f(x)<2)\\ 2f(x)-4 & (2\le f(x)\le 4)\end{cases}\\&=\begin{cases}-4x+4 & (0\le x\le 1)\\ 4x-4 & (1<x\le 2)\\ -4x+12 & (2\le x<3)\\ 4x-12 & (3\le x\le 4)\end{cases}\end{aligned}$$

유리함수

114쪽~116쪽

1

(1) $\frac{24x^3yz^2}{56xy^4z^3}=\frac{3x^2}{7y^3z}$

(2) $x^3+x^2-x-1=x^2(x+1)-(x+1)$
$=(x+1)(x^2-1)=(x+1)^2(x-1)$

$x^4-x^2=x^2(x^2-1)=x^2(x+1)(x-1)$

$\therefore \frac{x^3+x^2-x-1}{x^4-x^2}=\frac{(x+1)^2(x-1)}{x^2(x+1)(x-1)}=\frac{x+1}{x^2}$

답 (1) $\frac{3x^2}{7y^3z}$ (2) $\frac{x+1}{x^2}$

2

(1) $\frac{2}{(x+1)(x-2)}=\frac{2(x^2+1)}{(x+1)(x-2)(x^2+1)}$

$\frac{x}{(x^2+1)(x-2)}=\frac{x(x+1)}{(x^2+1)(x-2)(x+1)}$

(2) $\frac{x+1}{x^2-4}=\frac{x+1}{(x+2)(x-2)}=\frac{(x+1)(x-1)}{(x+2)(x-2)(x-1)}$

$\frac{3}{x^2-3x+2}=\frac{3}{(x-1)(x-2)}$
$=\frac{3(x+2)}{(x-1)(x-2)(x+2)}$

답 (1) $\frac{2(x^2+1)}{(x+1)(x-2)(x^2+1)}$, $\frac{x(x+1)}{(x^2+1)(x-2)(x+1)}$

(2) $\frac{(x+1)(x-1)}{(x+2)(x-2)(x-1)}$, $\frac{3(x+2)}{(x-1)(x-2)(x+2)}$

3

(1) $\frac{3}{x+1}+\frac{2x-1}{x+1}=\frac{3+2x-1}{x+1}=\frac{2(x+1)}{x+1}=2$

(2) $\frac{x+1}{x+2}+\frac{2}{x}=\frac{x(x+1)+2(x+2)}{x(x+2)}=\frac{x^2+3x+4}{x(x+2)}$

(3) $2-\frac{3}{x+1}=\frac{2(x+1)}{x+1}-\frac{3}{x+1}$
$=\frac{2(x+1)-3}{x+1}=\frac{2x-1}{x+1}$

(4) $\frac{x+1}{x+2}-\frac{2x+4}{x-1}$
$=\frac{(x+1)(x-1)-(2x+4)(x+2)}{(x+2)(x-1)}$
$=-\frac{x^2+8x+9}{(x+2)(x-1)}$

답 (1) 2 (2) $\dfrac{x^2+3x+4}{x(x+2)}$

(3) $\dfrac{2x-1}{x+1}$ (4) $-\dfrac{x^2+8x+9}{(x+2)(x-1)}$

참고 유리식의 덧셈과 뺄셈

$$\frac{A}{B}\pm\frac{C}{D}=\frac{AD}{BD}\pm\frac{BC}{BD}=\frac{AD\pm BC}{BD}$$

4

(1) $\dfrac{x}{x+2}\times\dfrac{3x+6}{x-1}=\dfrac{x}{x+2}\times\dfrac{3(x+2)}{x-1}=\dfrac{3x}{x-1}$

(2) $\dfrac{x-1}{x^2-4x+4}\times\dfrac{x^2-3x+2}{x+1}$

$=\dfrac{x-1}{(x-2)^2}\times\dfrac{(x-1)(x-2)}{x+1}$

$=\dfrac{(x-1)^2}{(x-2)(x+1)}$

(3) $\dfrac{3}{x+2}\div\dfrac{2x+4}{x-1}=\dfrac{3}{x+2}\times\dfrac{x-1}{2x+4}$

$=\dfrac{3}{x+2}\times\dfrac{x-1}{2(x+2)}=\dfrac{3(x-1)}{2(x+2)^2}$

(4) $\dfrac{2x+1}{x^2-2x-3}\div\dfrac{4x^2+4x+1}{x+1}$

$=\dfrac{2x+1}{x^2-2x-3}\times\dfrac{x+1}{4x^2+4x+1}$

$=\dfrac{2x+1}{(x+1)(x-3)}\times\dfrac{x+1}{(2x+1)^2}$

$=\dfrac{1}{(x-3)(2x+1)}$

답 (1) $\dfrac{3x}{x-1}$ (2) $\dfrac{(x-1)^2}{(x-2)(x+1)}$

(3) $\dfrac{3(x-1)}{2(x+2)^2}$ (4) $\dfrac{1}{(x-3)(2x+1)}$

5

(1) $x=2k$, $y=3k$ $(k\neq0)$로 놓으면

$\dfrac{x^2+y^2}{xy}=\dfrac{4k^2+9k^2}{2k\times3k}=\dfrac{13}{6}$

(2) $\dfrac{x}{3}=\dfrac{y}{3}=\dfrac{z}{2}=k$ $(k\neq0)$로 놓으면

$x=3k$, $y=3k$, $z=2k$

$\therefore \dfrac{x^3+y^3+z^3}{xyz}=\dfrac{27k^3+27k^3+8k^3}{3k\times3k\times2k}=\dfrac{31}{9}$

답 (1) $\dfrac{13}{6}$ (2) $\dfrac{31}{9}$

대표Q 117쪽~120쪽

대표 01

(1) $\dfrac{x+3}{x^2+x-2}\times\dfrac{3x^2+2x-8}{2x^2+x-1}\div\dfrac{3x^2+5x-12}{x^2-1}$

$=\dfrac{x+3}{(x+2)(x-1)}\times\dfrac{(x+2)(3x-4)}{(x+1)(2x-1)}$

$\div\dfrac{(x+3)(3x-4)}{(x+1)(x-1)}$

$=\dfrac{x+3}{(x+2)(x-1)}\times\dfrac{(x+2)(3x-4)}{(x+1)(2x-1)}$

$\times\dfrac{(x+1)(x-1)}{(x+3)(3x-4)}$

$=\dfrac{1}{2x-1}$

(2) 분자의 차수가 분모의 차수보다 낮게 되도록 변형하여 계산한다.

$\dfrac{x^2+3x+3}{x+1}-\dfrac{x^2-2x+2}{x-1}$

$=\dfrac{(x+1)(x+2)+1}{x+1}-\dfrac{(x-1)^2+1}{x-1}$

$=\left(x+2+\dfrac{1}{x+1}\right)-\left(x-1+\dfrac{1}{x-1}\right)$

$=3+\dfrac{1}{x+1}-\dfrac{1}{x-1}$

$=3+\dfrac{(x-1)-(x+1)}{(x+1)(x-1)}$

$=3-\dfrac{2}{(x+1)(x-1)}$

$=\dfrac{3(x+1)(x-1)-2}{(x+1)(x-1)}$

$=\dfrac{3(x^2-1)-2}{(x+1)(x-1)}$

$=\dfrac{3x^2-5}{(x+1)(x-1)}$

다른 풀이

$\dfrac{x^2+3x+3}{x+1}-\dfrac{x^2-2x+2}{x-1}$

$=\dfrac{(x^2+3x+3)(x-1)-(x^2-2x+2)(x+1)}{(x+1)(x-1)}$

$=\dfrac{x^3+2x^2-3-(x^3-x^2+2)}{(x+1)(x-1)}$

$=\dfrac{3x^2-5}{(x+1)(x-1)}$

답 (1) $\dfrac{1}{2x-1}$ (2) $\dfrac{3x^2-5}{(x+1)(x-1)}$

1-1

(1) $\frac{x^2-2x-3}{4x^2+12x-7}\div\frac{x+1}{x^2-2x}\times\frac{2x-1}{x^2-5x+6}$

$=\frac{(x+1)(x-3)}{(2x+7)(2x-1)}\div\frac{x+1}{x(x-2)}\times\frac{2x-1}{(x-2)(x-3)}$

$=\frac{(x+1)(x-3)}{(2x+7)(2x-1)}\times\frac{x(x-2)}{x+1}\times\frac{2x-1}{(x-2)(x-3)}$

$=\frac{x}{2x+7}$

(2) 분자의 차수가 분모의 차수보다 낮게 되도록 변형하여 계산한다.

$\frac{x^2+3x+2}{x+3}-\frac{x^2+4x+3}{x+2}$

$=\frac{x(x+3)+2}{x+3}-\frac{(x+2)^2-1}{x+2}$

$=\left(x+\frac{2}{x+3}\right)-\left(x+2-\frac{1}{x+2}\right)$

$=-2+\frac{2}{x+3}+\frac{1}{x+2}$

$=\frac{-2(x+3)(x+2)+2(x+2)+x+3}{(x+3)(x+2)}$

$=\frac{-2x^2-7x-5}{(x+3)(x+2)}$

$=-\frac{(x+1)(2x+5)}{(x+3)(x+2)}$

답 (1) $\frac{x}{2x+7}$ (2) $-\frac{(x+1)(2x+5)}{(x+3)(x+2)}$

대표 Q2

(1) 우변을 통분하여 계산하면

$\frac{a}{x-1}+\frac{bx+c}{x^2+x+1}$

$=\frac{a(x^2+x+1)+(bx+c)(x-1)}{(x-1)(x^2+x+1)}$

$=\frac{ax^2+ax+a+bx^2+(-b+c)x-c}{x^3-1}$

$=\frac{(a+b)x^2+(a-b+c)x+a-c}{x^3-1}$

좌변과 우변의 분모가 같으므로 분자가 같아야 한다.

곧, $x-4=(a+b)x^2+(a-b+c)x+a-c$

x에 대한 항등식이므로 양변의 동류항의 계수를 비교하면

$a+b=0,\ a-b+c=1,\ a-c=-4$

위의 식을 연립하여 풀면

$a=-1,\ b=1,\ c=3$

(2) $\frac{1}{a(a+2)}+\frac{1}{(a+2)(a+4)}+\frac{1}{(a+4)(a+6)}$

$=\frac{1}{(a+2)-a}\left(\frac{1}{a}-\frac{1}{a+2}\right)$

$+\frac{1}{(a+4)-(a+2)}\left(\frac{1}{a+2}-\frac{1}{a+4}\right)$

$+\frac{1}{(a+6)-(a+4)}\left(\frac{1}{a+4}-\frac{1}{a+6}\right)$

$=\frac{1}{2}\left(\frac{1}{a}-\frac{1}{a+2}\right)+\frac{1}{2}\left(\frac{1}{a+2}-\frac{1}{a+4}\right)$

$+\frac{1}{2}\left(\frac{1}{a+4}-\frac{1}{a+6}\right)$

$=\frac{1}{2}\left\{\left(\frac{1}{a}-\frac{1}{a+2}\right)+\left(\frac{1}{a+2}-\frac{1}{a+4}\right)\right.$

$\left.+\left(\frac{1}{a+4}-\frac{1}{a+6}\right)\right\}$

$=\frac{1}{2}\left(\frac{1}{a}-\frac{1}{a+6}\right)=\frac{1}{2}\times\frac{a+6-a}{a(a+6)}=\frac{3}{a(a+6)}$

답 (1) $a=-1,\ b=1,\ c=3$ (2) $\frac{3}{a(a+6)}$

2-1

(1) 우변을 통분하여 더하면

$\frac{a}{x+1}+\frac{b}{x+2}=\frac{a(x+2)+b(x+1)}{(x+1)(x+2)}$

$=\frac{(a+b)x+2a+b}{x^2+3x+2}$

좌변과 우변의 분모가 같으므로 분자가 같아야 한다.

곧, $1=(a+b)x+2a+b$

x에 대한 항등식이므로 양변의 동류항의 계수를 비교하면

$a+b=0,\ 2a+b=1 \quad \therefore a=1,\ b=-1$

답 $a=1,\ b=-1$

2-2

(1) $\frac{1}{x(x+1)}+\frac{1}{(x+1)(x+2)}+\frac{1}{(x+2)(x+3)}$

$=\left(\frac{1}{x}-\frac{1}{x+1}\right)+\left(\frac{1}{x+1}-\frac{1}{x+2}\right)$

$+\left(\frac{1}{x+2}-\frac{1}{x+3}\right)$

$=\frac{1}{x}-\frac{1}{x+3}=\frac{x+3-x}{x(x+3)}=\frac{3}{x(x+3)}$

답 $\frac{3}{x(x+3)}$

대표 Q3

(1) $1-\dfrac{1}{1-x}=\dfrac{1-x-1}{1-x}=\dfrac{-x}{1-x}$이므로

$$1-\dfrac{1}{1-\dfrac{1}{1-x}}=1-\dfrac{1}{\dfrac{-x}{1-x}}=1+\dfrac{1-x}{x}$$

$$=\dfrac{x+1-x}{x}=\dfrac{1}{x}$$

(2) $\dfrac{2-\dfrac{2-x}{1+x}}{\dfrac{2-x}{1+x}-1}=\dfrac{\dfrac{2(1+x)-(2-x)}{1+x}}{\dfrac{2-x-(1+x)}{1+x}}=\dfrac{3x}{1-2x}$

다른 풀이

분모, 분자에 $1+x$를 곱하면

$$\dfrac{2-\dfrac{2-x}{1+x}}{\dfrac{2-x}{1+x}-1}=\dfrac{2(1+x)-(2-x)}{2-x-(1+x)}=\dfrac{3x}{1-2x}$$

답 (1) $\dfrac{1}{x}$ (2) $\dfrac{3x}{1-2x}$

3-1

(1) $x-\dfrac{x}{x+1}=\dfrac{x(x+1)-x}{x+1}=\dfrac{x^2}{x+1}$이므로

$$1-\dfrac{x+1}{x-\dfrac{x}{x+1}}=1-\dfrac{x+1}{\dfrac{x^2}{x+1}}$$

$$=1-\dfrac{(x+1)^2}{x^2}$$

$$=\dfrac{x^2-(x^2+2x+1)}{x^2}$$

$$=-\dfrac{2x+1}{x^2}$$

(2) $\dfrac{\dfrac{1-x^2}{x}}{\dfrac{1+x}{x^2}}=\dfrac{1-x^2}{x}\div\dfrac{1+x}{x^2}=\dfrac{1-x^2}{x}\times\dfrac{x^2}{1+x}$

$$=\dfrac{(1+x)(1-x)}{x}\times\dfrac{x^2}{1+x}=x(1-x)$$

(3) $\dfrac{\dfrac{3(x+1)}{2x-1}+2}{\dfrac{x+1}{2x-1}-1}=\dfrac{\dfrac{3x+3+4x-2}{2x-1}}{\dfrac{x+1-2x+1}{2x-1}}=\dfrac{7x+1}{2-x}$

다른 풀이

분모, 분자에 $2x-1$을 곱하면

$$\dfrac{\dfrac{3(x+1)}{2x-1}+2}{\dfrac{x+1}{2x-1}-1}=\dfrac{3(x+1)+2(2x-1)}{x+1-(2x-1)}=\dfrac{7x+1}{2-x}$$

답 (1) $-\dfrac{2x+1}{x^2}$ (2) $x(1-x)$ (3) $\dfrac{7x+1}{2-x}$

대표 Q4

(1) $2x=3y=z$의 각 변을 6으로 나누면 $\dfrac{x}{3}=\dfrac{y}{2}=\dfrac{z}{6}$

$\dfrac{x}{3}=\dfrac{y}{2}=\dfrac{z}{6}=k\,(k\neq0)$로 놓으면

$x=3k,\ y=2k,\ z=6k$

$$\therefore\ \dfrac{x+2y+3z}{x+y-z}=\dfrac{3k+2\times2k+3\times6k}{3k+2k-6k}$$

$$=\dfrac{25k}{-k}=-25$$

(2) $x=2k,\ y=3k,\ z=4k\,(k\neq0)$로 놓으면

$$\dfrac{x^2+y^2+z^2}{xy+yz+zx}=\dfrac{(2k)^2+(3k)^2+(4k)^2}{2k\times3k+3k\times4k+4k\times2k}$$

$$=\dfrac{29k^2}{26k^2}=\dfrac{29}{26}$$

답 (1) -25 (2) $\dfrac{29}{26}$

4-1

(1) $3x=4y=6z$의 각 변을 12로 나누면

$\dfrac{x}{4}=\dfrac{y}{3}=\dfrac{z}{2}$

$\therefore\ x:y:z=4:3:2$

(2) $x=4k,\ y=3k,\ z=2k\,(k\neq0)$로 놓으면

$$\dfrac{x^3-y^3+z^3}{xyz}=\dfrac{64k^3-27k^3+8k^3}{4k\times3k\times2k}=\dfrac{15}{8}$$

답 (1) $x:y:z=4:3:2$ (2) $\dfrac{15}{8}$

4-2

$\dfrac{x+y}{3}=\dfrac{y+z}{4}=\dfrac{z+x}{5}=k\,(k\neq0)$로 놓으면

$x+y=3k,\ y+z=4k,\ z+x=5k$

세 식의 양변을 각각 더하면

$2(x+y+z)=12k,\ x+y+z=6k$

$\therefore\ x=2k,\ y=k,\ z=3k$

$$\therefore\ \dfrac{xy+2yz+zx}{x^2+y^2+z^2}=\dfrac{2k\times k+2k\times3k+3k\times2k}{4k^2+k^2+9k^2}$$

$$=1$$

답 1

개념 Check
122쪽~123쪽

6

각 함수의 그래프를 좌표평면 위에 나타내면 다음과 같다.

(1) $y=\frac{2}{x}$

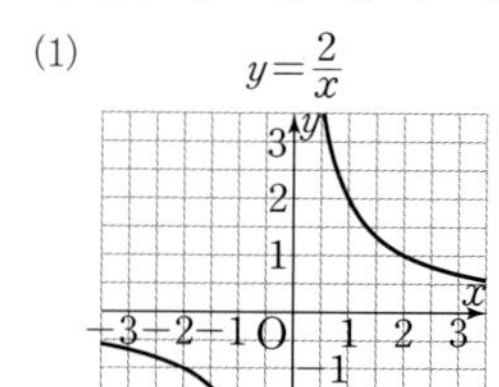

(2) $y=\frac{3}{x}$

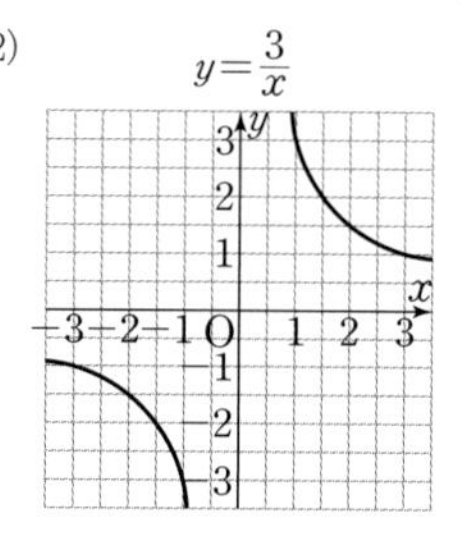

(3) $y=-\frac{2}{x}$

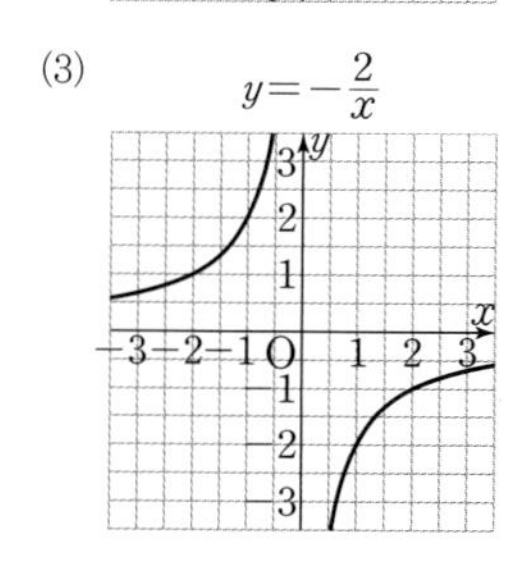

(4) $y=-\frac{3}{x}$

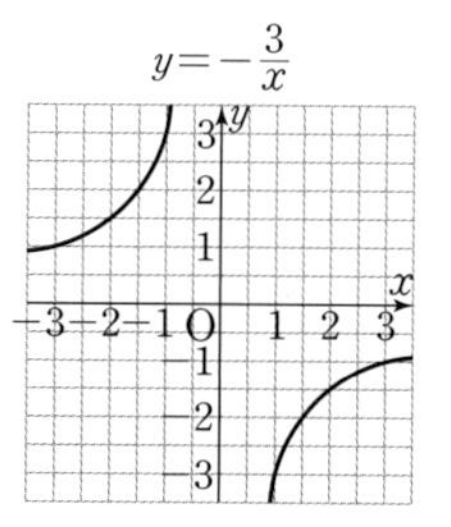

답 풀이 참조

7

(1) $y=\frac{1}{x+2}$의 그래프는 $y=\frac{1}{x}$의 그래프를 x축 방향으로 -2만큼 평행이동한 것이다.

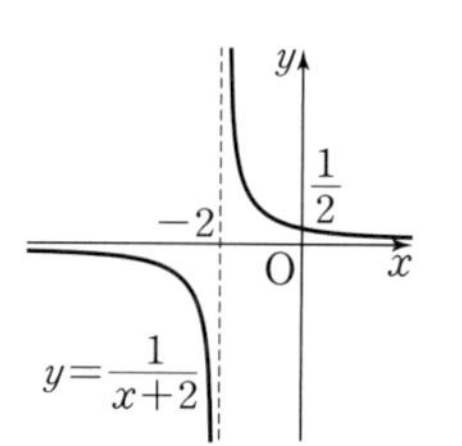

$x=0$일 때 $y=\frac{1}{2}$이므로 그래프는 그림과 같다.
정의역은 $\{x|x\neq-2$인 실수$\}$,
치역은 $\{y|y\neq0$인 실수$\}$,
점근선의 방정식은 $x=-2$, $y=0$(x축)

(2) $y=-\frac{2}{x}+1$의 그래프는 $y=-\frac{2}{x}$의 그래프를 y축 방향으로 1만큼 평행이동한 것이다.

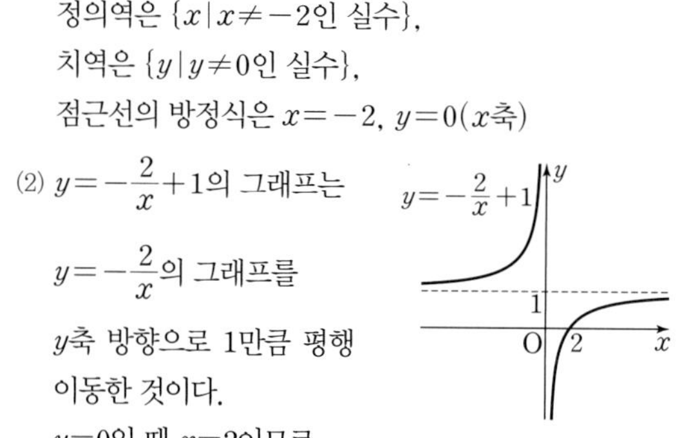

$y=0$일 때 $x=2$이므로 그래프는 그림과 같다.
정의역은 $\{x|x\neq0$인 실수$\}$
치역은 $\{y|y\neq1$인 실수$\}$,
점근선의 방정식은 $x=0$(y축), $y=1$

(3) $y=\frac{2}{x-2}-1$의 그래프는 $y=\frac{2}{x}$의 그래프를 x축 방향으로 2만큼, y축 방향으로 -1만큼 평행이동한 것이다.

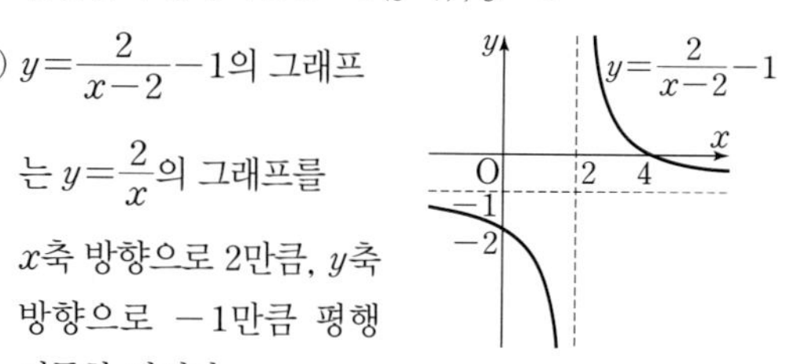

$y=0$일 때 $x=4$, $x=0$일 때 $y=-2$이므로 그래프는 그림과 같다.
정의역은 $\{x|x\neq2$인 실수$\}$,
치역은 $\{y|y\neq-1$인 실수$\}$,
점근선의 방정식은 $x=2$, $y=-1$

(4) $y=-\frac{1}{x+1}+2$의 그래프는 $y=-\frac{1}{x}$의 그래프를 x축 방향으로 -1만큼, y축 방향으로 2만큼 평행이동한 것이다.

$y=0$일 때 $x=-\frac{1}{2}$, $x=0$일 때 $y=1$이므로 그래프는 그림과 같다.
정의역은 $\{x|x\neq-1$인 실수$\}$,
치역은 $\{y|y\neq2$인 실수$\}$,
점근선의 방정식은 $x=-1$, $y=2$

답 풀이 참조

대표Q
124쪽~129쪽

대표 05

(1) $y=\frac{2x+7}{x+3}=\frac{2(x+3)+1}{x+3}=\frac{1}{x+3}+2$

점근선은 직선 $x=-3$, $y=2$이다.
$x=-4$일 때 $y=1$,
$x=0$일 때 $y=\frac{7}{3}$

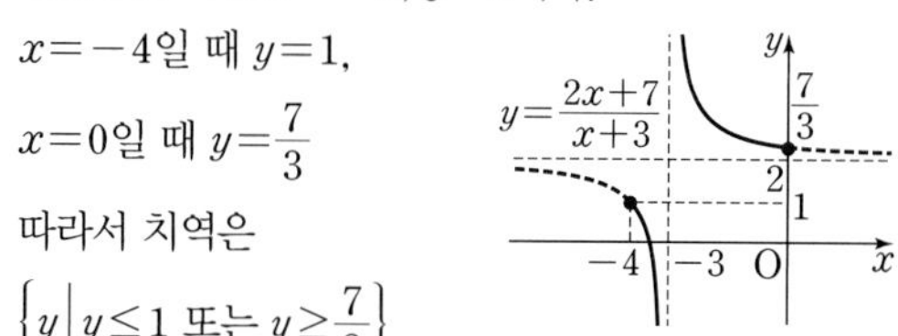

따라서 치역은
$\left\{y\middle|y\leq1 \text{ 또는 } y\geq\frac{7}{3}\right\}$

(2) $y=-\dfrac{x}{x-2}=-\dfrac{(x-2)+2}{x-2}=-\dfrac{2}{x-2}-1$

점근선은 직선 $x=2$, $y=-1$이다.

$x=0$일 때 $y=0$

$x=4$일 때 $y=-2$

따라서 치역은

$\{y\,|\,-2\leq y<-1$ 또는 $-1<y\leq 0\}$

답 (1) $\left\{y\,\middle|\,y\leq 1 \text{ 또는 } y\geq \dfrac{7}{3}\right\}$

(2) $\{y\,|\,-2\leq y<-1$ 또는 $-1<y\leq 0\}$

5-1

(1) $y=\dfrac{-3x+2}{x+2}=\dfrac{-3(x+2)+8}{x+2}=\dfrac{8}{x+2}-3$

점근선은 직선 $x=-2$, $y=-3$이다.

$x=-3$일 때 $y=-11$,

$x=2$일 때 $y=-1$

따라서 치역은

$\{y\,|\,y\leq -11$ 또는 $y>-1\}$

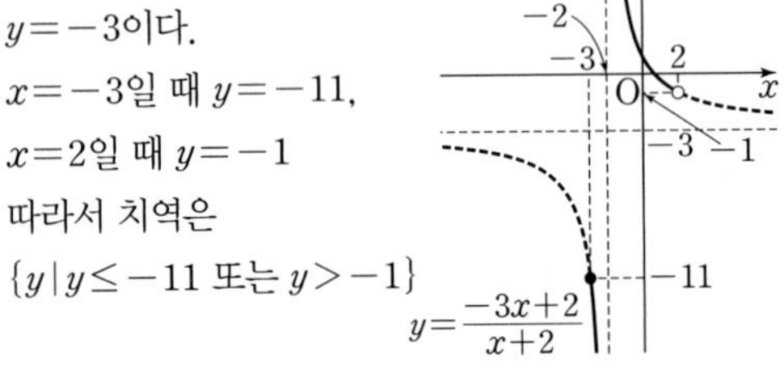

(2) $y=\dfrac{2x-1}{2x+1}=\dfrac{(2x+1)-2}{2x+1}=-\dfrac{2}{2x+1}+1$

점근선은 직선 $x=-\dfrac{1}{2}$, $y=1$이다.

$x=-1$일 때 $y=3$,

$x=1$일 때 $y=\dfrac{1}{3}$

따라서 치역은

$\left\{y\,\middle|\,y\leq \dfrac{1}{3} \text{ 또는 } y\geq 3\right\}$

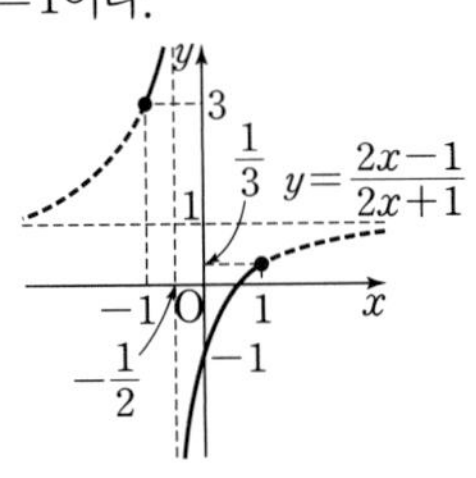

답 (1) $\{y\,|\,y\leq -11$ 또는 $y>-1\}$

(2) $\left\{y\,\middle|\,y\leq \dfrac{1}{3} \text{ 또는 } y\geq 3\right\}$

5-2

점근선이 직선 $x=-2$이므로 $p=-2$

$\therefore y=\dfrac{k}{x+2}+q$

그래프가 점 $(0,\ -2)$를 지나므로

$-2=\dfrac{k}{2}+q \qquad \cdots$ ㉠

그래프가 점 $(-4,\ 0)$을 지나므로

$0=\dfrac{k}{-2}+q \qquad \cdots$ ㉡

㉠, ㉡을 연립하여 풀면 $k=-2$, $q=-1$

답 $k=-2$, $p=-2$, $q=-1$

대표 Q6

(1) $y=\dfrac{2x-3}{x+1}=\dfrac{2(x+1)-5}{x+1}=-\dfrac{5}{x+1}+2$

따라서 $y=\dfrac{2x-3}{x+1}$의 그래프는 $y=-\dfrac{5}{x}$의 그래프를 x축 방향으로 -1만큼, y축 방향으로 2만큼 평행이동한 것이다.

$\therefore a=-5$, $b=-1$, $c=2$

(2) 점근선이 직선 $x=3$, $y=-2$이므로 함수의 식을

$y=\dfrac{k}{x-3}-2\ (k\neq 0) \qquad \cdots$ ㉠

로 놓을 수 있다.

점 $(6,\ 0)$을 지나므로 ㉠에서

$0=\dfrac{k}{6-3}-2 \qquad \therefore k=6$

$k=6$을 ㉠에 대입하면

$y=\dfrac{6}{x-3}-2=\dfrac{6-2(x-3)}{x-3}$

$=\dfrac{-2x+12}{x-3} \qquad \cdots$ ㉡

㉡은 $y=\dfrac{bx+c}{ax+6}$와 같은 식이므로 ㉡의 분모, 분자에 -2를 곱하면

$y=\dfrac{4x-24}{-2x+6}$

$\therefore a=-2$, $b=4$, $c=-24$

답 (1) $a=-5$, $b=-1$, $c=2$

(2) $a=-2$, $b=4$, $c=-24$

6-1

$y=\dfrac{ax+1}{x+4}=\dfrac{a(x+4)-4a+1}{x+4}=\dfrac{-4a+1}{x+4}+a$

따라서 $y=\dfrac{ax+1}{x+4}$의 그래프는 $y=\dfrac{-4a+1}{x}$의 그래프를 x축 방향으로 -4만큼, y축 방향으로 a만큼 평행이

동한 것이므로

$-4a+1=5$, $b=-4$, $c=a$

$\therefore a=-1$, $b=-4$, $c=-1$

답 $a=-1$, $b=-4$, $c=-1$

6-2

점근선이 직선 $x=1$, $y=-2$이므로 함수의 식을

$y=\frac{k}{x-1}-2\ (k\neq0)$로 놓을 수 있다.

그래프가 원점을 지나므로 $x=0$, $y=0$을 대입하면

$0=-k-2$에서 $k=-2$

$\therefore y=-\frac{2}{x-1}-2$

$-\frac{2}{x-1}-2=\frac{-2x}{x-1}$에서

$\frac{-2x}{x-1}=\frac{4x+c}{ax+b}$

$-2ax^2-2bx=4x^2+(c-4)x-c$

$\therefore a=-2$, $b=2$, $c=0$

답 $a=-2$, $b=2$, $c=0$

대표 07

(1) $f(x)=\frac{kx+3}{x+1}$이라 하면

$f(x)=\frac{k(x+1)+3-k}{x+1}=\frac{3-k}{x+1}+k$

$y=f(x)$의 그래프는 점근선이 직선 $x=-1$, $y=k$이고, $k<3$이므로 $3-k>0$이다.

$a\le x\le -2$에서

$y=\frac{kx+3}{x+1}$의 그래프는

그림과 같다.

$x=-2$일 때 최소이고,

최솟값은 1이므로

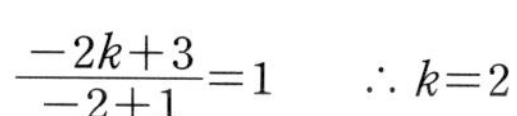

$\frac{-2k+3}{-2+1}=1 \qquad \therefore k=2$

$x=a$일 때 최대이고, 최댓값은 $\frac{5}{3}$이므로

$\frac{2a+3}{a+1}=\frac{5}{3}$, $6a+9=5a+5 \qquad \therefore a=-4$

(2) 점근선이 직선 $x=-2$, $y=2$이므로 함수의 식을

$y=\frac{k}{x+2}+2\ (k\neq0) \qquad \cdots ㉠$

로 놓을 수 있다.

$x\ge0$에서 최솟값이 0이면 그래프는 그림과 같으므로

$k<0$이고 $x=0$일 때

$y=0$이다.

㉠에서

$0=\frac{k}{2}+2 \qquad \therefore k=-4$

$k=-4$를 ㉠에 대입하면

$y=\frac{-4}{x+2}+2=\frac{-4+2(x+2)}{x+2}=\frac{2x}{x+2}$

$\therefore a=2$, $b=2$, $c=0$

답 (1) $a=-4$, $k=2$ (2) $a=2$, $b=2$, $c=0$

7-1

(1) $y=\frac{x}{x-1}=\frac{(x-1)+1}{x-1}=\frac{1}{x-1}+1$

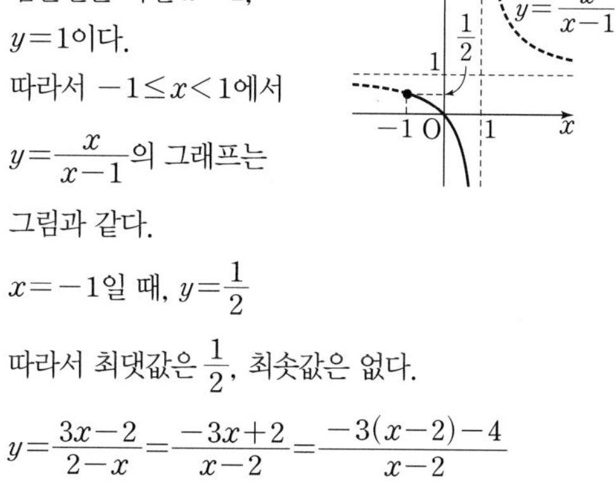

점근선은 직선 $x=1$,

$y=1$이다.

따라서 $-1\le x<1$에서

$y=\frac{x}{x-1}$의 그래프는

그림과 같다.

$x=-1$일 때, $y=\frac{1}{2}$

따라서 최댓값은 $\frac{1}{2}$, 최솟값은 없다.

(2) $y=\frac{3x-2}{2-x}=\frac{-3x+2}{x-2}=\frac{-3(x-2)-4}{x-2}$

$=-\frac{4}{x-2}-3$

점근선은 직선 $x=2$, $y=-3$이다.

따라서 $x\le-2$ 또는

$x\ge3$에서

$y=\frac{3x-2}{2-x}$의 그래프는

그림과 같다.

$x=-2$일 때 $y=-2$,

$x=3$일 때 $y=-7$

따라서 최댓값은 -2, 최솟값은 -7이다.

답 (1) 최댓값 : $\frac{1}{2}$, 최솟값 : 없다.
(2) 최댓값 : -2, 최솟값 : -7

7-2

$f(x)=\frac{a-2x}{x-4}$라 하면

$f(x)=\frac{-2(x-4)+a-8}{x-4}=\frac{a-8}{x-4}-2$

$y=f(x)$의 그래프는 점근선이 직선 $x=4$, $y=-2$이므로 $a>8$일 때와 $a<8$일 때 그래프는 다음과 같다.

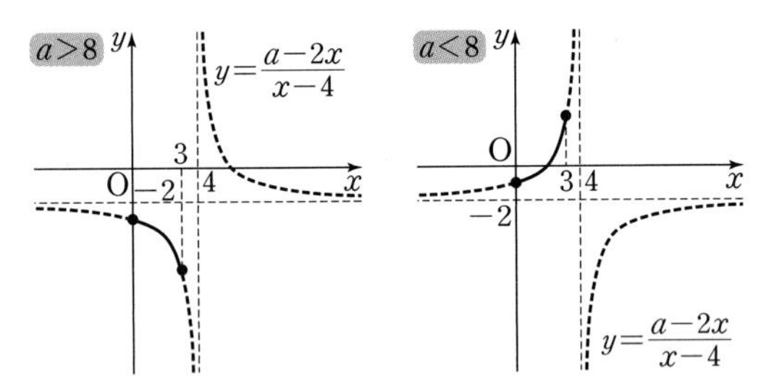

$0\le x\le 3$에서 최솟값이 -1이므로 $a<8$이고 $x=0$에서 최소이다.

$f(0)=-1$이므로 $\frac{a}{-4}=-1$ $\qquad\therefore a=4$

따라서 $f(x)=\frac{4-2x}{x-4}$이므로 최댓값은

$f(3)=\frac{4-6}{3-4}=2$

답 $a=4$, 최댓값 : 2

대표 Q8

(1) $(g\circ f)(x)=g(f(x))=\frac{2f(x)+1}{f(x)-2}$

$$=\frac{\frac{2x}{x-1}+1}{\frac{x}{x-1}-2}=\frac{2x+(x-1)}{x-2(x-1)}$$

$$=\frac{3x-1}{-x+2}=\frac{-3x+1}{x-2}$$

$$=\frac{-3(x-2)-5}{x-2}=\frac{-5}{x-2}-3$$

따라서 점근선의 방정식은 $x=2$, $y=-3$

(2) $f(3)=\frac{3}{2}$

$$f^2(3)=f(f(3))=f\left(\frac{3}{2}\right)=\frac{\frac{3}{2}}{\frac{3}{2}-1}=3$$

$$f^3(3)=f(f^2(3))=f(3)=\frac{3}{2}$$

$$f^4(3)=f(f^3(3))=f\left(\frac{3}{2}\right)=3$$

이므로

$f(3)=f^3(3)=f^5(3)=\cdots=\frac{3}{2}$

$f^2(3)=f^4(3)=f^6(3)=\cdots=3$

$\therefore f^{100}(3)=f^2(3)=3$

답 (1) $x=2$, $y=-3$ (2) 3

8-1

(1) $(f\circ f)(x)=f(f(x))=\frac{3f(x)+1}{f(x)-3}$

$$=\frac{3\times\frac{3x+1}{x-3}+1}{\frac{3x+1}{x-3}-3}$$

$$=\frac{3(3x+1)+x-3}{3x+1-3(x-3)}$$

$$=\frac{10x}{10}=x$$

(2) $(g\circ f)(x)=g(f(x))=-\frac{2}{f(x)-1}-1$

$$=-\frac{2}{\frac{3x+1}{x-3}-1}-1$$

$$=-\frac{2(x-3)}{3x+1-(x-3)}-1$$

$$=-\frac{2(x-3)}{2x+4}-1=-\frac{x-3}{x+2}-1$$

$$=-\frac{x-3+x+2}{x+2}=-\frac{2x-1}{x+2}$$

답 (1) $(f\circ f)(x)=x$ (2) $(g\circ f)(x)=-\frac{2x-1}{x+2}$

8-2

$f(0)=-3$

$f^2(0)=f(f(0))=f(-3)=-\frac{3}{2}$

$$f^3(0)=f(f^2(0))=f\left(-\frac{3}{2}\right)=-\frac{2\times\left(-\frac{3}{2}\right)+3}{-\frac{3}{2}+1}=0$$

$f^4(0)=f(f^3(0))=f(0)=-3$

이므로

$f(0)=f^4(0)=f^7(0)=\cdots=-3$

$f^2(0)=f^5(0)=f^8(0)=\cdots=-\dfrac{3}{2}$

$f^3(0)=f^6(0)=f^9(0)=\cdots=0$

이때 $50=3\times16+2$이므로

$f^{50}(0)=f^2(0)=-\dfrac{3}{2}$

답 $-\dfrac{3}{2}$

대표 09

(1) $f(x)=y$로 놓으면 $y=\dfrac{x+3}{x+1}$

$x+3=y(x+1)$, $(-y+1)x=y-3$

$\therefore x=-\dfrac{y-3}{y-1}$

x를 y로, y를 x로 바꾸면

$y=-\dfrac{x-3}{x-1}$ $\quad\therefore f^{-1}(x)=-\dfrac{x-3}{x-1}$

(2) $y=g^{-1}(x)$의 그래프의 점근선은 직선 $x=1$, $y=2b$이므로 $y=g(x)$의 그래프의 점근선은 직선 $x=2b$, $y=1$이다.

또 $g(x)=\dfrac{a(x+2)+b-2a}{x+2}=\dfrac{b-2a}{x+2}+a$에서

$y=g(x)$의 그래프의 점근선은 직선 $x=-2$, $y=a$이다.

따라서 $a=1$, $b=-1$이므로 $g(x)=\dfrac{x-1}{x+2}$

$g^{-1}(-1)=k$라 하면 $g(k)=-1$

$\dfrac{k-1}{k+2}=-1$ $\quad\therefore k=-\dfrac{1}{2}$

답 (1) $f^{-1}(x)=-\dfrac{x-3}{x-1}$ (2) $-\dfrac{1}{2}$

9-1

(1) $f(x)=y$로 놓으면 $y=\dfrac{3x+1}{x-3}$

$3x+1=y(x-3)$, $(-y+3)x=-3y-1$

$\therefore x=\dfrac{-3y-1}{-y+3}$

x를 y로, y를 x로 바꾸면

$y=\dfrac{-3x-1}{-x+3}=\dfrac{3x+1}{x-3}$ $\quad\therefore f^{-1}(x)=\dfrac{3x+1}{x-3}$

(2) $g(x)=y$로 놓으면 $y=-\dfrac{2}{x-1}-1=-\dfrac{x+1}{x-1}$

$-x-1=y(x-1)$, $(-y-1)x=-y+1$

$\therefore x=-\dfrac{-y+1}{y+1}$

x를 y로, y를 x로 바꾸면

$y=-\dfrac{-x+1}{x+1}=\dfrac{x-1}{x+1}$ $\quad\therefore g^{-1}(x)=\dfrac{x-1}{x+1}$

답 (1) $f^{-1}(x)=\dfrac{3x+1}{x-3}$ (2) $g^{-1}(x)=\dfrac{x-1}{x+1}$

9-2

$f^{-1}(x)=\dfrac{4x-1}{x+1}=\dfrac{4(x+1)-5}{x+1}=-\dfrac{5}{x+1}+4$

$y=f^{-1}(x)$의 그래프의 점근선은 직선 $x=-1$, $y=4$

따라서 $y=f(x)$의 그래프의 점근선의 방정식은

$x=4$, $y=-1$

답 $x=4$, $y=-1$

대표 10

$f(x)=\dfrac{x+1}{x-1}=\dfrac{2}{x-1}+1$이므로 점근선은 직선 $x=1$, $y=1$이다.

(1) $y=-x+k$의 그래프는 기울기가 -1인 직선이므로 $y=f(x)$의 그래프와 접하려면

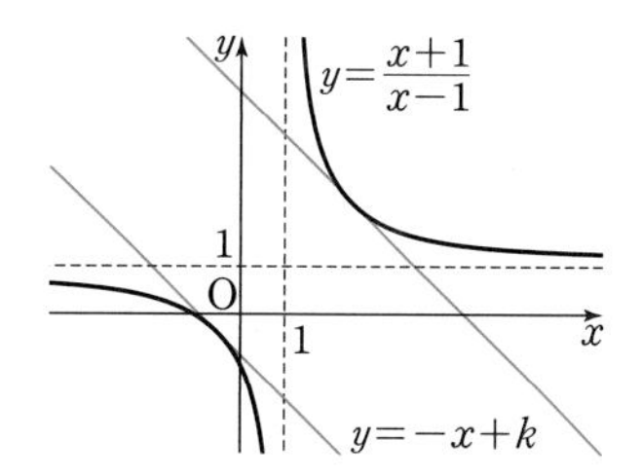

$\dfrac{x+1}{x-1}=-x+k$

$(-x+k)(x-1)=x+1$

$x^2-kx+k+1=0$

이 이차방정식이 중근을 가져야 하므로

$D=(-k)^2-4(k+1)=0$, $k^2-4k-4=0$

$\therefore k=2\pm\sqrt{(-2)^2-1\times(-4)}=2\pm2\sqrt{2}$

(2) $y=m(x+1)+2$에서

$y-2=m(x+1)$ $\quad\cdots$ ㉠

이므로 점 $(-1, 2)$를 지나는 직선이다.

따라서 이 직선이 $2\le x\le 4$에서 $y=f(x)$의 그래프와 만나려면 그림에서 색칠한 부분에 있으면 된다.

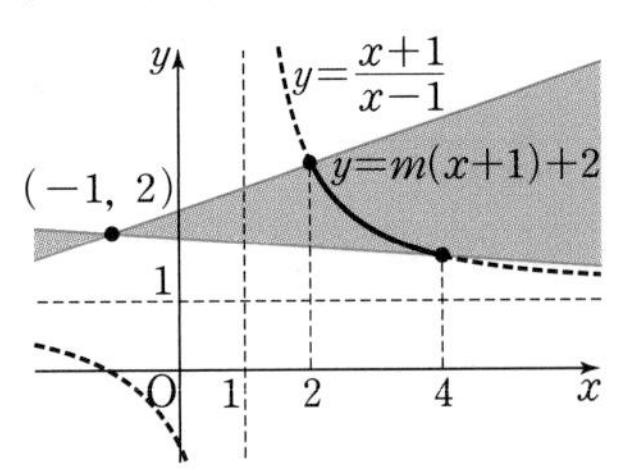

$f(2)=3$이므로 ㉠의 직선이 점 $(2,\ 3)$을 지날 때,

$3-2=m(2+1)\qquad \therefore m=\frac{1}{3}$

$f(4)=\frac{5}{3}$이므로 ㉠의 직선이 점 $\left(4,\ \frac{5}{3}\right)$를 지날 때,

$\frac{5}{3}-2=m(4+1)\qquad \therefore m=-\frac{1}{15}$

따라서 실수 m값의 범위는

$-\frac{1}{15}\le m\le\frac{1}{3}$

답 (1) $2\pm2\sqrt{2}$ (2) $-\frac{1}{15}\le m\le\frac{1}{3}$

10-1

두 점 P, Q의 x좌표를 각각 α, β라 하자.

$y=\frac{2x+k}{x-2}$의 그래프와 직선 $y=-x+8$이 만나므로

$\frac{2x+k}{x-2}=-x+8,\ (x-2)(-x+8)=2x+k$

$\therefore x^2-8x+k+16=0\qquad\cdots$ ㉠

이 이차방정식의 두 근을 α, β라 하면 $\alpha\beta=14$이므로

근과 계수의 관계에서

$k+16=14\qquad \therefore k=-2$

답 -2

10-2

(1) 접선의 방정식을 $y=-x+k$ (k는 상수)로 놓자.

$y=\frac{x+2}{x}$의 그래프와 직선 $y=-x+k$가 접하려면

$\frac{x+2}{x}=-x+k$

$(-x+k)x=x+2,\ x^2+(1-k)x+2=0$

이 이차방정식이 중근을 가져야 하므로

$D=(1-k)^2-8=0,\ 1-k=\pm2\sqrt{2}$

$\therefore k=1\pm2\sqrt{2}$

따라서 구하는 접선의 방정식은

$y=-x+1+2\sqrt{2},\ y=-x+1-2\sqrt{2}$

(2) $y=\frac{x+2}{x}=\frac{2}{x}+1$이므로 그래프는 그림과 같다.

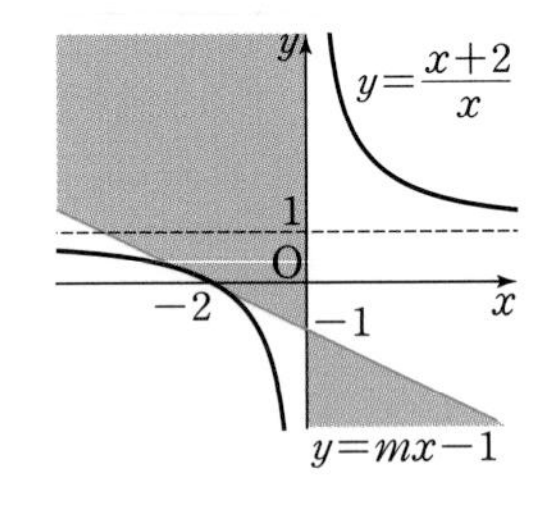

$y=mx-1$의 그래프는 y절편이 -1인 직선이므로 $y=f(x)$의 그래프와 만나지 않으려면 그림에서 직선이 경계를 제외한 색칠한 부분에 있으면 된다.

(i) $m=0$일 때, $y=-1$은 $y=f(x)$의 그래프와 한 점에서 만난다.

(ii) $m\ne0$일 때, $y=\frac{x+2}{x}$의 그래프와 직선 $y=mx-1$이 만나지 않으려면

$\frac{x+2}{x}=mx-1,\ mx^2-2x-2=0$

이 이차방정식의 실근이 존재하지 않아야 하므로

$\frac{D}{4}=1+2m<0\qquad \therefore m<-\frac{1}{2}$

답 (1) $y=-x+1+2\sqrt{2},\ y=-x+1-2\sqrt{2}$

(2) $m<-\frac{1}{2}$

7 유리함수 130쪽~132쪽

01 (1) $\frac{2x+1}{(x+2)(x-1)}$

(2) $\frac{4x^2+20x+22}{(x+1)(x+2)(x+3)(x+4)}$

02 10 **03** ④ **04** -2 **05** $a=4,\ b=1$

06 5 **07** $a=2,\ b=-1,\ c=-11$ **08** -3

09 $\frac{49}{99}$ **10** ⑤ **11** (1) 5 (2) $\frac{5}{2}$

12 $-\frac{1}{1000}$ **13** $a=-2,\ b=-3,\ c=-1$

14 a의 최댓값 : $\frac{3}{5}$, b의 최솟값 : $\frac{5}{3}$

15 $2\sqrt{2}+1$ **16** 7

01

(1) $\frac{2x-1}{x^2-x-6}-\frac{2}{x^2-4x+3}$

$=\frac{2x-1}{(x+2)(x-3)}-\frac{2}{(x-1)(x-3)}$

$=\frac{(2x-1)(x-1)-2(x+2)}{(x+2)(x-1)(x-3)}$

$=\frac{2x^2-5x-3}{(x+2)(x-1)(x-3)}$

$=\frac{(2x+1)(x-3)}{(x+2)(x-1)(x-3)}=\frac{2x+1}{(x+2)(x-1)}$

(2) $\frac{x+2}{x+1}-\frac{x+1}{x+2}-\frac{x+4}{x+3}+\frac{x+3}{x+4}$

$=\left(1+\frac{1}{x+1}\right)-\left(1-\frac{1}{x+2}\right)-\left(1+\frac{1}{x+3}\right)$

$+\left(1-\frac{1}{x+4}\right)$

$=\left(\frac{1}{x+1}-\frac{1}{x+3}\right)+\left(\frac{1}{x+2}-\frac{1}{x+4}\right)$

$=\frac{2}{(x+1)(x+3)}+\frac{2}{(x+2)(x+4)}$

$=\frac{2(x+2)(x+4)+2(x+1)(x+3)}{(x+1)(x+2)(x+3)(x+4)}$

$=\frac{4x^2+20x+22}{(x+1)(x+2)(x+3)(x+4)}$

답 (1) $\frac{2x+1}{(x+2)(x-1)}$

(2) $\frac{4x^2+20x+22}{(x+1)(x+2)(x+3)(x+4)}$

02

$\frac{(a-5)^2}{a-b}+\frac{(b-5)^2}{b-a}$

$=\frac{(a-5)^2}{a-b}-\frac{(b-5)^2}{a-b}=\frac{(a-5)^2-(b-5)^2}{a-b}$

$=\frac{\{(a-5)+(b-5)\}\{(a-5)-(b-5)\}}{a-b}$

$=\frac{(a+b-10)(a-b)}{a-b}=a+b-10$

따라서 $a+b-10=0$이므로 $a+b=10$

답 10

03

① $y=\frac{x-4}{x-3}=\frac{(x-3)-1}{x-3}=-\frac{1}{x-3}+1$

② $y=\frac{3x-4}{x-1}=\frac{3(x-1)-1}{x-1}=-\frac{1}{x-1}+3$

③ $y=\frac{-3x-7}{x+2}=\frac{-3(x+2)-1}{x+2}=-\frac{1}{x+2}-3$

④ $y=\frac{-2x-1}{x+1}=\frac{-2(x+1)+1}{x+1}=\frac{1}{x+1}-2$

⑤ $y=\frac{2x-5}{3-x}=\frac{-2x+5}{x-3}=\frac{-2(x-3)-1}{x-3}$

$=-\frac{1}{x-3}-2$

곧, ①, ②, ③, ⑤의 그래프는 $y=-\frac{1}{x}$의 그래프를 평행이동한 것이므로 평행이동에 의해 겹쳐지지 않는 것은 ④이다.

답 ④

04

$y=\frac{3x-14}{x-5}=\frac{3(x-5)+1}{x-5}=\frac{1}{x-5}+3$이므로

점근선은 직선 $x=5,\ y=3$

두 점근선의 교점 $(5,\ 3)$은 직선 $y=x+k$ 위의 점이므로

$3=5+k \qquad \therefore k=-2$

답 -2

05

함수 $y=\frac{3}{x-1}-2$의 점근선은 직선 $x=1$, $y=-2$이고 x값의 범위가 $2\le x\le a$인 그래프는 그림과 같다.

따라서 $x=2$일 때 $y=b$이고 $x=a$일 때 $y=-1$이므로 두 점 $(2, b)$와 $(a, -1)$을 함수의 식에 대입하면

$b=\frac{3}{2-1}-2 \qquad \therefore b=1$

$-1=\frac{3}{a-1}-2$, $\frac{3}{a-1}=1 \qquad \therefore a=4$

답 $a=4$, $b=1$

06

$f(x)=y$로 놓으면 $y=\frac{2x+5}{x+3}$

$2x+5=y(x+3)$, $(-y+2)x=3y-5$

$\therefore x=-\frac{3y-5}{y-2}$

x를 y로, y를 x로 바꾸면

$y=-\frac{3x-5}{x-2}=-\frac{3(x-2)+1}{x-2}$

$=-\frac{1}{x-2}-3$

$\therefore f^{-1}(x)=-\frac{1}{x-2}-3$

$y=f^{-1}(x)$의 그래프의 점근선은 직선 $x=2$, $y=-3$이므로 두 점근선의 교점 $(2, -3)$에 대칭이다.

$\therefore p-q=2-(-3)=5$

답 5

07 전략 주어진 식의 우변을 통분하여 좌변과 비교한다.

$\frac{a}{x-1}+\frac{b}{x+2}-\frac{2}{2x-3}$의 분모를

$(x-1)(x+2)(2x-3)$으로 통분하면 분자는

$a(x+2)(2x-3)+b(x-1)(2x-3)$

$-2(x-1)(x+2)$

$=a(2x^2+x-6)+b(2x^2-5x+3)-2(x^2+x-2)$

$=(2a+2b-2)x^2+(a-5b-2)x-6a+3b+4$

좌변과 우변의 분모가 같으므로 분자가 같아야 한다.

좌변의 분자가 $5x+c$이므로

$2a+2b-2=0$에서 $a+b=1 \qquad \cdots$ ㉠

$a-5b-2=5$에서 $a-5b=7 \qquad \cdots$ ㉡

$-6a+3b+4=c \qquad \cdots$ ㉢

㉠, ㉡을 연립하여 풀면

$a=2$, $b=-1$

㉢에 대입하면

$-12-3+4=c \qquad \therefore c=-11$

답 $a=2$, $b=-1$, $c=-11$

08 전략 분모가 같은 것끼리 모아서 정리한다.

$a+b+c=0$에서

$b+c=-a$, $a+c=-b$, $a+b=-c$이므로

$\left(\frac{b}{a}+\frac{a}{b}\right)+\left(\frac{c}{b}+\frac{b}{c}\right)+\left(\frac{a}{c}+\frac{c}{a}\right)$

$=\left(\frac{b}{a}+\frac{c}{a}\right)+\left(\frac{a}{b}+\frac{c}{b}\right)+\left(\frac{b}{c}+\frac{a}{c}\right)$

$=\frac{b+c}{a}+\frac{a+c}{b}+\frac{a+b}{c}$

$=\frac{-a}{a}+\frac{-b}{b}+\frac{-c}{c}=-3$

답 -3

09 전략 $\frac{1}{AB}=\frac{1}{B-A}\left(\frac{1}{A}-\frac{1}{B}\right)$임을 이용한다.

$\frac{1}{1\times3}+\frac{1}{3\times5}+\frac{1}{5\times7}+\cdots+\frac{1}{97\times99}$

$=\frac{1}{2}\left\{\left(\frac{1}{1}-\frac{1}{3}\right)+\left(\frac{1}{3}-\frac{1}{5}\right)+\left(\frac{1}{5}-\frac{1}{7}\right)+\cdots\right.$

$\left.+\left(\frac{1}{97}-\frac{1}{99}\right)\right\}$

$=\frac{1}{2}\left(1-\frac{1}{99}\right)=\frac{49}{99}$

답 $\frac{49}{99}$

10 전략 $f(x)=\frac{a}{x-p}+q$ 꼴로 고친 다음, 평행이동을 생각한다.

$f(x)=\frac{3x+k}{x+4}=\frac{3(x+4)+k-12}{x+4}=\frac{k-12}{x+4}+3$

이므로 $y=f(x)$의 그래프의 점근선은

직선 $x=-4$, $y=3 \qquad \cdots$ ㉠

$y=g(x)$의 그래프의 점근선은 ㉠을 x축 방향으로 -2만큼, y축 방향으로 3만큼 평행이동한 것이므로 직선 $x=-6$, $y=6$이다.
두 점근선의 교점 $(-6,\ 6)$이 $y=f(x)$의 그래프 위의 점이므로

$6=\dfrac{-18+k}{-6+4}\qquad \therefore k=6$

다른 풀이
$y=f(x)$의 그래프를 x축 방향으로 -2만큼, y축 방향으로 3만큼 평행이동하면

$y=\dfrac{3(x+2)+k}{(x+2)+4}+3$

이고, 이 식에서 점근선의 방정식을 구해도 된다.

답 ⑤

11 **전략** (2) $(f\circ g)^{-1}=g^{-1}\circ f^{-1}$임을 이용한다.

(1) $(g\circ f^{-1})(3)=g(f^{-1}(3))$에서
$f^{-1}(3)=a$라 하면 $f(a)=3$이므로

$\dfrac{2a+1}{a-1}=3,\ 3a-3=2a+1\qquad \therefore a=4$

$\therefore g(f^{-1}(3))=g(4)=5$

(2) $g\circ(f\circ g)^{-1}\circ g=g\circ(g^{-1}\circ f^{-1})\circ g$
$=(g\circ g^{-1})\circ f^{-1}\circ g=f^{-1}\circ g$
이므로 $(f^{-1}\circ g)(a)=3$에서
$f^{-1}(g(a))=3,\ f^{-1}(a+1)=3$
$\therefore f(3)=a+1$

$f(3)=\dfrac{2\times3+1}{3-1}=\dfrac{7}{2}$이므로

$a+1=\dfrac{7}{2}\qquad \therefore a=\dfrac{5}{2}$

답 (1) 5 (2) $\dfrac{5}{2}$

참고 (1) $f^{-1}(x)$를 구한 다음 대입해도 된다.

12 **전략** $f^2,\ f^3,\ \cdots$을 차례로 구하면 간단한 꼴이 나온다.

$f^1(x)=f(x)=\dfrac{x-1}{x}$

$f^2(x)=(f\circ f^1)(x)=f(f(x))$

$=\dfrac{\frac{x-1}{x}-1}{\frac{x-1}{x}}=\dfrac{1}{1-x}$

$f^3(x)=(f\circ f^2)(x)=f(f^2(x))$

$=f\left(\dfrac{1}{1-x}\right)=\dfrac{\frac{1}{1-x}-1}{\frac{1}{1-x}}=x$

곧, $f^3(x)$는 항등함수이다.

$1001=3\times333+2$이므로 $f^{1001}(x)=f^2(x)=\dfrac{1}{1-x}$

$\therefore f^{1001}(1001)=\dfrac{1}{1-1001}=-\dfrac{1}{1000}$

답 $-\dfrac{1}{1000}$

13 **전략** $f(g(x))=f\left(\dfrac{ax+b}{x+c}\right)=\dfrac{1}{x}$에서 $\dfrac{ax+b}{x+c}=t$로 놓고 상수 $a,\ b,\ c$의 값을 구한다.

$f(g(x))=f\left(\dfrac{ax+b}{x+c}\right)=\dfrac{1}{x}$에서 $\dfrac{ax+b}{x+c}=t$로 놓으면

$tx+ct=ax+b,\ (t-a)x=-ct+b,\ x=\dfrac{-ct+b}{t-a}$

곧, $\dfrac{1}{x}=\dfrac{t-a}{-ct+b}$이므로 $f(t)=\dfrac{t-a}{-ct+b}$

$f(x)=\dfrac{x+2}{x-3}$와 비교하면

$a=-2,\ b=-3,\ c=-1$

답 $a=-2,\ b=-3,\ c=-1$

14 **전략** $y=\dfrac{x+1}{x-2}$의 그래프가 부등식을 만족시키도록 직선 $y=ax-1$과 $y=bx-1$을 그려 본다.

$y=\dfrac{x+1}{x-2}=\dfrac{3}{x-2}+1$

이므로 점근선은 직선 $x=2$, $y=1$이다.

$3\le x\le5$에서 $y=\dfrac{x+1}{x-2}$의 그래프는 그림과 같다.

$x=3$일 때 $y=4$,
$x=5$일 때 $y=2$이고,
직선 $y=ax-1$과 직선 $y=bx-1$은 y절편이 -1이므로
a는 점 $(5,\ 2)$를 지날 때 최대이고, b는 점 $(3,\ 4)$를 지날 때 최소이다.
직선 $y=ax-1$이 점 $(5,\ 2)$를 지날 때

$2=5a-1 \qquad \therefore a=\frac{3}{5}$

직선 $y=bx-1$이 점 $(3, 4)$를 지날 때

$4=3b-1 \qquad \therefore b=\frac{5}{3}$

따라서 a의 최댓값은 $\frac{3}{5}$, b의 최솟값은 $\frac{5}{3}$이다.

답 a의 최댓값 : $\frac{3}{5}$, b의 최솟값 : $\frac{5}{3}$

15 전략 산술평균과 기하평균의 관계를 이용한다.

점 P의 좌표를 $\left(a, \frac{2}{a-1}\right)$ $(a>1)$라 하자.

$$\overline{PQ}+\overline{PR}=\frac{2}{a-1}+a=\frac{2}{a-1}+(a-1)+1$$
$$\geq 2\sqrt{\frac{2}{a-1}\times(a-1)}+1=2\sqrt{2}+1$$

등호는 $\frac{2}{a-1}=a-1$, 곧 $a=1+\sqrt{2}$일 때 성립한다.

따라서 $\overline{PQ}+\overline{PR}$의 최솟값은 $2\sqrt{2}+1$이다.

답 $2\sqrt{2}+1$

16 전략 점 $A\left(p, \frac{1}{p}\right)$로 놓고 점 B, C의 좌표를 구한다.

점 $A\left(p, \frac{1}{p}\right)$이라 하자.

$y=\frac{k}{x}$에 $y=\frac{1}{p}$을 대입하면 $\frac{1}{p}=\frac{k}{x} \qquad \therefore x=kp$

$\therefore B\left(kp, \frac{1}{p}\right)$

$y=\frac{k}{x}$에 $x=p$를 대입하면

$y=\frac{k}{p} \qquad \therefore C\left(p, \frac{k}{p}\right)$

$k>1$이므로

$\overline{AB}=kp-p=(k-1)p$, $\overline{AC}=\frac{k}{p}-\frac{1}{p}=\frac{k-1}{p}$

직각삼각형 ABC의 넓이가 18이므로

$\frac{1}{2}\times(k-1)p\times\frac{k-1}{p}=18$, $(k-1)^2=36$

$k>1$이므로 $k-1=6 \qquad \therefore k=7$

답 7

8 무리함수

개념 Check 134쪽~135쪽

1

(1) $x-2\geq 0 \qquad \therefore x\geq 2$

(2) $x^2-1\geq 0$, $(x+1)(x-1)\geq 0$

$\therefore x\leq -1$ 또는 $x\geq 1$

(3) $x\geq 0$이고 $3-x\geq 0$에서 $x\leq 3$이므로

$0\leq x\leq 3$

답 (1) $x\geq 2$ (2) $x\leq -1$ 또는 $x\geq 1$ (3) $0\leq x\leq 3$

2

(1) $x<0$, $x-2<0$이므로

$\sqrt{x^2}+\sqrt{(x-2)^2}=-x-(x-2)=-2x+2$

(2) $x\geq 0$, $x-2<0$이므로

$\sqrt{x^2}+\sqrt{(x-2)^2}=x-(x-2)=2$

(3) $x>0$, $x-2\geq 0$이므로

$\sqrt{x^2}+\sqrt{(x-2)^2}=x+(x-2)=2x-2$

답 (1) $-2x+2$ (2) 2 (3) $2x-2$

3

(1) $(x+\sqrt{2x+1})^2=x^2+2x\sqrt{2x+1}+2x+1$
$=x^2+2x+1+2x\sqrt{2x+1}$

(2) $(\sqrt{x^2+1}+\sqrt{x^2-1})(\sqrt{x^2+1}-\sqrt{x^2-1})$
$=(x^2+1)-(x^2-1)=2$

답 (1) $x^2+2x+1+2x\sqrt{2x+1}$ (2) 2

4

(1) $\frac{3}{\sqrt{x+3}}=\frac{3\sqrt{x+3}}{\sqrt{x+3}\sqrt{x+3}}=\frac{3\sqrt{x+3}}{x+3}$

(2) $\frac{x}{x+\sqrt{x^2+3}}=\frac{x(x-\sqrt{x^2+3})}{(x+\sqrt{x^2+3})(x-\sqrt{x^2+3})}$
$=\frac{x(x-\sqrt{x^2+3})}{x^2-(x^2+3)}$
$=-\frac{x(x-\sqrt{x^2+3})}{3}$

답 (1) $\frac{3\sqrt{x+3}}{x+3}$ (2) $-\frac{x(x-\sqrt{x^2+3})}{3}$

대표Q 136쪽~137쪽

대표 Q1

(1) $\frac{x}{1+\sqrt{x+1}}-\frac{x}{1-\sqrt{x+1}}$

$=\frac{x(1-\sqrt{x+1})-x(1+\sqrt{x+1})}{(1+\sqrt{x+1})(1-\sqrt{x+1})}$

$=\frac{x-x\sqrt{x+1}-x-x\sqrt{x+1}}{1-(x+1)}$

$=\frac{-2x\sqrt{x+1}}{-x}=2\sqrt{x+1}$

(2) $\frac{1}{f(x)}=\frac{1}{\sqrt{x+1}+\sqrt{x}}=\frac{\sqrt{x+1}-\sqrt{x}}{(x+1)-x}=\sqrt{x+1}-\sqrt{x}$

$\therefore \frac{1}{f(1)}+\frac{1}{f(2)}+\frac{1}{f(3)}+\cdots+\frac{1}{f(99)}$

$=(\sqrt{2}-1)+(\sqrt{3}-\sqrt{2})+(\sqrt{4}-\sqrt{3})+\cdots$

$+(\sqrt{100}-\sqrt{99})$

$=-1+\sqrt{100}=9$

답 (1) $2\sqrt{x+1}$ (2) 9

1-1

(1) $\frac{\sqrt{x+1}+\sqrt{x}}{\sqrt{x+1}-\sqrt{x}}=\frac{(\sqrt{x+1}+\sqrt{x})^2}{(\sqrt{x+1}-\sqrt{x})(\sqrt{x+1}+\sqrt{x})}$

$=\frac{x+1+2\sqrt{x+1}\sqrt{x}+x}{(x+1)-x}$

$=2x+1+2\sqrt{x^2+x}$

(2) $\frac{1}{1+\sqrt{x^2+1}}+\frac{1}{1-\sqrt{x^2+1}}$

$=\frac{1-\sqrt{x^2+1}+1+\sqrt{x^2+1}}{(1+\sqrt{x^2+1})(1-\sqrt{x^2+1})}$

$=\frac{2}{1-(x^2+1)}=-\frac{2}{x^2}$

답 (1) $2x+1+2\sqrt{x^2+x}$ (2) $-\frac{2}{x^2}$

1-2

$\frac{1}{f(x)}=\frac{1}{\sqrt{2x+1}+\sqrt{2x-1}}$

$=\frac{\sqrt{2x+1}-\sqrt{2x-1}}{(\sqrt{2x+1}+\sqrt{2x-1})(\sqrt{2x+1}-\sqrt{2x-1})}$

$=\frac{\sqrt{2x+1}-\sqrt{2x-1}}{(2x+1)-(2x-1)}$

$=\frac{1}{2}(\sqrt{2x+1}-\sqrt{2x-1})$

$\therefore \frac{1}{f(1)}+\frac{1}{f(2)}+\frac{1}{f(3)}+\cdots+\frac{1}{f(40)}$

$=\frac{1}{2}\{(\sqrt{3}-\sqrt{1})+(\sqrt{5}-\sqrt{3})+(\sqrt{7}-\sqrt{5})+\cdots$

$+(\sqrt{81}-\sqrt{79})\}$

$=\frac{1}{2}(-1+\sqrt{81})=\frac{1}{2}\times 8=4$

답 4

대표 Q2

(1) $\frac{\sqrt{x}+\sqrt{y}}{\sqrt{x}-\sqrt{y}}=\frac{(\sqrt{x}+\sqrt{y})^2}{(\sqrt{x}-\sqrt{y})(\sqrt{x}+\sqrt{y})}=\frac{x+y+2\sqrt{xy}}{x-y}$

조건에서

$x+y=2\sqrt{3}$, $x-y=2\sqrt{2}$, $xy=3-2=1$이므로

$\frac{\sqrt{x}+\sqrt{y}}{\sqrt{x}-\sqrt{y}}=\frac{2\sqrt{3}+2}{2\sqrt{2}}=\frac{\sqrt{3}+1}{\sqrt{2}}=\frac{\sqrt{6}+\sqrt{2}}{2}$

(2) $\frac{\sqrt{x+1}}{\sqrt{x-1}}+\frac{\sqrt{x-1}}{\sqrt{x+1}}=\frac{(\sqrt{x+1})^2+(\sqrt{x-1})^2}{\sqrt{x-1}\sqrt{x+1}}$

$=\frac{x+1+x-1}{\sqrt{x^2-1}}=\frac{2x}{\sqrt{x^2-1}}$

$x=\sqrt{3}$을 대입하면

$\frac{2\sqrt{3}}{\sqrt{3-1}}=\frac{2\sqrt{3}}{\sqrt{2}}=\frac{2\sqrt{3}\sqrt{2}}{2}=\sqrt{6}$

답 (1) $\frac{\sqrt{6}+\sqrt{2}}{2}$ (2) $\sqrt{6}$

2-1

$x+y=6$, $xy=3$에서 합과 곱이 양수이므로

$x>0$, $y>0$이다.

$\therefore \sqrt{\frac{x}{y}}+\sqrt{\frac{y}{x}}=\frac{\sqrt{x}}{\sqrt{y}}+\frac{\sqrt{y}}{\sqrt{x}}=\frac{x+y}{\sqrt{xy}}=\frac{6}{\sqrt{3}}=2\sqrt{3}$

답 $2\sqrt{3}$

2-2

$\frac{1}{\sqrt{x}+\sqrt{y}}+\frac{1}{\sqrt{x}-\sqrt{y}}=\frac{(\sqrt{x}-\sqrt{y})+(\sqrt{x}+\sqrt{y})}{(\sqrt{x}+\sqrt{y})(\sqrt{x}-\sqrt{y})}$

$=\frac{2\sqrt{x}}{x-y}$

이므로

$\frac{\frac{1}{\sqrt{x}+\sqrt{y}}+\frac{1}{\sqrt{x}-\sqrt{y}}}{2\sqrt{x}}=\frac{\frac{2\sqrt{x}}{x-y}}{2\sqrt{x}}=\frac{1}{x-y}$

$=\frac{1}{1+\sqrt{2}-(1-\sqrt{2})}=\frac{1}{2\sqrt{2}}$

$=\frac{\sqrt{2}}{4}$

답 $\frac{\sqrt{2}}{4}$

2-3

$1-x=1-\frac{2a}{a^2+1}=\frac{a^2-2a+1}{a^2+1}=\frac{(a-1)^2}{a^2+1}$

$1+x=1+\frac{2a}{a^2+1}=\frac{a^2+2a+1}{a^2+1}=\frac{(a+1)^2}{a^2+1}$

$\therefore \sqrt{1-x}-\sqrt{1+x}=\sqrt{\frac{(a-1)^2}{a^2+1}}-\sqrt{\frac{(a+1)^2}{a^2+1}}$

$=\frac{\sqrt{(a-1)^2}}{\sqrt{a^2+1}}-\frac{\sqrt{(a+1)^2}}{\sqrt{a^2+1}}$ ← $a\ge1$

$=\frac{a-1}{\sqrt{a^2+1}}-\frac{a+1}{\sqrt{a^2+1}}$

$=-\frac{2}{\sqrt{a^2+1}}$

답 ②

개념 Check 138쪽 ~ 140쪽

5

(1) $3x+6\ge0$에서 $3x\ge-6$　　$\therefore x\ge-2$

(2) $-2x+3\ge0$에서 $-2x\ge-3$　　$\therefore x\le\frac{3}{2}$

(3) $1-x^2\ge0$에서 $x^2-1\le0$, $(x+1)(x-1)\le0$
$\therefore -1\le x\le1$

답 (1) $x\ge-2$　(2) $x\le\frac{3}{2}$　(3) $-1\le x\le1$

6

(1) $y=\sqrt{2x}$의 그래프는 $x=2$일 때 $y=2$이므로 점 $(2, 2)$를 지나는 곡선으로 그린다.

(2) $y=\sqrt{-2x}$의 그래프는 $y=\sqrt{2x}$의 그래프를 y축에 대칭인 곡선으로 그린다.

(3) $y=-\sqrt{2x}$의 그래프는 $y=\sqrt{2x}$의 그래프를 x축에 대칭인 곡선으로 그린다.

(4) $y=-\sqrt{-2x}$의 그래프는 $y=\sqrt{2x}$의 그래프를 원점에 대칭인 곡선으로 그린다.

답

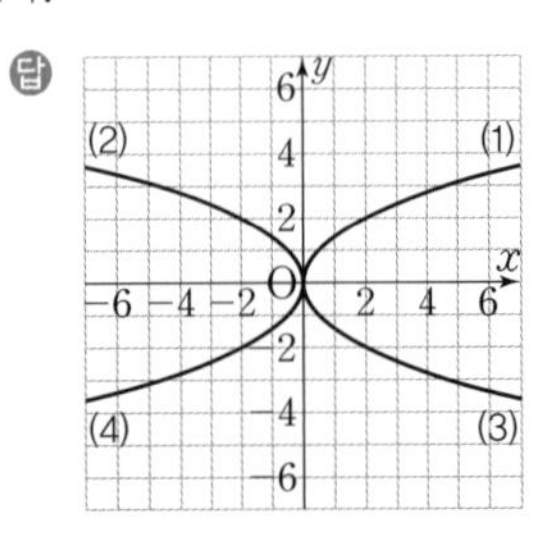

7

(1) $y=\sqrt{x+1}$의 그래프는 $y=\sqrt{x}$의 그래프를 x축 방향으로 -1만큼 평행이동하여 그린다.

(2) $y=\sqrt{x+1}+1$의 그래프는 $y=\sqrt{x}$의 그래프를 x축 방향으로 -1만큼, y축 방향으로 1만큼 평행이동하여 그린다.

답

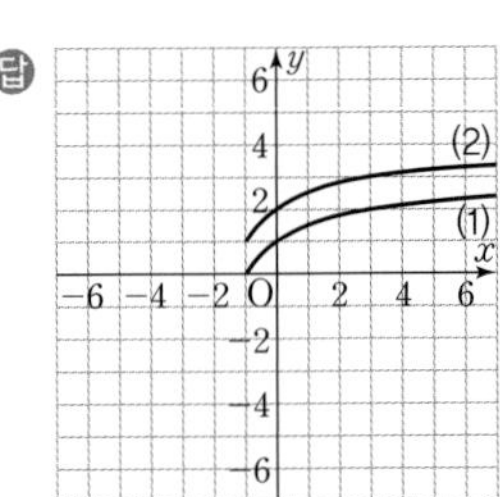

8

(1) $y=\sqrt{-x}-2$의 그래프는 $y=\sqrt{-x}$의 그래프를 y축 방향으로 -2만큼 평행이동하여 그린다.

(2) $y=-\sqrt{-(x-2)}-1$의 그래프는 $y=-\sqrt{-x}$의 그래프를 x축 방향으로 2만큼, y축 방향으로 -1만큼 평행이동하여 그린다.

답

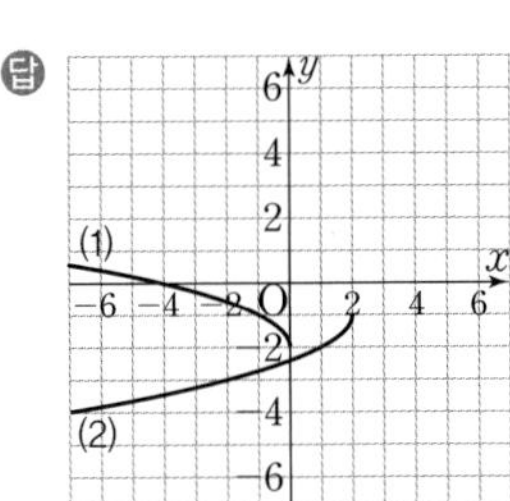

대표Q 141쪽 ~ 145쪽

대표 03

(1) $y=3-\sqrt{2x-4}$
$=-\sqrt{2(x-2)}+3$
이므로 그래프는 $y=-\sqrt{2x}$의 그래프를 x축 방향으로 2만큼, y축 방향으로 3만큼 평행이동한 것이다.

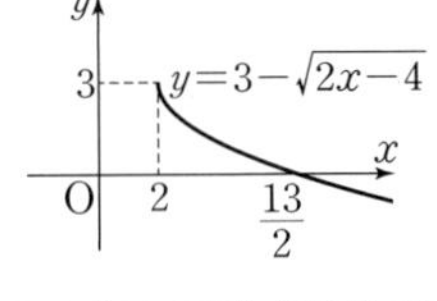

따라서 정의역은 $\{x|x\ge2\}$, 치역은 $\{y|y\le3\}$이다.

(2) $y=\sqrt{2-3x}-1$
$=\sqrt{-3\left(x-\frac{2}{3}\right)}-1$
이므로 그래프는 $y=\sqrt{-3x}$의 그래프를 x축 방향으로

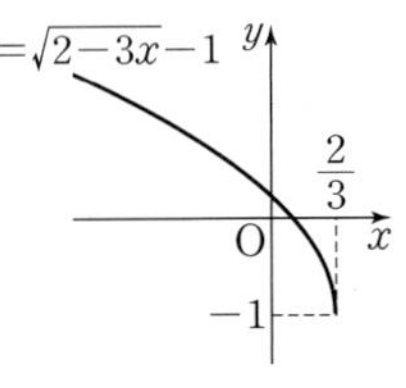

$\frac{2}{3}$만큼, y축 방향으로 -1만큼 평행이동한 것이다.

따라서 정의역은 $\left\{x \middle| x \le \frac{2}{3}\right\}$, 치역은 $\{y|y \ge -1\}$이다.

답 (1) 그래프 : 풀이 참조,
정의역 : $\{x|x \ge 2\}$, 치역 : $\{y|y \le 3\}$
(2) 그래프 : 풀이 참조,
정의역 : $\left\{x \middle| x \le \frac{2}{3}\right\}$, 치역 : $\{y|y \ge -1\}$

3-1

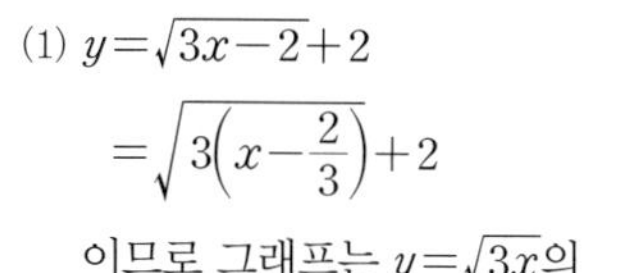

(1) $y=\sqrt{3x-2}+2$
$=\sqrt{3\left(x-\frac{2}{3}\right)}+2$
이므로 그래프는 $y=\sqrt{3x}$의 그래프를 x축 방향으로 $\frac{2}{3}$만큼, y축 방향으로 2만큼 평행이동한 것이다.

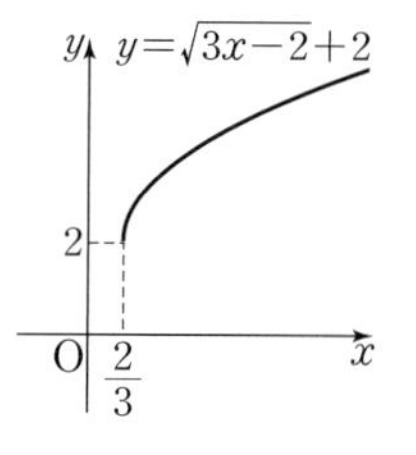

따라서 정의역은 $\left\{x \middle| x \ge \frac{2}{3}\right\}$, 치역은 $\{y|y \ge 2\}$이다.

(2) $y=1-2\sqrt{2-x}$
$=-2\sqrt{-(x-2)}+1$
이므로 그래프는 $y=-2\sqrt{-x}$의 그래프를 x축 방향으로 2만큼, y축 방향으로 1만큼 평행이동한 것이다.

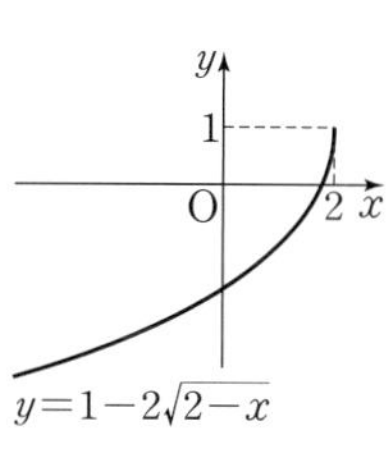

따라서 정의역은 $\{x|x \le 2\}$, 치역은 $\{y|y \le 1\}$이다.

답 (1) 그래프 : 풀이 참조,
정의역 : $\left\{x \middle| x \ge \frac{2}{3}\right\}$, 치역 : $\{y|y \ge 2\}$
(2) 그래프 : 풀이 참조,
정의역 : $\{x|x \le 2\}$, 치역 : $\{y|y \le 1\}$

3-2

주어진 그래프에서 정의역이 $\{x|x \ge -4\}$, 치역이 $\{y|y \le 3\}$이므로 함수의 식은 $y=a\sqrt{x+4}+3$ $(a<0)$
이 함수의 그래프가 y축과 만나는 점의 y좌표가 -1이므로 $y=a\sqrt{x+4}+3$에 $x=0$, $y=-1$을 대입하면
$-1=a\sqrt{4}+3$, $2a+3=-1$ $\quad\therefore a=-2$
$\therefore y=-2\sqrt{x+4}+3$
$y=a\sqrt{x-b}-c$와 비교하면 $a=-2$, $b=-4$, $c=-3$

답 $a=-2$, $b=-4$, $c=-3$

대표 Q4

(1) $y=\sqrt{ax}$의 그래프를 x축 방향으로 b만큼, y축 방향으로 -2만큼 평행이동한 그래프의 식은
$y=\sqrt{a(x-b)}-2$ $\quad\cdots$ ㉠
$y=2\sqrt{x-1}+c$에서 $y=\sqrt{4(x-1)}+c$이므로
㉠과 비교하면 $a=4$, $b=1$, $c=-2$

(2) $y=\sqrt{-2x+a}+b$의 그래프는 $y=\sqrt{-2x}$의 그래프를 평행이동한 것이고 정의역이 $\{x|x \le -2\}$, 최솟값이 1이므로 그림과 같다.

곧, 함수의 식은 $y=\sqrt{-2(x+2)}+1$
$\therefore y=\sqrt{-2x-4}+1$
$y=\sqrt{-2x+a}+b$와 비교하면 $a=-4$, $b=1$

답 (1) $a=4$, $b=1$, $c=-2$ (2) $a=-4$, $b=1$

4-1

$y=\sqrt{3x}$의 그래프를 x축 방향으로 3만큼, y축 방향으로 -1만큼 평행이동한 그래프의 식은
$y=\sqrt{3(x-3)}-1=\sqrt{3x-9}-1$
이 함수의 그래프와 x축에 대칭인 그래프는
$-y=\sqrt{3x-9}-1$ $\quad\therefore y=-\sqrt{3x-9}+1$
$y=-\sqrt{ax+b}+c$와 비교하면 $a=3$, $b=-9$, $c=1$

답 $a=3$, $b=-9$, $c=1$

4-2

함수의 그래프가 그림과 같고 x의 계수가 a이므로 함수의 식은
$y=-\sqrt{a(x+4)}+b$ $(a<0)$
곧, $y=-\sqrt{ax+4a}+b$
$y=-\sqrt{ax-8}-2$와 비교하면
$4a=-8$ $\quad\therefore a=-2$
$b=-2$

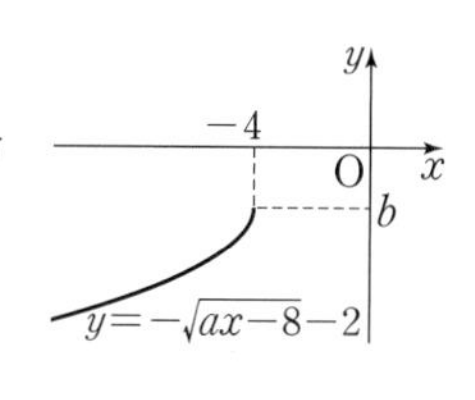

답 $a=-2$, $b=-2$

4-3

$y=\sqrt{x+1}$, $y=\sqrt{x-3}$의 그래프와 $y=1$ 및 x축으로 둘러싸인 부분의 넓이는 색칠한 부분과 같다. 이때 빗

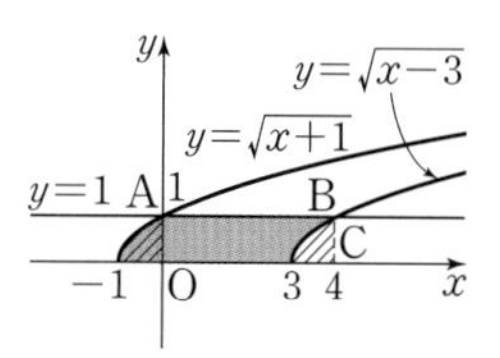

금친 두 부분의 넓이가 같으므로 색칠한 부분의 넓이는 직사각형 OABC의 넓이와 같다.

$\therefore 4\times1=4$

답 4

대표 05

(1) $y=\sqrt{-x+1}+2$의 치역은 $\{y|y\geq2\}$이므로 역함수의 정의역은 $\{x|x\geq2\}$

$y=\sqrt{-x+1}+2$에서 $y-2=\sqrt{-x+1}$

양변을 제곱하면

$y^2-4y+4=-x+1 \qquad \therefore x=-y^2+4y-3$

x와 y를 바꾸면 역함수는

$y=-x^2+4x-3\ (x\geq2)$

(2) $y=-x^2+6x-8=-(x-3)^2+1 \qquad \cdots$ ㉠

에서 $y-1=-(x-3)^2$, $(x-3)^2=-y+1$

그런데 $x\leq3$이므로 $x-3=-\sqrt{-y+1}$

$\therefore x=3-\sqrt{-y+1}$

x와 y를 서로 바꾸면 역함수는

$y=-\sqrt{-x+1}+3$

답 (1) $y=-x^2+4x-3\ (x\geq2)$
(2) $y=-\sqrt{-x+1}+3$

참고 (2) ㉠의 치역은 $\{y|y\leq1\}$이므로 역함수의 정의역은 $\{x|x\leq1\}$이다. 그런데 $y=-\sqrt{-x+1}+3$은 이 범위에서만 생각하므로 쓰지 않아도 된다.

5-1

(1) $y=\sqrt{2x+6}-3$의 치역은 $\{y|y\geq-3\}$이므로 역함수의 정의역은 $\{x|x\geq-3\}$

$y=\sqrt{2x+6}-3$에서 $y+3=\sqrt{2x+6}$

양변을 제곱하면

$y^2+6y+9=2x+6 \qquad \therefore x=\frac{1}{2}y^2+3y+\frac{3}{2}$

x와 y를 서로 바꾸면 역함수는

$y=\frac{1}{2}x^2+3x+\frac{3}{2}\ (x\geq-3)$

(2) $y=-\sqrt{x-1}-1$의 치역은 $\{y|y\leq-1\}$이므로 역함수의 정의역은 $\{x|x\leq-1\}$

$y=-\sqrt{x-1}-1$에서 $y+1=-\sqrt{x-1}$

양변을 제곱하면

$y^2+2y+1=x-1 \qquad \therefore x=y^2+2y+2$

x와 y를 서로 바꾸면 역함수는

$y=x^2+2x+2\ (x\leq-1)$

답 (1) $y=\frac{1}{2}x^2+3x+\frac{3}{2}$, 정의역 : $\{x|x\geq-3\}$
(2) $y=x^2+2x+2$, 정의역 : $\{x|x\leq-1\}$

5-2

(1) $y=\frac{1}{2}x^2-1$에서 $y+1=\frac{1}{2}x^2$

$x^2=2(y+1) \qquad \therefore x=\pm\sqrt{2(y+1)}$

그런데 $x\leq0$이므로 $x=-\sqrt{2(y+1)}$

x와 y를 서로 바꾸면 역함수는

$y=-\sqrt{2(x+1)}$

(2) $y=-2x^2-4x+1=-2(x+1)^2+3$이므로

$(x+1)^2=-\frac{1}{2}y+\frac{3}{2} \qquad \therefore x+1=\pm\sqrt{-\frac{1}{2}y+\frac{3}{2}}$

그런데 $x\geq-1$이므로 $x=\sqrt{-\frac{1}{2}y+\frac{3}{2}}-1$

x와 y를 서로 바꾸면 역함수는

$y=\sqrt{-\frac{1}{2}x+\frac{3}{2}}-1$

답 (1) $y=-\sqrt{2(x+1)}$ (2) $y=\sqrt{-\frac{1}{2}x+\frac{3}{2}}-1$

대표 06

(1) 곡선 $y=\sqrt{x-1}$과 직선 $y=mx-1$이 접하므로

$\sqrt{x-1}=mx-1$

에서 양변을 제곱하면

$x-1=(mx-1)^2$

$\therefore m^2x^2-(2m+1)x+2=0$

$D=0$이어야 하므로

$D=(2m+1)^2-8m^2=0$, $4m^2-4m-1=0$

$\therefore m=\frac{1\pm\sqrt{2}}{2}$

그런데 $m>0$이므로 $m=\frac{1+\sqrt{2}}{2}$

(2) 곡선 $y=\sqrt{x-1}$과 직선 $y=\frac{1}{2}x+k$가 서로 다른 두 점에서 만나려면 그림에서 접하는 경우를 제외한 색칠한 부분에 있으면 된다.

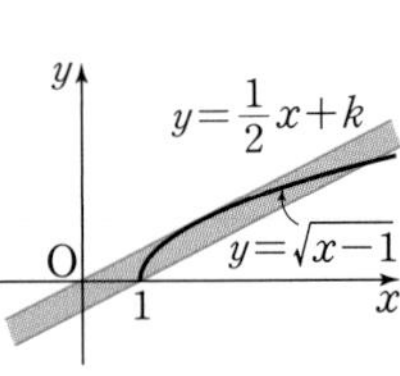

(i) $y=\sqrt{x-1}$의 그래프와 직선 $y=\frac{1}{2}x+k$가 접할 때,

$\sqrt{x-1}=\frac{1}{2}x+k$에서 양변을 제곱하면

$x-1=\left(\frac{1}{2}x+k\right)^2$

$\therefore x^2+4(k-1)x+4k^2+4=0$

$\frac{D}{4}=0$이어야 하므로

$\frac{D}{4}=4(k-1)^2-4k^2-4=0 \qquad \therefore k=0$

(ii) 직선 $y=\frac{1}{2}x+k$가 점 $(1, 0)$을 지날 때,

$0=\frac{1}{2}\times1+k \qquad \therefore k=-\frac{1}{2}$

(i), (ii)에서 $-\frac{1}{2}\le k<0$

답 (1) $\frac{1+\sqrt{2}}{2}$ (2) $-\frac{1}{2}\le k<0$

참고 (1) 그림과 같이 $m<0$인 직선은 $y=-\sqrt{x-1}$의 그래프(점선)와 접한다. 이와 같이 무리함수의 그래프와 직선의 위치 관계는 그림을 그려 확인한다.

6-1

$y=\sqrt{x-k}$와 $y=x+1$에서

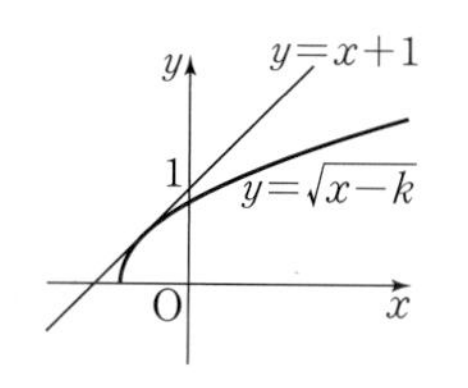

$\sqrt{x-k}=x+1$

$x-k=(x+1)^2$

$\therefore x^2+x+1+k=0$

$D=1-4(1+k)\ge0$이므로

$-4k\ge3 \qquad \therefore k\le-\frac{3}{4}$

답 $k\le-\frac{3}{4}$

6-2

$n(A\cap B)=2$이므로 곡선 $y=\sqrt{4x-8}$과 직선 $y=x+k$가 두 점에서 만난다.

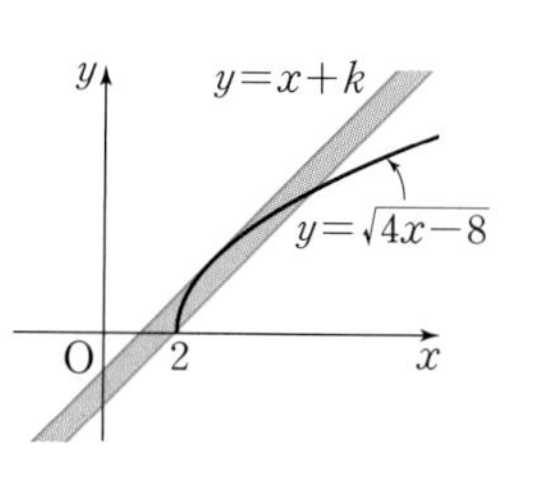

곧, 그림에서 직선이 곡선과 접하는 경우를 제외한 색칠한 부분에 있으면 된다.

(i) $y=\sqrt{4x-8}$의 그래프와 직선 $y=x+k$가 접할 때,

$x+k=\sqrt{4x-8}$에서 양변을 제곱하면

$(x+k)^2=4x-8$

$\therefore x^2+2(k-2)x+k^2+8=0$

$\frac{D}{4}=0$이어야 하므로

$\frac{D}{4}=(k-2)^2-k^2-8=0,\ -4k-4=0$

$\therefore k=-1$

(ii) 직선 $y=x+k$가 점 $(2, 0)$을 지날 때,

$0=2+k \qquad \therefore k=-2$

(i), (ii)에서 $-2\le k<-1$

답 $-2\le k<-1$

대표 07

(1) 두 함수는 x와 y가 바뀐 꼴이므로 서로 역함수이다.

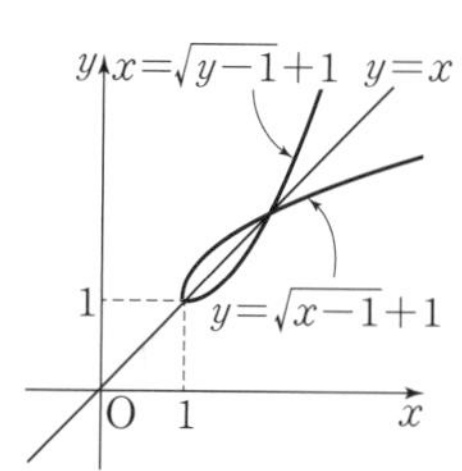

곧, 두 함수의 그래프를 그리면 그림과 같이 직선 $y=x$에 대칭이고, 두 함수의 그래프의 교점은 $y=\sqrt{x-1}+1$의 그래프와 직선 $y=x$의 교점과 같다.

$x=\sqrt{x-1}+1$에서 $x-1=\sqrt{x-1}$

양변을 제곱하면

$x^2-2x+1=x-1,\ (x-1)(x-2)=0$

$\therefore x=1$ 또는 $x=2$

따라서 교점의 좌표는 $(1, 1)$, $(2, 2)$이다.

(2) $y=f(x)$와 $y=f^{-1}(x)$의 그래프의 교점은 $y=f(x)$의 그래프와 직선 $y=x$의 교점과 같고, 두 점에서 만나므로 그림과 같다.

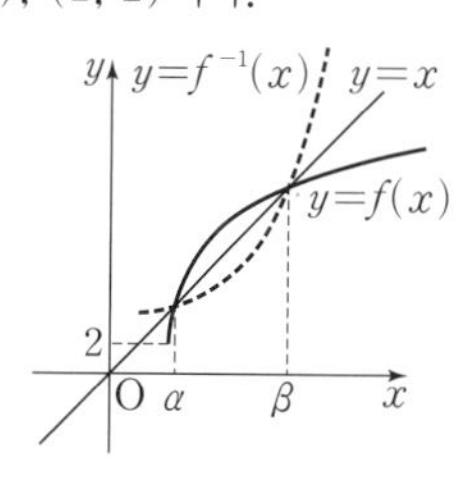

곧, 교점의 x좌표는 방정식 $\sqrt{3x-a}+2=x$의 해이다.

$\sqrt{3x-a}=x-2$에서 양변을 제곱하면

$3x-a=x^2-4x+4,\ x^2-7x+a+4=0$

이 방정식의 두 근을 α, $\beta\ (\alpha<\beta)$라 하면 근과 계수의 관계에서

$\alpha+\beta=7,\ \alpha\beta=a+4$

또 교점의 좌표는 (α, α), (β, β)이다.

두 교점 사이의 거리가 $\sqrt{2}$이므로

$(\beta-\alpha)^2+(\beta-\alpha)^2=2,\ (\beta-\alpha)^2=1$

$\therefore \beta-\alpha=1$ ($\because \alpha<\beta$)

$\alpha+\beta=7$과 연립하여 풀면 $\alpha=3$, $\beta=4$

$\alpha\beta=a+4$에 대입하면 $a=8$

답 (1) $(1, 1)$, $(2, 2)$　(2) 8

7-1

두 함수는 x와 y가 바뀐 꼴이므로 서로 역함수이다.

곧, $y=\sqrt{\frac{4}{5}(x+2)}+1$과 $x=\sqrt{\frac{4}{5}(y+2)}+1$의 그래프는 그림과 같이 직선 $y=x$에 대칭이다.

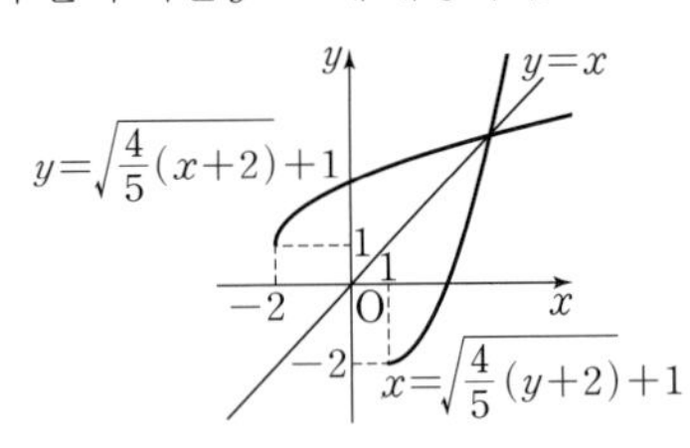

이때 두 함수의 그래프의 교점은 $y=\sqrt{\frac{4}{5}(x+2)}+1$의 그래프와 직선 $y=x$의 교점과 같다.

$x=\sqrt{\frac{4}{5}(x+2)}+1$에서 $x-1=\sqrt{\frac{4}{5}(x+2)}$

양변을 제곱하면

$x^2-2x+1=\frac{4}{5}(x+2)$, $5x^2-10x+5=4x+8$

$(x-3)(5x+1)=0$　　$\therefore x=3$ 또는 $x=-\frac{1}{5}$

그림에서 교점의 x좌표는 0보다 크므로 구하는 교점의 좌표는 $(3, 3)$이다.

답 $(3, 3)$

참고 양변을 제곱하였으므로 $x=-\frac{1}{5}$은

$y=-\sqrt{\frac{4}{5}(x+2)}+1$의 그래프와 직선 $y=x$의 교점의 x좌표이다.

7-2

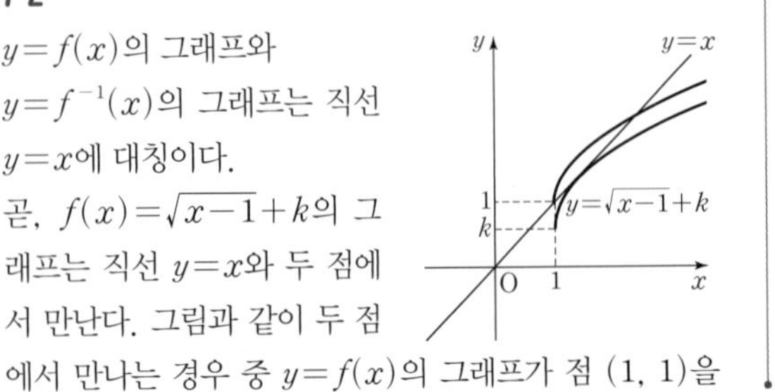

$y=f(x)$의 그래프와 $y=f^{-1}(x)$의 그래프는 직선 $y=x$에 대칭이다.

곧, $f(x)=\sqrt{x-1}+k$의 그래프는 직선 $y=x$와 두 점에서 만난다. 그림과 같이 두 점에서 만나는 경우 중 $y=f(x)$의 그래프가 점 $(1, 1)$을 지날 때, 상수 k는 최대이므로

$\sqrt{1-1}+k=1$　　$\therefore k=1$

답 1

연습과 실전　8 무리함수

146쪽~148쪽

01 $2\sqrt{x+1}$		02 제2사분면		03 7
04 8	05 7	06 8	07 $\frac{1}{8}$	08 ④
09 풀이 참조		10 $\frac{5}{2}$	11 2	12 ①
13 1	14 $a=2$, $b=-1$		15 ④	

01

$$\frac{1}{\sqrt{x+1}+\sqrt{x}}+\frac{1}{\sqrt{x+1}-\sqrt{x}}$$
$$=\frac{\sqrt{x+1}-\sqrt{x}+\sqrt{x+1}+\sqrt{x}}{(\sqrt{x+1}+\sqrt{x})(\sqrt{x+1}-\sqrt{x})}$$
$$=\frac{2\sqrt{x+1}}{x+1-x}$$
$$=2\sqrt{x+1}$$

답 $2\sqrt{x+1}$

02

$y=\frac{a}{x+b}+c$의 그래프의 점근선이 직선 $x=1$, $y=3$이므로 $b=-1$, $c=3$

곧, 유리함수의 식은 $y=\frac{a}{x-1}+3$이다.

이 함수의 그래프가 점 $(0, 4)$를 지나므로

$4=-a+3$　　$\therefore a=-1$

$y=\sqrt{ax+b}+c$

$=\sqrt{-x-1}+3$

$=\sqrt{-(x+1)}+3$

이므로 그래프는 그림과 같다.

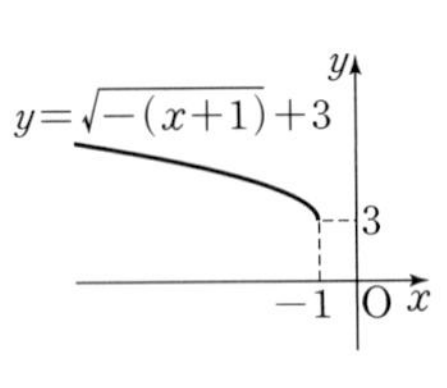

따라서 $y=\sqrt{-(x+1)}+3$이 지나는 사분면은 제2사분면이다.

답 제2사분면

03

$y=\sqrt{2x}$의 그래프를 x축 방향으로 1만큼, y축 방향으로 3만큼 평행이동한 그래프의 식은

$y-3=\sqrt{2(x-1)}$　　$\therefore y=\sqrt{2x-2}+3$

이 그래프가 점 $(9, a)$를 지나므로

$a=\sqrt{18-2}+3=7$

답 7

04

$x=-2$에서 최솟값 2를 가지므로

$f(x)=\sqrt{a(x+2)}+2$

로 놓고, $f(1)=5$에서

$5=\sqrt{3a}+2$, $\sqrt{3a}=3$　　$\therefore a=3$

따라서 $f(x)=\sqrt{3(x+2)}+2$이므로

$f(10)=\sqrt{36}+2=8$

답 8

05

$f(x)=\sqrt{ax+b}$라 하면

두 점 $(2, 0)$, $(5, 7)$이 $y=f^{-1}(x)$의 그래프 위의 점이므로

$f^{-1}(2)=0$, $f^{-1}(5)=7$

곧, $f(0)=2$, $f(7)=5$이므로

$f(0)=2$에서

$2=\sqrt{b}$　　$\therefore b=4$

$f(7)=5$에서

$5=\sqrt{7a+4}$　　$\therefore a=3$

$\therefore a+b=3+4=7$

답 7

06

$y=-\sqrt{3x-1}+2$의 치역은 $\{y\,|\,y\le2\}$이므로 역함수의 정의역은 $\{x\,|\,x\le2\}$

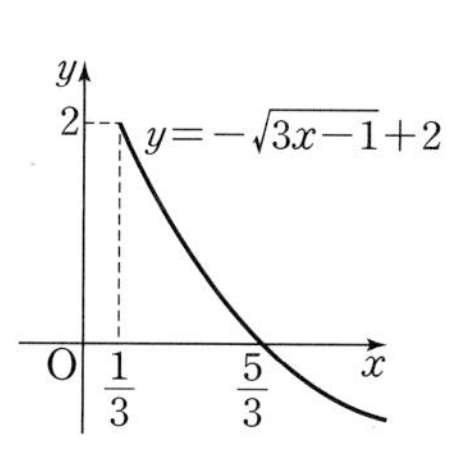

$y=-\sqrt{3x-1}+2$에서

$\sqrt{3x-1}=2-y$

양변을 제곱하면

$3x-1=y^2-4y+4$

$\therefore x=\frac{1}{3}y^2-\frac{4}{3}y+\frac{5}{3}$

x와 y를 서로 바꾸면 역함수는

$y=\frac{1}{3}x^2-\frac{4}{3}x+\frac{5}{3}\ (x\le2)$

따라서 $a=\frac{1}{3}$, $b=-\frac{4}{3}$, $c=\frac{5}{3}$, $d=2$이므로

$3(a+b+c+d)=1-4+5+6=8$

답 8

07

점 (a, b), (c, d)가 $y=\sqrt{x}$의 그래프 위의 점이므로

$b=\sqrt{a}$, $d=\sqrt{c}$　　$\therefore a=b^2$, $c=d^2$

$\frac{b+d}{2}=4$에서 $b+d=8$이므로 직선 PQ의 기울기는

$$\frac{d-b}{c-a}=\frac{d-b}{d^2-b^2}=\frac{d-b}{(d+b)(d-b)}$$

$$=\frac{1}{b+d}=\frac{1}{8}$$

답 $\frac{1}{8}$

08 전략 $(\sqrt{a}+\sqrt{b})^2=a+2\sqrt{ab}+b$임을 이용한다.

$$\frac{1}{a+\sqrt{ab}}+\frac{1}{b+\sqrt{ab}}=\frac{b+\sqrt{ab}+a+\sqrt{ab}}{(a+\sqrt{ab})(b+\sqrt{ab})}$$

$$=\frac{a+2\sqrt{ab}+b}{ab+a\sqrt{ab}+b\sqrt{ab}+ab}$$

$$=\frac{(\sqrt{a}+\sqrt{b})^2}{\sqrt{ab}(\sqrt{a}+\sqrt{b})^2}$$

$$=\frac{1}{\sqrt{ab}}$$

답 ④

09 전략 절댓값 기호가 있으므로 x값의 범위를 나누어 그래프를 그린다.

(1) $x\ge0$일 때, $y=\sqrt{x+1}$

$x<0$일 때, $y=\sqrt{-x+1}=\sqrt{-(x-1)}$

이므로 그래프는 그림과 같다.

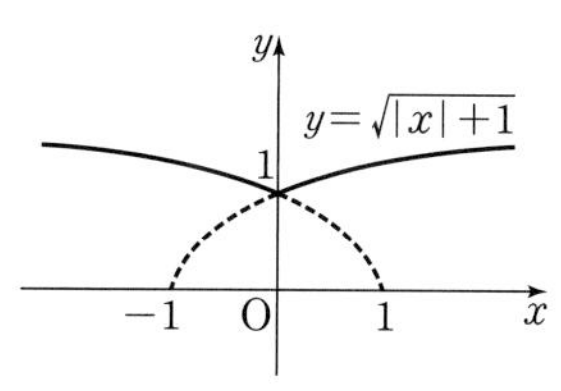

(2) $x\ge1$일 때, $y=\sqrt{x-1}$

$x<1$일 때, $y=\sqrt{-(x-1)}$

이므로 그래프는 그림과 같다.

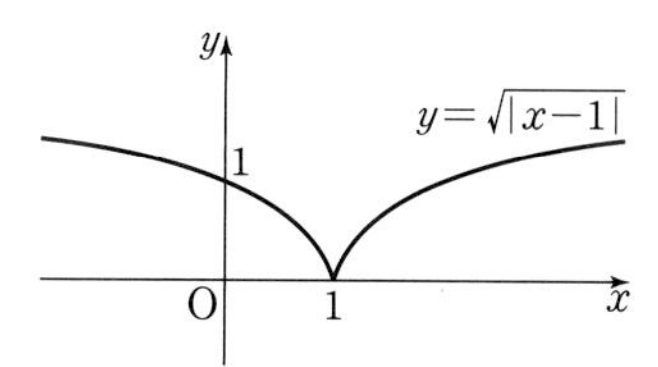

답 풀이 참조

10 전략 $(g\circ f)^{-1}=f^{-1}\circ g^{-1}$임을 이용한다.

$$(f\circ(g\circ f)^{-1}\circ f)(3)=(f\circ(f^{-1}\circ g^{-1})\circ f)(3)$$
$$=((f\circ f^{-1})\circ g^{-1}\circ f)(3)$$
$$=(g^{-1}\circ f)(3)$$
$$=g^{-1}(f(3))$$

이때 $f(3)=\frac{3+1}{3-1}=2$이므로 $g^{-1}(f(3))=g^{-1}(2)$

$g^{-1}(2)=a$라 하면 $g(a)=2$이므로

$\sqrt{2a-1}=2$, $2a-1=4$ $\quad\therefore a=\frac{5}{2}$

따라서 구하는 값은 $\frac{5}{2}$이다.

답 $\frac{5}{2}$

11 전략 두 무리함수의 교점의 좌표를 문자로 나타낸 후 조건을 이용한다.

$y=\sqrt{a(6-x)}$ $(a>0)$의 그래프는 점 $(6,\ 0)$을 지나므로 그림과 같다.

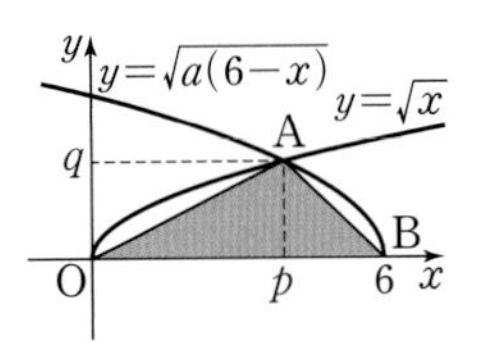

$\overline{OB}=6$, 삼각형 AOB의 넓이가 6이므로 점 $A(p,\ q)$로 놓으면

$\frac{1}{2}\times6\times q=6$ $\quad\therefore q=2$

점 $A(p,\ 2)$는 $y=\sqrt{x}$의 그래프 위의 점이므로

$2=\sqrt{p}$ $\quad\therefore p=4$

또 점 $A(4,\ 2)$는 $y=\sqrt{a(6-x)}$의 그래프 위의 점이므로

$2=\sqrt{a(6-4)}$, $4=2a$ $\quad\therefore a=2$

답 2

12 전략 세 점 A, B, C의 좌표를 문자로 조건에 맞게 나타내고 삼각형 ABC의 넓이를 구한다.

제1사분면 위의 점 $A(a,\ 2\sqrt{a})(a>0)$라 하면

점 $C(a,\ \sqrt{a})$이므로

$\overline{AC}=2\sqrt{a}-\sqrt{a}=\sqrt{a}$

또 $\overline{AC}=\overline{AB}$이므로 점 B의 x좌표는 $a+\sqrt{a}$

점 B의 y의 좌표는 점 A의 y좌표와 같으므로 $2\sqrt{a}$

$\therefore B(a+\sqrt{a},\ 2\sqrt{a})$

점 B는 $y=\sqrt{x}$ 위의 점이므로

$y=\sqrt{x}$의 양변을 제곱한 $y^2=x$에 대입하면

$4a=a+\sqrt{a}$, $3a=\sqrt{a}$, $a(9a-1)=0$

그런데 $a>0$이므로 $a=\frac{1}{9}$

따라서 삼각형 ACB의 넓이는

$\frac{1}{2}\times\overline{AC}^2=\frac{1}{2}\times\frac{1}{9}=\frac{1}{18}$

다른 풀이

점 $A(a,\ 2\sqrt{a})(a>0)$라 하면

$B(4a,\ 2\sqrt{a})$, $C(a,\ \sqrt{a})$

$\overline{AC}=\overline{AB}$이므로

$\sqrt{a}=3a$, $a=9a^2$, $a(9a-1)=0$

그런데 $a>0$이므로 $a=\frac{1}{9}$

답 ①

13 전략 $y=\sqrt{-x}$의 역함수는 $y=x^2(x>0)$과 x축에 대칭임을 이용한다.

$y=\sqrt{-x}$에서 $y^2=-x$

x와 y를 서로 바꾸면 $y=-x^2$

곧, $y=\sqrt{-x}$의 역함수는 $y=-x^2$ $(x\geq0)$이고

$y=-x^2(x\geq0)$의 그래프는 $y=x^2(x\geq0)$의 그래프와 x축에 대칭이다.

따라서 그림에서 색칠한 부분의 넓이는 같으므로 구하는 넓이는

$1\times1=1$

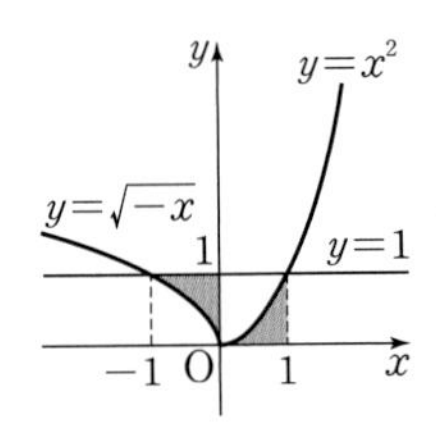

답 1

14 전략 함수 $y=\sqrt{ax+b}$의 그래프와 직선 $y=x$가 접할 조건을 이용한다.

$y=\sqrt{ax}$의 그래프가 점 $(2,\ 2)$를 지나므로

$2=\sqrt{2a}$ $\quad\therefore a=2$

$y=\sqrt{2x+b}$의 그래프와 직선 $y=x$가 접하므로

$x=\sqrt{2x+b}$에서

양변을 제곱하여 정리하면 $x^2-2x-b=0$

$\frac{D}{4}=0$이어야 하므로

$\frac{D}{4}=1+b=0 \quad \therefore b=-1$

답 $a=2$, $b=-1$

15 전략 $f(x)=-\sqrt{kx+2k}+4$, $g(x)=\sqrt{-kx+2k}-4$에서 $k<0$일 때와 $k>0$일 때 그래프를 그려서 생각한다.

$f(x)=-\sqrt{kx+2k}+4$, $g(x)=\sqrt{-kx+2k}-4$라 하자.

ㄱ. $f(-x)=-\sqrt{k\times(-x)+2k}+4$
$=-(\sqrt{-kx+2k}-4)$
$=-g(x)$

이므로 $g(x)=-f(-x)$

따라서 두 곡선은 서로 원점에 대칭이다.

ㄴ. $k<0$일 때,

$f(x)=-\sqrt{k(x+2)}+4$

$g(x)=\sqrt{-k(x-2)}-4$

의 그래프는 그림과 같으므로 두 곡선은 만나지 않는다.

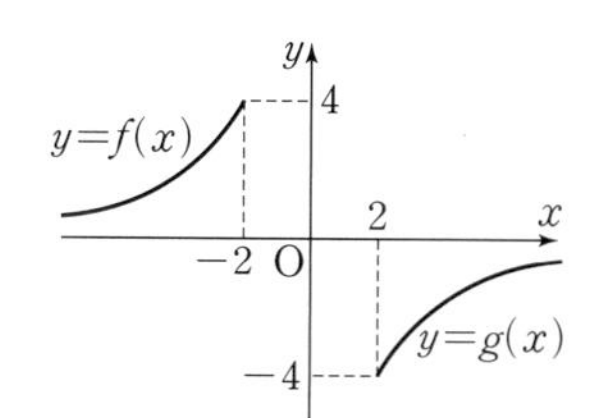

ㄷ. ㄴ에서 $k<0$이면 두 곡선은 만나지 않으므로 두 곡선이 만나려면 $k>0$이다. ㄱ에서 두 곡선은 원점에 대칭이고 k의 값이 커지면 x축에서 멀어진다. 곧, 두 곡선이 서로 다른 두 점에서 만나게 하는 k의 최댓값은 그림과 같이 $y=f(x)$의 그래프가 $y=g(x)$의 그래프 위의 점 $(2, -4)$를 지날 때이다.

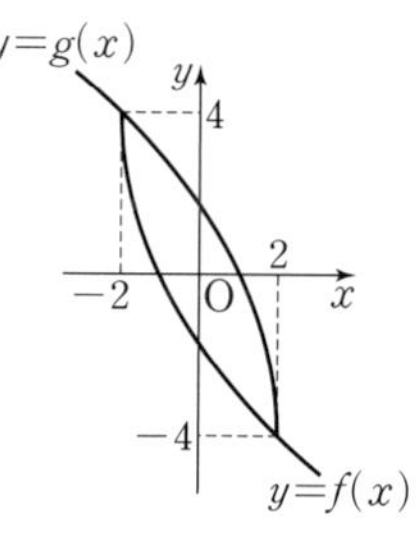

$-4=-\sqrt{2k+2k}+4$, $\sqrt{4k}=8$,

$4k=64 \quad \therefore k=16$

따라서 옳은 것은 ㄱ, ㄷ이다.

답 ④

9 경우의 수

개념 Check

150쪽~151쪽

1

(1) 5의 배수는 6장, 7의 배수는 4장이고, 중복되지 않으므로 구하는 경우의 수는

$6+4=10$

(2) 2의 배수는 15장, 3의 배수는 10장이고, 6의 배수 5장이 중복되므로 구하는 경우의 수는

$15+10-5=20$

답 (1) 10 (2) 20

2

십의 자리 숫자를 x, 일의 자리 숫자를 y라 하자.

(1) x는 1, 3, 5, 7, 9가 가능하고 y는 2, 3, 5, 7이 가능하므로 구하는 두 자리 자연수의 개수는

$5\times4=20$

(2) x는 2, 4, 6, 8이 가능하고 y는 2, 4, 6, 8이 가능하므로 구하는 두 자리 자연수의 개수는

$4\times4=16$

답 (1) 20 (2) 16

3

(1) 각 상의마다 하의 4벌을 입을 수 있으므로 짝 지어 입는 방법의 수는

$3\times4=12$

(2) (1)에서 구한 각 경우마다 신발 3켤레를 신을 수 있으므로 짝 지어 입는 방법의 수는

$(3\times4)\times3=36$

답 (1) 12 (2) 36

대표Q

152쪽~157쪽

대표 01

(1) 두 눈의 수의 합이 4의 배수인 경우는 4, 8, 12일 때이다.

(i) 두 눈의 수의 합이 4인 경우

(1, 3), (2, 2), (3, 1)의 3개

(ii) 두 눈의 수의 합이 8인 경우

(2, 6), (3, 5), (4, 4), (5, 3), (6, 2)의 5개

(iii) 두 눈의 수의 합이 12인 경우

(6, 6)의 1개

따라서 구하는 경우의 수는

$3+5+1=9$

(2) 두 눈의 수의 차가 4 이상인 경우는 4, 5일 때이다.

(i) 두 눈의 수의 차가 4인 경우

(1, 5), (5, 1), (2, 6), (6, 2)의 4개

(ii) 두 눈의 수의 차가 5인 경우

(1, 6), (6, 1)의 2개

따라서 구하는 경우의 수는

$4+2=6$

답 (1) 9 (2) 6

1-1

(1) 두 눈의 수의 합이 6의 배수인 경우는 6, 12일 때이다.

(i) 두 눈의 수의 합이 6인 경우

(1, 5), (2, 4), (3, 3), (4, 2), (5, 1)의 5개

(ii) 두 눈의 수의 합이 12인 경우

(6, 6)의 1개

따라서 구하는 경우의 수는

$5+1=6$

(2) 두 눈의 수의 차가 2 이하인 경우는 2, 1, 0일 때이다.

(i) 두 눈의 수의 차가 2인 경우

(1, 3), (2, 4), (3, 5), (4, 6), (6, 4), (5, 3), (4, 2), (3, 1)의 8개

(ii) 두 눈의 수의 차가 1인 경우

(1, 2), (2, 3), (3, 4), (4, 5), (5, 6), (6, 5), (5, 4), (4, 3), (3, 2), (2, 1)의 10개

(iii) 두 눈의 수의 차가 0인 경우

(1, 1), (2, 2), (3, 3), (4, 4), (5, 5), (6, 6)의 6개

따라서 구하는 경우의 수는

$8+10+6=24$

답 (1) 6 (2) 24

1-2

(1) 방정식을 만족시키는 순서쌍 (x, y)는

(8, 1), (6, 2), (4, 3), (2, 4)

의 4개이다.

(2) 방정식을 만족시키는 순서쌍 (x, y)는

(i) $z=1$일 때, $x+2y=9$이므로

(7, 1), (5, 2), (3, 3), (1, 4)의 4개

(ii) $z=2$일 때, $x+2y=6$이므로

(4, 1), (2, 2)의 2개

(iii) $z=3$일 때, $x+2y=3$이므로

(1, 1)의 1개

따라서 구하는 경우의 수는

$4+2+1=7$

답 (1) 4 (2) 7

참고 방정식을 만족시키는 순서쌍의 개수를 구할 때에는 방정식에서 계수가 가장 큰 문자를 기준으로 경우를 나누면 편하다.

대표 Q2

(1) A → B → C로 가는 경우의 수는

$3\times2=6$

(2) (i) A → B → C → A인 경우는

$3\times2\times3=18$(개)

(ii) A → C → B → A인 경우는

$3\times2\times3=18$(개)

따라서 구하는 경우의 수는

$18+18=36$

답 (1) 6 (2) 36

2-1

(1) 버스를 이용하여 A에서 B로 가는 경우는 3개

지하철을 이용하여 A에서 B로 가는 경우는 2개

두 경우는 동시에 일어나지 않으므로 구하는 경우의 수는

$3+2=5$

(2) A에서 B까지 버스를 타고 가는 경우는 3개

B에서 A까지 지하철을 타고 돌아오는 경우는 2개

따라서 구하는 경우의 수는

$3\times2=6$

(3) (i) A → B → A를 버스만 이용하는 경우는

$3\times3=9$(개)

(ii) A → B → A를 지하철만 이용하는 경우는

$2\times2=4$(개)

따라서 구하는 경우의 수는

$9+4=13$

답 (1) 5 (2) 6 (3) 13

2-2

(1) $(x+y)(a+b+c+d)$를 전개하면 x, y에 a, b, c, d를 각각 곱해 서로 다른 항이 만들어지므로 항의 개수는

$2\times4=8$

(2) a, b에 c, d, e, f를 각각 곱하면 항이 만들어지고, 그것에 다시 x, y, z를 각각 곱하면 서로 다른 항이 만들어지므로 항의 개수는

$2\times4\times3=24$

답 (1) 8 (2) 24

대표 Q3

$72=2^3\times3^2$이므로 약수는 표와 같다.

3^2의 약수 \ 2^3의 약수	1	2	2^2	2^3
1	1	2	2^2	2^3
3	3	2×3	$2^2\times3$	$2^3\times3$
3^2	3^2	2×3^2	$2^2\times3^2$	$2^3\times3^2$

(1) 72의 약수의 개수는

$(3+1)\times(2+1)=4\times3=12$

(2) 약수 중 2의 배수의 개수는 약수의 개수에서 2의 배수가 아닌 약수의 개수를 뺀 것과 같다.

2의 배수가 아닌 약수의 개수는 3^2의 약수의 개수와 같으므로 $2+1=3$

따라서 72의 약수의 개수는 12이므로 약수 중 2의 배수의 개수는

$12-3=9$

(3) $9=3^2$이므로 9와 서로소이면 소인수 중에 3이 없어야 한다.

따라서 약수 중 9와 서로소인 약수의 개수는 2^3의 약수의 개수와 같으므로

$3+1=4$

답 (1) 12 (2) 9 (3) 4

3-1

$270=2\times3^3\times5$이므로

(1) 270의 약수의 개수는

$(1+1)\times(3+1)\times(1+1)=16$

(2) 약수 중 5의 배수의 개수는 약수의 개수에서 5의 배수가 아닌 약수의 개수를 뺀 것과 같다.

5의 배수가 아닌 약수의 개수는 2×3^3의 약수의 개수와 같으므로 $(1+1)\times(3+1)=8$

따라서 270의 약수의 개수는 16이므로 약수 중 5의 배수의 개수는

$16-8=8$

(3) 10과 서로소이면 소인수 중에 2와 5가 없어야 한다.

따라서 약수 중 10과 서로소인 약수의 개수는 3^3의 약수의 개수와 같으므로

$3+1=4$

답 (1) 16 (2) 8 (3) 4

대표 Q4

(1) 100원짜리 동전을 지불하는 방법은

0개, 1개 ➡ 2가지

50원짜리 동전을 지불하는 방법은

0개, 1개, 2개 ➡ 3가지

10원짜리 동전을 지불하는 방법은

0개, 1개, …, 4개 ➡ 5가지

그런데 0원을 지불하는 경우를 빼야 하므로 지불하는 방법의 수는

$2\times3\times5-1=30-1=29$

(2) 100원짜리 동전을 50원짜리 동전 2개로 생각한다.

곧, 50원짜리 동전 4개, 10원짜리 동전 4개로 지불하는 방법의 수와 같다.

따라서 50원짜리 동전 4개로 지불하는 방법은 5가지, 10원짜리 동전 4개로 지불하는 방법은 5가지이므로 지불하는 금액의 수는

$5\times5-1=24$

다른 풀이

지불할 수 있는 최소 금액은 10원, 최대 금액은 240원이고 이 사이의 금액은 10원 단위로 모두 지불할 수 있으므로 지불하는 금액의 수는 24이다.

답 (1) 29 (2) 24

4-1

(1) 500원짜리 동전을 지불하는 방법은

0개, 1개 ➡ 2가지

100원짜리 동전을 지불하는 방법은

0개, 1개, …, 6개 ➡ 7가지

10원짜리 동전을 지불하는 방법은

0개, 1개, …, 5개 ➡ 6가지

그런데 0원을 지불하는 경우를 빼야 하므로 지불하는 방법의 수는

$2\times7\times6-1=84-1=83$

(2) 500원짜리 동전을 100원짜리 동전 5개로 생각한다.

곧, 100원짜리 동전 11개, 10원짜리 동전 5개로 지불하는 방법의 수와 같다.

따라서 100원짜리 동전 11개로 지불하는 방법은 12가지, 10원짜리 동전 5개로 지불하는 방법은 6가지이므로 지불하는 금액의 수는

$12\times6-1=71$

답 (1) 83 (2) 71

대표 05

(1) A에 칠할 수 있는 색은 5가지

B에 칠할 수 있는 색은 A의 색을 뺀 4가지

C에 칠할 수 있는 색은 A, B의 색을 뺀 3가지

D에 칠할 수 있는 색은 A, C의 색을 뺀 3가지

따라서 구하는 방법의 수는

$5\times4\times3\times3=180$

(2) B는 C, E와는 이웃하지만, D와는 이웃하지 않으므로 B와 D에 같은 색을 칠하는 경우와 다른 색을 칠하는 경우로 나누어 구한다.

(i) B와 D에 같은 색을 칠하는 경우

A에 칠할 수 있는 색은 5가지

B에 칠할 수 있는 색은 A의 색을 뺀 4가지

C에 칠할 수 있는 색은 A, B의 색을 뺀 3가지

D에 칠할 수 있는 색은 B의 색과 같으므로 1가지

E에 칠할 수 있는 색은 A, B(또는 D)의 색을 뺀 3가지

따라서 구하는 방법의 수는

$5\times4\times3\times1\times3=180$

(ii) B와 D에 다른 색을 칠하는 경우

A에 칠할 수 있는 색은 5가지

B에 칠할 수 있는 색은 A의 색을 뺀 4가지

C에 칠할 수 있는 색은 A, B의 색을 뺀 3가지

D에 칠할 수 있는 색은 A, B, C의 색을 뺀 2가지

E에 칠할 수 있는 색은 A, B, D의 색을 뺀 2가지

따라서 구하는 방법의 수는

$5\times4\times3\times2\times2=240$

(i), (ii)에서 구하는 방법의 수는

$180+240=420$

답 (1) 180 (2) 420

5-1

가장 많은 영역과 이웃한 영역부터 칠한다.

A에 칠할 수 있는 색은 5가지

B에 칠할 수 있는 색은 A의 색을 뺀 4가지

C에 칠할 수 있는 색은 A, B의 색을 뺀 3가지

D에 칠할 수 있는 색은 A, C의 색을 뺀 3가지

E에 칠할 수 있는 색은 A, D의 색을 뺀 3가지

따라서 구하는 방법의 수는

$5\times4\times3\times3\times3=540$

답 540

5-2

A는 B, D와는 이웃하지만, C와는 이웃하지 않으므로 A와 C에 같은 색을 칠하는 경우와 다른 색을 칠하는 경우로 나누어 구한다.

(i) A와 C에 같은 색을 칠하는 경우

A에 칠할 수 있는 색은 5가지

B에 칠할 수 있는 색은 A의 색을 뺀 4가지

C에 칠할 수 있는 색은 A의 색과 같으므로 1가지

D에 칠할 수 있는 색은 A(또는 C)의 색을 뺀 4가지

따라서 구하는 방법의 수는

$5\times4\times1\times4=80$

(ii) A와 C에 다른 색을 칠하는 경우

A에 칠할 수 있는 색은 5가지

B에 칠할 수 있는 색은 A의 색을 뺀 4가지

C에 칠할 수 있는 색은 A, B의 색을 뺀 3가지

D에 칠할 수 있는 색은 A, C의 색을 뺀 3가지

따라서 구하는 방법의 수는

$5\times4\times3\times3=180$

(i), (ii)에서 구하는 방법의 수는

$80+180=260$

답 260

날선 Q6

(1) 꼭짓점 A에서 모서리 하나로 연결 가능한 꼭짓점은 B, D, E이다.

(i) A－B인 경우는 1가지

(ii) A－D로 시작하는 경우는 다음과 같이 7가지

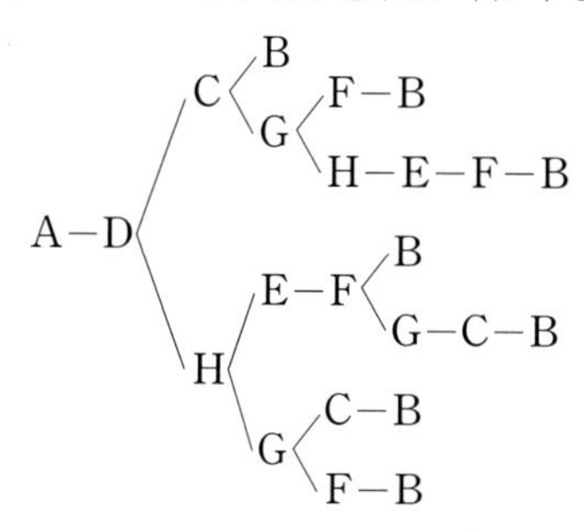

(iii) A－E로 시작하는 경우는 A－D로 시작하는 경우와 그 경우의 수가 같으므로 7가지

(i), (ii), (iii)에서 구하는 경우의 수는

$1+7+7=15$

(2) 네 학생 A, B, C, D의 답안지를 각각 a, b, c, d라 하고 수형도를 그려 보면 다음과 같다.

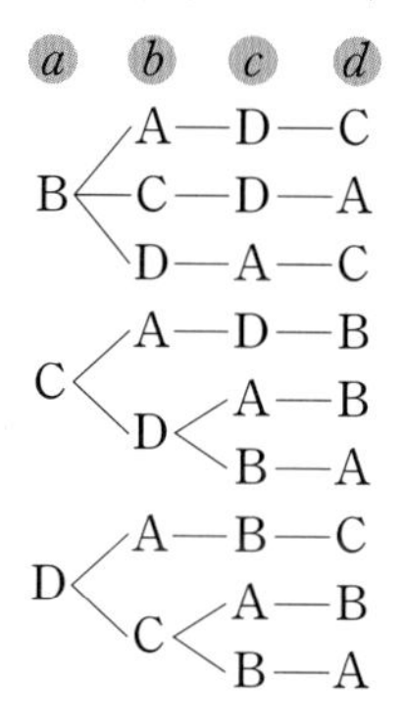

따라서 구하는 경우의 수는 9이다.

답 (1) 15 (2) 9

6-1

(1) A에서 B, D, E 중 한 곳으로 갈 수 있다.

수형도를 그려 보면 다음과 같다.

A－B－C－G
A－B－F－G
A－D－C－G
A－D－H－G
A－E－F－G
A－E－H－G

따라서 최단 거리로 가는 경우의 수는 6이다.

(2) A에서 H를 지나 G로 가는 경우를 수형도로 그려 보면 다음과 같다.

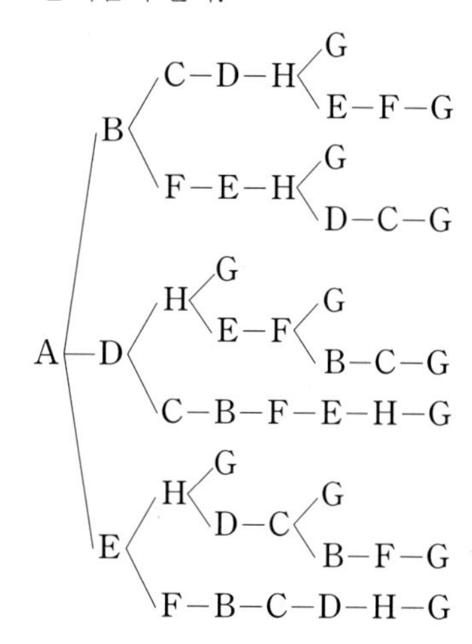

따라서 구하는 경우의 수는 12이다.

답 (1) 6 (2) 12

6-2

$a_1=2$인 경우 수형도를 그려 보면 다음과 같다.

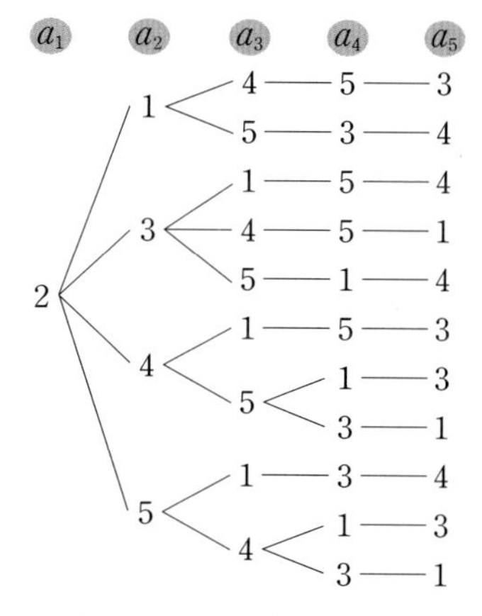

a_1이 3, 4, 5인 경우도 $a_1=2$인 경우와 개수가 같으므로 구하는 자연수의 개수는

$4\times11=44$

답 44

연습과 실전 9 경우의 수 158쪽~160쪽

01 (1) 6 (2) 8		02 5	03 13	04 ④
05 7	06 18	07 900	08 5	09 23
10 ③	11 (1) 71 (2) 40		12 ④	13 780
14 ②				

01

(1) 개 한 마리를 고르는 경우는 4개

고양이 한 마리를 고르는 경우는 2개

따라서 구하는 경우의 수는

$4+2=6$

(2) 각 개를 고를 때마다 고양이 2마리 중에서 고를 수 있으므로 구하는 경우의 수는

$4\times2=8$

답 (1) 6 (2) 8

02

$3x+5y=60$에서 $y=12-\frac{3}{5}x$

x, y가 음이 아닌 정수이므로 x는 0 또는 5의 배수이다.

따라서 방정식을 만족시키는 순서쌍 (x, y)는

$(0, 12)$, $(5, 9)$, $(10, 6)$, $(15, 3)$, $(20, 0)$

의 5개이다.

다른 풀이

$5y$와 60이 5의 배수이므로 $3x$는 0 또는 5의 배수이다.

3과 5는 서로소이므로 x는 0 또는 5의 배수이다.

답 5

03

주사위 A, B에서 나오는 눈의 수를 순서쌍 (a, b)로 나타낼 때

(i) 눈의 수의 합이 5의 배수, 곧 5, 10인 경우는

$(1, 4)$, $(4, 1)$, $(2, 3)$, $(3, 2)$,

$(4, 6)$, $(6, 4)$, $(5, 5)$의 7개

(ii) 눈의 수의 합이 6의 배수, 곧 6, 12인 경우는

$(1, 5)$, $(5, 1)$, $(2, 4)$, $(4, 2)$, $(3, 3)$, $(6, 6)$

의 6개

따라서 구하는 경우의 수는

$7+6=13$

답 13

04

$(a+b+c)(p+q+r)$를 전개하면 a, b, c에 p, q, r를 각각 곱해 서로 다른 항이 만들어지므로 항의 개수는

$3\times3=9$

$(a+b)(s+t)$를 전개하면 a, b에 s, t를 각각 곱해 서로 다른 항이 만들어지므로 항의 개수는

$2\times2=4$

각각 전개했을 때 동류항이 없으므로 구하는 항의 개수는

$9+4=13$

답 ④

05

이차방정식 $x^2-ax+b=0$의 해가 실수이면

$D=(-a)^2-4b\geq0 \quad \therefore a^2\geq4b$

$b=0$일 때, $a^2\geq0$에서 $a=0, 1, 2, 3$ ➡ 4개

$b=1$일 때, $a^2\geq4$에서 $a=2, 3$ ➡ 2개

$b=2$일 때, $a^2\geq8$에서 $a=3$ ➡ 1개

따라서 구하는 순서쌍의 개수는

$4+2+1=7$

답 7

06

두 수의 공약수는 두 수의 최대공약수의 약수이다.

$360=2^3\times3^2\times5$, $540=2^2\times3^3\times5$

이므로 최대공약수는 $2^2\times3^2\times5$이다.

따라서 두 수의 공약수의 개수는

$(2+1)\times(2+1)\times(1+1)=18$

답 18

07

다섯 자리 자연수 중 대칭수는 $abcba$ 꼴이다.

만의 자리인 a에는 1부터 9까지 올 수 있으므로 9개

천의 자리인 b, 백의 자리인 c에는 0부터 9까지 올 수 있으므로 각각 10개이다.

따라서 구하는 대칭수의 개수는

$9\times10\times10=900$

답 900

08

500원짜리 동전은 항상 홀수 개를 지불해야 한다.

5000원짜리 지폐가 1장이므로 5000원짜리 지폐를 사용하는지에 따라 경우를 나누어 보자.

(i) 5000원짜리 지폐를 사용하는 경우
1000원짜리 지폐 1장, 500원짜리 동전 1개
1000원짜리 지폐 0장, 500원짜리 동전 3개
(ii) 5000원짜리 지폐를 사용하지 않는 경우
1000원짜리 지폐 6장, 500원짜리 동전 1개
1000원짜리 지폐 5장, 500원짜리 동전 3개
1000원짜리 지폐 4장, 500원짜리 동전 5개
(i), (ii)에서 지불하는 방법의 수는
$2+3=5$

답 5

09 전략 A, B 중 한 군데만 지날 때와 A, B를 모두 지날 때로 나누어 생각한다.
(i) 집 → A → 학교로 가는 경우의 수
$2\times2=4$
(ii) 집 → B → 학교로 가는 경우의 수
$3\times1=3$
(iii) 집 → A → B → 학교로 가는 경우의 수
$2\times2\times1=4$
(iv) 집 → B → A → 학교로 가는 경우의 수
$3\times2\times2=12$
(i)~(iv)에서 구하는 경우의 수는
$4+3+4+12=23$

답 23

10 전략 짝수인 약수는 2가 곱해진 약수를, 3의 배수인 약수는 3이 곱해진 약수를 찾으면 된다.
240을 소인수분해하면 $240=2^4\times3\times5$
약수 중 짝수는 2가 곱해진 꼴이므로 3×5의 약수에 2, 2^2, 2^3, 2^4을 곱하면 된다.
곧, 3×5의 약수의 개수는 $(1+1)\times(1+1)=4$이므로
$p=4\times4=16$
또 약수 중 3의 배수는 $2^4\times5$의 약수에 3을 곱하면 된다.
곧, $2^4\times5$의 약수의 개수는 $(4+1)\times(1+1)=10$이므로
$q=10$
$\therefore p+q=16+10=26$

다른 풀이
약수 중 짝수는 약수의 개수에서 짝수가 아닌 약수의 개수를 뺀 것과 같다.
240의 약수의 개수는
$(4+1)\times(1+1)\times(1+1)=20$
짝수가 아닌 약수의 개수는 3×5의 약수의 개수와 같으므로
$(1+1)\times(1+1)=4$
$\therefore p=20-4=16$

답 ③

11 전략 지불하는 금액의 수는 금액이 중복되면 큰 단위의 화폐를 작은 단위의 화폐로 바꾸어 화폐를 하나로 통일시킨다고 생각한다.
(1) 1000원짜리 지폐를 지불하는 방법은
0장, 1장, 2장 ➡ 3가지
500원짜리 동전을 지불하는 방법은
0개, 1개, 2개, 3개 ➡ 4가지
100원짜리 동전을 지불하는 방법은
0개, 1개, …, 5개 ➡ 6가지
그런데 0원을 지불하는 경우를 빼야 하므로 지불하는 방법의 수는
$3\times4\times6-1=72-1=71$
(2) 500원짜리 동전이 3개이므로 1000원짜리 지폐 1장은 500원짜리 동전 2개로 바꾸어 생각해도 되고, 100원짜리 동전이 5개이므로 500원짜리 동전 1개는 100원짜리 동전 5개로 바꾸어 생각해도 된다.
따라서 지불하는 금액의 수는 100원짜리 동전 $2\times10+3\times5+5=40$(개)로 지불하는 방법의 수와 같다.

다른 풀이
지불할 수 있는 최소 금액은 100원, 최대 금액은
$2\times1000+3\times500+5\times100=4000$(원)
따라서 500원짜리 동전이 3개 있고 100원짜리 동전이 5개 있으므로 이 사이의 금액은 100원 단위로 모두 지불할 수 있으므로 지불하는 금액의 수는 40이다.

답 (1) 71 (2) 40

12 전략 A 인형의 셔츠와 바지를 먼저 정한 후, B 인형의 셔츠와 바지를 정한다.
A 인형의 셔츠와 바지를 정하는 경우는
$3\times3=9$(개)
셔츠와 바지의 색을 다르게 정하는 경우는
$2\times1=2$(개)

따라서 A 인형에 셔츠와 바지를 입히는 방법의 수는

$9\times2=18$

A, B가 서로 다른 모양의 셔츠와 바지를 입는 경우를 구하므로 B 인형의 셔츠와 바지를 정하는 경우는

$2\times2=4$(개)

셔츠와 바지의 색을 다르게 정하는 경우는

$2\times1=2$(개)

따라서 B 인형에 셔츠와 바지를 입히는 방법의 수는

$4\times2=8$

그러므로 구하는 방법의 수는

$18\times8=144$

답 ④

13 **전략** 이웃하는 부분이 가장 많은 영역부터 색을 칠한다.

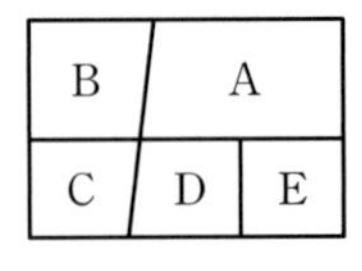

A는 B, D, E와는 이웃하지만 C와는 이웃하지 않으므로 A와 C에 같은 색을 칠하는 경우와 다른 색을 칠하는 경우로 나누어 구한다.

(i) A와 C에 같은 색을 칠하는 경우

A에 칠할 수 있는 색은 5가지

B에 칠할 수 있는 색은 A의 색을 뺀 4가지

C에 칠할 수 있는 색은 A의 색과 같으므로 1가지

D에 칠할 수 있는 색은 A(또는 C)의 색을 뺀 4가지

E에 칠할 수 있는 색은 A, D의 색을 뺀 3가지

따라서 구하는 방법의 수는

$5\times4\times1\times4\times3=240$

(ii) A와 C에 다른 색을 칠하는 경우

A에 칠할 수 있는 색은 5가지

B에 칠할 수 있는 색은 A의 색을 뺀 4가지

C에 칠할 수 있는 색은 A, B의 색을 뺀 3가지

D에 칠할 수 있는 색은 A, C의 색을 뺀 3가지

E에 칠할 수 있는 색은 A, D의 색을 뺀 3가지

따라서 구하는 방법의 수는

$5\times4\times3\times3\times3=540$

(i), (ii)에서 구하는 방법의 수는

$240+540=780$

답 780

14 **전략** 조건 ㈎를 이용하여 각 학생에게 초콜릿을 1개씩 먼저 나누어 준다.

조건 ㈎에 의하여 네 명의 학생이 초콜릿 한 개씩을 가지고 있다고 하고, 남은 초콜릿 4개를 A, B, C, D에 나누어 주는 경우를 생각하자.

(i) A가 1개, B가 0개를 받아가는 경우

➡ 남은 3개를 C, D가 나누어 갖는 경우는 4가지

(ii) A가 2개, B가 0개를 받아가는 경우

➡ 남은 2개를 C, D가 나누어 갖는 경우는 3가지

(iii) A가 2개, B가 1개를 받아가는 경우

➡ 남은 1개를 C, D가 나누어 갖는 경우는 2가지

(iv) A가 3개, B가 0개를 받아가는 경우

➡ 남은 1개를 C, D가 나누어 갖는 경우는 2가지

(v) A가 3개, B가 1개를 받아가는 경우

➡ 남은 0개를 C, D가 나누어 갖는 경우는 1가지

(vi) A가 4개, B가 0개를 받아가는 경우

➡ 남은 0개를 C, D가 나누어 갖는 경우는 1가지

(i)~(vi)에서 구하는 경우의 수는

$4+3+2+2+1+1=13$

다른 풀이

남은 4개 중에서

(i) $(4,\ 0,\ 0,\ 0)$인 경우

조건 ㈏에 의하여 A가 4개를 받아가는 경우는 1가지

(ii) $(3,\ 1,\ 0,\ 0)$인 경우

조건 ㈏에 의하여 A가 3개를 받아가고, B, C, D 중 1명이 1개를 받아가는 경우는 3가지

A가 1개를 받아가고 B는 0개, C, D 중 1명이 3개를 받아가는 경우는 2가지

$\therefore 3+2=5$(가지)

(iii) $(2,\ 2,\ 0,\ 0)$인 경우

조건 ㈏에 의하여 A가 2개를 받아가고 B는 0개, C, D 중 1명이 2개를 받아가는 경우는 2가지

(iv) $(2,\ 1,\ 1,\ 0)$인 경우

조건 ㈏에 의하여 A가 2개를 받아가고 B, C, D 중 1명이 0개를 받아가는 경우는 3가지

A가 1개를 받아가고 B는 0개, C, D 중 1명이 2개를 받아가는 경우는 2가지

$\therefore 3+2=5$(가지)

(v) $(1,\ 1,\ 1,\ 1)$인 경우는 조건 ㈏를 만족시킬 수 없다.

(i)~(v)에서 구하는 경우의 수는

$1+5+2+5=13$

답 ②

10 순열과 조합

개념 Check 162쪽~163쪽

1

답 (1) ${}_9P_4$ (2) ${}_6P_2$

2

(1) ${}_5P_2=5\times4=20$

(2) ${}_6P_4=6\times5\times4\times3=360$

답 (1) 20 (2) 360

3

(1) ${}_4P_0=1$

(2) ${}_5P_5=5!=5\times4\times3\times2\times1=120$

답 (1) 1 (2) 120

4

(1) ${}_5P_2=5\times4=20$

(2) ${}_5P_5=5!=5\times4\times3\times2\times1=120$

답 (1) 20 (2) 120

대표Q 164쪽~167쪽

대표 01

(1) 백의 자리에는 0이 올 수 없으므로 백의 자리에는 1, 2, 3, 4의 4개의 숫자가 올 수 있다.
각각에 대하여 십의 자리, 일의 자리에는 백의 자리 숫자를 뺀 4개의 숫자 중 2개를 뽑아 나열하면 되므로 구하는 세 자리 자연수의 개수는
$4\times{}_4P_2=4\times(4\times3)=48$

(2) 짝수는 일의 자리 숫자가 0, 2, 4이다.
(i) 일의 자리 숫자가 0인 경우
백의 자리, 십의 자리에는 1, 2, 3, 4의 4개의 숫자 중 2개를 뽑아 나열하면 되므로 경우의 수는
${}_4P_2=4\times3=12$
(ii) 일의 자리 숫자가 2인 경우
백의 자리에는 2, 0을 뺀 1, 3, 4의 3개의 숫자가 올 수 있고, 십의 자리에는 백의 자리와 일의 자리에 온 숫자를 뺀 3개의 숫자가 올 수 있으므로 경우의 수는
$3\times3=9$
(iii) 일의 자리 숫자가 4인 경우
일의 자리 숫자가 2일 때와 같으므로 경우의 수는 9
(i), (ii), (iii)에서 구하는 짝수의 개수는
$12+9+9=30$

(3) 3의 배수는 각 자리 숫자의 합이 3의 배수이다. 각 자리 숫자의 합이 3의 배수인 경우는
$(0, 1, 2), (0, 2, 4), (1, 2, 3), (2, 3, 4)$
이므로 이를 나열하는 경우만 생각하면 된다.
(i) $(0, 1, 2)$ 또는 $(0, 2, 4)$인 경우
백의 자리에는 0이 올 수 없으므로 경우의 수는
$2\times2\times1=4$
$\therefore 2\times4=8$
(ii) $(1, 2, 3)$ 또는 $(2, 3, 4)$인 경우
3장을 나열하는 경우의 수이므로 $3!=6$
$\therefore 2\times6=12$
(i), (ii)에서 구하는 3의 배수의 개수는 $8+12=20$

답 (1) 48 (2) 30 (3) 20

참고 ① 2의 배수 : 일의 자리 숫자가 0 또는 2의 배수인 수
② 3의 배수 : 각 자리 숫자의 합이 3의 배수인 수
③ 4의 배수 : 끝의 두 자리 수가 00 또는 4의 배수인 수
④ 5의 배수 : 일의 자리 숫자가 0 또는 5인 수
⑤ 9의 배수 : 각 자리 숫자의 합이 9의 배수인 수

1-1

(1) 천의 자리에는 0을 뺀 4개의 숫자가 올 수 있다.
백의 자리, 십의 자리, 일의 자리에는 천의 자리에 온 숫자를 뺀 4개의 숫자 중 3개를 뽑아 나열하면 되므로 구하는 네 자리 자연수의 개수는
$4\times{}_4P_3=4\times(4\times3\times2)=96$

(2) 짝수는 일의 자리 숫자가 0, 2, 4이다.
(i) 일의 자리 숫자가 0인 경우
천의 자리, 백의 자리, 십의 자리에는 1, 2, 3, 4의 4개의 숫자 중 3개를 뽑아 나열하면 되므로 경우의 수는
${}_4P_3=4\times3\times2=24$
(ii) 일의 자리 숫자가 2인 경우

천의 자리에는 2, 0을 뺀 1, 3, 4의 3개의 숫자가 올 수 있고, 백의 자리에는 천의 자리와 일의 자리에 온 숫자를 뺀 3개의 숫자가 올 수 있다. 또 일의 자리에는 남은 2개의 숫자가 올 수 있으므로 경우의 수는

$3\times3\times2=18$

(iii) 일의 자리 숫자가 4인 경우

일의 자리 숫자가 2일 때와 같으므로 경우의 수는 18

(i), (ii), (iii)에서 구하는 짝수의 개수는

$24+18+18=60$

(3) 4의 배수는 끝의 두 자리 수가 00 또는 4의 배수이다.

0, 1, 2, 3, 4로 만들 수 있는 4의 배수는

□□04, □□12, □□20, □□24, □□32, □□40이므로 이 경우만 생각하면 된다.

(i) □□04 또는 □□20 또는 □□40인 경우

천의 자리와 백의 자리에는 끝의 두 자리를 뺀 3개의 숫자 중 2개를 뽑아 나열하면 되므로 경우의 수는

${}_3P_2=3\times2=6$

$\therefore 3\times6=18$

(ii) □□12, □□24, □□32인 경우

천의 자리에는 0을 뺀 2개의 숫자가 올 수 있고, 백의 자리에는 천의 자리 숫자를 뺀 2개의 숫자가 올 수 있으므로 경우의 수는

$2\times2=4$

$\therefore 3\times4=12$

(i), (ii)에서 구하는 4의 배수의 개수는

$18+12=30$

답 (1) 96 (2) 60 (3) 30

대표 02

(1) 모음 카드 3장을 한 묶음으로 보고, 자음 카드 4장과 합하여 5장을 일렬로 나열하는 경우의 수는 5!

묶음 안의 모음 카드 3장을 일렬로 나열하는 경우의 수는 3!

따라서 구하는 경우의 수는

$5!\times3!=(5\times4\times3\times2\times1)\times(3\times2\times1)$

$=120\times6=720$

(2) 자음 카드 4장을 일렬로 나열하는 경우의 수는 4!

모음 카드는 자음 카드 사이사이와 양 끝의 자리 5곳 중 3곳에 한 장씩 나열하면 되므로 경우의 수는 ${}_5P_3$

따라서 구하는 경우의 수는

$4!\times{}_5P_3=(4\times3\times2\times1)\times(5\times4\times3)$

$=24\times60=1440$

답 (1) 720 (2) 1440

2-1

(1) 2의 배수인 2, 4, 6을 한 묶음으로 보고,

1, 3, 5와 합하여 4장을 일렬로 나열하는 경우의 수는 4!

묶음 안의 2의 배수 카드 3장을 일렬로 나열하는 경우의 수는 3!

따라서 구하는 경우의 수는

$4!\times3!=(4\times3\times2\times1)\times(3\times2\times1)=144$

(2) 3의 배수가 아닌 1, 2, 4, 5를 일렬로 나열하는 경우의 수는 4!

$^\vee 1 ^\vee 2 ^\vee 4 ^\vee 5 ^\vee$

3의 배수인 3, 6은 1, 2, 4, 5 사이사이와 양 끝의 자리 5곳 중 2곳에 한 장씩 나열하면 되므로 경우의 수는 ${}_5P_2$

따라서 구하는 경우의 수는

$4!\times{}_5P_2=(4\times3\times2\times1)\times(5\times4)$

$=24\times20=480$

답 (1) 144 (2) 480

2-2

(1) 세 쌍의 부부를 각각 한 묶음으로 보고 3명이 일렬로 앉는 경우의 수는 3!

각 묶음 안의 부부가 서로 자리를 바꾸는 경우의 수는

$2\times2\times2$

따라서 구하는 경우의 수는

$3!\times(2\times2\times2)=(3\times2\times1)\times8=6\times8=48$

(2) 세 쌍의 부부를 각각 한 묶음으로 보고 3명이 일렬로 앉는 경우의 수는 3!

각각에 대하여 '남여남여남여' 또는 '여남여남여남'이 가능하므로

$3!\times2=(3\times2\times1)\times2=6\times2=12$

다른 풀이

'남여남여남여' 또는 '여남여남여남'이어야 한다. 이때 남편 3명을 먼저 앉히면 부인의 자리는 자동으로 정해지므로 3!

$\therefore 2\times3!=2\times(3\times2\times1)=2\times6=12$

답 (1) 48 (2) 12

대표 Q3

(1) 짝수 번째 자리에 A, B, C, D, E 중 4장을 뽑아 나열하는 경우의 수는 ${}_5P_4$
홀수 번째 자리에 나머지 4장을 나열하는 경우의 수는 $4!$
따라서 구하는 경우의 수는
${}_5P_4\times4!=120\times24=2880$

(2) a, b, c 중 A와 B 사이에 들어갈 2장을 뽑아 나열하는 경우의 수는 ${}_3P_2$
A와 B를 바꾸는 경우는 2가지
A○○B를 한 묶음으로 보고 나머지 4장과 합하여 5장을 나열하는 경우의 수는 $5!$
따라서 구하는 경우의 수는
${}_3P_2\times2\times5!=6\times2\times120=1440$

(3) 전체 경우에서 양 끝이 모두 대문자인 경우를 빼면 된다.
전체 경우의 수는 $8!$
양 끝에 A, B, C, D, E 중 2장을 뽑아 나열하는 경우의 수는 ${}_5P_2$
가운데 여섯 자리에 나머지 6장을 나열하는 경우의 수는 $6!$
따라서 구하는 경우의 수는
$8!-{}_5P_2\times6!=(8\times7-5\times4)\times6!$
$=36\times720=25920$

답 (1) 2880 (2) 1440 (3) 25920

3-1

(1) 1과 2 사이에 들어갈 숫자를 고르는 경우의 수는 ${}_3P_1$
1과 2를 바꾸는 경우는 2가지
1○2를 한 묶음으로 보고 나머지 두 숫자와 합하여 3장을 일렬로 나열하는 경우의 수는 $3!$
따라서 구하는 경우의 수는
${}_3P_1\times2\times3!=3\times2\times6=36$

(2) 전체 경우에서 만의 자리와 일의 자리 숫자가 모두 홀수인 경우를 빼면 된다.
전체 경우의 수는 $5!$
만의 자리와 일의 자리에 홀수를 나열하는 경우의 수는 ${}_3P_2$
가운데 세 자리에 나머지 3개의 숫자를 나열하는 경우의 수는 $3!$
따라서 구하는 경우의 수는
$5!-{}_3P_2\times3!=(5\times4-3\times2)\times3!$
$=14\times6=84$

답 (1) 36 (2) 84

3-2

전체 경우에서 여학생끼리 이웃하지 않는 경우를 빼면 된다.
전체 경우의 수는 $7!$
여학생끼리 이웃하지 않으려면 남학생 3명을 먼저 세우고 그 사이사이와 양 끝에 여학생 4명을 일렬로 세우면 되므로 경우의 수는 $3!\times4!$
따라서 구하는 경우의 수는
$7!-4!\times3!=(7\times6\times5-3\times2\times1)\times4!$
$=204\times24=4896$

답 4896

대표 Q4

(1) 42000보다 큰 수는
42○○○, 43○○○, 45○○○, 5○○○○
꼴이다.
42○○○ 꼴은 $3!$
43○○○ 꼴은 $3!$
45○○○ 꼴은 $3!$
5○○○○ 꼴은 $4!$
따라서 구하는 자연수의 개수는
$3!+3!+3!+4!=6+6+6+24=42$

(2)
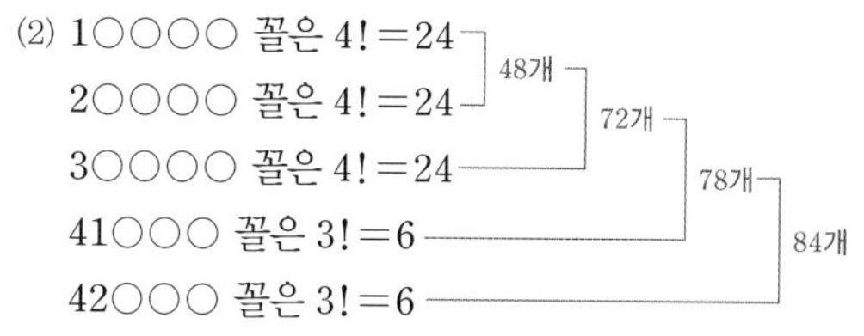

따라서 86번째 오는 수는 43○○○ 꼴인 수 중 두 번째 수이므로 43152이다.

답 (1) 42 (2) 43152

4-1

(1) a○○○○ 꼴은 $4!=24$
b○○○○ 꼴은 $4!=24$ (48개)
ca○○○ 꼴은 $3!=6$ (54개)
cb○○○ 꼴은 $3!=6$ (60개)
cda○○ 꼴 중 cdabe보다 앞에 오는 문자열은 없으므로 구하는 문자열의 개수는 60이다.

(2) a○○○○ 꼴은 $4!=24$ ─ 30개 ─ 36개 ─ 38개 ─ 40개
ba○○○ 꼴은 $3!=6$
bc○○○ 꼴은 $3!=6$
bda○○ 꼴은 $2!=2$
bdc○○ 꼴은 $2!=2$
따라서 40번째 오는 문자열은 bdcea이다.

답 (1) 60 (2) bdcea

4-2

E□□□ 꼴은 $3!=6$ ─ 8개
LE□□ 꼴은 $2!=2$
LO□□ 꼴의 문자열은 순서대로 LOEV, LOVE이므로 LOVE는 10번째 오는 문자열이다.

답 10번째

개념 Check 168쪽~169쪽

5

답 (1) ${}_6C_4$ (2) ${}_{10}C_2$

6

(1) ${}_4C_0=1$

(2) ${}_5C_2=\frac{{}_5P_2}{2!}=\frac{5\times4}{2\times1}=10$

(3) ${}_5C_4={}_5C_1=5$

(4) ${}_4C_4=1$

답 (1) 1 (2) 10 (3) 5 (4) 1

7

${}_{10}C_2=\frac{{}_{10}P_2}{2!}=\frac{10\times9}{2\times1}=45$

답 45

8

${}_8C_3=\frac{{}_8P_3}{3!}=\frac{8\times7\times6}{3\times2\times1}=56$

답 56

대표Q 170쪽~175쪽

대표 Q5

(1) ${}_nC_2=\frac{{}_nP_2}{2!}=\frac{n(n-1)}{2}$

${}_nC_4=\frac{{}_nP_4}{4!}=\frac{n(n-1)(n-2)(n-3)}{24}$이므로

$\frac{n(n-1)}{2}=\frac{n(n-1)(n-2)(n-3)}{24}$

그런데 $n\ge4$이므로 $n(n-1)\ne0$

$12=(n-2)(n-3)$, $n^2-5n-6=0$

$(n+1)(n-6)=0$ $\therefore n=6$ ($\because n\ge4$)

다른 풀이

${}_nC_2={}_nC_{n-2}$이므로 ${}_nC_{n-2}={}_nC_4$에서

$n-2=4$ $\therefore n=6$

(2) $n=2n-2$일 때 $n=2$

$10-n=2n-2$일 때 $n=4$

(3) ${}_{n-1}C_{r-1}=\frac{(n-1)!}{(r-1)!\{(n-1)-(r-1)\}!}$

$=\frac{(n-1)!}{(r-1)!(n-r)!}$

${}_{n-1}C_r=\frac{(n-1)!}{r!\{(n-1)-r\}!}=\frac{(n-1)!}{r!(n-r-1)!}$

(우변)$={}_{n-1}C_{r-1}+{}_{n-1}C_r$

$=\frac{(n-1)!}{(r-1)!(n-r)!}+\frac{(n-1)!}{r!(n-r-1)!}$

$=\frac{(n-1)!\times r}{r!(n-r)!}+\frac{(n-1)!\times(n-r)}{r!(n-r)!}$

$=\frac{(n-1)!\times(r+n-r)}{r!(n-r)!}=\frac{n!}{r!(n-r)!}$

$={}_nC_r=$(좌변)

답 (1) 6 (2) 2, 4 (3) 풀이 참조

5-1

(1) ${}_nC_3=\frac{{}_nP_3}{3!}=56$이므로

${}_nP_3=56\times3!=8\times7\times6$ $\therefore n=8$

(2) ${}_nC_4={}_nC_{n-4}$이므로 ${}_nC_{n-4}={}_nC_5$에서

$n-4=5$ $\therefore n=9$

(3) ${}_{n+2}C_n={}_{n+2}C_{(n+2)-n}$이므로

${}_{n+2}C_2=21$에서 $\frac{(n+2)(n+1)}{2\times1}=21$

$(n+2)(n+1)=42$, $n^2+3n-40=0$

$(n+8)(n-5)=0$ $\quad\therefore n=5$ ($\because n$은 자연수)

답 (1) 8 (2) 9 (3) 5

5-2

(1) $2\times\frac{{}_nP_3}{3!}=3\times{}_nP_2$이므로

$2\times\frac{n(n-1)(n-2)}{6}=3n(n-1)$

그런데 $n\geq3$이므로 $\frac{n-2}{3}=3$

$n-2=9$ $\quad\therefore n=11$

(2) ${}_nC_{n-1}={}_nC_1$, ${}_nC_{n-2}={}_nC_2$이므로

${}_nC_1+{}_nC_2=28$에서

$n+\frac{n(n-1)}{2\times1}=28$, $n^2+n-56=0$

$(n+8)(n-7)=0$

그런데 $n\geq2$이므로 $n=7$

답 (1) 11 (2) 7

대표 Q6

(1) ${}_{10}C_4=\frac{10\times9\times8\times7}{4\times3\times2\times1}=210$

(2) 짝수가 적힌 공 2개를 꺼내는 경우의 수는 ${}_5C_2$, 홀수가 적힌 공 2개를 꺼내는 경우의 수는 ${}_5C_2$이므로

${}_5C_2\times{}_5C_2=\frac{5\times4}{2\times1}\times\frac{5\times4}{2\times1}=100$

(3) 전체 경우의 수 ${}_{10}C_4$에서 짝수가 적힌 공만을 뽑는 경우의 수를 빼면 되므로

${}_{10}C_4-{}_5C_4=210-{}_5C_1=210-5=205$

(4) 1이 적힌 공은 뽑지 않고 2가 적힌 공은 뽑아야 하므로 2가 적힌 공은 이미 뽑았다고 생각하고, 1과 2를 제외한 3, 4, 5, ⋯, 10이 적힌 공에서 3개를 꺼내는 경우의 수는

${}_8C_3=\frac{8\times7\times6}{3\times2\times1}=56$

답 (1) 210 (2) 100 (3) 205 (4) 56

6-1

(1) ${}_9C_3=\frac{9\times8\times7}{3\times2\times1}=84$

(2) 남자 2명을 뽑는 경우의 수는 ${}_6C_2$, 여자 1명을 뽑는 경우의 수는 ${}_3C_1$이므로

${}_6C_2\times{}_3C_1=\frac{6\times5}{2\times1}\times3=45$

(3) 전체 경우의 수 ${}_9C_3$에서 남자만 3명을 뽑는 경우의 수를 빼면 되므로

${}_9C_3-{}_6C_3=84-\frac{6\times5\times4}{3\times2\times1}=64$

(4) 전체 경우의 수에서 남자만 3명 뽑는 경우의 수와 여자만 3명 뽑는 경우의 수를 빼면 되므로

${}_9C_3-({}_6C_3+{}_3C_3)=84-\left(\frac{6\times5\times4}{3\times2\times1}+1\right)$

$=84-(20+1)=63$

다른 풀이

남자 2명, 여자 1명을 뽑는 경우의 수는

${}_6C_2\times{}_3C_1=\frac{6\times5}{2\times1}\times3=45$

남자 1명, 여자 2명을 뽑는 경우의 수는

${}_6C_1\times{}_3C_2=6\times3=18$

따라서 구하는 경우의 수는 $45+18=63$

답 (1) 84 (2) 45 (3) 64 (4) 63

대표 Q7

(1) 전체 10명 중 5명을 뽑는 경우의 수는 ${}_{10}C_5$

뽑은 5명을 일렬로 세우는 경우의 수는 $5!$

따라서 구하는 경우의 수는

${}_{10}C_5\times5!=\frac{10\times9\times8\times7\times6}{5!}\times5!=30240$

(2) A와 B를 이미 뽑았다고 생각하고, A와 B를 제외한 8명에서 3명을 뽑는 경우의 수는 ${}_8C_3$

뽑은 5명을 일렬로 세우는 경우의 수는 $5!$

따라서 구하는 경우의 수는

${}_8C_3\times5!=\frac{8\times7\times6}{3\times2\times1}\times5!=6720$

(3) 1학년 2명을 뽑는 경우의 수는 ${}_4C_2$

2학년 3명을 뽑는 경우의 수는 ${}_6C_3$

뽑은 5명을 일렬로 세우는 경우의 수는 $5!$

따라서 구하는 경우의 수는

${}_4C_2\times{}_6C_3\times5!=\frac{4\times3}{2\times1}\times\frac{6\times5\times4}{3\times2\times1}\times5!=14400$

(4) 1학년 2명과 2학년 3명을 뽑는 경우의 수는

${}_4C_2\times{}_6C_3$

뽑은 2학년 3명 중 2명을 양 끝에 세우는 경우의 수는 ${}_3P_2$

나머지 3명을 세우는 경우의 수는 3!

따라서 구하는 경우의 수는

${}_4C_2 \times {}_6C_3 \times {}_3P_2 \times 3!$

$= \frac{4\times3}{2\times1} \times \frac{6\times5\times4}{3\times2\times1} \times (3\times2)\times6 = 4320$

답 (1) 30240 (2) 6720 (3) 14400 (4) 4320

7-1

(1) 전체 9명 중 4명을 뽑는 경우의 수는 ${}_9C_4$

뽑은 4명을 일렬로 세우는 경우의 수는 4!

따라서 구하는 경우의 수는

${}_9C_4 \times 4! = \frac{9\times8\times7\times6}{4!} \times 4! = 3024$

(2) A와 B를 이미 뽑았다고 생각하고, A와 B를 제외한 7명에서 2명을 뽑는 경우의 수는 ${}_7C_2$

뽑은 4명을 일렬로 세우는 경우의 수는 4!

따라서 구하는 경우의 수는

${}_7C_2 \times 4! = \frac{7\times6}{2\times1} \times 24 = 504$

(3) 경찰관 2명을 뽑는 경우의 수는 ${}_5C_2$

소방관 2명을 뽑는 경우의 수는 ${}_4C_2$

뽑은 4명을 일렬로 세우는 경우의 수는 4!

따라서 구하는 경우의 수는

${}_5C_2 \times {}_4C_2 \times 4! = \frac{5\times4}{2\times1} \times \frac{4\times3}{2\times1} \times 24 = 1440$

(4) 경찰관 3명과 소방관 1명을 뽑는 경우의 수는

${}_5C_3 \times {}_4C_1$

뽑은 경찰관 3명을 양 끝에 세우는 경우의 수는 ${}_3P_2$

나머지 2명을 세우는 경우의 수는 2!

따라서 구하는 경우의 수는

${}_5C_3 \times {}_4C_1 \times {}_3P_2 \times 2!$

$= \frac{5\times4\times3}{3\times2\times1} \times 4 \times (3\times2) \times 2 = 480$

답 (1) 3024 (2) 504 (3) 1440 (4) 480

대표 08

(1) 12개의 점 중 두 점을 택하면 선분이 하나 정해지므로 구하는 선분의 개수는

${}_{12}C_2 = \frac{12\times11}{2\times1} = 66$

(2) 12개의 점 중 두 점을 택하는 경우의 수는 ${}_{12}C_2$

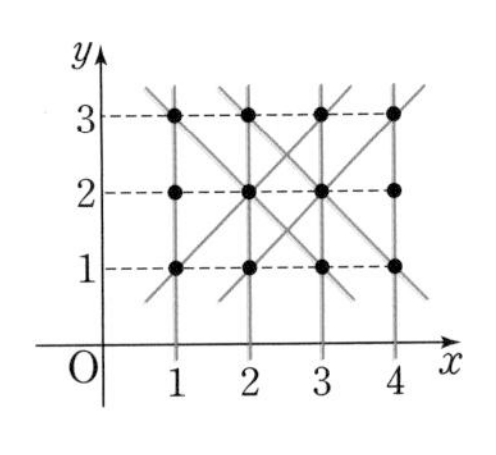

이 중 그림과 같이 한 직선 위에 네 점이 있는 경우는 3가지, 세 점이 있는 경우는 8가지이므로

중복되는 직선의 개수는 $3\times{}_4C_2 + 8\times{}_3C_2$

따라서 구하는 직선의 개수는

${}_{12}C_2 - (3\times{}_4C_2 + 8\times{}_3C_2) + 3 + 8$

$= 66 - \left(3\times\frac{4\times3}{2\times1} + 8\times3\right) + 11 = 35$

(3) 12개의 점으로 만들 수 있는 삼각형의 개수는 ${}_{12}C_3$

그런데 한 직선 위에 있는 세 점을 택하면 삼각형이 되지 않는다.

일직선 위에 네 점이 있는 경우는 3가지, 세 점이 있는 경우는 8가지이므로 각 직선에서 세 점을 택하는 경우의 수는

$3\times{}_4C_3 + 8\times{}_3C_3$

따라서 구하는 삼각형의 개수는

${}_{12}C_3 - (3\times{}_4C_3 + 8\times{}_3C_3)$

$= {}_{12}C_3 - (3\times{}_4C_1 + 8\times1)$

$= \frac{12\times11\times10}{3\times2\times1} - (3\times4 + 8\times1) = 200$

답 (1) 66 (2) 35 (3) 200

8-1

(1) 7개의 점 중 두 점을 택하면 선분이 하나 정해지므로 구하는 선분의 개수는

${}_7C_2 = \frac{7\times6}{2\times1} = 21$

(2) 7개의 점 중 두 점을 택하는 경우의 수는 ${}_7C_2$

한 직선 위에 있는 네 점 중 두 점을 택하는 경우의 수는 ${}_4C_2$이고 이는 모두 같은 직선이므로 하나로 센다.

따라서 구하는 직선의 개수는

${}_7C_2 - {}_4C_2 + 1 = 21 - \frac{4\times3}{2\times1} + 1 = 16$

(3) 7개의 점으로 만들 수 있는 삼각형의 개수는 ${}_7C_3$

그런데 한 직선 위에 있는 네 점에서 세 점을 택하면 삼각형이 되지 않는다.

한 직선 위에 있는 네 점 중 세 점을 택하는 경우의 수는 ${}_4C_3$

따라서 구하는 삼각형의 개수는

$${}_7C_3-{}_4C_3={}_7C_3-{}_4C_1=\frac{7\times6\times5}{3\times2\times1}-4=31$$

답 (1) 21 (2) 16 (3) 31

8-2

(1) 9개의 점 중 두 점을 택하는 경우의 수는 ${}_9C_2$
그런데 한 변 위에 있는 네 점 중 두 점을 택하는 경우의 수는 ${}_4C_2$이고 이는 모두 같은 직선이므로 하나로 센다.
따라서 구하는 직선의 개수는

$${}_9C_2-3\times{}_4C_2+3=\frac{9\times8}{2\times1}-3\times\frac{4\times3}{2\times1}+3=21$$

(2) 9개의 점으로 만들 수 있는 삼각형의 개수는 ${}_9C_3$
그런데 한 변 위에 있는 네 점에서 세 점을 택하면 삼각형이 되지 않는다. 한 변 위에 있는 네 점 중 세 점을 택하는 경우의 수는 ${}_4C_3$
따라서 구하는 삼각형의 개수는

$${}_9C_3-3\times{}_4C_3=\frac{9\times8\times7}{3\times2\times1}-3\times4=72$$

답 (1) 21 (2) 72

대표 09

(1) 서로 다른 사탕 9개를 2개, 2개, 5개로 나누는 경우의 수는

$${}_9C_2\times{}_7C_2\times{}_5C_5\times\frac{1}{2!}$$
$$=\frac{9\times8}{2\times1}\times\frac{7\times6}{2\times1}\times1\times\frac{1}{2\times1}=378$$

(2) 세 묶음으로 나눈 사탕을 세 명에게 나누어 주는 경우의 수는 $3!$
따라서 구하는 경우의 수는
$378\times3!=378\times6=2268$

답 (1) 378 (2) 2268

9-1

(1) 학생 6명을 4명, 2명 두 개의 조로 나누는 경우의 수는

$${}_6C_4\times{}_2C_2={}_6C_2\times{}_2C_2=\frac{6\times5}{2\times1}\times1=15$$

두 개의 조가 A, B 실험을 하나씩 나누어 하는 경우의 수는
$15\times2!=30$

(2) 학생 6명을 2명, 2명, 2명 세 개의 조로 나누는 경우의 수는

$${}_6C_2\times{}_4C_2\times{}_2C_2\times\frac{1}{3!}$$
$$=\frac{6\times5}{2\times1}\times\frac{4\times3}{2\times1}\times1\times\frac{1}{3!}=15$$

세 개의 조가 A, B, C 실험을 하나씩 나누어 하는 경우의 수는
$15\times3!=90$

답 (1) 15, 30 (2) 15, 90

대표 010

(1) 8개의 상자 중 5개를 뽑는 순열이므로 구하는 경우의 수는
${}_8P_5=8\times7\times6\times5\times4=6720$

(2) 8개의 상자 중 5개를 뽑는 조합이므로 구하는 경우의 수는

$${}_8C_5={}_8C_3=\frac{8\times7\times6}{3\times2\times1}=56$$

(3) 8개의 상자 중 5개를 뽑은 다음, 공을 크기순으로 넣으면 된다.
곧, 8개의 상자 중 5개를 뽑는 조합이므로 구하는 경우의 수는

$${}_8C_5={}_8C_3=\frac{8\times7\times6}{3\times2\times1}=56$$

답 (1) 6720 (2) 56 (3) 56

10-1

(1) 7명 중 3명을 뽑는 순열이므로 구하는 경우의 수는
${}_7P_3=7\times6\times5=210$

(2) 7명 중 3명을 뽑는 조합이므로 구하는 경우의 수는

$${}_7C_3=\frac{7\times6\times5}{3\times2\times1}=35$$

답 (1) 210 (2) 35

10-2

$f(1)<f(2)<f(3)<f(4)$이므로 집합 Y에서 원소 4개를 뽑아 작은 것부터 집합 X의 원소 1, 2, 3, 4에 차례로 대응시키면 된다.
곧, 6개에서 4개를 뽑는 조합이므로 구하는 함수의 개수는

$${}_6C_4={}_6C_2=\frac{6\times5}{2\times1}=15$$

답 15

연습과 실전 10 순열과 조합 176쪽~180쪽

01 (1) 8 (2) 7 **02** 풀이 참조 **03** 48
04 60 **05** (1) 24 (2) 2 (3) 12 **06** 72
07 (1) 1, 3, 4 (2) 6 **08** 4 **09** 140 **10** 20
11 54 **12** (1) 60 (2) 20 **13** 7260 **14** 144
15 (1) 240 (2) 144 **16** 108 **17** 50번째
18 144 **19** 18 **20** (1) 240 (2) 10800
21 (1) 3675 (2) 22050 **22** 70 **23** ③
24 ④

01

(1) ${}_nP_2+{}_nP_1=n(n-1)+n=n^2$이므로
$n^2=64$
그런데 $n\ge2$이므로 $n=8$

(2) ${}_nP_4=n(n-1)(n-2)(n-3)$, ${}_nP_2=n(n-1)$이므로
$n(n-1)(n-2)(n-3)=20n(n-1)$
그런데 $n\ge4$이므로 $n(n-1)\ne0$
$(n-2)(n-3)=20$
$n^2-5n-14=0$, $(n+2)(n-7)=0$
$\therefore n=7$ ($\because n\ge4$)

답 (1) 8 (2) 7

02

$$(\text{우변})=n\times{}_{n-1}P_{r-1}$$
$$=n\times\frac{(n-1)!}{\{(n-1)-(r-1)\}!}$$
$$=\frac{n\times(n-1)!}{(n-r)!}=\frac{n!}{(n-r)!}={}_nP_r=(\text{좌변})$$

답 풀이 참조

03

십만의 자리 숫자와 일의 자리 숫자가 3의 배수인 3, 6이므로 3□□□□6 또는 6□□□□3 꼴이다.
□□□□에는 나머지 숫자 1, 2, 4, 5를 나열하면 되므로 구하는 자연수의 개수는
$2\times{}_4P_4=2\times4!=48$

답 48

04

□□□□□에 3, 4, 5를 나열한 후 남은 두 칸 중 앞에 1, 뒤에 2를 나열하면 된다.
따라서 구하는 경우의 수는 ${}_5P_3=5\times4\times3=60$

다른 풀이
다섯 자리 자연수의 개수는 $5!=120$
이 중 1이 2보다 앞에 오는 경우의 수와 2가 1보다 앞에 오는 경우의 수는 같으므로 구하는 경우의 수는
$120\div2=60$

답 60

05

(1) ${}_4P_4=4!=24$

(2) A□□D이므로 가운데 두 자리에 B, C를 세우면 된다.
따라서 구하는 경우의 수는
${}_2P_2=2!=2$

(3) B와 C를 한 묶음으로 보고, 3명을 일렬로 세우는 경우의 수는 ${}_3P_3=3!$
묶음 안에서 B와 C가 자리를 바꾸는 경우는 2가지
따라서 구하는 경우의 수는
$3!\times2=12$

답 (1) 24 (2) 2 (3) 12

06

A, B가 1, 2, 3 좌석에 앉고 나머지 3명이 4, 5, 6 좌석에 앉는 경우의 수는
${}_3P_2\times{}_3P_3=(3\times2)\times3!=36$
A, B가 4, 5, 6 좌석에 앉는 경우도 마찬가지이므로 구하는 경우의 수는
$36\times2=72$

답 72

07

(1) ${}_{20}C_{n^2}={}_{20}C_{5n-4}$ 또는 ${}_{20}C_{n^2}={}_{20}C_{20-(5n-4)}$이므로
$n^2=5n-4$ 또는 $n^2=20-(5n-4)$
(i) $n^2=5n-4$일 때
$n^2-5n+4=0$, $(n-1)(n-4)=0$
$\therefore n=1$ 또는 $n=4$

(ii) $n^2=20-(5n-4)$일 때

$n^2+5n-24=0$, $(n+8)(n-3)=0$

그런데 n은 자연수이므로 $n=3$

(i), (ii)에서 n의 값은 1, 3, 4이다.

(2) $\frac{(n+3)(n+2)}{2\times1}=\frac{(n+1)n}{2\times1}+\frac{n(n-1)}{2\times1}$

$n^2-5n-6=0$, $(n+1)(n-6)=0$

그런데 $n\geq3$이므로 $n=6$

답 (1) 1, 3, 4 (2) 6

08

각 팀이 다른 팀과 한 번씩 경기를 할 때 전체 경기 수는

${}_{10}C_2=\frac{10\times9}{2\times1}=45$

따라서 각 팀이 다른 한 팀과 치르는 경기 수를 n이라 하면 $45\times n=180$이므로 $n=4$

답 4

09

전체 경우의 수 ${}_{10}C_4$에서 A, B 둘 다 뽑지 않는 경우의 수를 빼면 되므로

${}_{10}C_4-{}_8C_4=\frac{10\times9\times8\times7}{4\times3\times2\times1}-\frac{8\times7\times6\times5}{4\times3\times2\times1}=140$

다른 풀이

A만 뽑는 경우는 A와 B를 제외한 8명에서 3명을 뽑아야 하므로 경우의 수는

${}_8C_3=\frac{8\times7\times6}{3\times2\times1}=56$

B만 뽑는 경우도 A만 뽑는 경우와 마찬가지이므로 경우의 수는

${}_8C_3=\frac{8\times7\times6}{3\times2\times1}=56$

A, B 둘 다 뽑는 경우는 A와 B를 제외한 8명에서 2명을 뽑는 경우와 같으므로

${}_8C_2=\frac{8\times7}{2\times1}=28$

따라서 구하는 경우의 수는

$56+56+28=140$

답 140

10

0끼리는 어느 것도 이웃하지 않게 나열하는 경우는 먼저 1을 나열하고 양 끝 및 사이사이에 0을 나열하면 된다.

자연수이므로 최고 자리 숫자는 1이다. 그림과 같이 0이 들어갈 수 있는 자리를 표시하면 3개의 0은 6개의 자리에 하나씩 들어갈 수 있다.

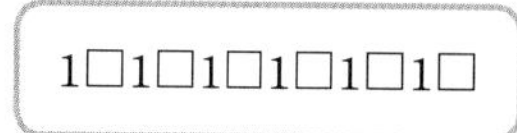

따라서 구하는 자연수의 개수는

${}_6C_3=\frac{6\times5\times4}{3\times2\times1}=20$

답 20

11

꼭짓점 12개에서 2개를 택하면 대각선이 하나 정해지므로 대각선의 개수는 ${}_{12}C_2$

그런데 각 점에서 이웃한 두 점을 택하면 대각선이 아닌 변이므로 변 12개는 빼야 한다.

따라서 십이각형의 대각선의 개수는

${}_{12}C_2-12=\frac{12\times11}{2\times1}-12=54$

다른 풀이

각 꼭짓점에서 그을 수 있는 대각선의 개수는

$12-3=9$

그런데 모든 꼭짓점에서 대각선을 그으면 2번씩 중복되므로 대각선의 개수는 $\frac{12\times9}{2}=54$

답 54

12

(1) 가로선 4개에서 2개, 세로선 5개에서 2개를 뽑으면 직사각형이 하나 정해지므로 직사각형의 개수는

${}_4C_2\times{}_5C_2=\frac{4\times3}{2\times1}\times\frac{5\times4}{2\times1}=60$

(2) 한 변의 길이가 1인 정사각형의 개수는 $4\times3=12$

한 변의 길이가 2인 정사각형의 개수는 $3\times2=6$

한 변의 길이가 3인 정사각형의 개수는 $2\times1=2$

따라서 구하는 정사각형의 개수는

$12+6+2=20$

답 (1) 60 (2) 20

13 전략 백의 자리와 일의 자리 숫자는 6을 뺀 1, 2, 3, 4, 5에서 택한다.

십의 자리 숫자가 6인 세 자리 자연수는 □6□ 꼴이다.
백의 자리와 일의 자리를 정하는 방법은 6을 제외한 숫자 5개에서 2개를 택하는 순열과 같으므로 경우의 수는
$_5P_2=20$
만들어진 20개의 세 자리 자연수에서 백의 자리와 일의 자리에 숫자 1, 2, 3, 4, 5가 각각 4번씩 나온다.
따라서 구하는 자연수의 합은
$(1+2+3+4+5)\times4\times100+6\times20\times10$
$+(1+2+3+4+5)\times4\times1$
$=6000+1200+60$
$=7260$

답 7260

14 전략 이웃하는 것을 한 묶음으로 보고 나열한다.

A, B를 한 묶음으로 보고 E, F를 제외한 C, D와 함께 나열하는 경우의 수는 3!
A와 B가 자리를 바꾸는 경우는 2가지
(AB), C, D를 나열한 다음 그 사이사이와 양 끝의 자리 4곳 중 2곳에 E와 F를 나열하는 경우의 수는 $_4P_2$

∨(AB)∨C∨D∨

따라서 구하는 경우의 수는
$3!\times2\times{}_4P_2=6\times2\times12=144$

답 144

참고 E와 F가 이웃하지 않는 경우는 E와 F가 이웃하는 경우의 여집합임을 이용해도 된다.

15 전략 (2) s와 t 사이의 두 문자를 포함하여 하나로 생각하고 나열한다.

(1) 모음은 o 하나뿐이므로 o를 제외한 문자 5개를 나열한 후, o를 맨 앞이나 맨 뒤에 놓으면 된다.
o를 제외한 문자 s, t, r, n, g를 일렬로 나열하는 경우의 수는 5!
o를 맨 앞이나 맨 뒤에 놓는 경우의 수는 2
따라서 구하는 경우의 수는
$5!\times2=120\times2=240$

(2) s□□t에서 □□에 문자를 나열하는 경우의 수는 s와 t를 제외한 문자 r, o, n, g 4개의 문자 중 2개를 택하여 일렬로 나열하는 것과 같으므로 $_4P_2$
s와 t가 서로 자리를 바꾸는 경우는 2가지
s□□t를 한 묶음으로 보고 3개의 문자를 일렬로 나열하는 경우의 수는 3!
따라서 구하는 경우의 수는
$_4P_2\times2\times3!=12\times2\times6=144$

답 (1) 240 (2) 144

16 전략 '적어도'는 여집합을 생각한다.

전체 경우에서 a, n, g가 모두 이웃하지 않는 경우를 빼면 된다.
a, n, g가 모두 이웃하지 않는 경우는 먼저 e, l을 □e□l□ 또는 □l□e□와 같이 나열하고 빈칸에 a, n, g를 나열하면 된다.
따라서 경우의 수는
$2\times{}_3P_3=2\times3!=12$
전체 경우의 수는 5!이므로 구하는 경우의 수는
$5!-12=120-12=108$

답 108

17 전략 1□□□□, 2□□□□ 꼴의 자연수의 개수를 차례로 구한다.

1로 시작하는 다섯 자리 자연수의 개수는 나머지 수 2, 3, 4, 5를 나열하는 경우의 수이므로 $4!=24$
2로 시작하는 다섯 자리 자연수의 개수도 마찬가지이므로 $4!=24$
3으로 시작하는 다섯 자리 자연수를 직접 작은 수부터 세어 보면 31245, 31254이므로 두 번째에 31254가 나온다.
곧, $24+24+2=50$이므로 31254는 50번째 수이다.

답 50번째

18 전략 두 영역이 만나는 경우와 세 영역이 만나는 경우는 색칠하는 방법이 다르다.

①, ②에 칠하는 경우의 수는 ${}_4P_2$이다.

(i) ③과 ⑤에 같은 색을 칠하는 경우

③, ④에 ②와 다른 색을 칠하면 되므로 경우의 수는 ${}_3P_2$

(ii) ③과 ⑤에 다른 색을 칠하는 경우

②와 다른 색 3개를 ③, ④, ⑤에 칠하면 되므로 경우의 수는 ${}_3P_3$

따라서 칠하는 경우의 수는

${}_4P_2\times({}_3P_2+{}_3P_3)=12\times(6+6)=144$

다른 풀이

영역 ①, ②, ③, ④, ⑤의 순서대로 색칠하는 경우의 수는 $4\times3\times3\times2\times2=144$

답 144

19 전략 가로줄을 먼저 고른 후 세로줄을 선택하는 경우의 수를 구한다.

가로줄 3개 중 2개를 고르는 경우의 수는 ${}_3C_2=3$

고른 가로줄 2개에서 서로 다른 세로줄 2개를 고르는 경우의 수는 순서가 있으므로 ${}_3P_2=6$

따라서 구하는 경우의 수는

$3\times6=18$

답 18

20 전략 (2) 상을 주는 전체 경우에서 같은 학교 학생 2명이 대상과 최우수상을 받는 경우를 빼는 것이 간단하다.

(1) 학교 6개에서 4개를 뽑고 각 학교에서 학생을 1명씩 뽑는 경우이므로 경우의 수는

$${}_6C_4\times(2\times2\times2\times2)=\frac{6\times5}{2\times1}\times16=240$$

(2) 상을 주는 전체 경우에서 대상과 최우수상을 받는 학생이 같은 학교인 경우를 빼면 된다.

상을 주는 전체 경우의 수는 ${}_{12}P_4$

대상과 최우수상을 받는 학교를 뽑는 경우의 수는 ${}_6C_1$, 이 학교 학생 2명에게 대상과 최우수상을 주는 경우의 수는 2, 나머지 10명 중 우수상, 장려상을 받는 학생을 뽑는 경우의 수는 ${}_{10}P_2$이므로 대상과 최우수상을 받는 학생이 같은 학교인 경우의 수는

${}_6C_1\times2\times{}_{10}P_2$

따라서 구하는 경우의 수는

${}_{12}P_4-{}_6C_1\times2\times{}_{10}P_2$

$=12\times11\times10\times9-6\times2\times(10\times9)$

$=12\times10\times9\times(11-1)$

$=10800$

답 (1) 240 (2) 10800

21 전략 (1) 인원수가 같은 모임이 r개이면 순서는 상관이 없으므로 $r!$로 나눈다.

(2) n모임으로 나누어 n대에 나누어 타는 경우의 수는 순열이므로 $n!$이다.

(1) 10명을 최대 4명으로 구성된 세 모임으로 나누면 (2명, 4명, 4명), (3명, 3명, 4명)이다.

(i) 2명, 4명, 4명으로 나누는 경우의 수는

$${}_{10}C_2\times{}_8C_4\times{}_4C_4\times\frac{1}{2!}$$

$$=\frac{10\times9}{2\times1}\times\frac{8\times7\times6\times5}{4\times3\times2\times1}\times1\times\frac{1}{2\times1}$$

$=1575$

(ii) 3명, 3명, 4명으로 나누는 경우의 수는

$${}_{10}C_3\times{}_7C_3\times{}_4C_4\times\frac{1}{2!}$$

$$=\frac{10\times9\times8}{3\times2\times1}\times\frac{7\times6\times5}{3\times2\times1}\times1\times\frac{1}{2\times1}$$

$=2100$

(i), (ii)에서 구하는 경우의 수는

$1575+2100=3675$

(2) 세 모임이 각각 다른 승용차 3대에 나누어 타는 경우의 수는 $3!$

따라서 구하는 경우의 수는

$3675\times3!=22050$

답 (1) 3675 (2) 22050

22 전략 조건에 의하여 a_5가 가장 큰 수이다.

가장 큰 수는 a_5이므로 $a_5=9$

1, 2, 3, …, 8에서 서로 다른 4개를 택하여 작은 수부터 차례로 a_1, a_2, a_3, a_4라 하고, 나머지 4개의 수를 작은 수부터 차례로 a_9, a_8, a_7, a_6이라 하면 된다.

따라서 구하는 경우의 수는

$${}_8C_4=\frac{8\times7\times6\times5}{4\times3\times2\times1}=70$$

답 70

23 전략 평행사변형은 가로 방향의 평행선 2개와 세로 방향의 평행선 2개로 결정된다.

그림과 같이 가로 방향의 평행선을 a_1, a_2, a_3, a_4, a_5라 하고, 세로 방향의 평행선을 b_1, b_2, b_3, b_4, b_5라 하자.

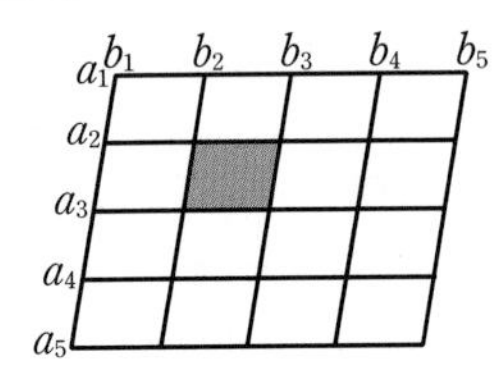

색칠한 부분을 포함하는 평행사변형은 가로 방향의 평행선 a_1, a_2 중 하나, a_3, a_4, a_5 중 하나를 택하고 세로 방향의 평행선도 마찬가지로 b_1, b_2 중 하나, b_3, b_4, b_5 중 하나를 택하면 된다.
따라서 구하는 평행사변형의 개수는
$({}_2C_1\times{}_3C_1)\times({}_2C_1\times{}_3C_1)=6\times6=36$

답 ③

24 전략 공의 개수가 1인 상자가 존재하도록 공의 개수를 먼저 분류한다.

공의 개수를 분류하고 그 다음 상자에 들어갈 개수를 나열해 보면

(i) 공의 개수가 (3, 1, 0, 0)인 경우
공을 3개, 1개로 분류하는 경우의 수는
${}_4C_3\times{}_1C_1=4$
3, 1, 0, 0을 일렬로 나열하는 경우의 수는 상자 4개 중 2개를 골라 나열하는 경우의 수와 같으므로
${}_4P_2=4\times3=12$
$\therefore 4\times12=48$

(ii) 공의 개수가 (2, 1, 1, 0)인 경우
공을 2개, 1개, 1개로 분류하는 경우의 수는
${}_4C_2\times{}_2C_1\times{}_1C_1\times\frac{1}{2!}=6$
2, 1, 1, 0을 일렬로 나열하는 경우의 수는 서로 다른 상자 4개를 나열하는 경우의 수와 같으므로
${}_4P_4=4!=24$
$\therefore 6\times24=144$

(iii) 공의 개수가 (1, 1, 1, 1)인 경우
공을 분류하고 상자를 일렬로 나열하는 경우의 수는 서로 다른 상자 4개를 나열하는 경우의 수와 같으므로
${}_4P_4=4!=24$

(i), (ii), (iii)에서 구하는 경우의 수는
$48+144+24=216$

답 ④

참고 공의 개수가 (2, 1, 1, 0) 또는 (1, 1, 1, 1)에서 1이 같은 숫자라 생각하고 나열하면 안 된다.

memo

memo